美術解剖学とは何か

JN121161

加藤公太

『ラオコーン群像』(前45年頃、ピオ・クレメンティーノ美術館蔵)に、
骨格を推測して描き込んだもの。筆者作成

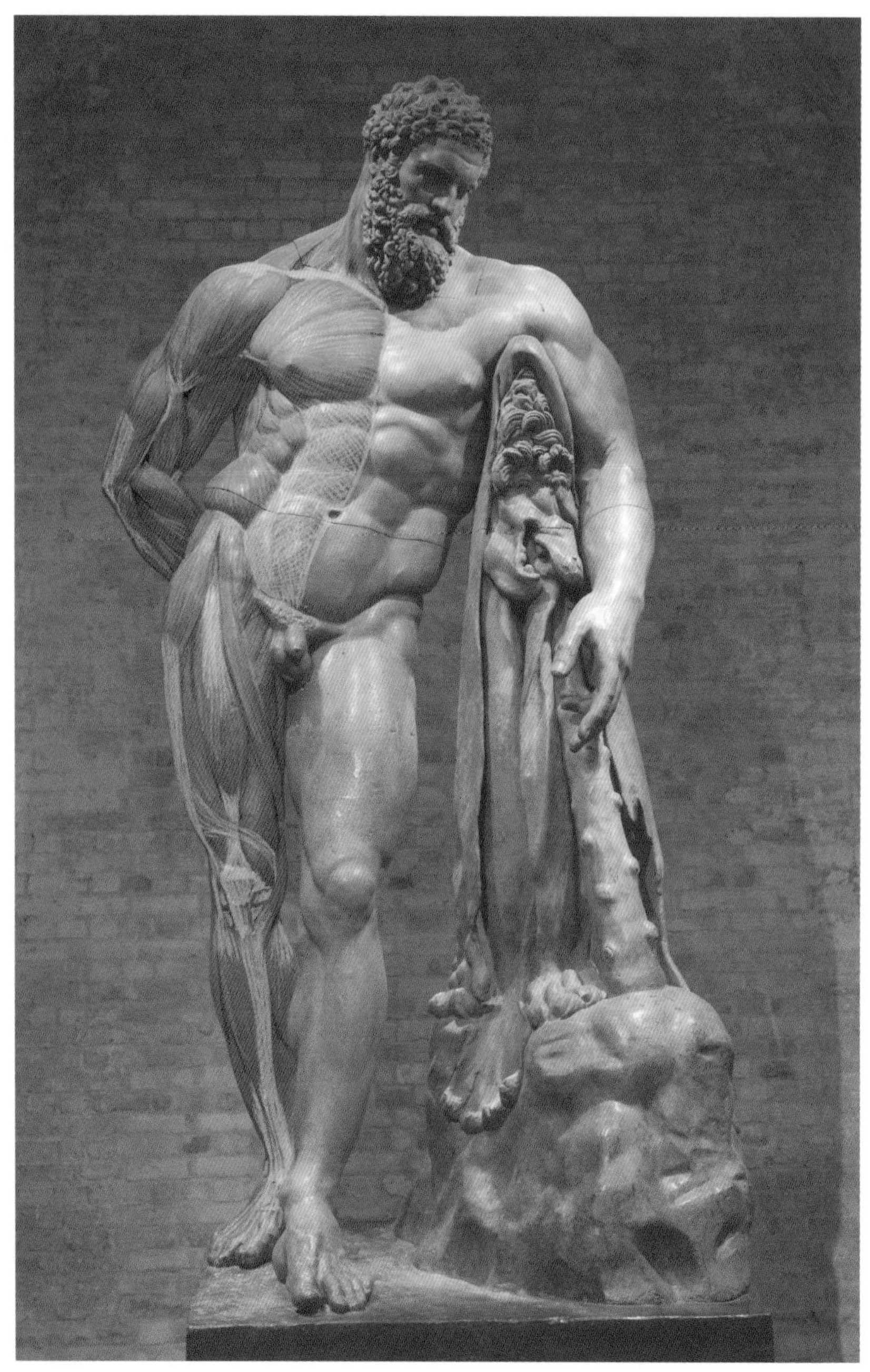

筆者によるスーパーインポーズ図。『ファルネーゼのヘラクレス像』（王立美術院の石膏像）の写真の上に筋を推測して加筆。筆者作成

1-1-2（本文13ページ）

フランス国立自然史博物館に展示されたエドム・ブーシャルドン（Bouchardon, Edme. 1698-1762）によるムラージュ。筆者撮影

1-6-5（本文31ページ）

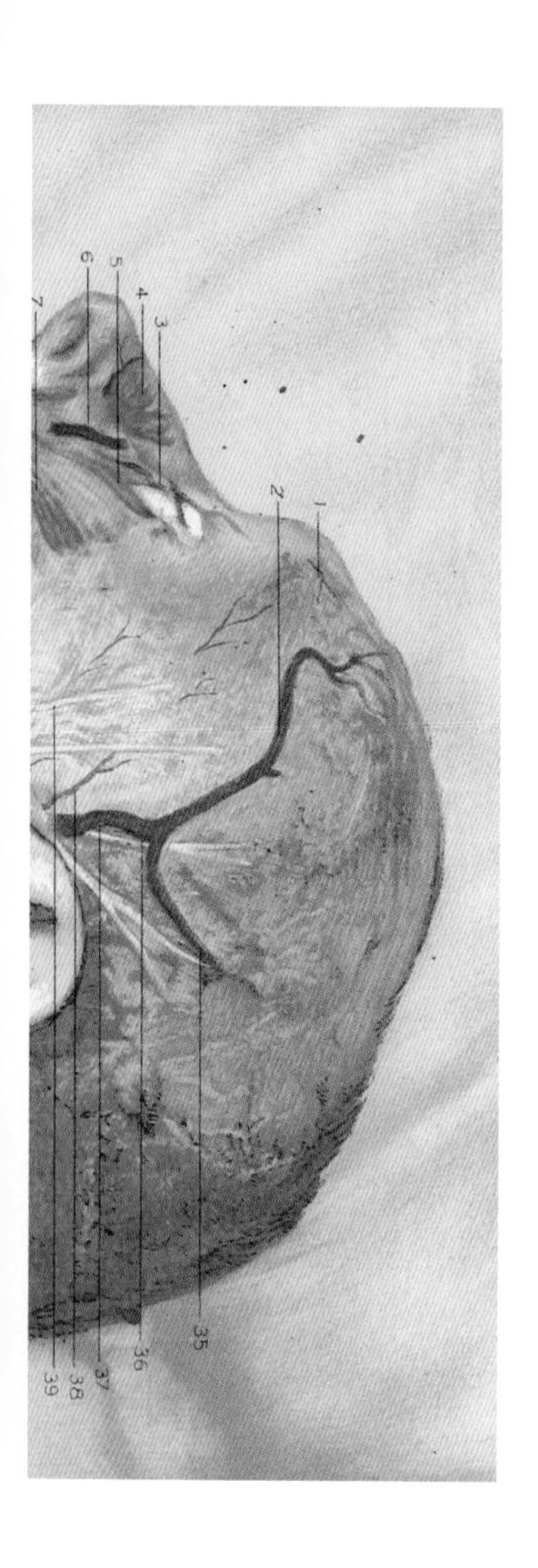

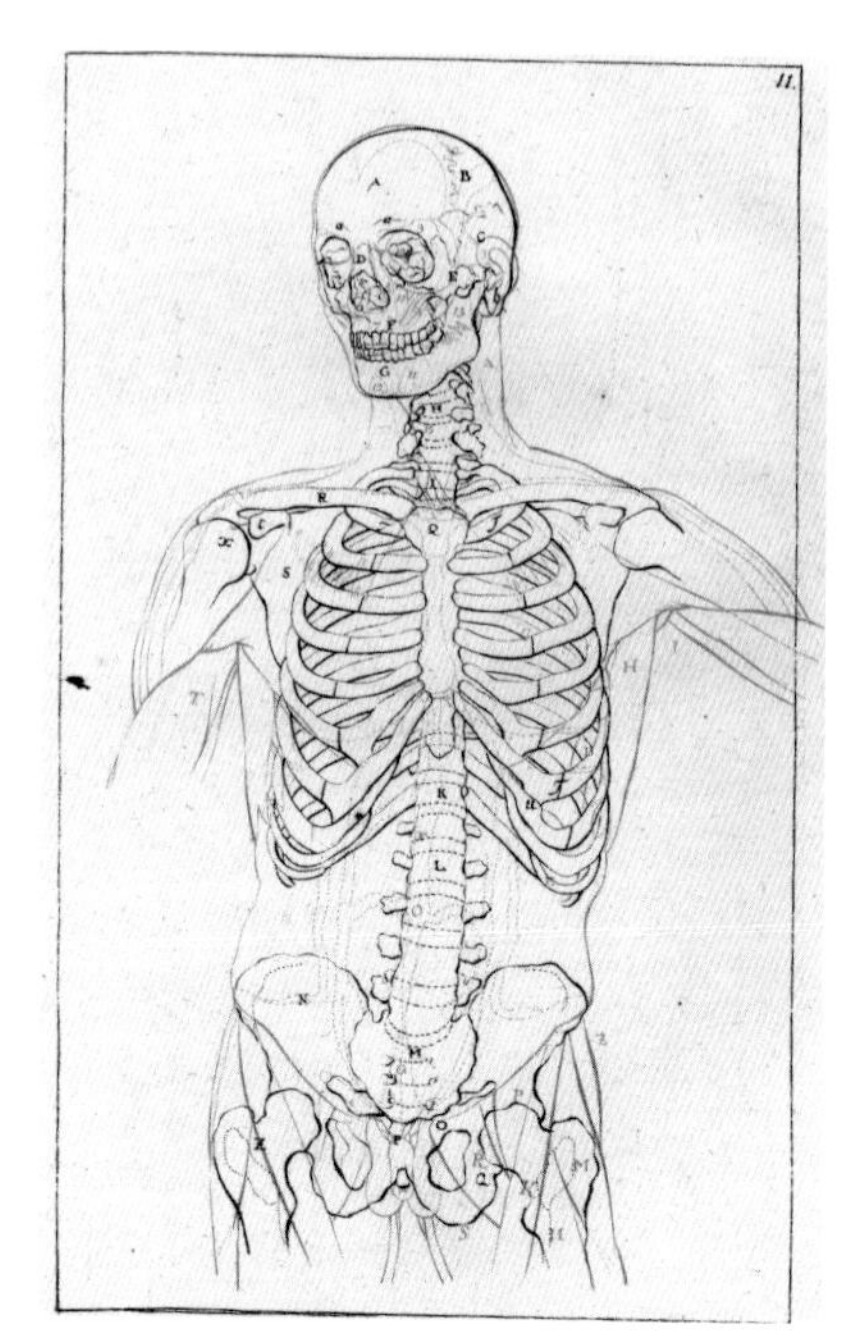

ラヴァテルによるオーバーラップ図（1797）。筆者蔵

1-9-10（本文48ページ）

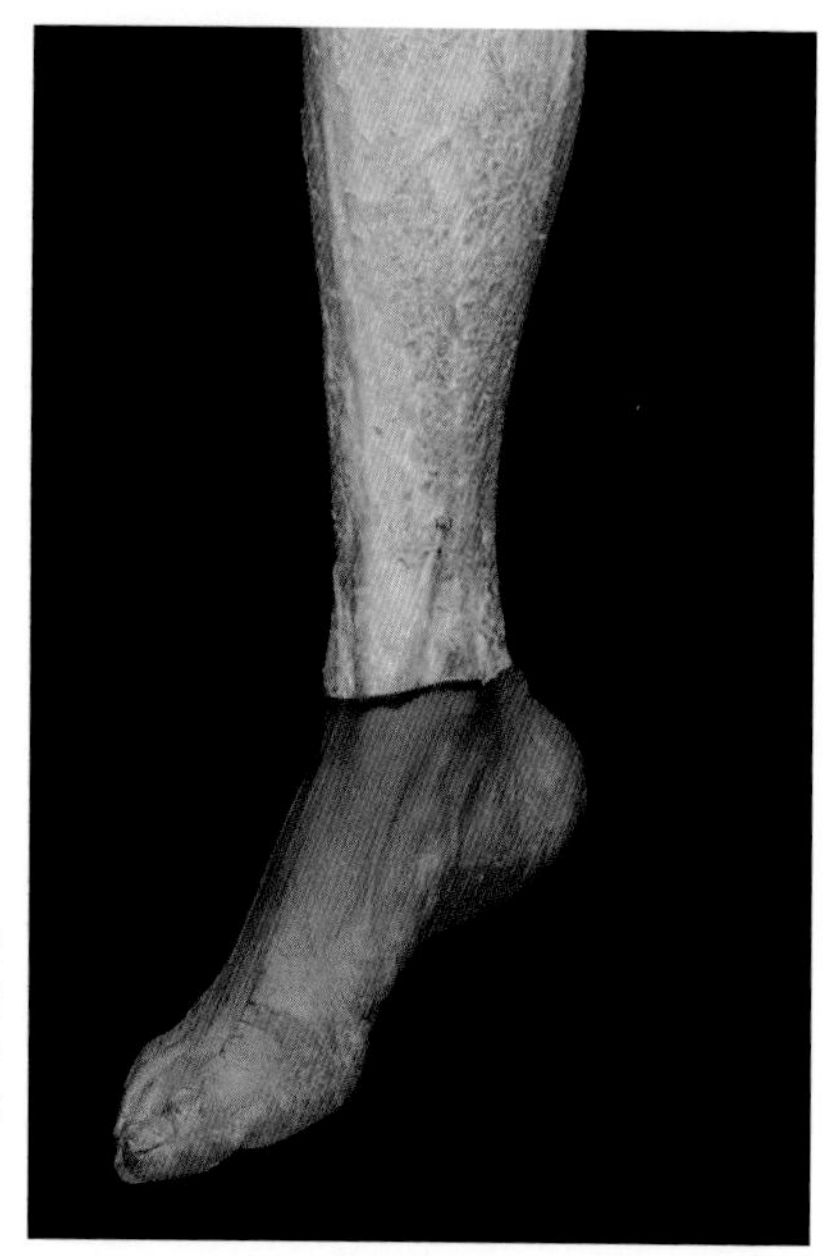

実際の解剖体の右足。足首から上を剝皮した状態。黄色っぽいのが脂肪細胞とその間にあるややベージュ色の部分が結合組織。

2-8-1（本文95ページ）

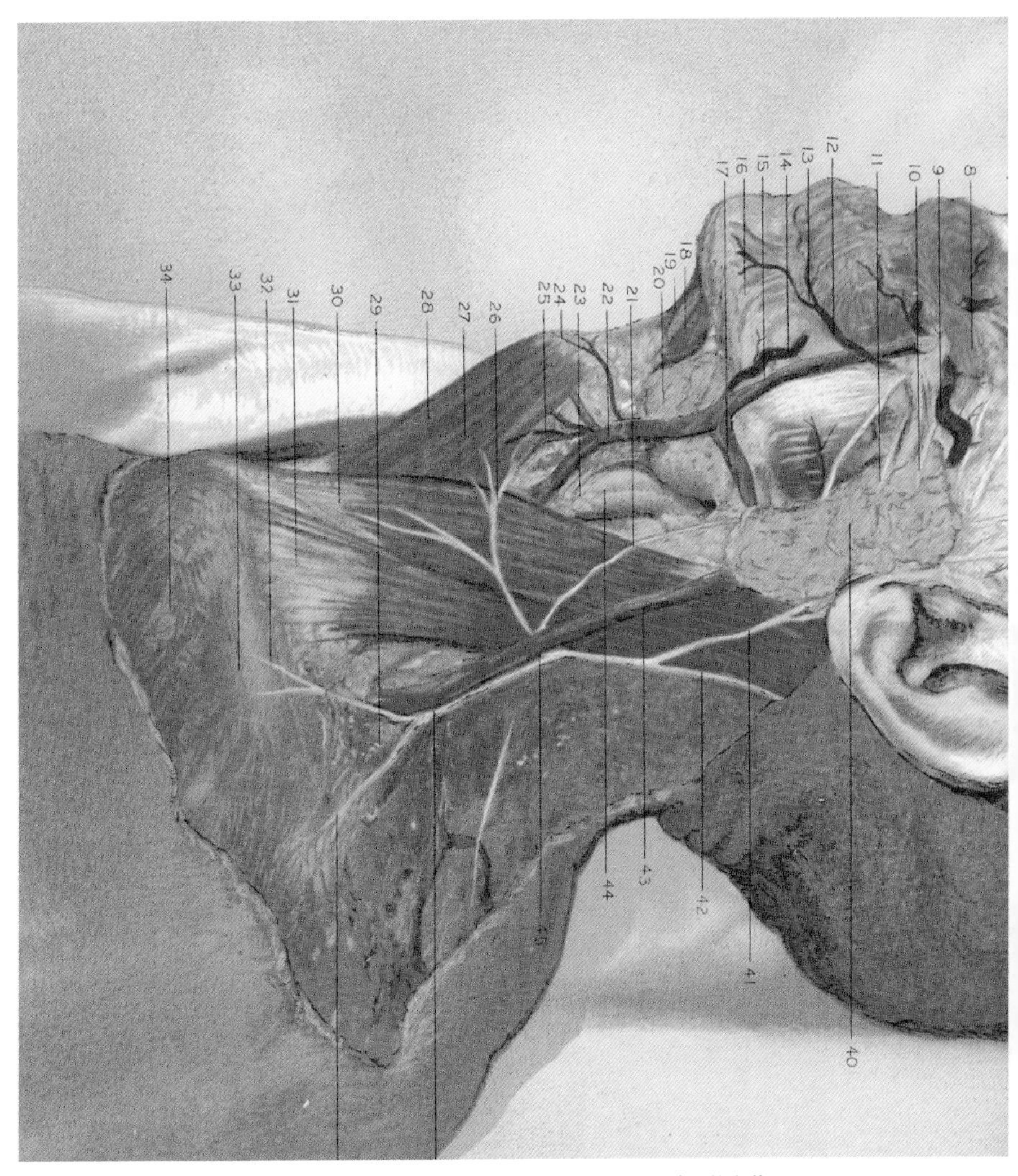

ジョージ・マクレランの教科書に掲載された解剖写真。モノクロ写真の上に彩色。筆者蔵

2-3-1（本文81ページ）

フォーの小型版教科書に掲載された表情筋の色彩。やや白っぽく描かれている。筆者蔵

2-13-2（本文107ページ）

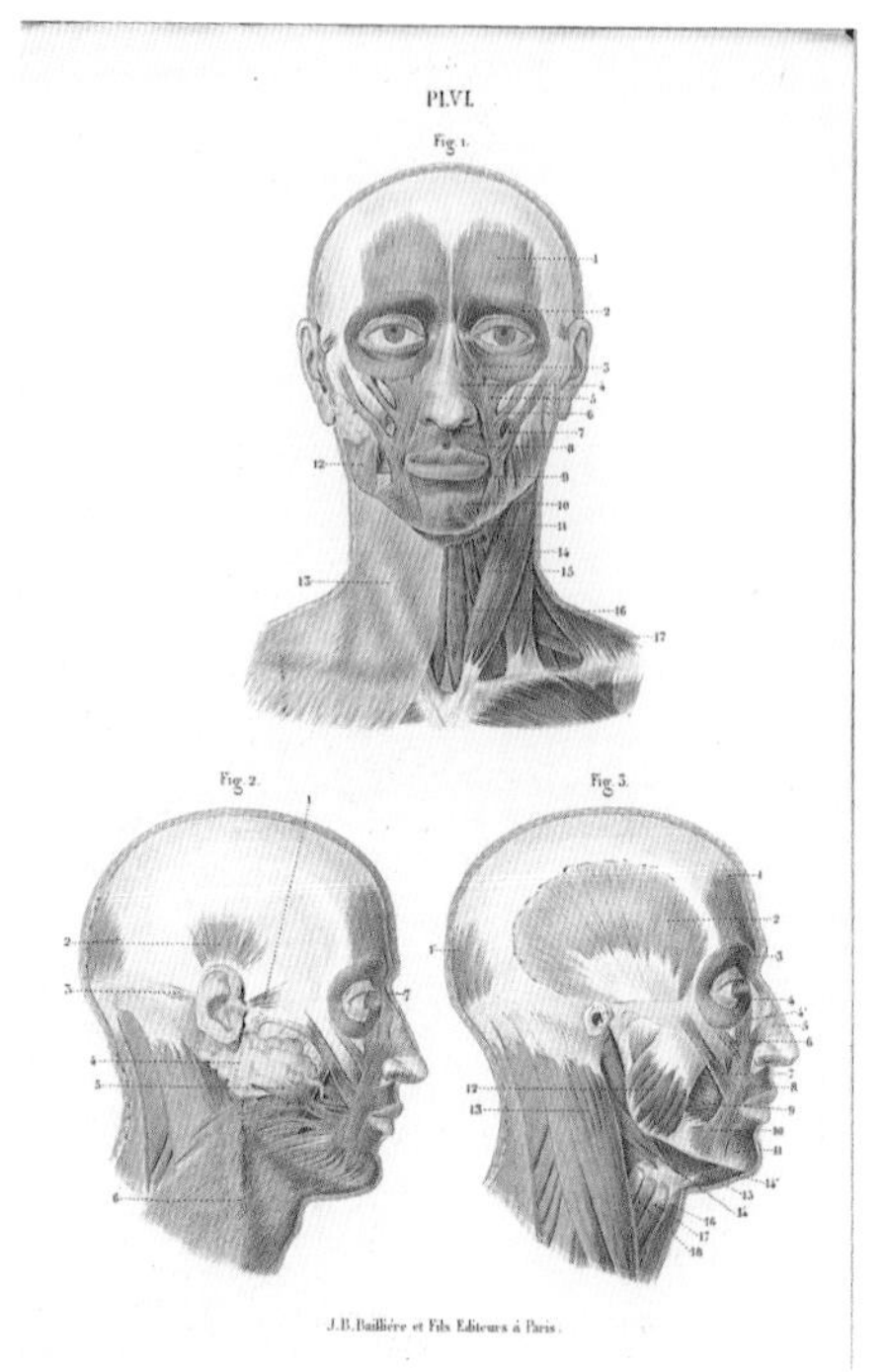

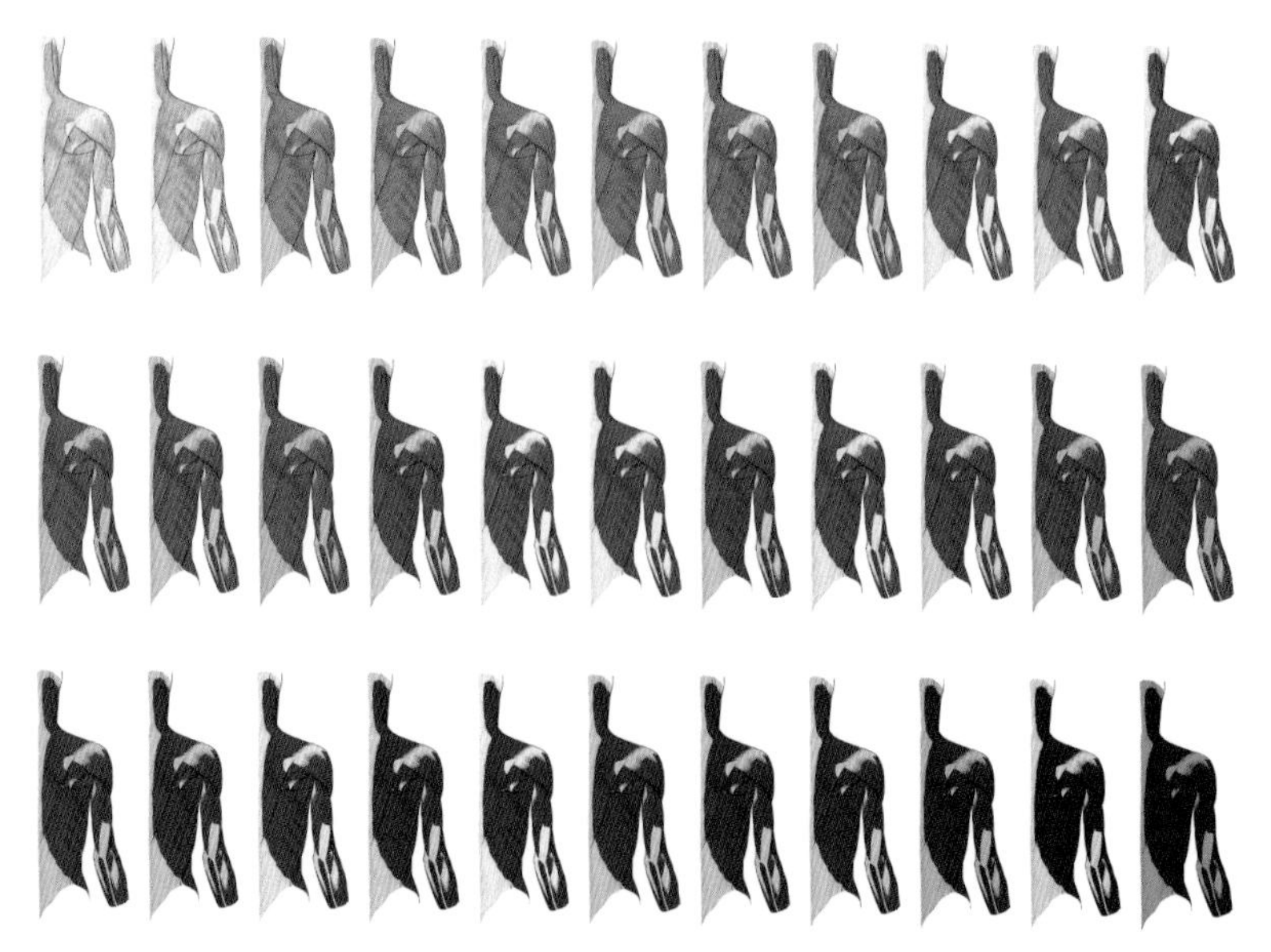

骨格筋の色彩に関する研究。解剖体の組織に近い色を絵具で調色し、合わせてRGBの近似値を導き出した。筆者作成

2-13-3（本文108ページ）

フォーの教科書に掲載された『ラオコーン』の解剖図。古典彫刻を解剖するというアイデアは、サルヴァージュからの継承。筆者蔵

4-12-4（本文220ページ）

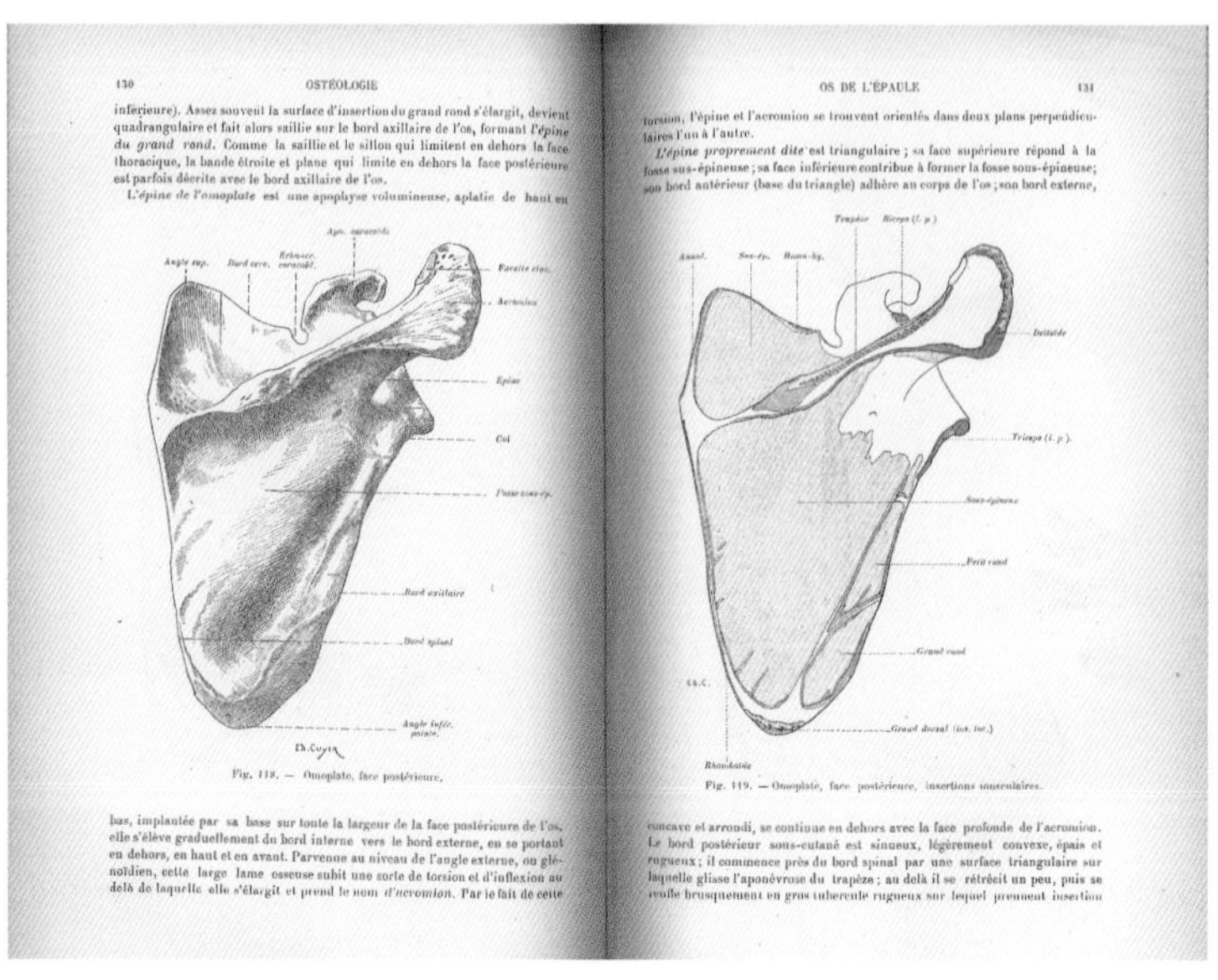

130 OSTÉOLOGIE

inférieure). Assez souvent la surface d'insertion du grand rond s'élargit, devient quadrangulaire et fait alors saillie sur le bord axillaire de l'os, formant *l'épine du grand rond*. Comme la saillie et le sillon qui limitent en dehors la face thoracique, la bande étroite et plane qui limite en dehors la face postérieure est parfois décrite avec le bord axillaire de l'os.

L'épine de l'omoplate est une apophyse volumineuse, aplatie de haut en

Fig. 118. — Omoplate, face postérieure.

bas, implantée par sa base sur toute la largeur de la face postérieure de l'os, elle s'élève graduellement du bord interne vers le bord externe, en se portant en dehors, en haut et en avant. Parvenue au niveau de l'angle externe, ou glénoïdien, cette large lame osseuse subit une sorte de torsion et d'inflexion au delà de laquelle elle s'élargit et prend le nom *d'acromion*. Par le fait de cette

OS DE L'ÉPAULE 131

torsion, l'épine et l'acromion se trouvent orientés dans deux plans perpendiculaires l'un à l'autre.

L'épine proprement dite est triangulaire ; sa face supérieure répond à la fosse sus-épineuse ; sa face inférieure contribue à former la fosse sous-épineuse; son bord antérieur (base du triangle) adhère au corps de l'os ; son bord externe,

Fig. 119. — Omoplate, face postérieure, insertions musculaires.

concave et arrondi, se continue en dehors avec la face profonde de l'acromion. Le bord postérieur sous-cutané est sinueux, légèrement convexe, épais et rugueux ; il commence près du bord spinal par une surface triangulaire sur laquelle glisse l'aponévrose du trapèze ; au delà il se rétrécit un peu, puis se renfle brusquement en gros tubercule rugueux sur lequel prennent insertion

ポール・ポワリエの解剖学書に掲載されたフットプリント図

3-3-7（本文129ページ）

ヘッケルの発生図。黄色の部分が外胚葉。脳と皮膚が同じ色で示されている。筆者蔵

5-0-1（本文272ページ）

まえがき

自己紹介で「美術解剖学を研究しています」と言うと、「美術解剖学ってなんですか?」「そんな学問があるんですか?」とよく聞かれる。もしくは、「レオナルド・ダ・ヴィンチの研究していたやつですね」と言われることもある。稀(まれ)にミケランジェロやラファエッロの名前も出るが、他の作家名はまず出ない。

レオナルドが大量の解剖スケッチを残したように、芸術家が解剖学を学んだということは知っているが、なぜ学ぶか、誰が学んだか、という踏み込んだ話題は少ない。そうした美術解剖学への理解の浅さに反して、美術解剖学の翻訳書は多数出版され、それらがよく売れているそうだ。現代では、漫画やアニメ、3DCGなどを制作する人が増え、人体表現の技術に対する関心は高まっている。

本書は、この「美術解剖学」という学問について解説したものである。美術解剖学を学ぶと、人体の表現は上達する。なぜ上達するのか、どのように教えているか、ということを、様々な資料を元に読み解いた。

美術解剖学について学ぶ美術系の人だけでなく、美術解剖学という言葉に興味を持った一般の読者もいるだろうから、なるべく写真や図を多用し、本文の内容をイメージしやすいようにつとめた。

構成は、「美術解剖学とは何か」をテーマに、大まかに「内容の分類」「実体験」「人体の見どころ」「歴史」に分け、私がこれまで行ってきた美術解剖学に関する調査、研究、資料、個人的体験をまとめている。

美術解剖学は芸術と医学の間にある学問だが、そもそも学問かどうかも曖昧で、学問ではないと主張する人もいるほどだ。

美術解剖学が専門的な学問として認められていない理由の一つに、歴史上、専門の研究者がいないということが挙げられる。「〇〇学者」という専門家がいない領域は、複数の領域を合わせた複合領域や新興領域にしばしば見られる。

例えば、看護学校などに「解剖生理学」という授業があるが、解剖生理学者と名乗っている人は聞いたことがない。教えているのは解剖学か生理学のどちらかを専門とする教員である。同じように、解剖学者や美術家、美術講師という職業はあっても、美術解剖学者という職業は存在しない。

しかし、歴史を調査すると美術解剖学を大きく更新した「美術解剖学者」と呼ぶべき人物が何人か存在することがわかる。代表的な人物の一人は、第4章で紹介するフランスの医師ポール・リシェである。彼は美術と解剖学の両方で非常に高いレベルの見識を持ち、人体にまつわる形態と構造を作品や図として表現することができた。

美術と解剖学という別々の学問を修めることは、普通に考えれば技能や知識の量が2倍になる。医師と芸術家を兼任するようなもので簡単なことではないが、彼の場合は実際にそれができた。文武両道ならぬ医芸両道である。

学問などの領域は誰かが便宜上決めた境界であって、人体という対象に先入観なく取り組んでみれば、美術や医学の垣根を越境できる。それは本書で紹介する過去の芸術家や医師たちが証明してくれている。

美術解剖学は、他の美術教育と同様、歴史の表舞台に立つことはない。しかし、その舞台裏で多くの作家たちを育て、輩出してきた。

例えば、オーストリアの画家エゴン・シーレは、ウィーン美術アカデミーの美術解剖学講師ヘルマン・ヘラーに師事し、一時はヘラーと共同のアトリエで制作していた。アメリカの画家ジョージア・オキーフは解剖学を教えていた素描講師のジョン・ヴァンダーポールを「本物の教師の一人」と述懐している。シーレやオキーフの作品の根底には、美術解剖学が流れている。

詳しいことは本文で紹介することにして、美術解剖学とは何かについて、これまでの教科書には掲載されにくかったことがらも含めて、紐解(ひもと)いていくことにしよう。

[目次] contents

[第1章] 美術解剖学とは何か

第2章 ある美術解剖学者の記録

［第３章］

人体の名勝（めいしょう）

［第4章］

美術解剖学の歴史を築いた人物たち

• 第 1 章 •

美術解剖学とは何か

§1-1 美術解剖学とは何か

この章では、美術解剖学の内容と種類、目的と効用などを解説していく。一口に美術解剖学といっても、その内容や目的は様々で、漠然としたイメージで捉えられているのではないだろうか。ここで紹介するのは、西洋美術において主に人体表現を中心に継承されてきた内容であり、そこから派生した美術研究などはあまり含まれない。

美術解剖学とは何か、と聞かれたら「美術のために応用された解剖学」と、今の私は答える。当たり前じゃないか、と思われるかもしれないが、この一文から読み取れる情報は多い。

まずは「美術のために」という点から読み解いてみたい。美術解剖学は、芸術全般ではなく、「美術」、すなわち視覚芸術が対象ということである。視覚芸術には、絵画や彫刻、写真、ダンスや演劇などの身体表現があるが、20世紀以降の美術解剖学では、アニメーション、漫画、3DCG、ゲームといった人体や生物を扱う頻度の高い領域からも需要がある。

実際に講師をしていると、受講生はこうした新しい領域のクリエイターやそうした職業を目指している方がほとんどで、ファインアートの作家はかなり少ない。現場に出てから、解剖学の知識が必要になるのだろう。

視覚芸術ではないので、音楽は含まれない。これは、解剖学が形についての学問、形態学の一分野であることと関係している。音楽には、譜面や楽器、演奏者などが必要だが、奏でられた音そのものには形態がない。譜面や楽器といった物体の方は美術解剖学に関連する可能性があるが、それは「音楽に関係する」視覚芸術ということになるだろう。

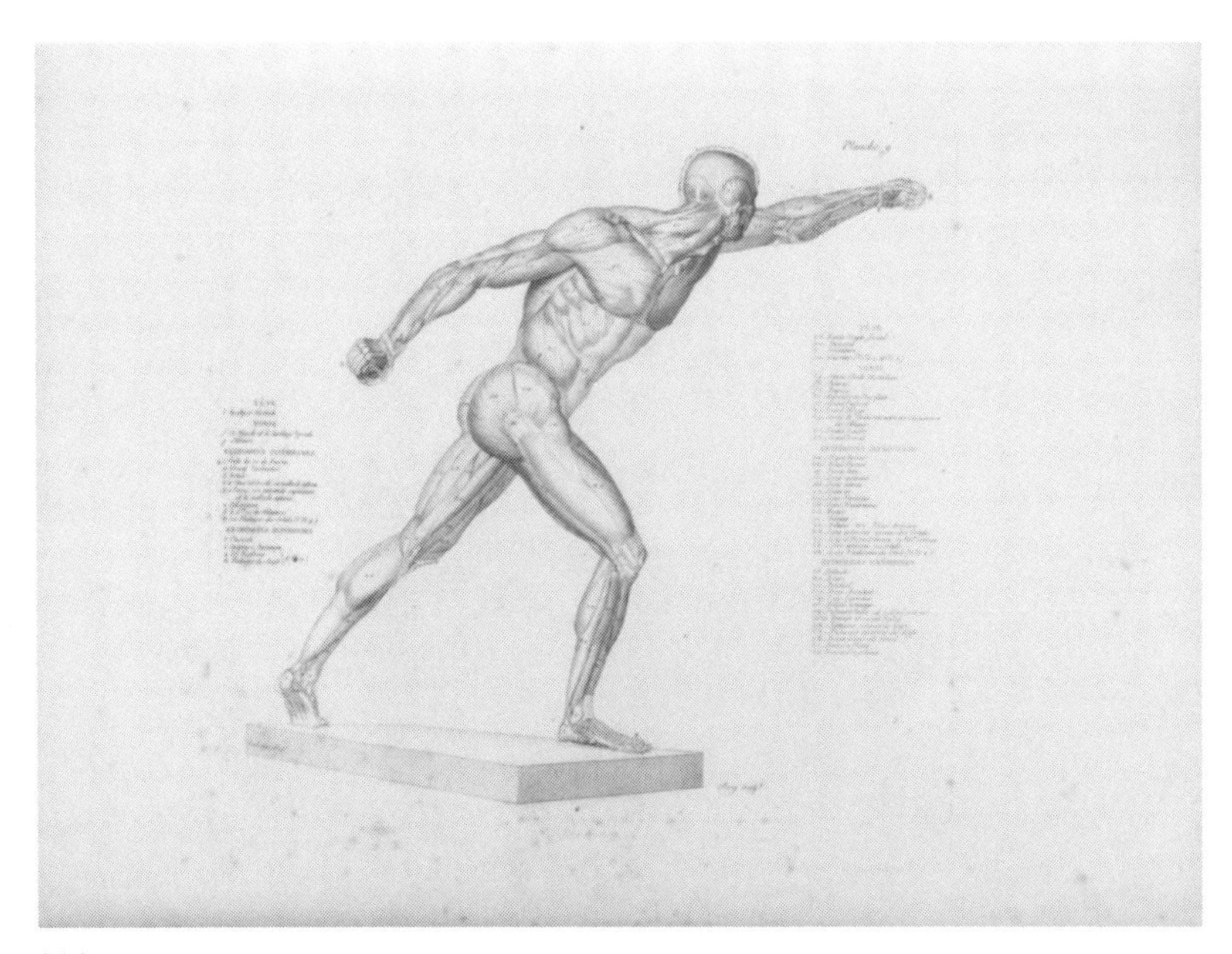

1-1-1
サルヴァージュ『闘士の解剖学』(1812)。解剖図のモデルは、ルーヴル美術館の『ボルゲーゼの闘士』。筆者蔵

1-1-2（口絵）
筆者によるスーパーインポーズ図。『ファルネーゼのヘラクレス像』（王立美術院の石膏像）の写真の上に筋を推測して加筆。筆者撮影

その次の「応用された」という部分は、医学で教えられている解剖学そのものではなく、美術向けに調整されていることが窺える。応用の具体例としては、8頭身が理想とされる人体プロポーションや古典彫刻の解剖図などがある。これらは医学領域の解剖学にはない。

人体彫刻の解剖は、16世紀末頃には解剖図、17世紀には解剖模型が制作された。

彫刻をどうやって解剖するかというと、主に外形から観察できる起伏を手がかりにして、内部構造を推測していく。この手法は「スーパーインポーズ（superimpose）」と呼ばれる。絵画では、輪郭線の中に骨や筋などを推測して描き、彫刻では、体表に見える筋の間の溝を深く彫り込んでエコルシェ（皮剝ぎの意、筋肉模型のこと）を作成する。これは外形の起伏がどのような内部構造でできているかを知っていれば、さほど難しくない。

古典彫刻を文字通り解剖するということは、人体を表現した作品を解析したり、批評したりすることにもつながる。実際に日本の美術解剖学では、美術作品を解析する研究も行われていた。東京藝術大学で教鞭を執った西田正秋（1901－88）の研究をまとめた『人体美学——美術解剖学を基礎として』（上下巻、1992－93、現代社）が代表例である。

美術解剖学では、主に骨や筋といった運動器を扱う。医学のように内臓や血管、神経などは含まれない。骨や筋は人体の外形の大部分を構成する要素のため、絵画や彫刻など、造形と親和性が高い。

また、筋が収縮して骨を動かす運動も含まれる。これは運動学や運動生理学と呼ばれる学問に属する。このほか、体表の起伏がどのような内部構造によるものかを示す体表解剖学、ヒト以外の動物を解説する動物学や比較解剖学も含まれる。

運動生理学と体表解剖学は、それぞれ19世紀の中頃に美術解剖学に導入され、動物の解剖学は18世紀頃から詳細な図譜が現れ始めた。

最後の「解剖学」は、人体や動物、生物の内部構造、体の成り立ち、形態、構造などを理解する学問のことである。美術解剖学では、主に人体解剖学と、美術でしばしば表現されるウマやライオンなどの動物解剖学が扱われる。ごく稀な例では植物を扱った美術解剖学書（Cole.『The artistic anatomy of trees』１９２０）などもある。

美術解剖学の根本である解剖学が「学」と名のついた学問（ology）であることは、重要な要素である。学問とは、一定の理論に基づいて体系的に編纂された知識と方法のことを指す。解剖学で言えば、頭の頂点からつま先まで、もしくは中枢から末梢まで、系統立てて順序よく網羅的にまとめられていることである。したがって、櫛の歯が抜けたような情報をまとめたものは、厳密には学問には含まれないか、未だ学問として成立していない。

解剖学の教科書は、近代解剖学の始祖、アンドレアス・ヴェサリウスによる『ファブリカ』（１５４３）の出現以降、約５００年かけて編纂されてきた。今日の美術解剖学の教科書や教育方法は、先人達の研究の蓄積によって、順序立てて系統的に学べるように編纂されており、美術解剖学もその恩恵を受けている。

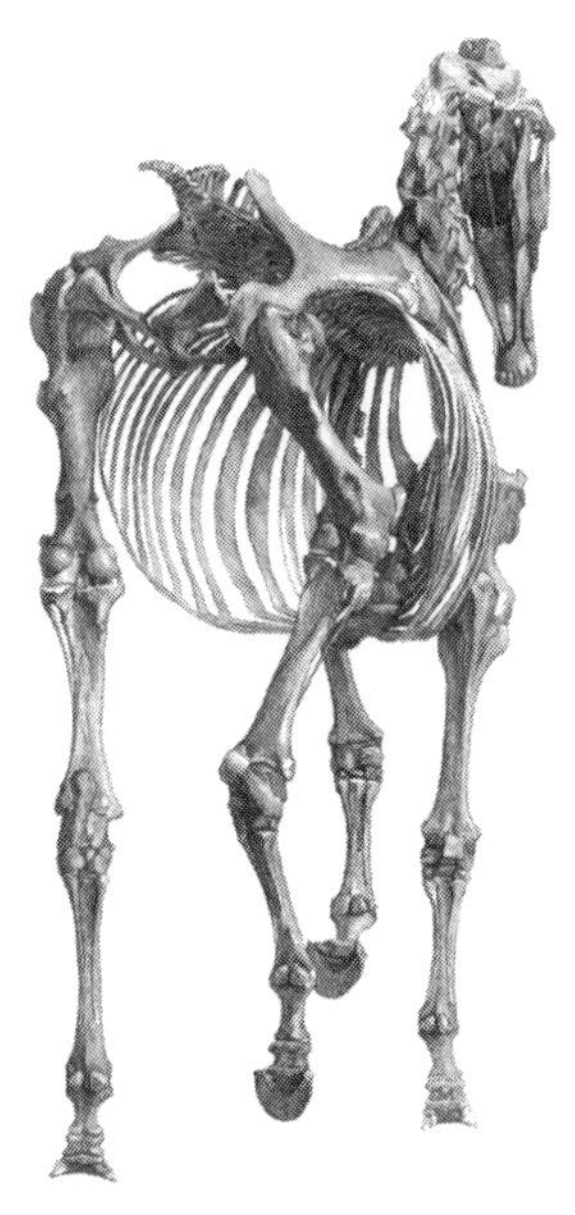

1-1-3　スタッブス『馬の解剖学』（1766）の骨格図。筆者蔵

§1-2 美術と医学の間で

美術解剖学は、美術と医学のちょうど中間にある領域である。美術解剖学の研究者や教員は、歴史上、美大と医大の両方に在籍経験がある人が多い。私も現在は東京藝術大学（美術学部）と順天堂大学（医学部）の両方に在籍している。

少し堅苦しい内容から脱線して、個人的な体験を書くが、美術解剖学を専門としてからというもの、美術学部時代の旧友に会うと医学に転向したと思われ、医学部のスタッフや学生からは芸術家と思われる。言葉の通りに捉えれば、私はどちらの領域にも所属していないらしい。

垣根という概念の強さを感じる瞬間だが、思い返せば、解剖学も人体という範囲のないものに人為的な範囲を見出す点は似たようなところがある。実際に美術解剖学に取り組んできた私見を書くと、美術解剖学は芸術と医学の間で、やや美術寄りの領域に感じる。

美術と医学の間にある領域としては、このほかにメディカルイラストレーション領域がある。メディカルイラストレーションとは、手術・手技や、病態を図や模式図などで表した医療のための絵画ないし模型などのことであるが、学問領域を示す「○○学」のような用語がまだ存在しないため、本書では暫定的にメディカルイラストレーション領域と表記する。この領域で作成されたイラスト作品は、患者の方や専門外の人に専門性の高い内容をわかりやすく伝えるコミュニケーション的側面を持つ。

メディカルイラストレーションを手がける専門の画家は「メディカルイラストレーター」と呼ばれ、厳密には20世紀初頭のアメリカ、ジョンズ・ホプキンス大学で生まれた。それ以前にも解剖図を描く画家はいたが、そうした画家は一般的な美術大学の出身であり、医療用絵画専門の訓練を受けていない。

ジョンズ・ホプキンス大学をはじめとするいくつかの研究機関では、メディカルイラストレーターを育成するための専門コースを設置している。日本でも岡山県の川崎医療福祉大学に専門のコースがあり、2016年にはそこの教員が中核となって日本メディカルイラストレーション学会が発足した。私もコアメンバーの一人として関わらせていただいている。

このメディカルイラストレーション領域は、美術と医学の間で、やや医学寄りの領域である。美術解剖学とは目的が大きく異なり、作品の最終的なアウトプット先は「医学」である。専門性の高さから、イラストレーターが独自に制作することは少なく、医師や医療従事者とのコラボレーションが必要という点も特徴の一つである。

これに対して美術解剖学の最終的なアウトプット先は、絵画や彫刻、デザイン、漫画、アニメーション、ゲームなどの「美術」である。医師や医療従事者などの専門家とコラボレーションする必要はない。

ただし、美術解剖学の教員に関しては、医師などの医学領域の人物、もしくは医学や人体解剖を十分体験した芸術家が多い。人体解剖を行ったことがある人と、教科書を読んで覚え調べただけの人とでは、知識と経験、実感に大きな差があるからだろう。

解剖学用語や解剖図は、教科書やネットを使用すれば誰でも調べられる。しかし、物質の持つ大きさ、質感、重さ、やわらかさ、奥行きなど触覚的情報はそれらからは得られない。また、教科書を見比べると書いてあることが微妙に異なることに気づくだろう。そうした場合に、実物を知っていなければ、内容や図のディテールなどの違いに対してどれがより正しいか、またどちらも正しいのかといった判断がつかない。

何事もそうだが、現場を体験している人の方が、博識である。体験していない人は、情報をコピーしたり、自分なりの解釈を加えたりするため、伝言ゲームのような情報の劣化が起こる。したがって、美術解剖学を学ぶ場合は、できる限り解剖学の現場の人の意見を見聞きする方が誤解が少ない。

老子に「知者不言、言者不知（知る者は言わず、言う者は知らず）」という句があるが、新しい情報を知ると、その喜びのあまりつい他者に紹介してしまいたくなる。SNSに投稿することもあるだろうし、調べた知識で講習会を開く人もいるだろう。

個人が得た知識を簡単に伝えられるようになったのは、情報技術が洗練されて良い時代になったということだ。しかし、生半可な知識や誤解に基づいた情報を広めれば、それが患者の人生に関わる可能性があるということを覚えておいてほしい。

これは飛躍した話ではなく、美術解剖学は鍼灸（しんきゅう）師や理学療法士などコ・メディカル（co-medical、医師と看護師以外の医療従事者のこと）領域にも興味を持っている人々が少なからずおり、そうした人たちにも影響を与えうる。

§1-3 美術解剖学を学べば「見る目」が養われる

芸術家が解剖学を学ぶ意義とその効用は、概（おお）ね以下のように表現される。

「人体をモチーフにした美術作品の制作において、体表に現れた起伏がどのような内部構造に起因しているかを解剖学的に知ることで、それらの起伏が具体的に把握できるようになる。その結果、作品に表現された人体の外形の写実性が向上する」

この後には、以下のような文言が付け加えられる。

「人体をデフォルメする場合でも、一旦、人体構造の全てを理解した上で要素の抽出・省略を行うと実存感のある形になる」

デフォルメ、すなわち人体の特徴を誇張、簡略化する表現に関しても美術解剖学は効果を発揮する。例としては、エゴン・シーレの絵画がある。シーレは美術解剖学の講師ヘルマン・ヘラーに学んだ。シーレの人物画は、美術解剖学的な知識があった上で描いているので、描かれた体の起伏を解剖学的に説明できる。美術解剖学を学んだ人であれば、シーレの絵画に描かれた骨の隆起や筋の溝などが何か判別がつくだろう。

このことは作品が鑑賞に堪(た)えるかどうかにも関わってくる。そもそも「鑑賞に堪える」というのはどういうことだろうか。

何かを観察していると、じわじわと形や空間を発見していく。観察対象が自然物であれば、優れた自然の造形をいつまでも観察することができる(=鑑賞に堪える)が、美術作品などの人工物を長く見続けると、粗が見えたり、不自然な箇所が気になるようになる。不自然さや破綻を作品の中に見つけてしまうと、作品に飽きたり、作品の価値が下がってしまう。そうした状態のことを、「鑑賞に堪えない」と言う。

美術解剖学は、人体や生物をモチーフにした作品をより自然な状態にする、すなわち鑑賞に堪えるようにするための知識で、うまく扱うことができれば、長く鑑賞しても飽きがこない作品を生み出す可能性が高まる。

作家が美術解剖学を学んでいるかどうかは、作品を見ればある程度判断することができる。

解剖学の美術への導入は、15世紀のルネサンスのフィレンツェで始まった。それ以前の人体表現と大きく異なる点の一つは、筋と筋の間の溝がきちんと表現されるようになったことである。

内部構造を知ると、体表観察をした際にも内部構造を体表から透過させて見ることができるようになる。

体表に現れる淡い溝がどこに向かって、どことつながっているかといった判別だけでなく、体表から観察したときには見えにくい構造や形態の判断も可能になる。体表観察をしただけだと、画家の中に「構造を見る目」が養われていないので中身が入っている

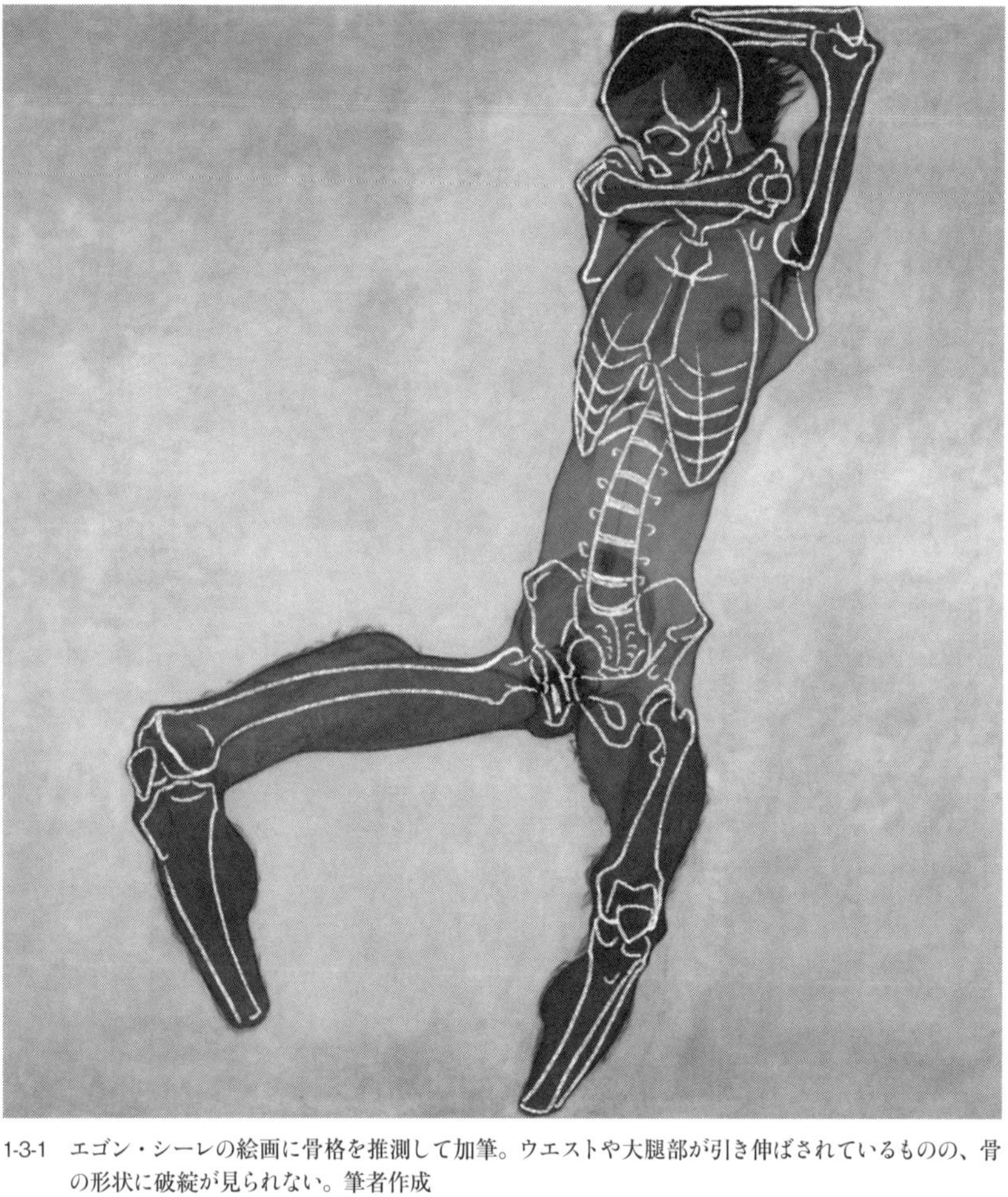

1-3-1 エゴン・シーレの絵画に骨格を推測して加筆。ウエストや大腿部が引き伸ばされているものの、骨の形状に破綻が見られない。筆者作成

ように描けない。

同時に、美術解剖学は万能ではない。解剖学的構造というのは、美術に応用されていようがいまいが人体に存在する形の一部でしかない。

「解剖学的構造が人体の一部でしかない」と書くと不思議に思われる人もいるかもしれない。一般的に解剖学は完成した学問と思われがちだが、自然物の観察には終わりがないのと同様に、人体の内部にも、未だに知られていない構造が数多く存在する。少なくとも私の体験上ではそう思える。

例えば、皮下組織や筋膜は、今のところ大雑把な理解しかなく、厚みや範囲、走行などの詳細な観察記録がない。よく知られた筋であっても、裏面や筋内部の情報を見たことがあるだろうか。少なくとも専門的な論文に見られるのみで、網羅的には理解されていないはずである。

身近な例では、資料で解剖図を探していて、ちょうど欲しい姿勢や角度からの図が見つからないことがある。解剖図として描かれていない視点があるということは、観察されたことのない視点が存在することであり、観察されたことのない視点から新たな構造が発見されてもおかしくない。

現在の解剖学書に記載されているのは、人体の内部構造の中でも比較的周囲の部分との分割が容易な構造、もしくは医学的に需要のある構造のみが選定、編纂されたものなのである。

§1-4　美術解剖学という名称は、いつ生まれたか

美術解剖学は英語で Anatomy for the Artist や Artistic Anatomy と表記される。それぞれ英

語圏の人にとって微妙にニュアンスが異なるようだ。

イギリスのCGクリエイター、スコット・イートン（Eaton, Scott. 1973－）は、2016年に武蔵野美術大学で開催された美術解剖学カンファレンスの中で「私は芸術家に解剖学を教えたいのでAnatomy for the Artistを使用している」と言っていた。彼はArtistic Anatomyは、解剖学そのものではなく、応用された解剖学と考えているようである。

この違いは、著者の好みや思想に関わってくる。実際に、英語で執筆された教科書のタイトルは、「美術解剖学」と「芸術家のための解剖学」というタイトルが半々程度になっている。

美術解剖学という簡潔な名称が生まれたのは、今から180年ほど前の19世紀の中頃である。当時は「絵画解剖学（Anatomia Pittorica）」（1841）、「美術解剖学（Anatomie Artistique）」（1850）、「美術解剖学（Artistic Anatomy）」（1852）、「造形解剖学（Plastischen Anatomie）」（1856）など用語が定まっていない。欧文表記を見るとわかるが、イタリア語、フランス語、英語、ドイツ語と国によって表現が異なっている。

美術解剖学という単語が現れる以前の名称は、「美術に応用可能な解剖学的知識に関するいくつかの考察（Quelques considérations sur les connaissance anatomiques applicables aux beaux-arts.）」といった長々しい名称や、単に「骨格と筋についての解剖学」などと、文字列だけでは医学領域の解剖学と区別がつかない名称がつけられていることが多い。

長く説明的な名称は当時のスタイルで、1850年以前の教科書は、タイトルが科学論文のように内容を端的に表していた。医学領域の解剖学と区別がつかないことから、美術解剖学と解剖学の境界がはっきりと分かれておらず、曖昧であったことが窺える。実際に美術学校の教授など地位の高い教員は、19世紀末頃まで医師をはじめとする医学領域の人物が就任するのが

ANATOMIA PITTORICA

ANATOMIE

ARTISTIQUE

ARTISTIC ANATOMY,

PLASTISCHEN ANATOMIE

1-4-1
19世紀中頃の教科書タイトルを集めたもの。上からイタリア、フランス、イギリス、ドイツ。筆者蔵

通例であった。

日本に美術解剖学が輸入された明治時代は、すでに「Artistic Anatomy」のような略称が定着した後のことであった。そのため当初から「美術解剖学」や「藝用解剖学」、「美術応用解剖学」などと記載された。その後、音楽などの諸芸を含む「藝（芸）術」から、視覚芸術のみを表す美術解剖学として定着して現在に至っている。

こうした名称の変遷は、時代の流行とともに変化する傾向があるので、今後も変わっていく可能性が十分にある。すでにアメリカの一部ではArtistic Anatomyとは言わずに、単にAnatomyと表現され、フランスでは「モルフォロジー（形態学）」と表記される。ちなみに東京藝術大学の美術解剖学研究室は、大学院生たちの間で「美解（びかい）」と略されていた。

§1-5 美術解剖学の内容

西洋で発展した美術解剖学は、骨格系や筋系の解剖学をベースにした美術用の応用解剖学である。例えば、人体の外形に直接関係する内部構造に限って教えるというのも美術向けの調整である。

美術解剖学の内容には、中耳（ちゅうじ）にある耳小骨（じしょうこつ）を除く全身の骨を扱う骨学、関節と靱帯を扱う関節学、主に外形に影響する筋を扱う筋学、その他外形に影響する甲状腺や乳腺などの皮下組織と皮静脈、皮膚のシワや起伏などを扱う体表解剖学、動作に関する運動学、性差、年齢差などがある。一時は胸部や腹部の内臓、人類学なども加えられたが、需要が少なかったのか淘汰された。

動物解剖学に関しては、18世紀頃から見事な教科書が編纂されるようになった。馬の画家スタッブス（Stubbs, George. 1724－1806）が実際に馬を解剖して描いた銅版画集『馬の解剖学』（1766）や、19世紀末頃から20世紀初頭にかけて編纂されたエレンベルガー（Ellenberger, Wilhelm. 1848－1929）とバウム（Baum, Hermann. 1864－1932）による『芸術家のための動物解剖学』がある。

レアなケースでは、先に紹介された植物の美術解剖学や、美術解剖学をさらに応用した「服飾のための解剖学」もある。

美術解剖学のポピュラーな実技教育には、人体デッサンがある。人体デッサンはモデルを観察してスケッチする訓練方法で、モデルの体表に現れる起伏を観察、解説しながら人体について

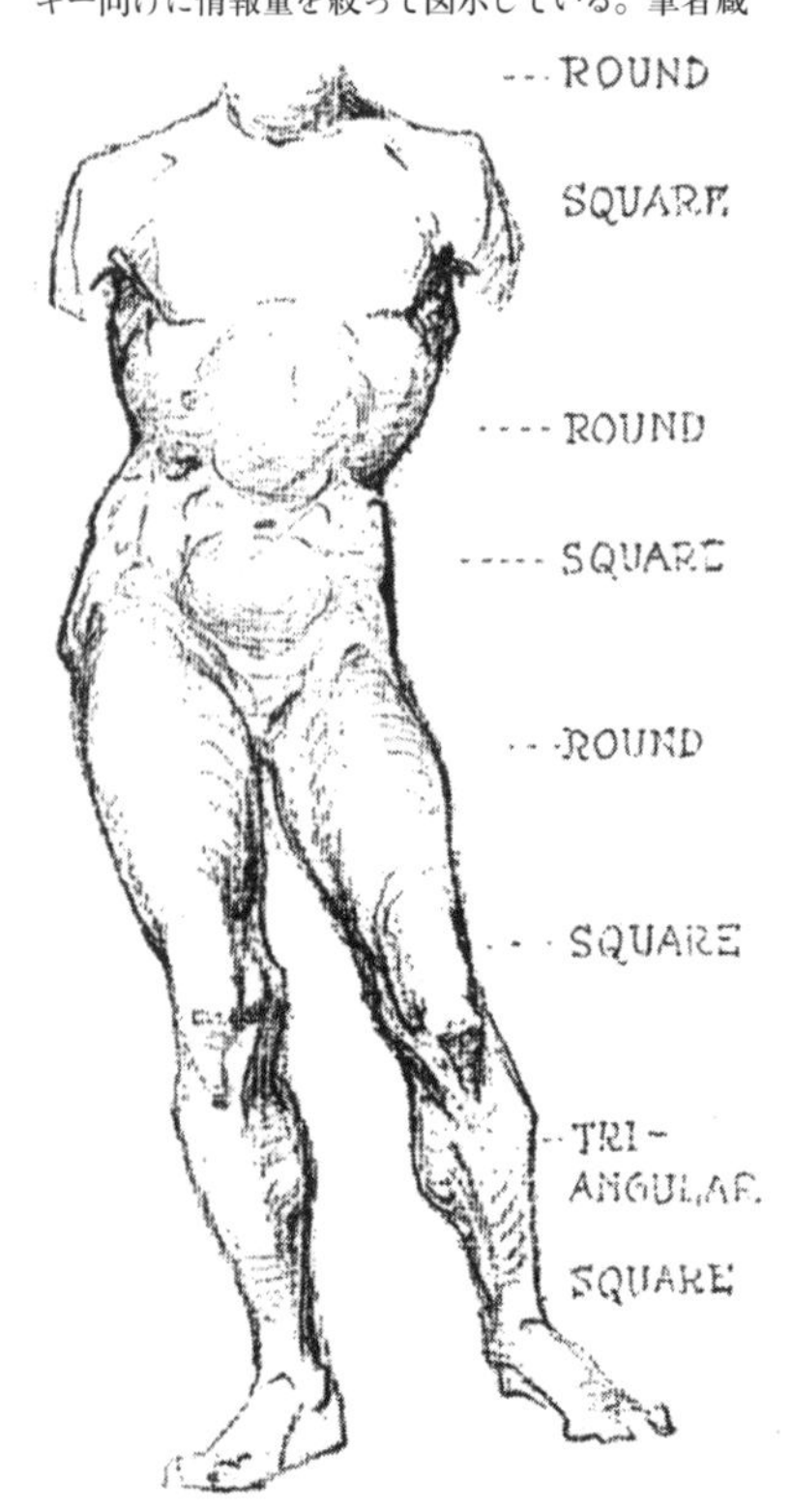

1-5-2
ジョージ・ブリッジマンの教科書（1924）。クロッキー向けに情報量を絞って図示している。筆者蔵

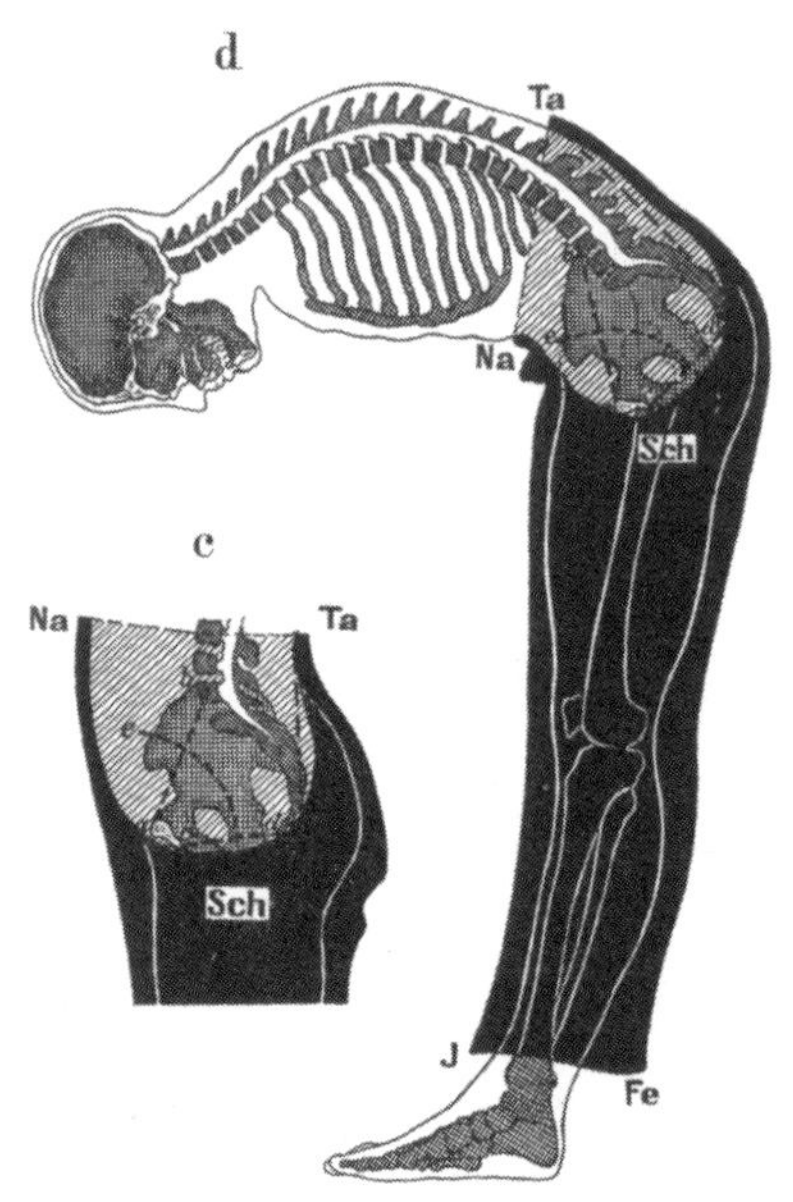

1-5-1
ワイマール美術学校のファイファーによる『応用解剖学のハンドブック』（1899）。筆者蔵

理解を深める。この授業は、美術解剖学と親和性が高い。

20世紀に入ると、観察時間が短縮され、クロッキー（速写画）に移行していった。アカデミーで数日かけて描いていたデッサンが、1カットあたり数分で描くクロッキーに変化したことに伴って、短時間での形態把握を目的とした美術解剖学の教科書も生まれた。

美術解剖学で教えられている主な内容を表にしてまとめると、ある傾向が現れる。まずは、上下を随意（思い通りになる）と不随意（思い通りにならない、思い通りになりにくい）に分け、左右を形（物体）と現象（形のないもの、痕跡）に分ける。そこに骨や筋といった系統別の要素を振り分けていくと下の表のようになる。左右の仕切りは「構造と機能」、上下の仕切りは「脳と反応」が橋渡ししている。

西洋で教えられてきた美術解剖学の内容は主に「意識でコントロールできる人体構造とその現象」である。これはあくまで、「西洋」であって、「日本」の美術解剖学の教育内容とは異なる。実は、日本（東京藝術大学）の美術解剖学教育では、「意識でコントロールできない人体構造」も教えていた。三木成夫（しげお）の教育である。

三木成夫は東京大学出身の解剖学者、発生学者で、厳密には東京藝術大学の美術解剖学研究室ではなく保健管理センターの教授を務めた。三木は東京藝大の学生に向けて、生物学や発生学、生命現象など既存の美術解剖学を上回る壮大なスケールで生命を教えていた。その授業は伝説的で、没後30年以上経った現在もその薫陶を受けた教え子たちによって語り継がれている。

美術解剖学は通常、即物的な人体観が好まれる傾向がある。実際に欧米式の美術解剖学は、骨や筋など外形に影響する構造のみが教えられている。三木は該博な知識に基づく巧みな話術で、若きアーティストたちの想像力を刺激し、魅了した。残念ながら私はその薫陶を受けるこ

	形	現象
随意	骨*、靭帯*、筋* 体表*、体性神経	運動* ジェスチャー*
不随意	血管*、内臓 自律神経	こころ リズム、反射

*：欧米の教科書に見られる内容

表
美術解剖学が扱う主な内容。随意的（意識でコントロールできる）な形と運動に偏っている

となく、他者の紹介や三木の著作でその人となりを窺い知るのみであるが、三木は外形に直接影響しない内臓や生体のリズムといった要素も、アーティストに有益な知識となる可能性を示した。

他に、解剖学領域に見られない美術解剖学固有の内容には、人体プロポーションがある。人体プロポーションというのは、主に頭頂から顎先までの高さを基準に、身長や腕や脚の長さを導き出すための基準である。

もともとは身体尺のように、ある部分に対する他の部分の比とその均衡に見出せる美のことで、古代ギリシャの彫刻家ポリュクレイトス（Polykleit. ５００ＢＣ頃‐４００ＢＣ頃）が執筆した世界最古の造形理論書『カノーン』に基づいて「カノン（規範）」と呼ばれた。

この概念に関しては美術解剖学よりも歴史が古く、古代エジプトや古代ギリシャ美術にその原点をたどることができる。古くは医学や解剖学とも接点があり、古代ローマ帝国で活躍した医学者ガレノス（Galen. １２９頃‐２００頃）がポリュクレイトスの『カノーン』と思しき記述を引用している。

現代的な人体プロポーションのベースとなっているのは、古代ローマの建築史家ウィトルウィウス（Vitruvius Pollio, Marcus. 80／70ＢＣ頃‐15頃）による『建築十書』（30ＢＣ頃‐23ＢＣ頃）の記述である。ここに記載されているカノンも古代の伝承を引用したものだが、ポリュクレイトスのカノンとは異なり、「頭頂から顎の下縁までの高さを8倍すると身長と同じになる」など、具体的な部位と数値が記載されていた。

ルネサンス期には、この記述に基づいてレオナルド・ダ・ヴィンチが「ウィトルウィウス的人体図」（１４９０頃）を描いた。正方形と正円の中に収まる両腕を広げて直立した人体像は、誰しも一度は見たことがあるだろう。この圧倒的な完成度を誇る人体図によって、現代までウィトルウィウスのカノンは引用され続けている。

しかし、ウィトルウィウスの記述に含まれる8頭身は、実際の人体プロポーションではなく、頭部が小さな理想的人体であるため、19世紀末頃から7・5頭身の平均的なプロポーションが採用されるようになった。同時に8頭身も淘汰されずに残り、7・5頭身の「標準体型」に対し、8頭身は「英雄体型」として区別されるようになっている。ちなみに、「英雄」というのは古典彫刻でしばしば表現されたテーマに由来する。

以上のような美術教育向けの人体観は、医学的な解剖学の教育現場で引用されることは少ない。科学領域の一つである解剖学が美術に導入されても、美術領域で生まれた人体観は科学領域にはほとんど導入されない。したがって、美術解剖学の教育内容は、もともと解剖学から美術教育へと情報が一方通行に降りてきていたと言える。

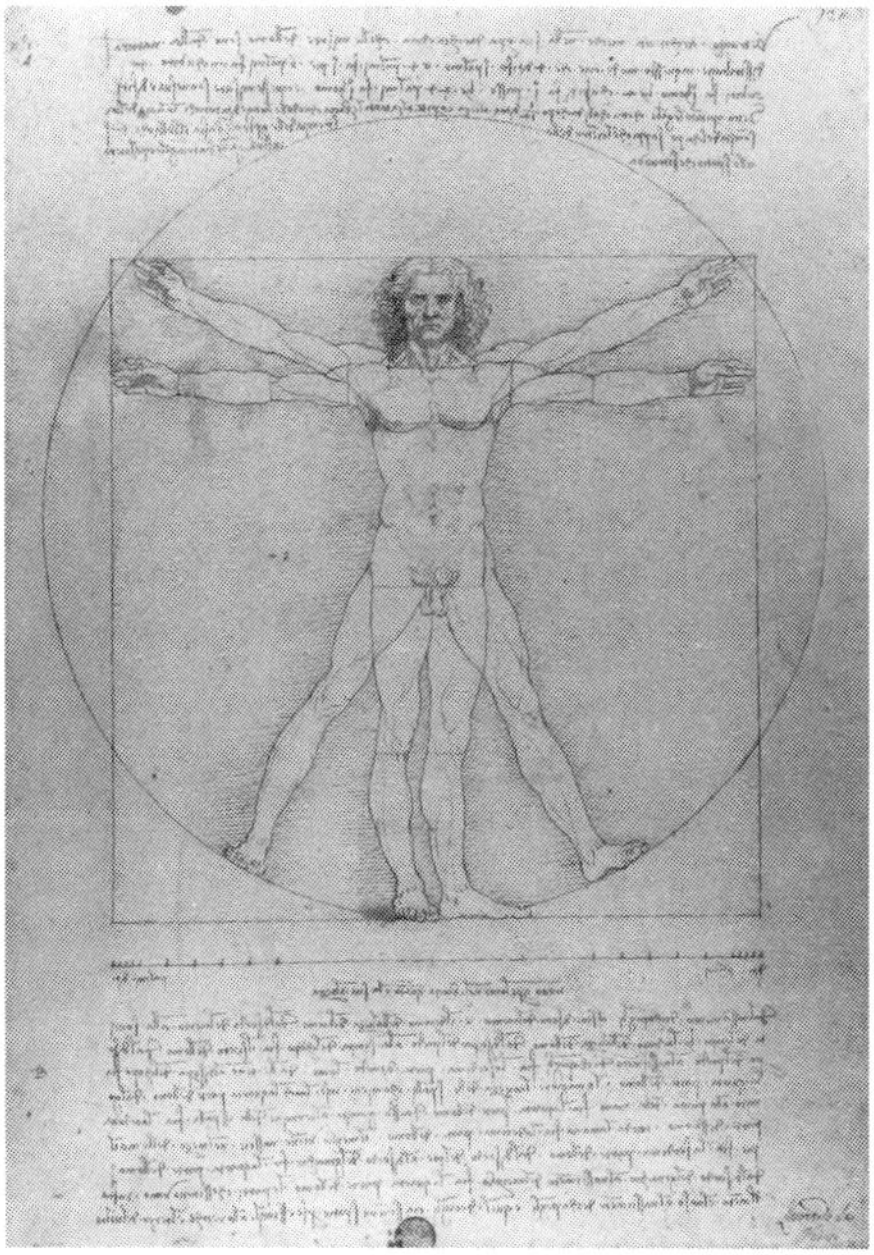

1-5-3 レオナルドの「ウィトルウィウス的人体図」(1490頃)

§1−6―美術解剖学の教材

美術解剖学の教材には、平面教材と立体教材がある。

数としては平面教材が最も多く、サイズと内容から分類することができる。内容の分類は1−7で解説することにして、ここではサイズによる分類を紹介していく。

小型の平面教材は、書籍に限られる。解説主体の教科書として編纂されることが多く、文庫本サイズからA4サイズ程度のものまである。紙面のサイズに応じて図の情報量が異なり、小さな書籍になるほど図が小型化し、模式図になる傾向が見られる。現調査で最小の教科書はロンバルディーニ『絵画解剖学の手引き（Manuale di anatomia pittorica)』（1886）の100×146ミリである。手軽なサイズと価格から普及していた。現代の小型書籍には『モルフォ人体デッサン ミニシリーズ』（グラフィック社）がある。

現在、日本で入手可能な教科書のサイズはB5程度のものが多い。このサイズは、持ちやすさ、カバンの大きさ、書店や自宅の書棚サイズなどの要因から導き出されている。海外では一回り大きいA4サイズ程度の書籍が多い。

中型〜大型の平面教材には図譜（アトラス）がある。解剖図がメインの教科書で、大きく描かれた図を隅々まで観察しながら学習していく。サイズはB5サイズからかつてはA2サイズ程度のものまであった。携帯可能なのはB5からA4までで、このサイズの図譜は「ハンドアトラス」とも呼ばれる。それ以上のサイズになると机の上で広げて鑑賞するために作られ、A3を超える図譜は複数人でも鑑賞することができる。現在までの調査で最大の図譜は、ルカ『女

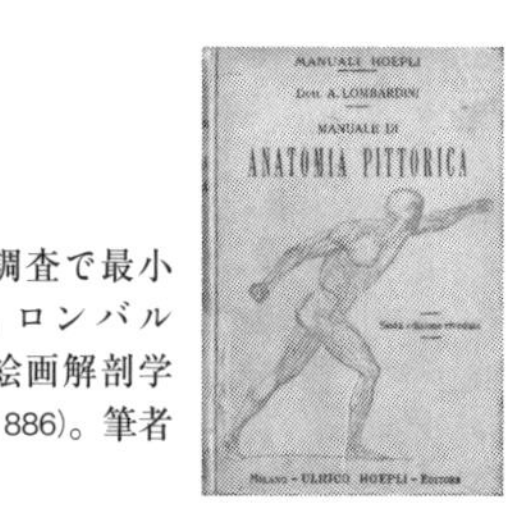

1-6-1
これまでの調査で最小の教科書。ロンバルディーニ『絵画解剖学の手引き』(1886)。筆者蔵

性体幹の解剖学（Zur Anatomie des Weiblichen Torso)』（1868）の470×610ミリである（4-13参照）。

19世紀から20世紀初頭の図譜には、模写して学習するために書籍として綴じていないものがある。必要なページを取り出し、トレーシングペーパーで複写したり、隣に並べて模写して学ぶスタイルの図譜では、図版ページに紙葉を意味する「Plate（プレート）」や「Tafel（ターフル）」と表記されている。翻訳書の図版ページでプレートや紙葉と表記されているのを見かけたら、当時の模写用体裁の名残である。

大型サイズの上には特大サイズもある。特大サイズの平面教材は掛図である。掛図は授業で用いられ、教壇の横に吊るして掲示された。プロジェクターでスクリーンに投影するようになるまでは使用されていたが、プロジェクター投影が主流の現代ではあまり使われなくなった。掛図のサイズは、B1（728×1030ミリ）程度のポスターサイズから長辺が2メートルを

1-6-2　模写用アトラスの例。左上にTafel（紙葉）と表記がある。エレンベルガー『芸術家のための動物解剖学ハンドブック』（1920）。筆者蔵

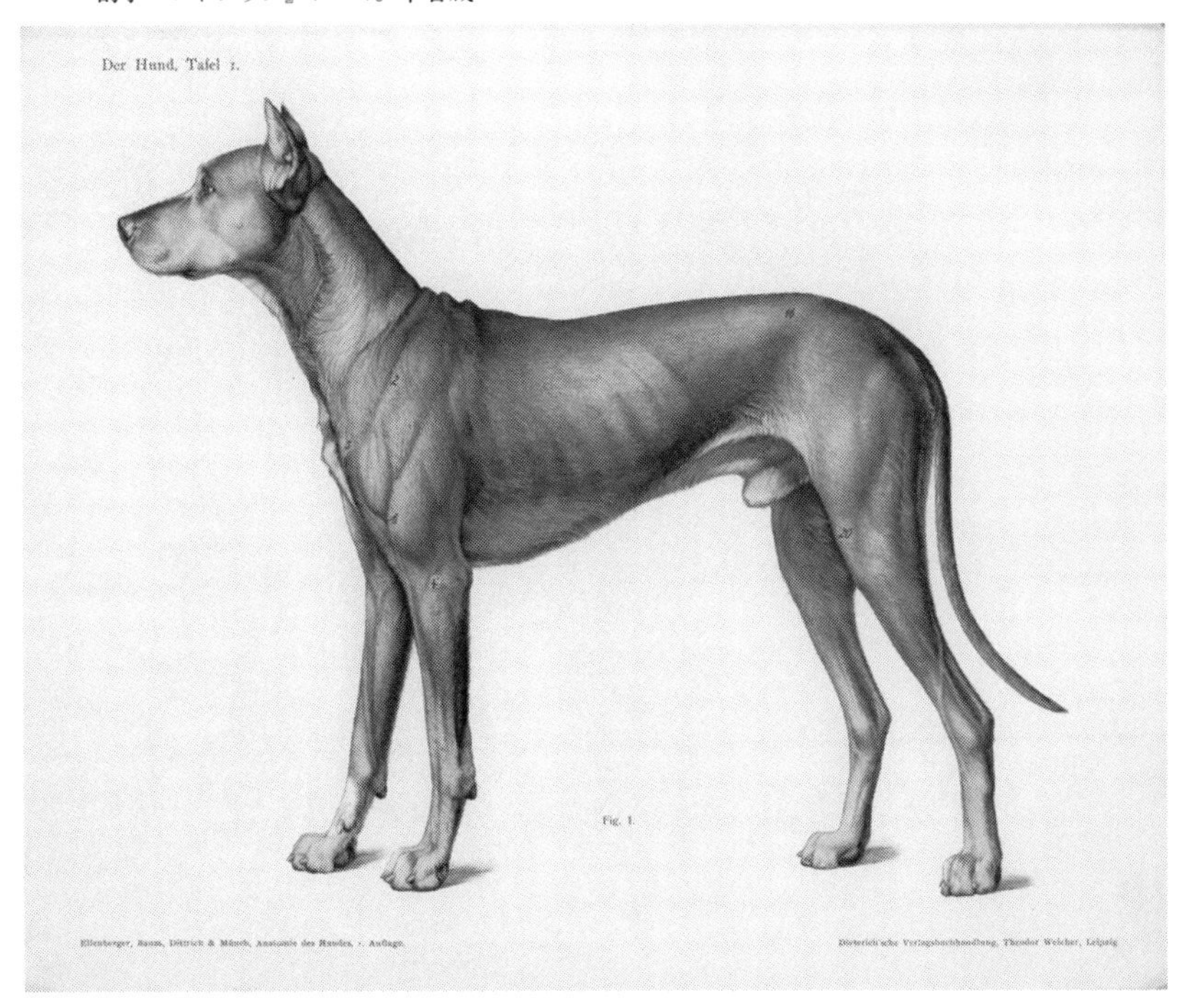

超えるものまであり、等身大サイズの解剖図も掲載できた。体裁は巻物形式で、使用しない時にはクルクルと巻いて収納していた。

立体教材には標本と模型がある。立体的な教材は、奥行きや位置関係、視点の移動による形態の変化、真上や真下からなど任意の視点など、平面媒体では伝わりにくい情報を補完する。

解剖模型には、大まかに分けて骨標本と筋標本がある。

骨標本には、各々の骨が分解された分解骨標本と、それらの骨をつなげて骨格にした交連骨格標本がある。材質は石膏かプラスチックで、石膏製の模型は頭蓋骨や大腿骨など大型の部位が主で、細かい骨の模型はあまり見ない。現在はプラスチック製が主流で、インターネット上のショップなどで比較的容易に入手できる。

石膏やプラスチック製の模型は、実物の骨と随分様相が異なる。例えば、梨状孔（りじょうこう）から鼻腔を覗き込むと、上方に鼻甲介（びこうかい）が見えるが、実物では網目状に開いた細かな孔が見える。型取りでは細かな孔が再現できない。他にも副鼻腔や髄腔（ずいくう）などの骨の内部に広がった空間は樹脂を型に流し込む場合には再現できないし、凹凸の激しい粗面のディテールも実物の方が明瞭である。より詳細に観察したいのであれば、実物を観察するのがよい。

筋模型には、主にエコルシェ（Écorché, 皮剥ぎの意）とムラージュ（Moulage, 型取りの意）がある。多くは石膏やプラスチックでできているが、ブロンズ像もある。

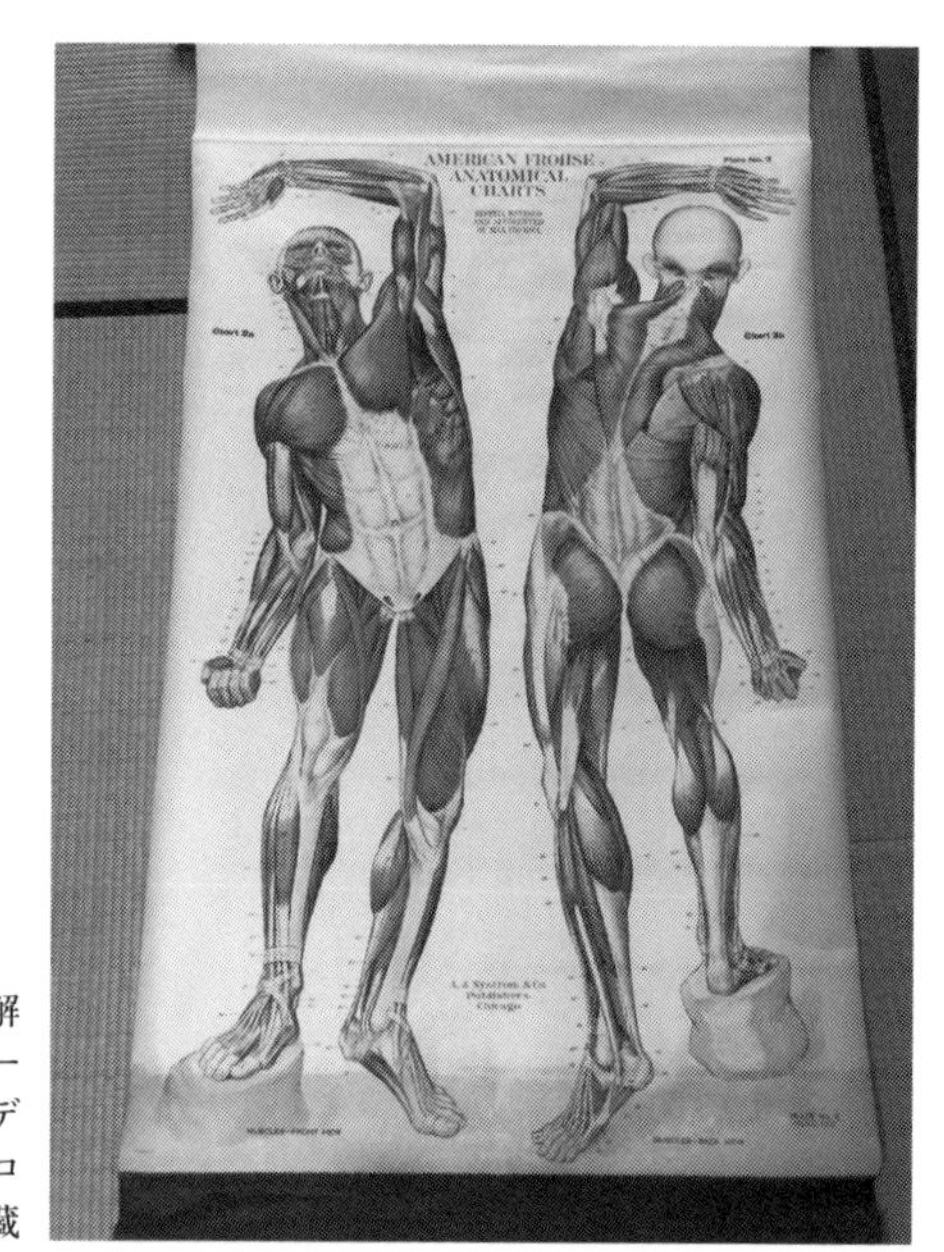

1-6-3
20世紀初頭の等身大解剖図。マックス・ブレーデルによる作画。モデルはユージン・コードロンのエコルシェ。筆者蔵

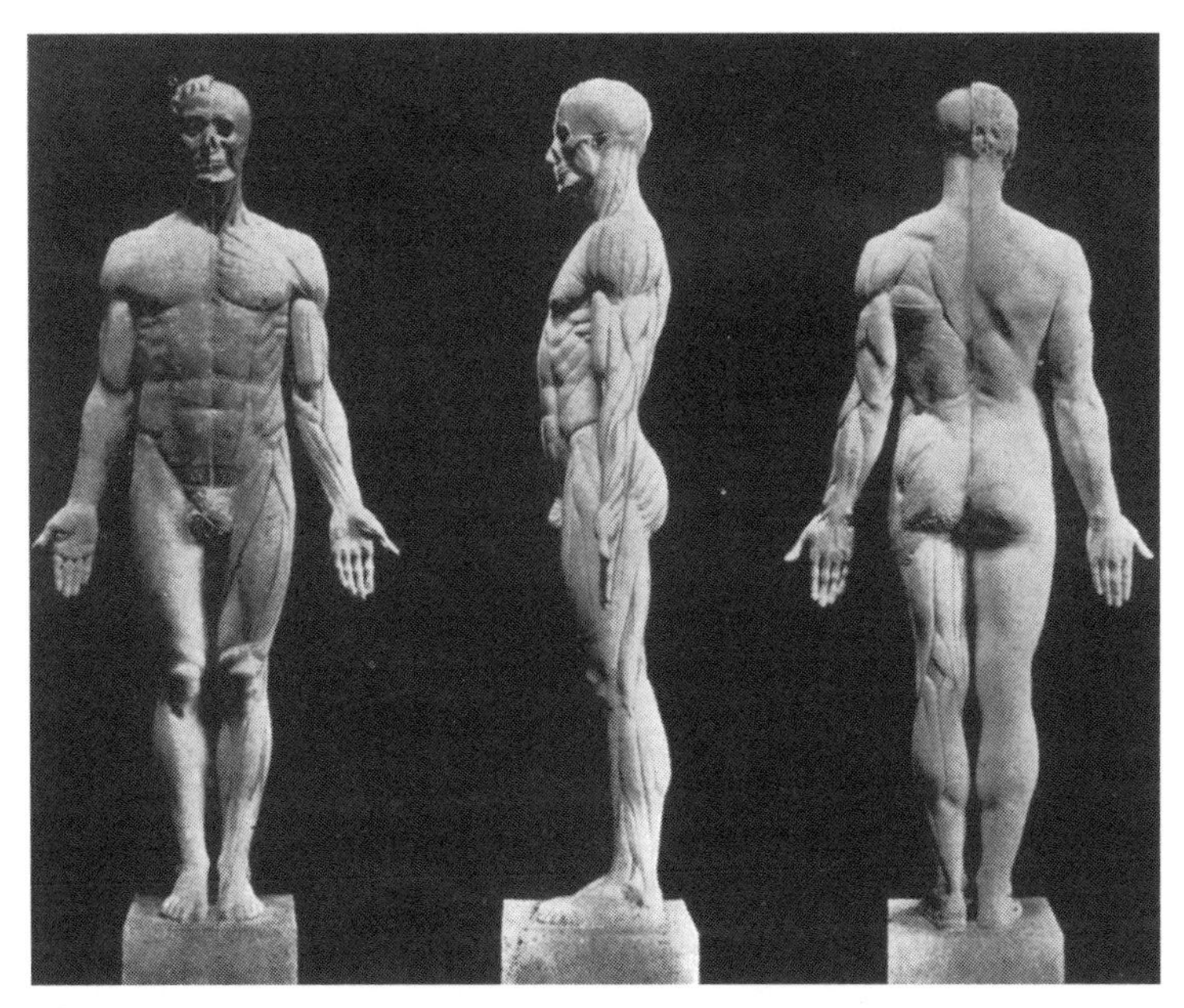

1-6-4
ポール・リシェのエコルシェ。フランシス・ヘッケル『大小の肥満の根治（Grandes & Petites Obésités Cure Radicale)』（1920）に掲載された写真。筆者蔵

1-6-5（口絵）
フランス国立自然史博物館に展示されたエドム・ブーシャルドン（Bouchardon, Edme. 1698-1762）によるムラージュ。筆者撮影

エコルシェは、実物大像と縮小像があり、像高60センチほどの縮小像が入手しやすい。全身像だけでなく手や足などの局所模型もある。20世紀までは石膏製の像が教材として主流だったが、最近はアメリカのAnatomy Toolsなどで造形の細かなフィギュアタイプのエコルシェも売られている。

ムラージュは実物型取りなので、今のところ実物大しかない。今後は、3Dプリンターの普及によって実物(データ)を正確に縮小、拡大したムラージュも出現するようになるかもしれない。

エコルシェとムラージュの印象の違いは、サイズの他に皮膚と皮下脂肪層の有無がある。ムラージュは皮膚と皮下脂肪層を除去した上で型取りしているため、痩せた印象になる。それに対して、彫刻によるエコルシェの外形は、筋肉のボリュームが体表のボリュームを兼ねるように制作されている。この違いは作り方の問題で、エコルシェの多くは、骨の上に筋を貼り付けるというやり方ではなく、まず体表像を作ってからそこに筋や骨の溝を彫って制作された。

また、筋表面の表情が大きく異なる。エコルシェは筋が張ったように造形されていて、ムラージュは筋が弛緩してシワやたわみが見られる。

パリ国立高等美術学校では、エコルシェとムラージュが併用されていた。エコルシェからは作品に近いボリュームを、ムラージュからは解剖体により近い印象を学んでいた。解剖実習で観察できるご遺体は、ほとんどが高齢者である。筋骨隆々とした男性や、ミロのヴィーナスのようなふくよかな女性はまず観察できない。反対にエコルシェとして表現された像は、彫刻的なボリュームが再現されているものの、誰かが作ったものなので、実際の構造や印象ではなく理想的な形に造形されている。

1-6-6
美術向けの教材として販売されていたムラージュ。Antonio Vallardi 工房のカタログ（1920）より。筆者蔵

1-6-7
中央の教壇の両側に置かれているのは『ボルゲーゼの闘士』の石膏像とエコルシェ、壁際に置かれているのはムラージュ。19 世紀末の絵葉書。筆者蔵

§1-7 教科書の選び方

よく美術解剖学の教科書のおすすめは何かと聞かれる。その質問に回答するには、どういう表現や職業に興味があるのかを聞く必要がある。教科書は読者対象を絞って編纂されており、その対象がわかれば、自ずと選べるようになる。

まず読者層が一番広いのが、「芸術家向けの教科書」である。内容は最もスタンダードで、骨や筋に対する記述が解剖学書のように整然と掲載されている傾向がある。解剖学書と異なる点は、文字数が少なめで用語などの漢字にルビがふられている点である。

最近は「芸術家」と称するのを嫌って、「アーティスト」や「クリエイター」と表記することがある。「芸術家」と書くと敷居が高いと感じる読者も多いようだ。大学での美術教育を受けず漫画やイラストの道に進んだケースでは、美術大学出身の芸術家などに対してコンプレックスを抱いていることもあるようだが、気にする必要はないと思う。

この種類の代表的な教科書にはポール・リシェ『美術解剖学　人体の外形の解説（仮）』（英訳版タイトル：Artistic Anatomy、ワトソン・グプティル社、日本語版制作中）、ゴットフリード・バメス『ゴットフリード・バメスの美術解剖学（仮）』（原著タイトル：Die Gestalt des Menschen、日本語版制作中）がある。

歴史を精査するとこの2冊に絞ることができるが、どちらも私が邦訳に関与しているので、そうでない書籍を挙げておくと、ヴァレリー・ウィンスロゥ『アーティストのための美術解剖学』（2013、マール社）が比較的普及している。

次いで一般的なのが、スケッチやクロッキーのための教科書である。描画の基礎として多くの「アーティスト」が通る練習方法に合わせて編纂されていて、素早く描かれた図版が特徴的である。

これも「クロッキー」や「ドローイング」、「デッサン」と書くと、敷居が高く感じる人がいるので「スケッチ」と表記されることがある。ちなみに私が体験した美術教育の現場では、「デッサン」は長時間観察して描く場合、「クロッキー」や「スケッチ」は短時間で、「ドローイング」や「スケッチ」は気楽に描く、というニュアンスがあった。このタイプの教科書は模写して学ぶ人が多いようだ。

代表的な教科書にジョージ・ブリッジマン（ブリッグマンと表記）『人体デッサンの基礎』（1989、日貿出版編集部、絶版）、ミシェル・ローリセラ『モルフォ人体デッサン』（2016、グラフィック社）などがある。

その次には、立体専門の「スカルプター」や「彫刻家」のための美術解剖学がある。といっても内容は前述の2種とほぼ変わらず、立体感など彫刻的な要素がわずかに含まれるが、絵画系の人が読んでも問題なく使用できる。

これも「彫刻」と書くと敷居が高いと感じる方がいるので「スカルプター」や「立体像」などとされることが多い。特に3DCGや特殊メイク、フィギュア原型師などの総称は「彫刻家」ではなく「スカルプター」と表記されることがある。

代表的な書籍に、ブルーノ・ルチェッシィ『Modeling the figure in Clay』（1996、ワトソン・グプティル社）、アルディス・ザリンス『スカルプターのための美術解剖学』（2016、ボーンデジタル）、阿久津裕彦『立体像で理解する美術解剖』（2016、技術評論社）などがある。

大学の外で美術解剖学の講義を行うと、漫画家やイラストレーター、アニメーターからの需要があると感じる。今後はこうした専門職向けに編纂された教科書がヒットする可能性が高い。実際に、韓国のイラストレーターが編纂したイラストレーター向けの教科書、ソク・ジョンヒョン『ソッカの美術解剖学ノート』（2018、オーム社）が人気を博している。

§1-8 — 解剖図の描画方法

美術解剖図の描画方法は、美術の初等教育で学ぶ素描やスケッチ、クロッキーなどに似ているが、一定の様式がある。20世紀以降は、鉛筆などを用いて短時間で描いた図も多くなった。メディカルイラストレーションで最もポピュラーな描画方法には、「カーボンダストテクニック（Carbon dust technique）」と「スクラッチボードテクニック（Scratchboard technique）」がある。この描画方法は、20世紀初頭に考案されたが、解剖図にも使われた描画方法のため、作例を用いながら解説したい。

カーボンダストテクニックは、鉛筆やチャコールペンシルなどの粉末を紙に擦り付けて描く描画方法で、近代メディカルイラストレーションの父、マックス・ブレーデル（Brödel, Max. 1870-1941）が考案した。

図の仕上がりは、長時間描いたデッサンに近い印象になるが、粉末を筆や擦筆（さっぴつ）などで擦り付けて描画するため、筆致が目立たずグラデーションがきめ細かいのが特徴である。メインの画材であるチャコールの粉末は、チャコールペンシルを紙やすりなどで削る。単なる木炭のような精製粉末では、画面に定着させるための粘土を含まないため、濃いグレーが表現しにくい。

1-8-1
メディカルイラストレーターの父、マックス・ブレーデルの肖像。筆者蔵

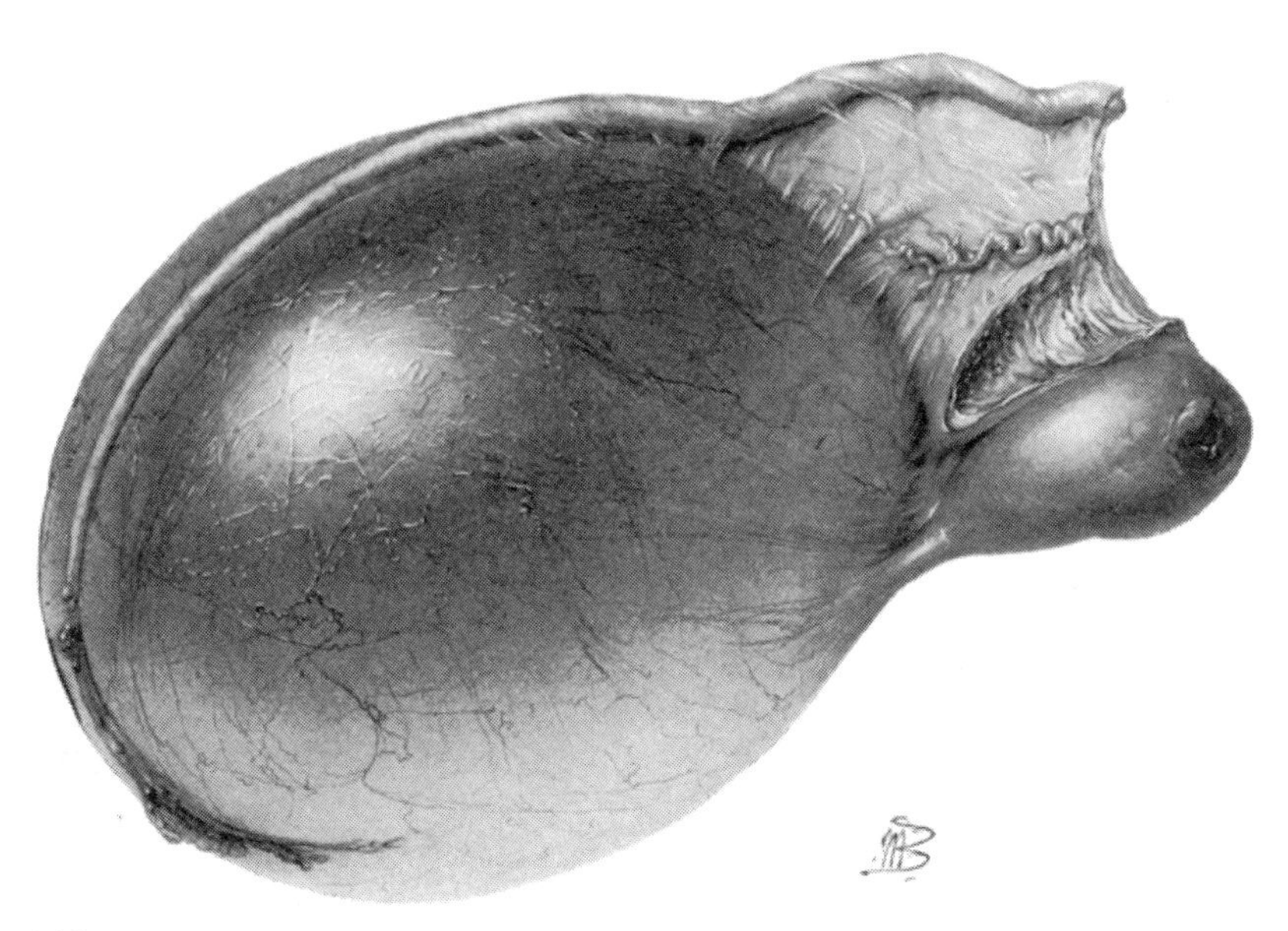

1-8-2
ブレーデルのカーボンダストテクニックの一例。血管などの細い表現は尖らせたチャコールペンシルやホワイトの絵具で加筆。筆者蔵

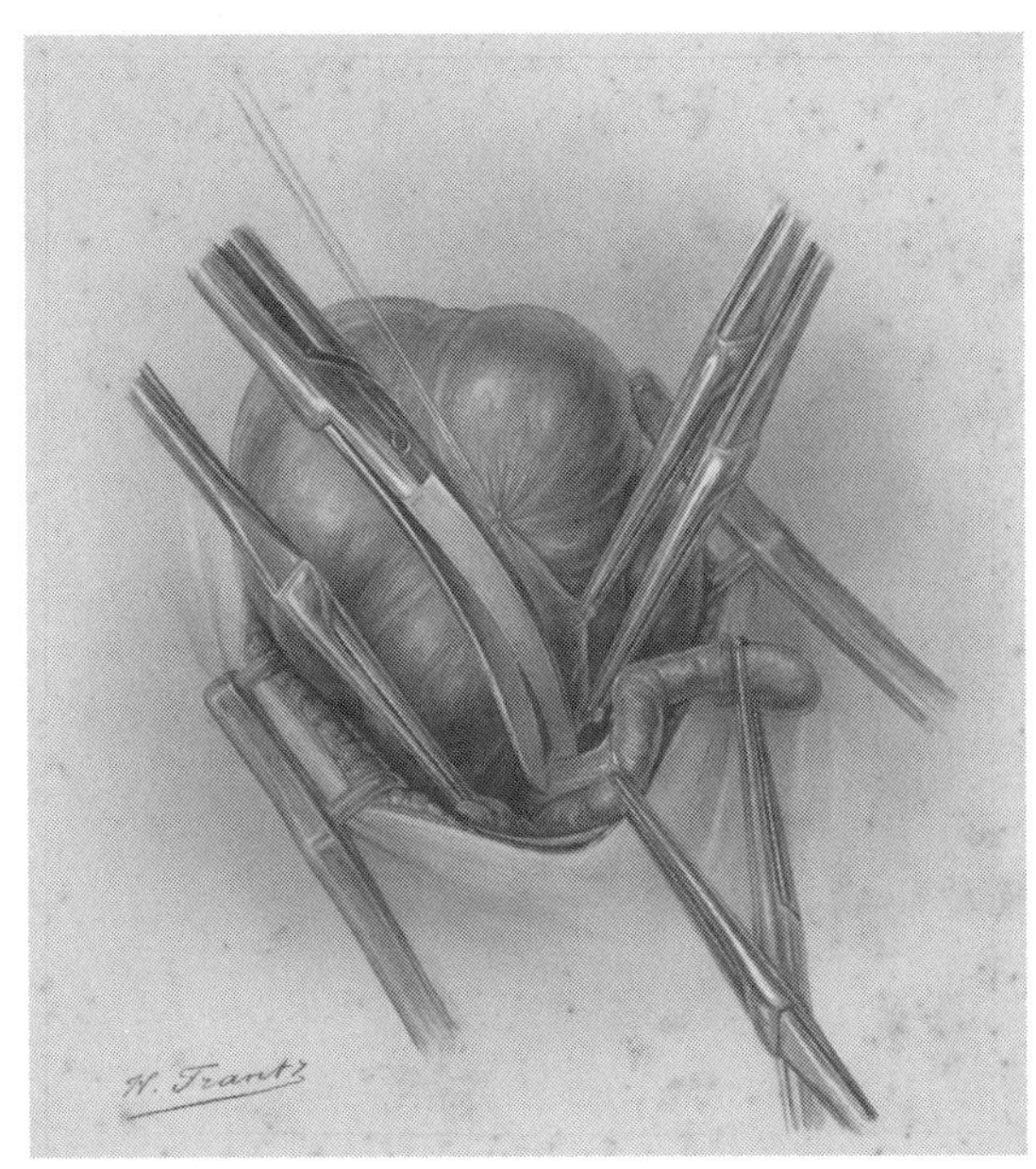

1-8-3
H・フランツによるカーボンダストテクニックに絵具を加えた応用技法。虫垂除去手術。筆者蔵

その点、チャコールペンシルには画面に定着させるための粘土が含まれているので扱いやすい。

スクラッチボードテクニックは、ハッチング（等間隔に引いた線の集積）で対象の起伏を描いていく方法である。版画技法に見られ、古典的な木版画や銅版画の解剖図は基本的にはクロスハッチング（角度の異なるハッチングを重ねて階調を深める表現）で版下が描き起こされている。20世紀以降になって原画の撮影やスキャンができるようになり、画家が描いた線が版画職人の手を介さずに書面に印刷されるようになった。

ブレーデルはペン画にこの描画方法を用いたが、技法が完成したのは弟子のラッセル・ドレイク（Drake, Russell L. 1896－1990）の時代である。ドレイクは描写方法を、クロスハッチングからシングルハッチングに変更し、線を重ねずに起伏を描いた。美術領域でも単線陰影法と呼ばれ、ハッチングの線が交差していない分、鑑賞者が線の方向につられて起伏を追いやすい。

例として、腎臓の手術図（図版1－8－4）と股関節の解剖図（図版1－8－5）を掲載する。どちらも単線陰影法で描かれているが、股関節の図は暗部に黒い絵具を使い、ハッチングだけで描いた腎臓の手術図よりも深いトーンが表現できている。黒の絵具をベタ塗りした部分では、絵具をニードルで引っ掻いて紙（通常は厚紙またはジェッソなどの下地を塗った平滑な紙）の白を露出させ、暗部に細い白線を刻んでいる。これが「スクラッチボード」の名称の由来である。線の修正には描画部分を削るほかに、下地と同じホワイトの絵具を用いる。

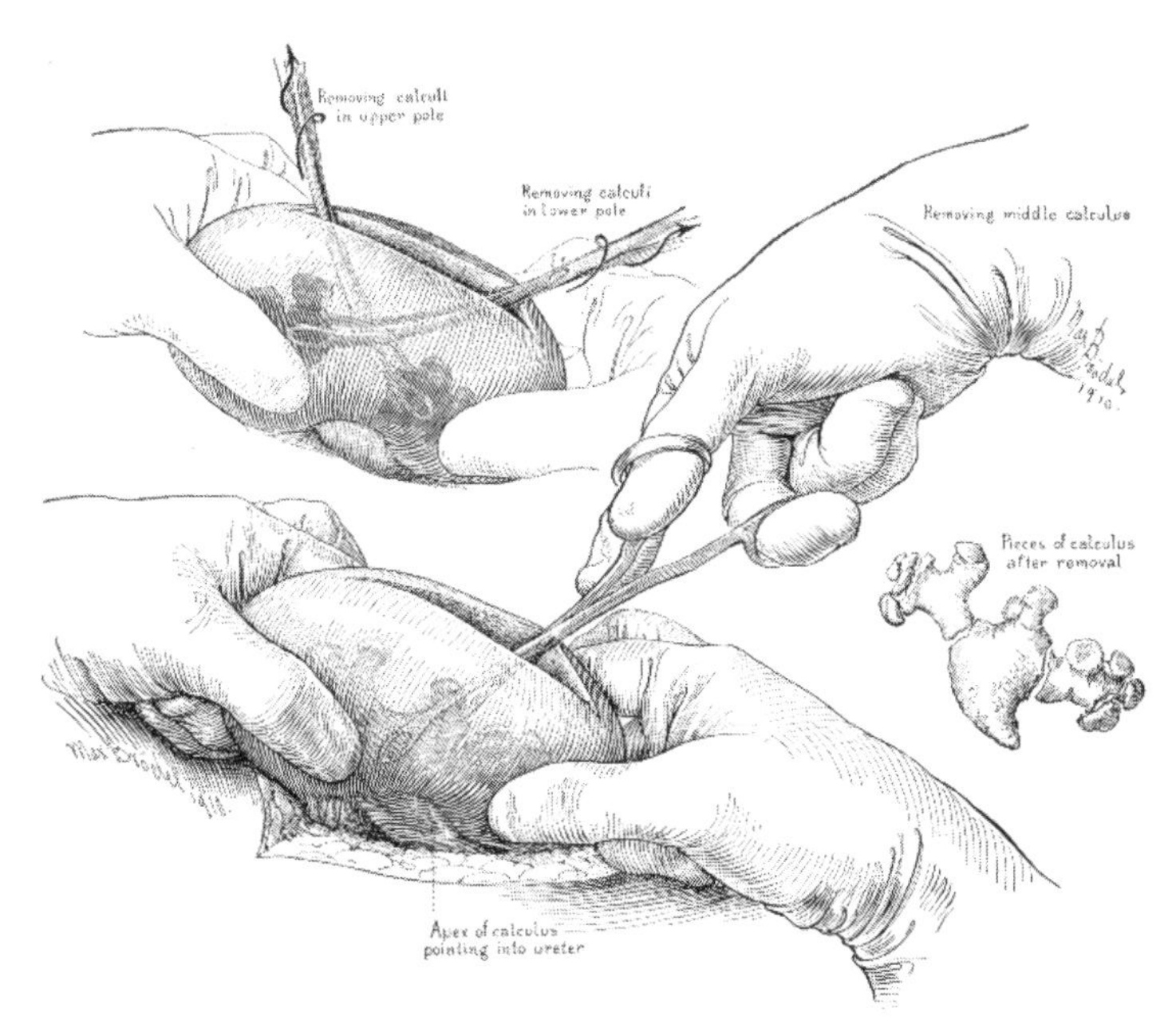

1-8-4
ブレーデルによるスクラッチボードテクニックの一例。筆者蔵

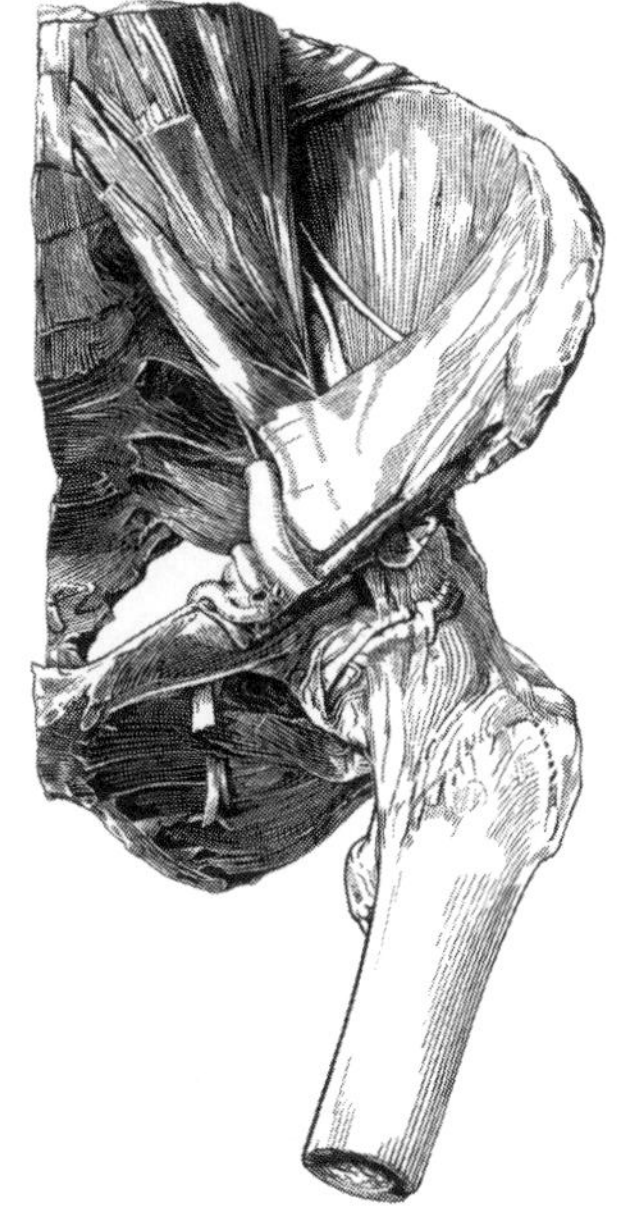

1-8-5
ウェスタン・グラスゴー病院の画家によるスクラッチボードテクニックの一例。黒くベタ塗りした部分をニードルで引っ掻いて白線を描写している。筆者蔵

§1-9 解剖図の種類

解剖図の種類から「何を伝えたいか」を読み解くことは、図からより正確な情報を得るために大事なことである。以下に、近代以降の美術解剖学図の種類をまとめた。

骨格図は、骨標本の観察によって描かれる。様々な解剖学書が出版され、良質な図が増加してくると、それを模写した図が描かれるようになる。現代は、取材などの時間省略のために他の書籍に掲載された骨格図の転載も多い。

観察対象の骨標本には個々の骨に分解した「分解骨標本」と、それぞれの骨をつないだ「交連骨格標本」がある。

骨のディテールは、人体解剖実習では観察することが困難である。なぜなら、骨を連結する靭帯（じんたい）が強固に付着し、それらを解剖道具で剝がそうとすると、骨表面の緻密質をこそぎ取ることになるためだ。解剖室や博物館で目にすることのできる白く美しい骨格標本には、水の中に長時間浸して組織を腐敗させたり、ナトリウムなどの薬品を用いて、靭帯などを除去したものもある（他にもカツオブシムシやミルワームなどを使う方法もあるが、ここでは割愛する）。水に浸して除去したものは、骨の表面に光沢があり、薬品で溶かしたものは、表面が白っぽく粉を吹いた印象になる。

筋肉図の描かれ方は、解剖体や標本の観察、解剖書の記述、生体のモデルや作図による理想体型を合成させて描かれる。筋肉は骨に比べて腐敗しやすく、長期保存が難しいのと、生体の姿勢と異なるため、推測して描く必要がある。

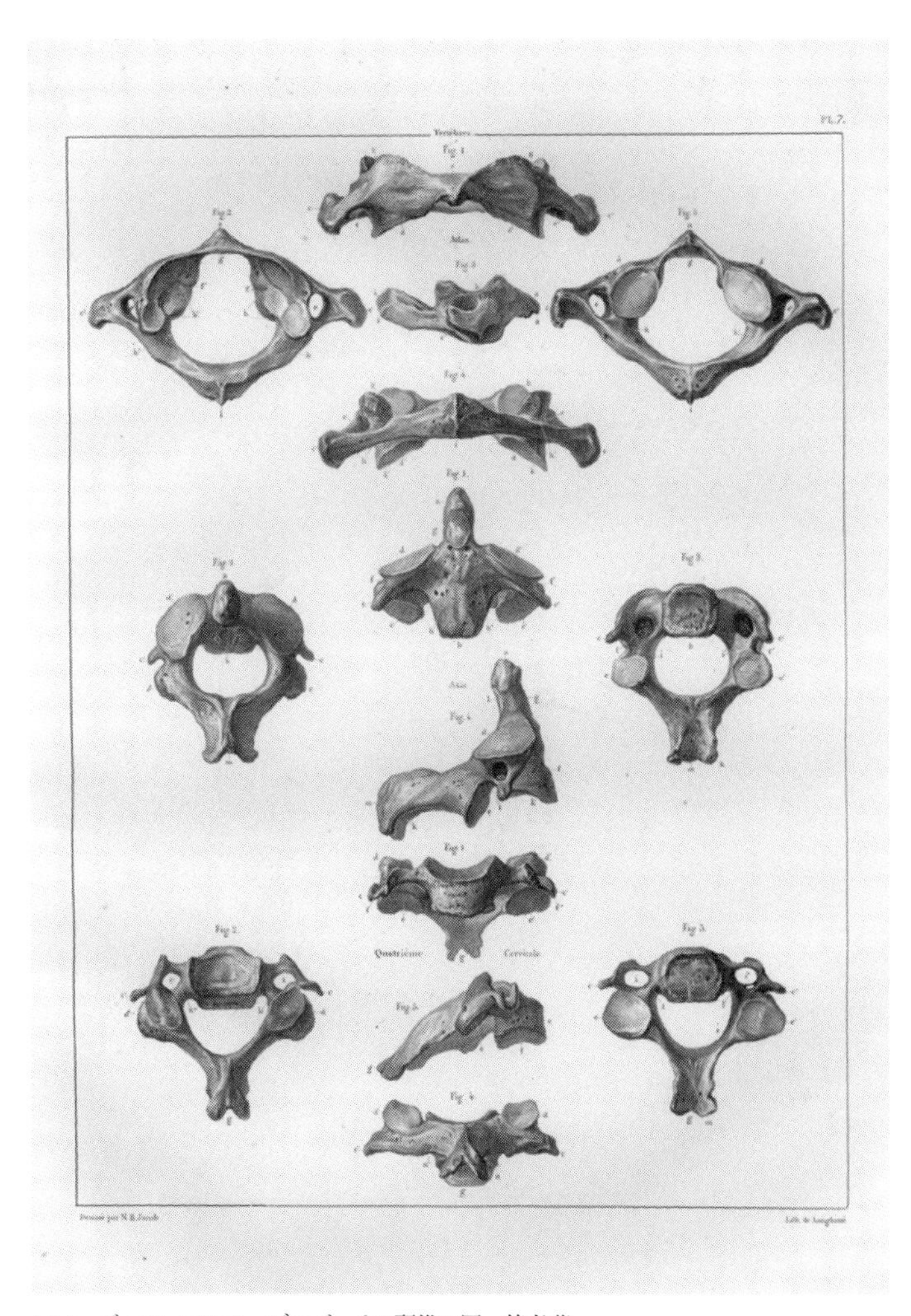

1-9-1　ジャン・マルク・ブルジェリの頸椎の図。筆者蔵

近代まではホルマリン固定のような長期保存技術がなく、標本を観察する場合はアルコールなどの保存液に浸した液浸（えきしん）標本か、アルコールをかけた解剖体を観察して記録していた。19世紀末になると写真も使用されるようになったが、解剖写真が使用された美術解剖学書はわずかである。

図の作成に標本観察を行わない場合は、生体やエコルシェを観察して描いた。生体の場合、体表に内部構造を透過して描くスーパーインポーズ法が用いられる。

現代的な筋肉図が、観察に基づいているかどうかを判断する際のポイントは、筋と腱の境界部である。筋と腱は別の素材でできているので、観察された図では移行部が明瞭になっている。

体表図・運動図は、生体の観察か、モデルを撮影した写真に基づいて描かれる。解剖学書では体表図が網羅的に描かれていることがほとんどない。

体表図には静止した状態を描いたものの他に、運動図がある。運動図には、屈曲や伸展など関節の運動や、筋肉の形状変化を示す図と、運動中の連続写真による図などがある。

解剖図は、何を伝えるかという目的によって、表現方法が異なる。美術解剖学で使用される解剖図の描き方は、概ね次の5種類に分類できる。

（1）観察しながら描いた図

（2）観察した情報を再構成した図

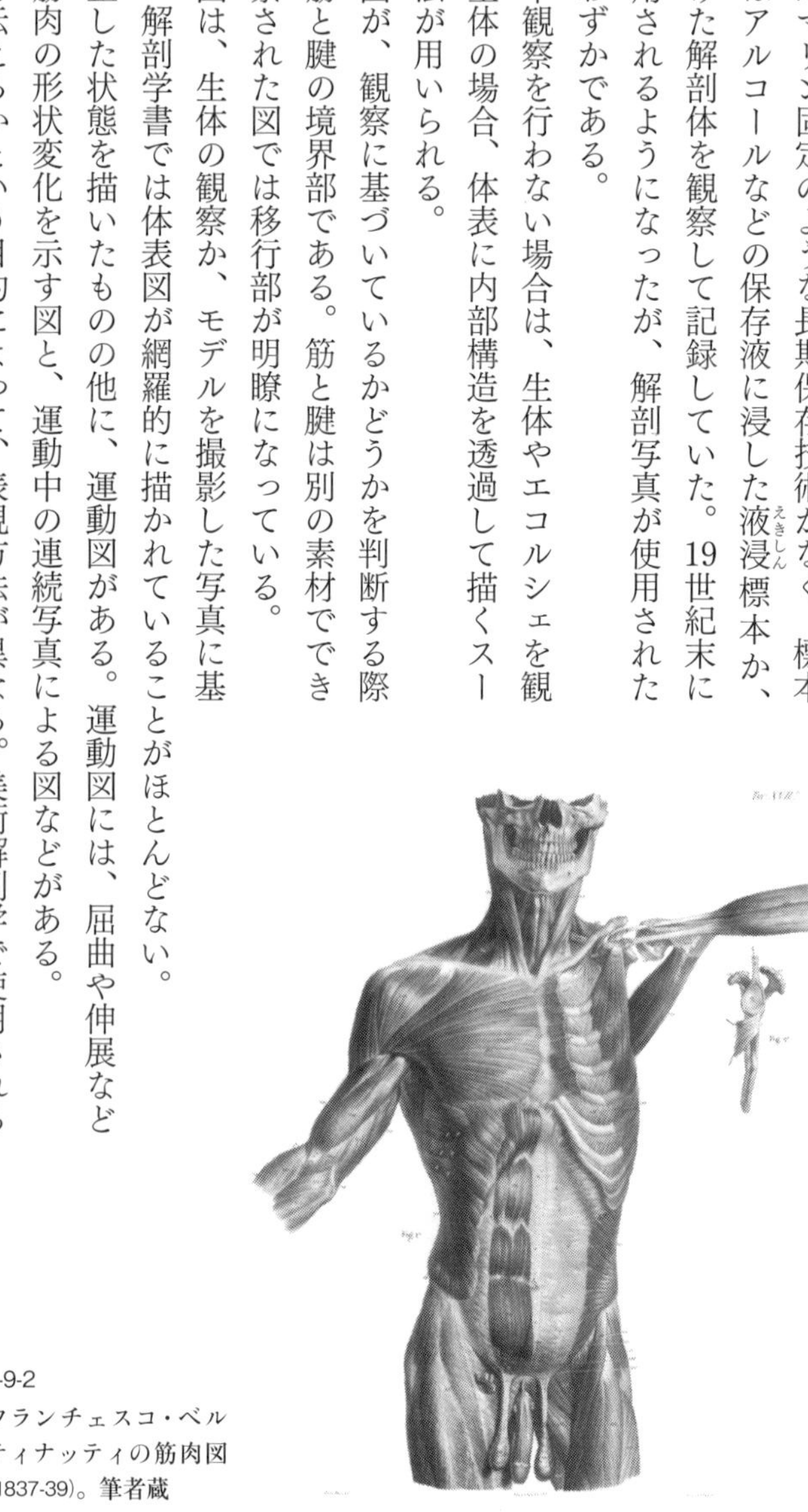

1-9-2
フランチェスコ・ベルティナッティの筋肉図（1837-39）。筆者蔵

1-9-3
エミール・ハルレスによる体幹の回旋運動を示す体表図（1876）。筆者蔵

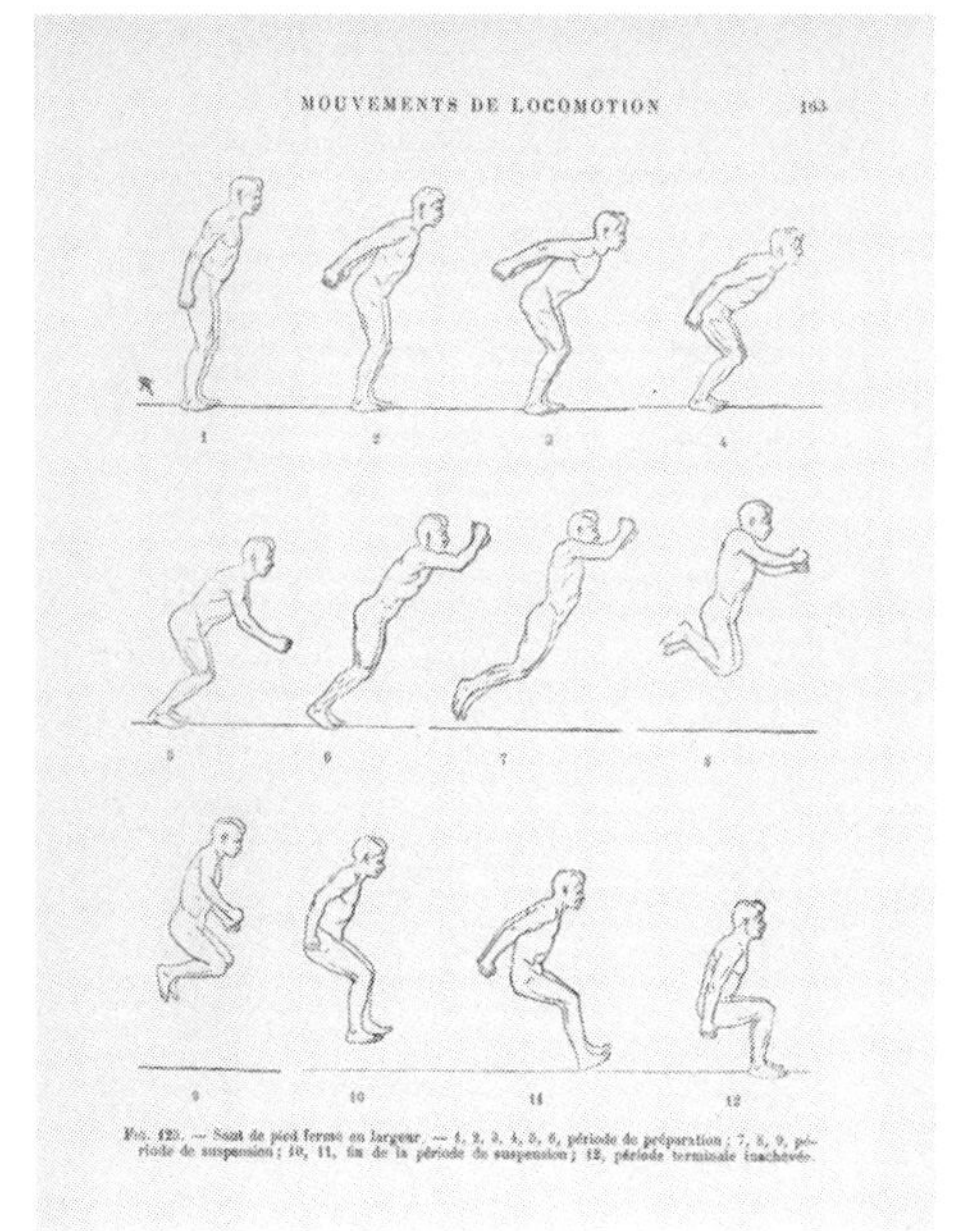

1-9-4
ポール・リシェによる跳躍の運動図（1921）。筆者蔵

(3) スーパーインポーズ図
(4) 概念図ないし模式図（シェーマ）
(5) 他者の図の複写

(1) の観察しながら描いた図は、解剖体や標本、ムラージュ、生きたモデルの観察または写真をそのまま見て描く。図の仕上がりは生々しく、想像では描けない有機的な形と印象になる。観察すると描写できる情報量が多くなり、図版も大きくなる傾向がある。

解剖体や生体をそのままモティーフにすることは、特定の個人を描くことになる。人それぞれ顔の造形が異なるように、人体内部も各人で構造が異なる。解剖体を観察して描いた図には、解剖学書に記載された情報よりも専門的な情報や、解剖学書の記載には載っていない変異（81ページ参照）が描かれている場合もある。

(2) の観察した情報を再構成した図は、一般的な解剖図のことである。変異などの個人差を排除した一般構造で構成され、寝かせた解剖体を、生体や立位姿勢に近づける。図の印象は観察による解剖図よりも概念的になる。例えば骨や筋の形状は整った曲線を描き、厚みなども均一になる。

ディテールは画家の知識量に比例するため、画家が知らないところは何となく曖昧になっている。最終的な印象は、実物やモデルを見ているような、見ていないような印象になる。

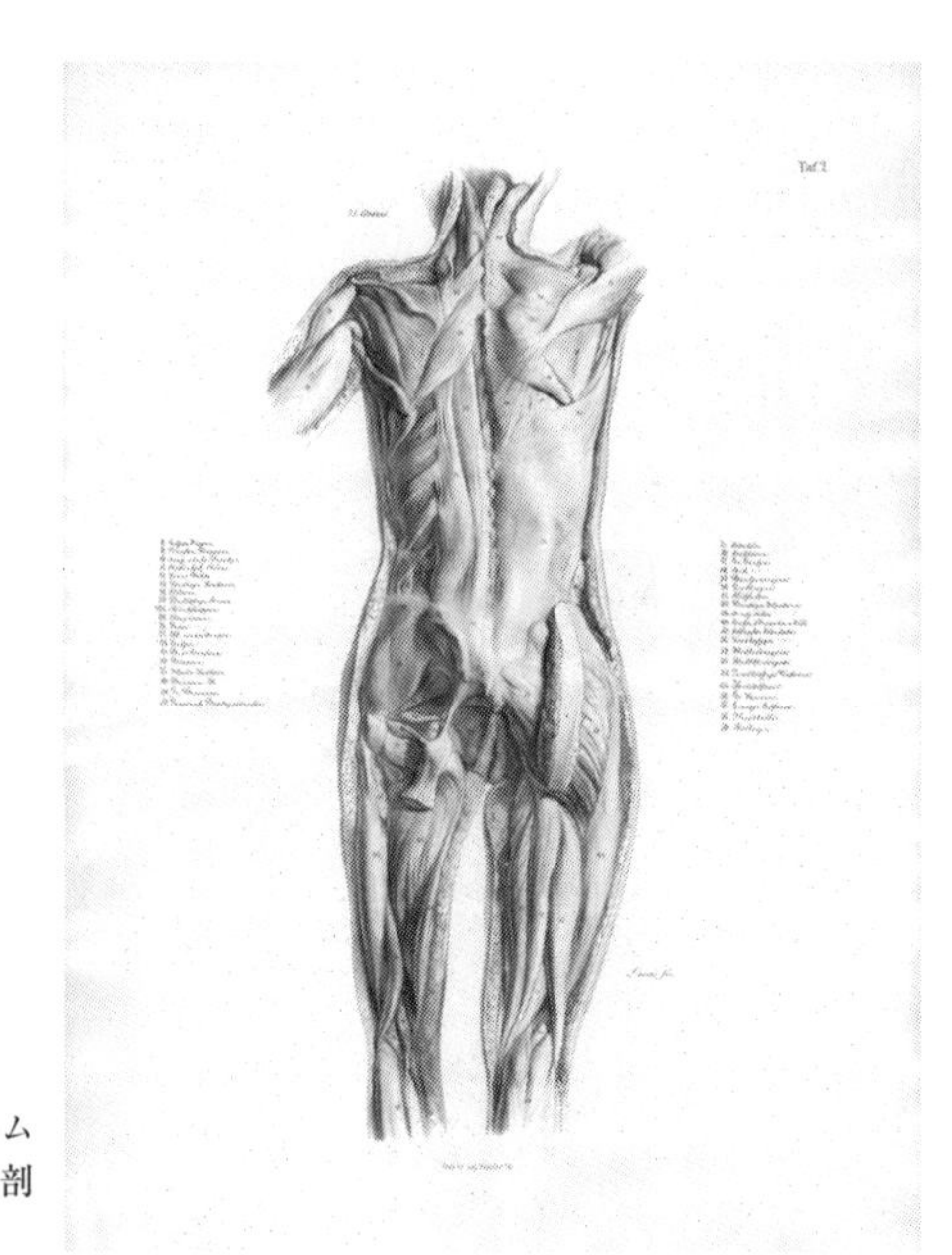

1-9-5
グスタフ・ルカによるムラージュに基づく解剖図（1868）。筆者蔵

1-9-6　アルビヌス『タブラエ』の理想的人体の解剖図（1747）

再構成図の最高峰の作例はアルビヌスの『タブラエ』（図版1－9－6）である。骨格図では、複数体の骨の中から選び抜いた標準的な骨を組み合わせて描かれた。このように聞けば、詳しい人は別個体の関節面は一致しないということに気づくだろう。したがって、骨格図の関節部分は推測で補われている。このタイプの図の良いところは形をある程度自由に整えることができるため、実物を観察して描いた図よりも生々しさを抑えることができることだ。

（3）のスーパーインポーズ（superimpose）図は、体表の情報に内部構造を重ね、推測して描く。主に体表からスタートし、内部構造を透過させるように描く。図の印象は体表の形が強く現れ、生体に近い印象になる。

スーパーインポーズ法で描かれた図には、皮下の厚みを考慮せず、体表のアウトラインに直接筋肉の境目を描き込んでいく場合と、皮膚と皮下組織層の厚みを考慮して筋を描く場合がある。

スーパーインポーズ法は観察に比べて推測で描いた部分が多いため、誤りが含まれることもある。誤解さ

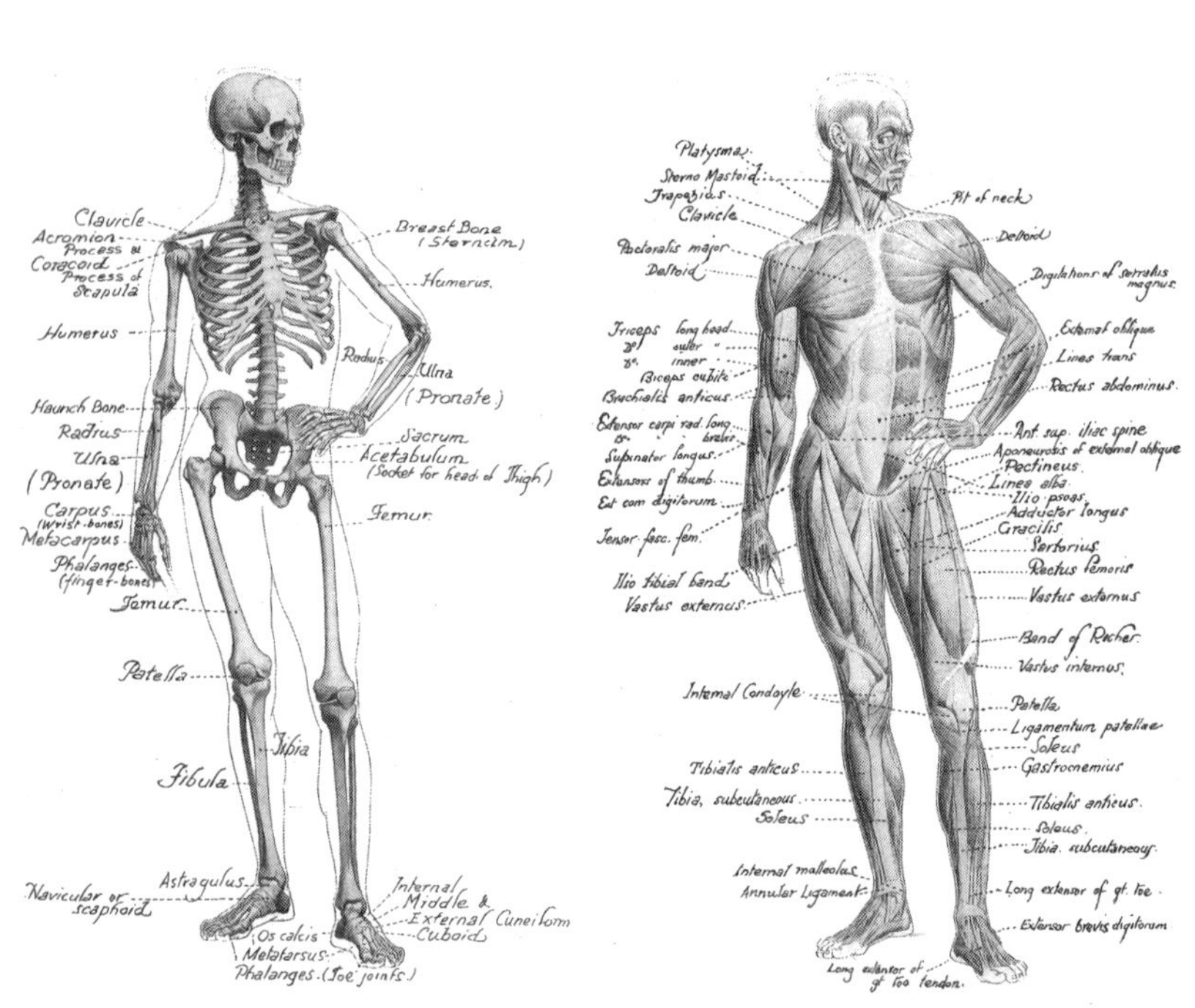

1-9-7　エルウッドらの教科書に記載されたスーパーインポーズ図。筆者蔵

れやすいのは、脂肪層の厚みである。例えば女性の殿部では、脂肪層の厚みが考慮されず、筋が巨大に描かれていることが多い。

一方、この描き方の良いところは、体表からスタートしているので、体表のアウトラインや姿勢などが自然な印象になるところである。

(4)の概念図ないし模式図は、シェーマ(schema)とも呼ばれ、極めて視認性の高い図である。概念図には、肉眼観察が可能な情報をわかりやすくシンプルな図に置き換えたもの、見えにくい仮想軸など構造を抽出して可視化させたもの、図形などの幾何図形で描いたものなどがある。

全部描くと情報過多になるので注目させたい部分のみを図示したい場合や、複雑な形態を一旦簡単な形に置き換える場合にも用いられる。例えば、胸郭を描く際に、肋骨一本一本を描かずに一連のボリュームやアウトラインとして描く。

この単純化された図は、絵画技術の不足からくる稚拙さとは異なり、伝えたいディテールが端的に描かれている。ある物事に詳しい人は、自分の言葉で

1-9-9
デューラーによる概念的人体図。20世紀初頭に出版された「ドレスデン・スケッチブック」のカタログより。筆者蔵

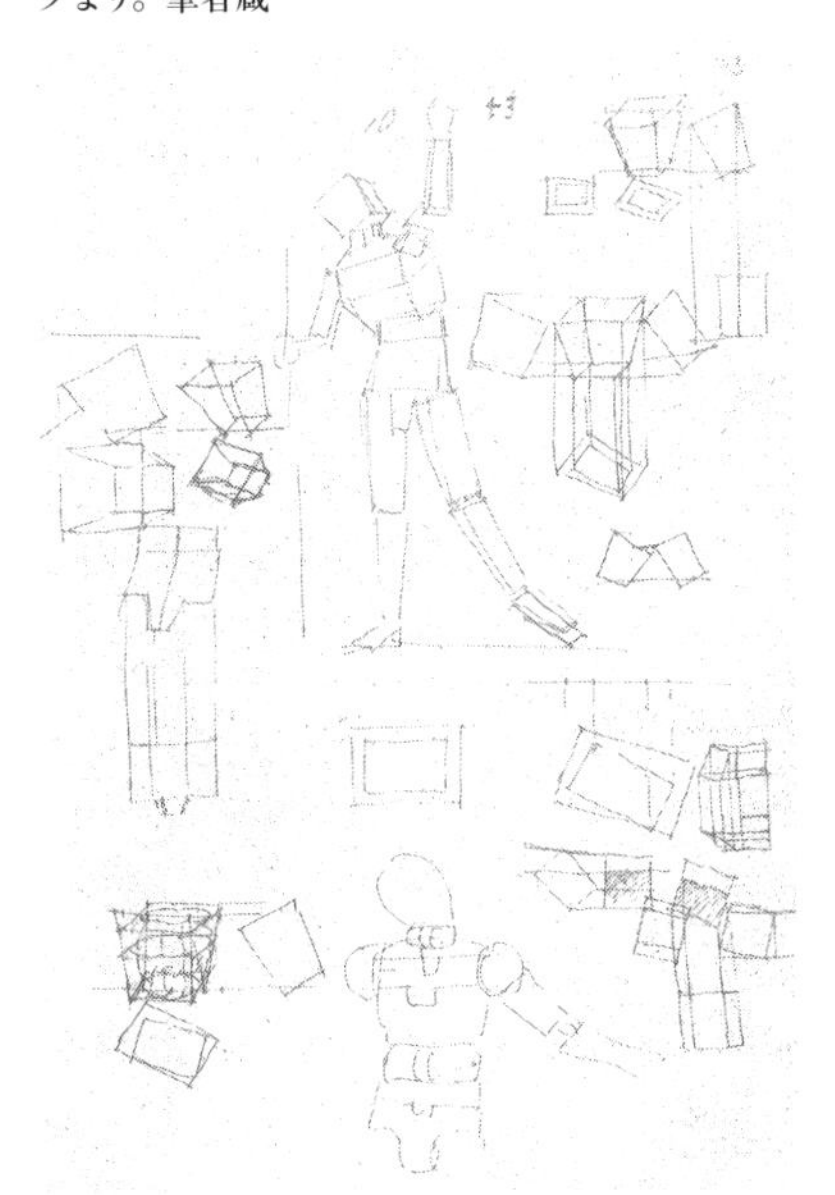

1-9-8
モリールによる体幹の筋配置の概念図(1923)。筆者蔵

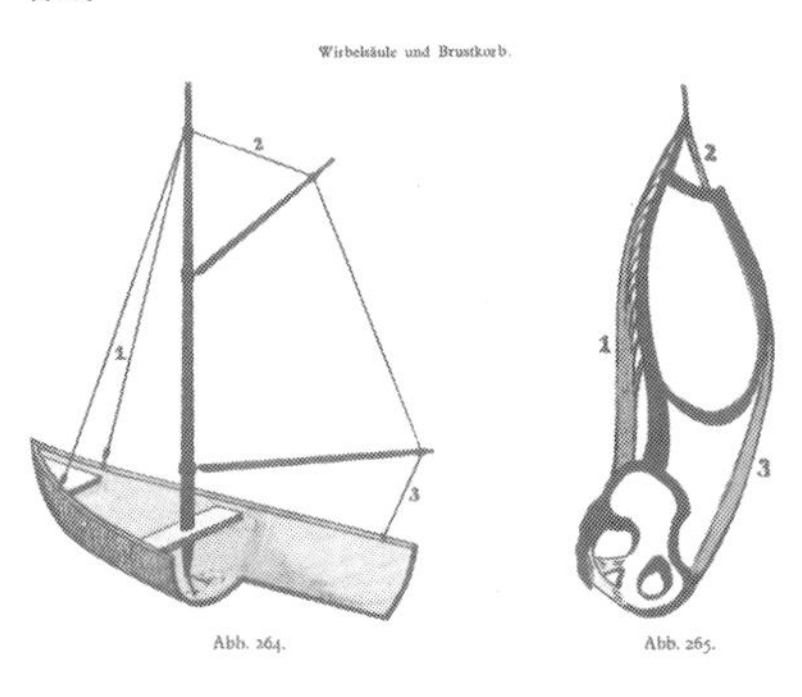

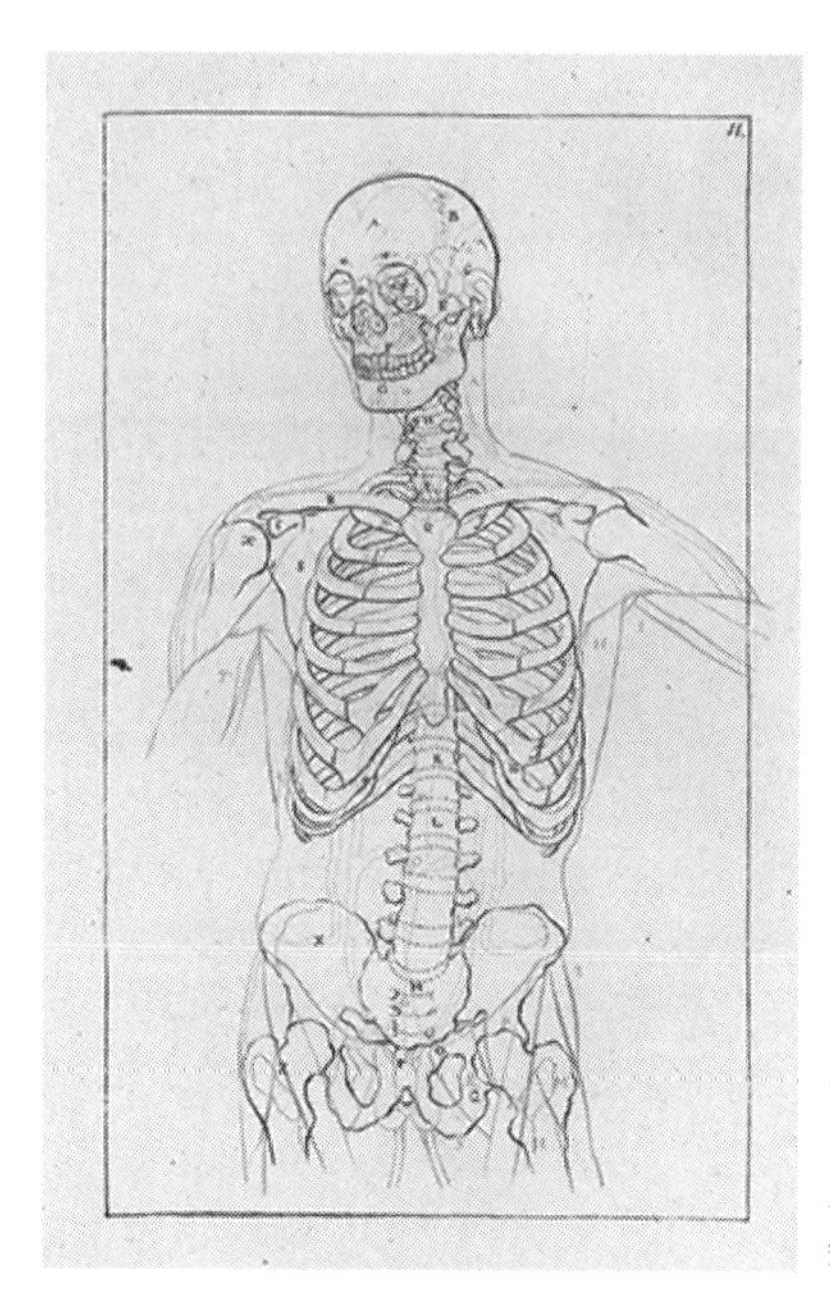

1-9-10（口絵）
ラヴァテルによるオーバーラップ図（1797）。筆者蔵

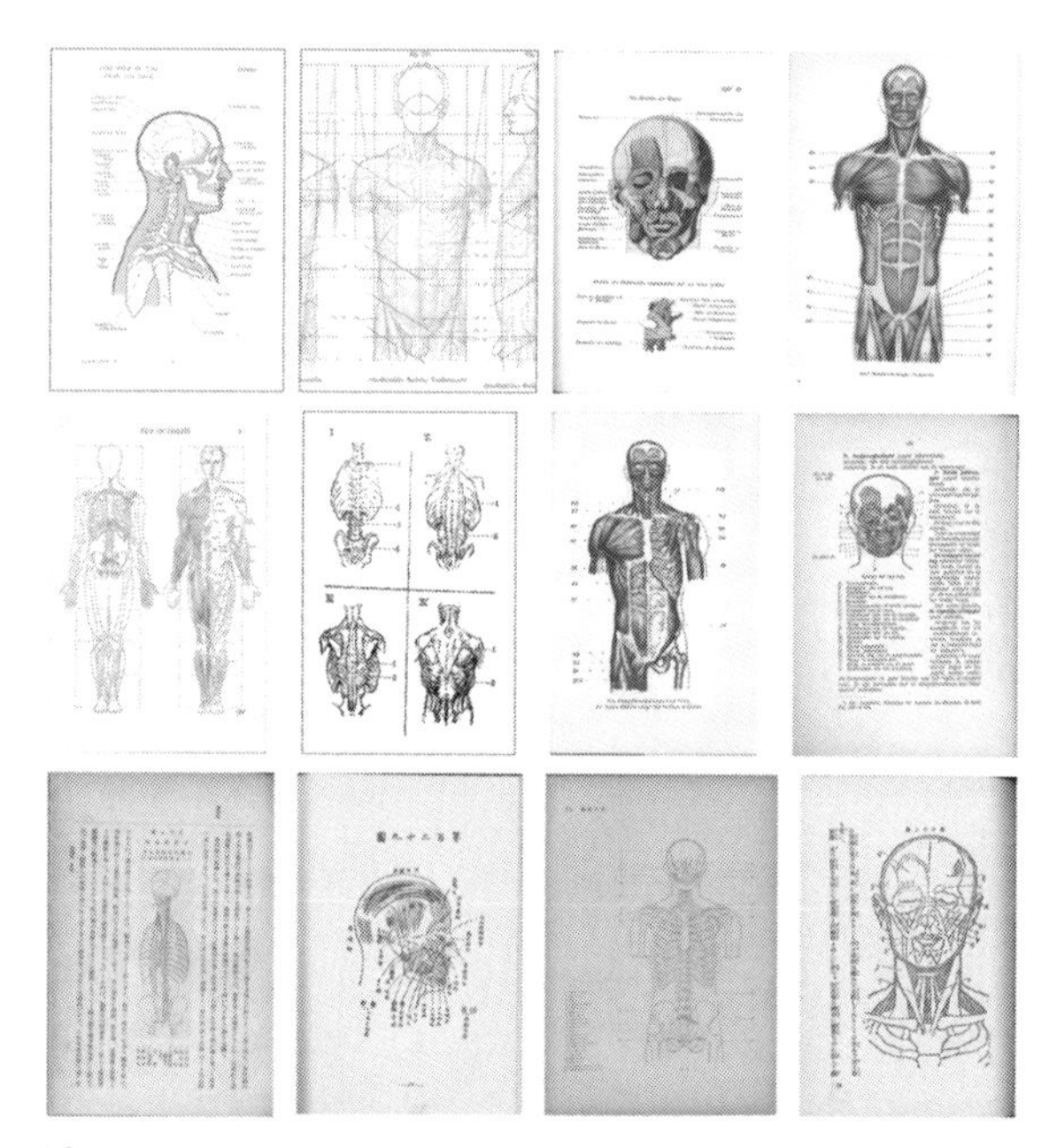

1-9-11
ポール・リシェの図のコピー。19 世紀末〜 20 世紀初頭のもの。筆者蔵

自在に語ることができるが、それのヴィジュアル版に相当するだろう。詳しい人が概念図を描くと、形の隅々まで気配りができている。

(5)の他者の図の複写は、オリジナリティが少ない一方で、教育方法を継承したり、わずかなアレンジを加えたりする場合に有効である。例えば、アルビヌスの図版をコピーしたラヴァテルという医師は、『タブラエ』の図版が、骨と筋の図で同じ輪郭の骨格を用いていることに着目し、骨格図の上に筋を重ねて描いた(オーバーラップ図)。骨格と筋の輪郭を重ねて示した図は原著にない。この図は、X線撮影が発明される100年ほど前の教科書に掲載された。

複写の方法は、トレースの場合はアウトラインが一致するほどオリジナルに近い形が再現されるが、トレース(方眼を用いた拡大縮小を含む)と、見比べながら描き写したものとがある。模写の場合は作者の画風に応じて印象が変化する。

図の複写は単なるコピーという意味合いだけではなく、他者から影響を受けたことを示す。美術解剖学の歴史を研究する場合には、図が引用された書籍をたどってまとめると、教育内容の継承や推移、普及などが可視化できる。

§1-10 美術解剖学は「How to draw」ではない

これまでは美術解剖学の内容や種類について述べてきたが、ここからは美術解剖学の目的と効用を紹介していく。現代的な美術解剖学の教育は人体デッサンと関係しているため、絵を描く技術の一つとして認識されがちである。しかし、美術解剖学の第一の目的は、上手な絵の描き方を学ぶこととは異なる。

最近、アメリカを中心に美術解剖学のことを「アナトミー(Anatomy)」と呼んでいる。美術解剖学といえば「Artistic anatomy」や「Anatomy for the artist」などが一般的だったが、さらに簡略化されて「アナトミー」になったようだ。

アナトミーといえば解剖学のことになるが、実際の内容は医学で教えられている解剖学というよりは、How to draw(描き方)に調整された美術解剖学で、筆勢やボリュームなど造形的な図説が多い。解剖学の見地からすると実際の解剖体験に基づいておらず、学問体系としてもまとめられていないので、「アナトミー」には該当しない。

本来、美術解剖学の目的は、人体や生物の内部構造を知り、体表に現れる起伏を判別できる目を養うことである。表現様式に左右されずに人体や生物のあらゆる起伏と構造を瞬時に捉えられる目を養うことによって、結果的に絵画やイラスト、彫刻やCGモデリングなどの表現力が向上する。

一方、How to drawは、絵を描くための知識や情報であり、絵を上達させたい人向けに編纂されたものである。美術の表現方法は絵を描く以外にもたくさんある。彫刻に粘土で肉付けをしたり、写真や映像を撮ったり、文章によって作品を批評することもある。そうした人の需要は絵を描くための技術だけではフォローしきれない。

また、How to drawは、描画のデモンストレーションを必要とする以上、講師の個人スタイルからはなかなか逸脱できない。本来、解剖学の内容は単に人体に関する事実を伝えるもので、

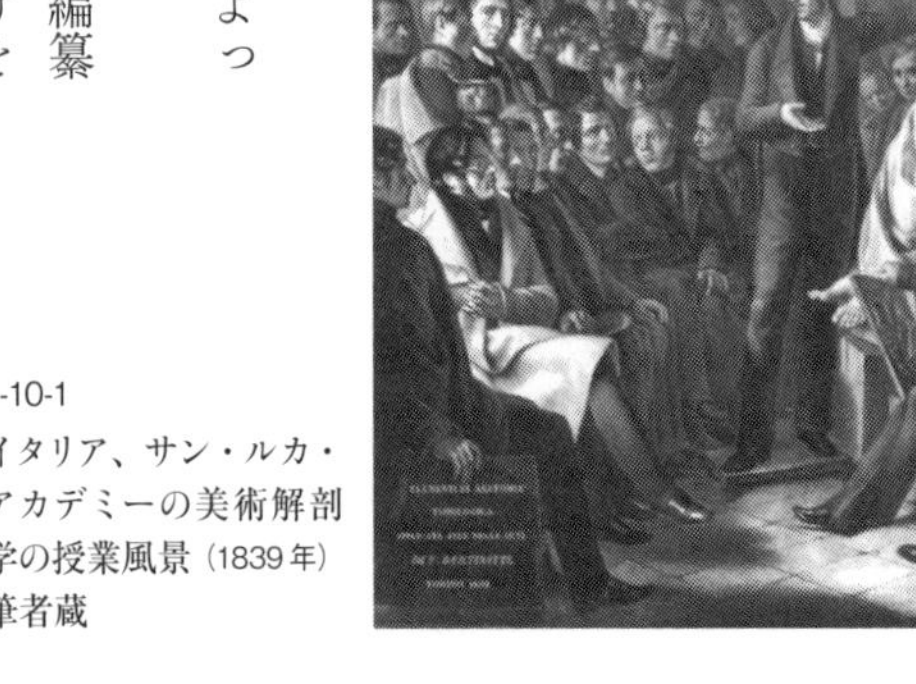

1-10-1
イタリア、サン・ルカ・アカデミーの美術解剖学の授業風景(1839年)
筆者蔵

それらは個人的なバイアスが可能な限り取り除かれている。

美術解剖学で教えられている内容は、骨や筋に関する解剖学がベースになっている。解剖学の情報をさらに遡ると、人体解剖がベースにある。人体解剖の現場、すなわち実際の人体構造の観察を通じてのみ、解剖学の情報をアップデートすることができる。実際に、彫刻を解剖した著者も、体表解剖学や運動生理学を導入した著者も、解剖学者で医師であった。

19世紀の美術解剖学は、解剖の現場にいた解剖学者や医師が芸術家に向けて教えていた。しかし、20世紀になると美術解剖学がデッサンの実技教育と結びつき、素描を教える講師や画家が解剖学を教えるようになった。その方が美術学生たちにとって絵が上達した感覚と直結し、都合が良かったのだろう。

ほとんどの現代的な美術解剖学書の解剖図は、元をたどると19世紀末の教科書に行き着く(4-16リシェ参照)。これは解剖学の現場にいる立場からすると、少し物足りなく感じる。解剖学は20世紀に入っても更新され続けているので、新しい見方や詳細な情報がどんどん導入されてもおかしくはない。

以前、ある大学の打ち合わせで私が美術解剖学について説明した時に、その場に居合わせた先生が「解剖学は、すでに完成して終わっている学問なのに、これ以上やることあるの?」と言っていた。

私はすぐさま「筋肉の裏側の図、見たことありますか。表側と腱の配置が違います」と答えた。この返答で相手の先生に伝わったかは定かではないが、察しの良い読者ならおわかりになるだろう。

これまで描かれた筋肉図のほとんどは表側から描かれ、正面や側面など限られた視点から見た情報をまとめたものである。前述したが、見たことのない視点がある以上、そこに未発見の形や構造が存在するはずである。生物の内部構造という自然物を観察しつくすことはおそらく不可能であり、したがって解剖学が完成することもない、と私は思っている。

§1-11 ―― 内部を見る目、表面を見る目

作品が未熟なことを「表面的」と表現することがある。言い換えると、中身（思想などを含む）がなく、生き生きしていない状態のことであろうか。美術解剖学を学ぶと、作品に中身が詰まったような印象が生じ、表面的ではなくなっていく。

初期を除くミケランジェロの作品の多くは、「ノン・フィニート（non finito、イタリア語で未完成の意）」のままで止まっている。表面に鑿目（のみ）がくっきりとついたまま、場合によっては石材の塊が残ったままになっている。

これはミケランジェロの絵画作品でも同様である。例えば、代表作のシスティーナ礼拝堂の天井画は肉眼で見たときには気にならないが、画集などで細部を見ていくと「からだ」ではない部分にノン・フィニートが見られる。毛髪は刷毛（はけ）のストロークしかなく、衣服の布は明部と暗部の色がちぐはぐで、背景の中にも制作途中と思しき箇所が見られる。

だが、それが作品の評価にとってマイナスかというとそんなことはない。システィーナ礼拝堂の天井画は、言わずもがな美術史上の名作・傑作と評価され、実際に圧倒的である。何度も名作と言われるので、評価に引きずられてしまっている可能性もあるが、礼拝堂の椅子に座って天井を眺めていると確かに造形的な充足感が味わえる。

1-11-1
ロダン『考える人』。19世紀末頃の絵葉書

ミケランジェロの作品と似たような形態的充足感が得られる作家として、ロダン（Rodin, Auguste. 1840－1917）とフェイディアス（Pheidias. 480－430BC）がいる。

ロダンは『考える人』や『地獄の門』で有名なフランスの彫刻家である。作品も上野の国立西洋美術館の入り口前の広場にいくつも展示されており、開館日には無料で鑑賞できる。ロダンの彫刻も、粘土をつけたときの指の跡が残る荒々しい表面をしているが、その構造や量感は圧倒的である。

フェイディアスは、パルテノン神殿の彫刻群を制作した古代ギリシャの巨匠である。彼の手がけた彫刻作品は、現在イギリスの大英博物館やギリシャのアクロポリス博物館に収蔵されている。

1-11-2 ミケランジェロによるシスティーナ礼拝堂の天井画の一部。体（皮膚）の描写に比べて周辺は比較的おおらかに描かれている

完全な状態の彫刻は現存しておらず、一部が欠損していたり、表面が磨耗していたりするのだが、そうした欠損が気にならないほど充実した鑑賞体験を得られる作品群である。完成当初は、隅々まで研磨された装飾的な彫刻だったのかもしれないが、長い時間を経て変化し、一種の「ノン・フィ

ニート」のような効果が生じている。

　これらの彫刻や絵画は、近寄って鑑賞しようとすると、表面や細部の荒々しい起伏や刷毛のストロークが目立って形が見えにくくなるという特徴がある。ある程度距離をとって鑑賞すると、うねりや起伏、人体の姿勢が作る螺旋（らせん）といった「大きな構造」や「全体像」が現れてくる。

　これらの作品は、ディテールや表面よりも、構造や全体の見え方に注力しているとも言える。肝要な要素が表現されていれば、あとは目が勝手に補ってくれるので、途中で放棄しているように見えても目的の表現は完成しているのだ。

　反対に「フィニート」すなわち隅々まで手入れをした作品にはどのような例があるのか。フィニート的な作家には、ラファエッロやベルニーニがいる。ラファエッロは、レオナルドやミケランジェロと合わせてルネサンス三大巨匠の一人とされ、ベルニーニは「ベルニーニはローマのために生まれ、ローマはベルニーニのために作られた」と称される。どちらも高い名声を得ていて、ファンも多い。

　ラファエッロの絵画は、聖母子像など女性が丁寧に描かれているが、体の起伏がなだらかで丸く、内部構造が推察しにくい。衣装も背景も隅々まで手が入って、動きも非常におとなしい。ベルニーニの彫刻作品も隅々まで手が入っているという点では同様である。近寄ったときには、

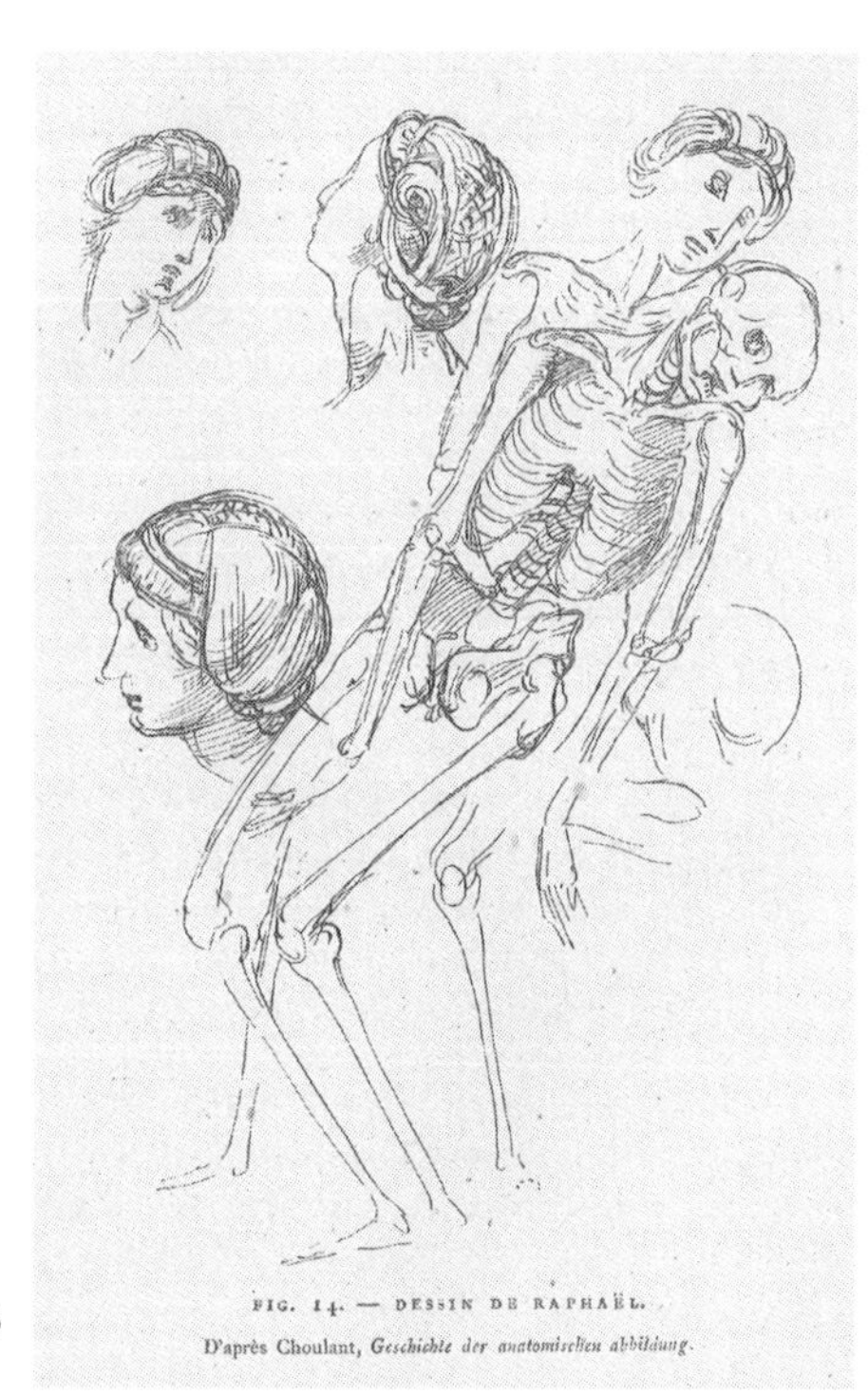

1-11-3
ラファエッロに帰属する骨格図

はためいた衣紋や毛髪の一本一本に対する技術が目に飛び込んでくるが、遠くから見たときにも細部に目が捉われるので姿勢が作る大きな形や構造が目立たない。

さて、ラファエッロとベルニーニは内部構造に関してはどうか。ラファエッロに帰属している骨格図では、ディテールの描写がなく、決して上手に見えず、能動的な興味ややる気が窺えない。ベルニーニは骨の彫刻も制作しているが、本来筋の付着部としてでこぼこした骨の表面までツルツルに磨いてしまっていて、解剖学を学んだ目からすると見応えがない。こうした作品からは、内部構造よりも表面処理技術に対する注力が窺える。

こうした表面に意識が注力された造形は、美術の歴史上、何度か悪しき風習とみなされた。彫刻家アリスティド・マイヨール（Maillol, Aristide Bonaventure Jean. 1861–1944）はプラクシテレス作の『幼いディオニュソスを抱くヘルメス』（前4世紀頃、ローマ時代のコピー、オリンピア考古学博物館蔵）を「ゾッとする。マルセイユの石鹸で作っ

1-11-4
ベルニーニ『プロセルピナの略奪』（1621-22、大理石、ボルゲーゼ美術館蔵）。筆者撮影

1-11-5
プラクシテレス『幼いディオニュソスを抱くヘルメス』（原作4世紀頃、オリンピア考古学博物館蔵）。筆者撮影

た彫刻だ」と酷評している。

時代に応じて表面へ意識が向かうこともあれば、構造へ向かうこともある。表現として、表面と内部のどちらを重視すべきかではなく、両方とも重要で、バランスの問題である。しかし、美術解剖学はどちらかと言えば、表面よりも内部に意識を向けることに通じている。

§1-12―人体における遠近法

作品への意識が、表面ではなく深部へ向かうとはどういうことか。少し歴史を踏まえて解説してみたい。

現存する最古の美術解剖学関連の技法書は二つあり、一つはフランスの画家ジャン・クーザン（子）(Cousin the younger, Jean. １５２２-95）による『肖像の書（Livre de Portraiture)』である。この本の最初の出版年は記録が不明で、１５７１年とも１５８９年ともされている。確実に遡ることができる出版年は１５９５年で、この場合は、世界で2番目の美術解剖学の教科書になる。

『肖像の書』は、フォンテーヌブロー派の画家であるクーザンの実父（Cousin the Elder, Jean. １５００-93以前）が執筆した『遠近法の書（Livre de Perspective)』（１５６０）の出版直後に着手された。遠近法の教育が重視された時代背景もあってか、現代では見慣れない短縮法の作図方法が描かれている。

短縮法とは、腕や足、胴体などを長手（ながて）方向ではなく、短手（みじかて）方向から描く方法のことである。例えば、指を真っ直ぐ伸ばした状態から自分に向けると見かけの長さが短くなる。このことから「短縮」という名前がつけられた。
もう一つの技法書は、スペインの画家ヤン・デ・アルフェ・イ・ヴィヤファニェ（Arphe y Villafañe, Juan de. 1535－1603）による『彫刻と建築の様々な同一基準（Varia Commensuracion pala la Esculprtura, y Arquitectura）』（1585）である。短縮法の掲載はないが、遠近法と関わりの深い建築が主題の一つになっていて、解剖学はその中の一項目に組み込まれている。

どちらの美術解剖学書も、建築や遠近法、すなわち人体を取り巻く空間と関わり合いがある点で、類似性が見出せる。短縮法や遠近法は、当時の芸術家たちにとって最先端のテクノロジーで、なおかつ教示・継承可能な知識だったため、美術における大きな関心事となっていた。

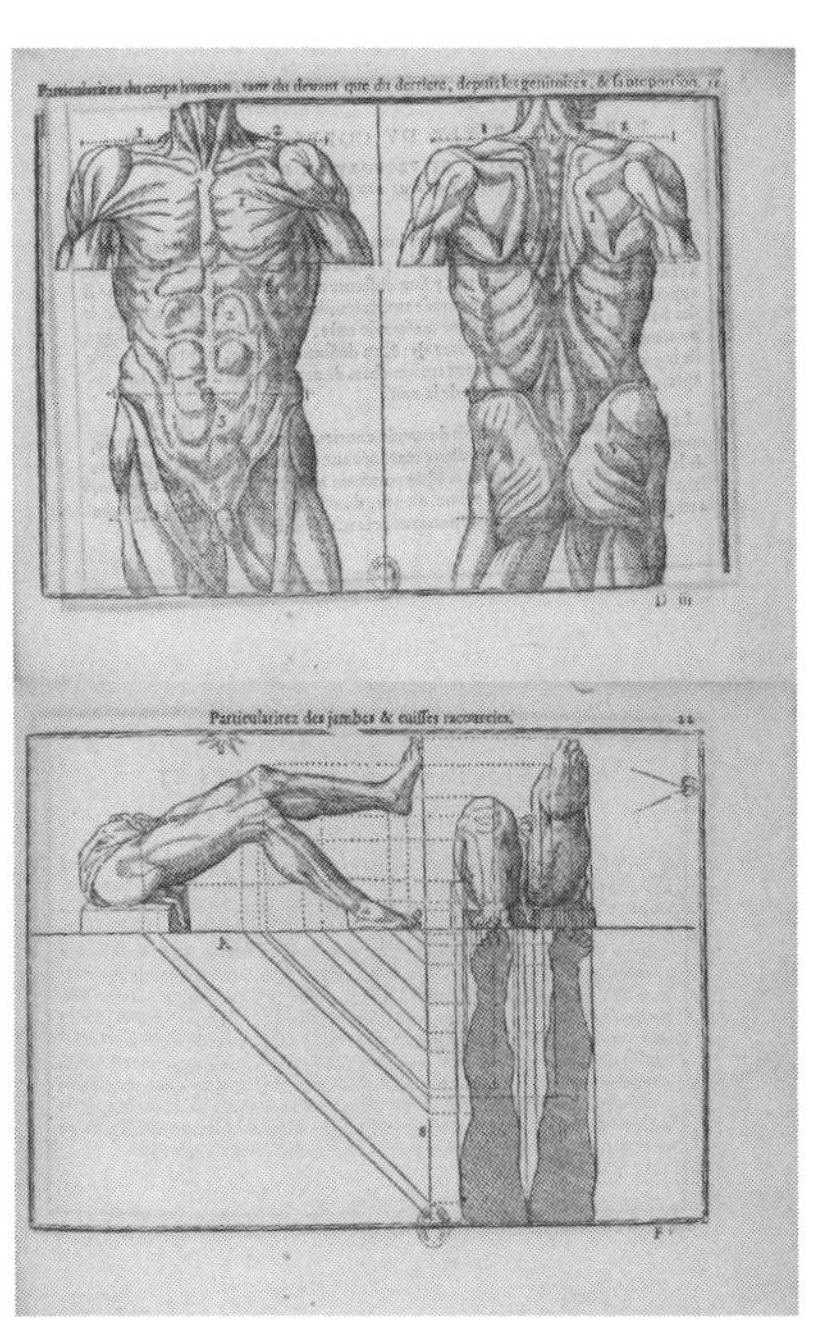
1-12-1 クーザン（子）『肖像の書』。筆者蔵

美術解剖学を拡大解釈するなら、「人体における外部と内部の遠近法」と見立てることもできる。体表から筋肉や骨を透過して観察する過程は、一種の奥行き、遠近感を形成する。人体は中心まで多くとも数十センチの厚みだが、れっきとした奥行きである。

しかも単純な手前と奥の関

係ではなく、構造と構造、もしくは器官と器官が重なり合って複数の層を形成する。人体解剖では、その重なりを一つひとつめくっていき、最深部の骨や内臓、中枢神経に至る。遠近法と異なるのは、直線や消失点がないことである。

　空間の奥行きを示した遠近法と人体の奥行きを示した解剖学の関係性は、「外部の遠近法（人体外の空間）」と「内部の遠近法（人体内の空間）」と、言い換えることもできる。遠近法を発見したルネサンス人が、同時期に人体解剖に興味を持った理由の一つは、そこにあるような気がしている。

§1-13―つながりを知る目

解剖学を学ぶと、表現がどのように変わるのか。

まずは生体を観察した時に、その起伏が何によるものか、内部構造が推測できるようになる。知識が増えるにしたがって、この突起は骨、この膨らみは筋、この段差は筋と腱の境界部など、一つひとつが手に取るように理解できるようになる。例えば筋の起始、停止

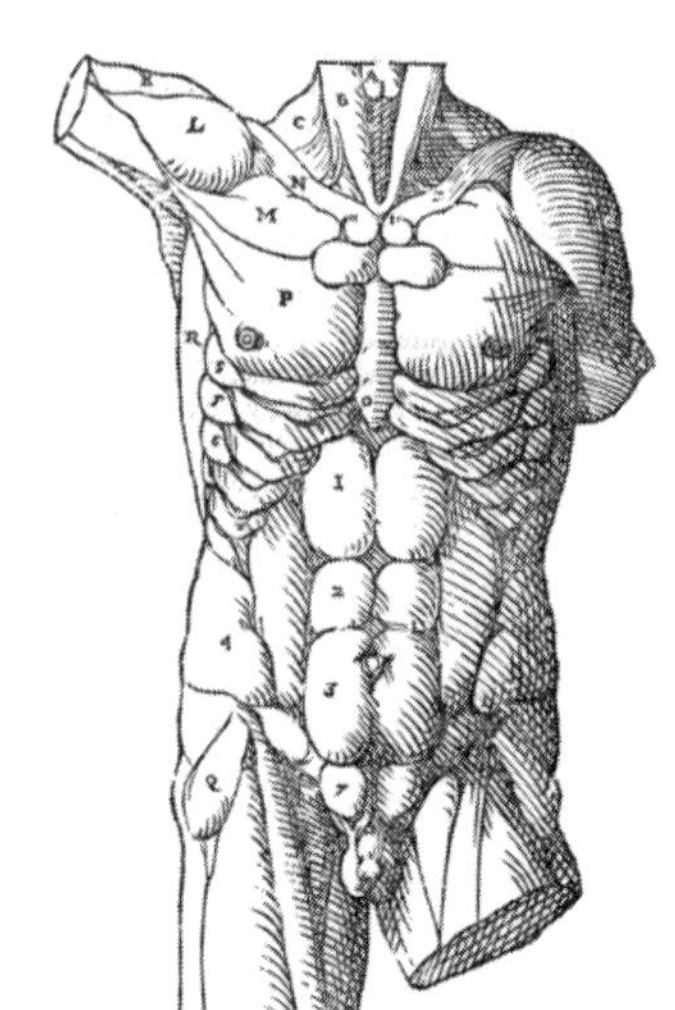

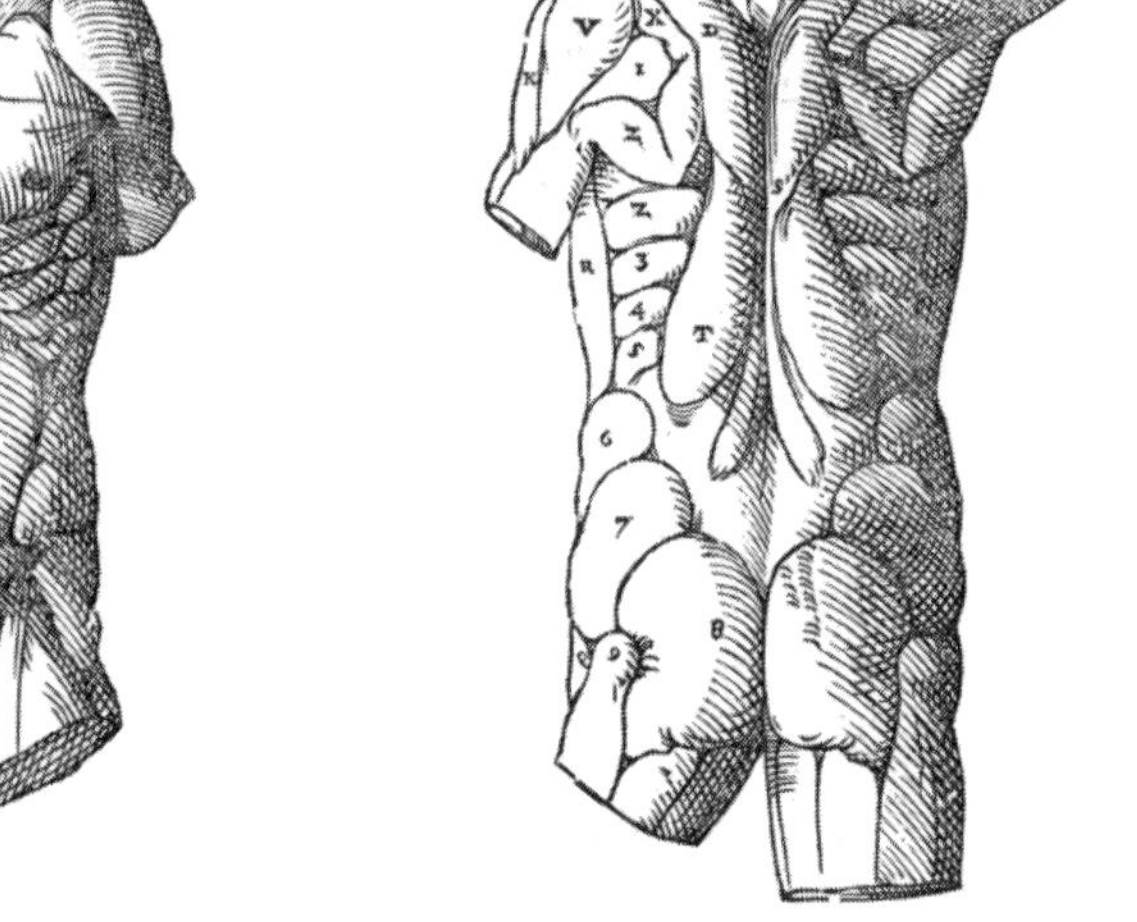

1-12-2 アルフェ・イ・ヴィヤファニェの美術解剖学書（1585）。筆者蔵

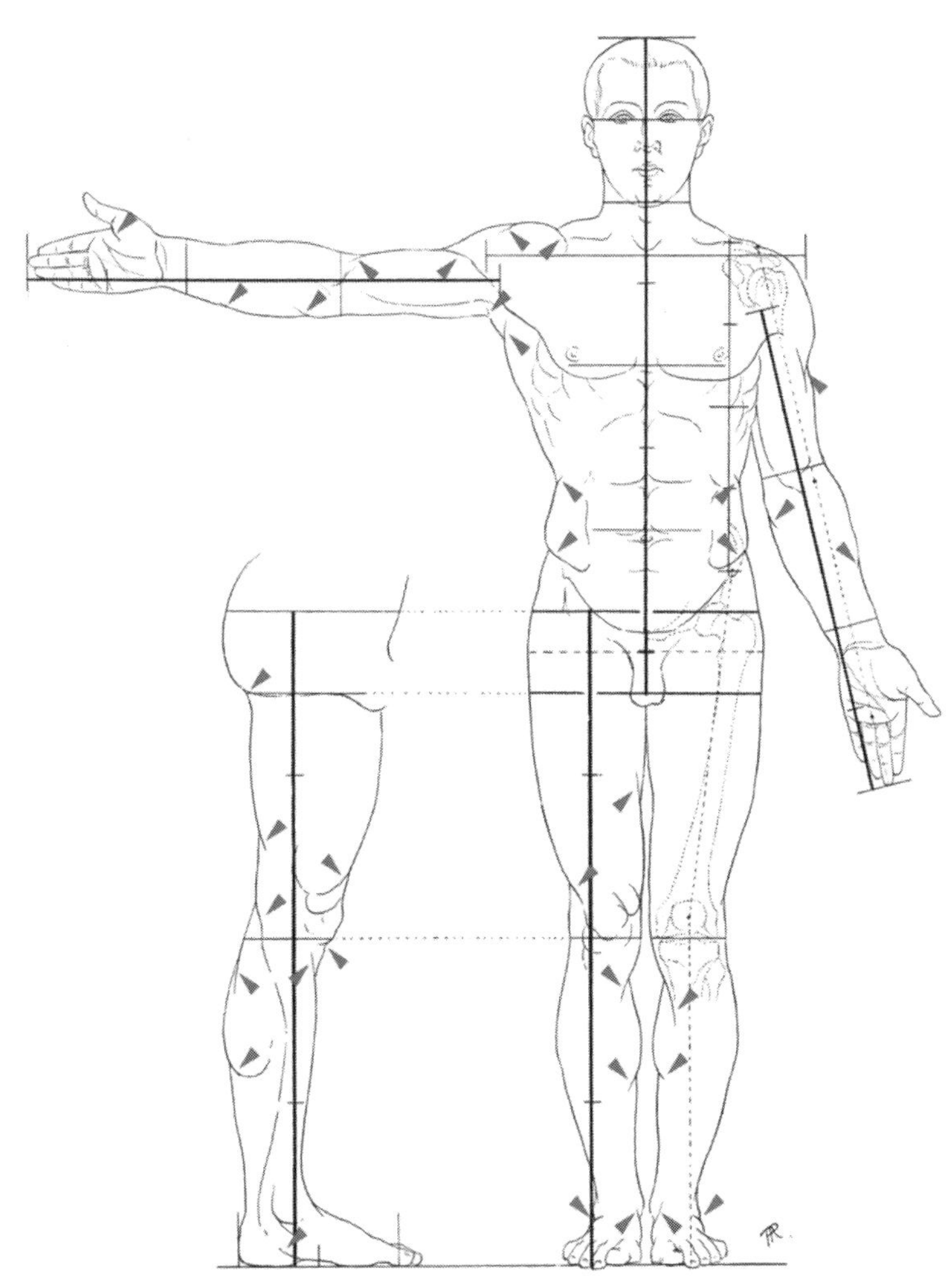

1-13-1 リシェのプロポーション図。矢頭は輪郭における「回り込み」と呼ばれる部分。形態のつながりを知ると拾えるようになる要素の一つ。筆者蔵

や走行を把握することは、体表に現れる起伏のつながりを知ることになる。

解剖学では、個々の骨や筋などの構造を順序よく教えていく。一度に複数の構造を扱うことはほとんどない。これは言語的なルールによる制約である。

例えば筋の働きを解説する際に、単一の筋の作用を解説することはできるが、複数の筋が関与するような動作の解説はほとんどなされない。

このことは方向という概念にも当てはまる。解剖学には前面、外側面、矢状面、外転、内旋など人体を記述するために用意された方向がある。解剖図は基本的にはこれらの方向から描かれていて、間の方向はあっても斜め45度（前外側面などと記述できる）に絞られている。中間の角度からスケッチしたような図は、方向が説明できず、記述とマッチしにくい。

このことは、中学校の英語の授業で習った英文法の並びに似ている。主語（S）、動詞（V）、目的語（O）、補語（C）が順序よく並ばないと、綺麗な英文として記述することができず、頭の中にイメージが生成されにくいことと同様である（解剖学が成立したのもアルファベット圏であることは興味深い）。これはさらに文章を構成する用語や単語にも適用されている。

解剖学者の養老孟司が講義でよく使っていた話題であるが、文字の並びが守られていないと「D」「O」「G」にも「G」「O」「D」にもなってしまい、意味が全く違って相手に伝わって

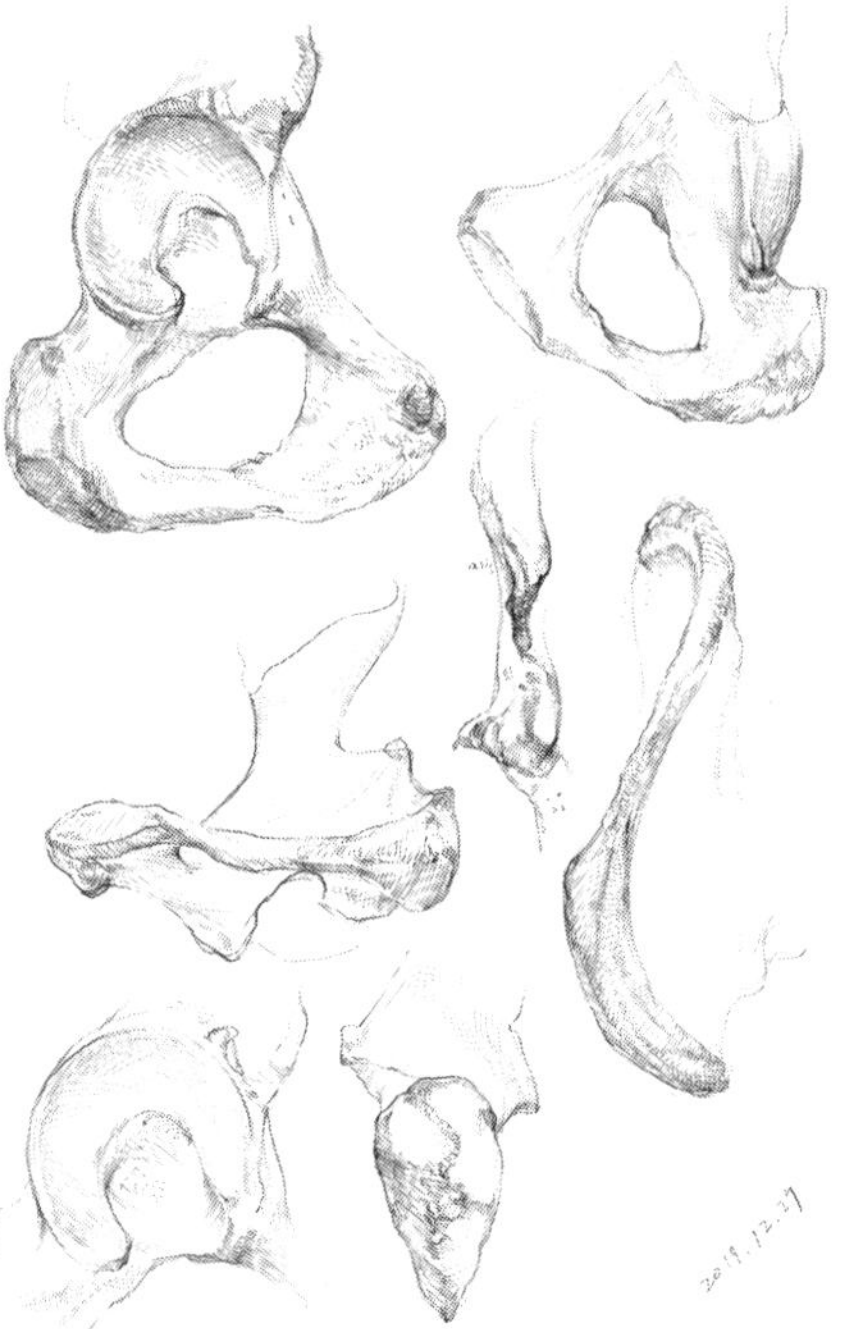

1-13-2
構造の把握のために描いたスケッチ。方向の説明しにくい図は解剖学書で掲載されることが少ない。筆者作図

しまう。単語の分解は解剖用語にも適用可能で、例えば、上前腸骨棘（じょうぜんちょうこつきょく）anterior superior iliac spineは「上 anterior（方向）」「前 superior（方向）」「腸骨 ilium（骨の名称）」「棘 spine（部位の形状）」に、胸鎖乳突筋（きょうさにゅうとつきん）m. sternocleidomastoideusは「胸骨 sternum（起始部位）」「鎖骨 clavicula（起始部位）」「乳様突起 proc. mastoid（停止部位）」に分解することができる。

解剖学書の記述は、例えば、中枢（近位）から抹梢（遠位）に向かって理路整然と進み、満遍なく体系的に解説していく。各々の部位ごとにもさらに細かな階層性が適用されている（3-7参照）。これに従っていないと、ごちゃごちゃとした印象になり、頭の中で参照するためのマッピングがされにくい。しかし、こうした事柄を一度覚えた学習者の中では、複数の情報を同時に処理することができるようになっている。

解剖学に慣れ親しむと、体表から観察したときに骨も筋も同時に処理できるようになる。例えば、絵画では、輪郭線の回り込みや起伏の意味がわかるよ

1-13-3 マーシャルによる上腕二頭筋の収縮を示す図。左、肘の伸展時。中央、屈曲時。右、屈曲と回内時。内部構造を知ると起伏の違いが理解できるようになる。筆者蔵

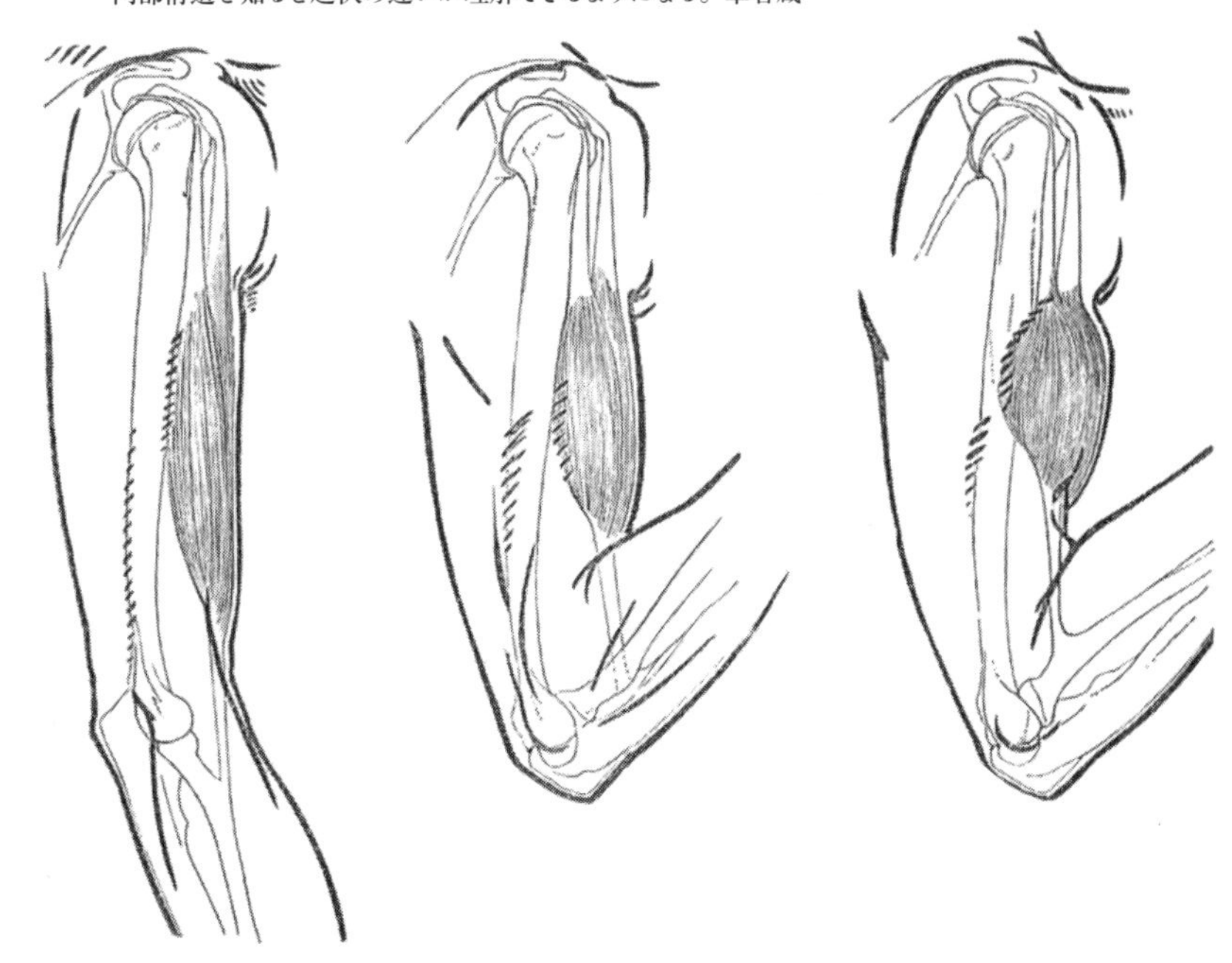

うになり、輪郭の内側では溝がどこからどこに向かっているかがわかるようになる。彫刻では、大まかなまとまりのボリュームや浅層、深層などのレイヤーで見ることができるようになり、隣り合う構造が連続的なものとして把握できる。

解剖学では、個々の構造を順序よく解説するが、学習した人の頭の中ではそれらが再構成され、統合された連続的なものとして扱えるようになっている。

「解剖学はバラバラにしていくことだ」と思われがちだが、それは教科書に見られるような記述的側面だけの印象だ。バラバラなものを学習した後に、頭の中で自在に組み立てられるようになることが真の効用なのである。解剖学的構造を頭の中で組み立てられるようになると、人体上に現れる形態に対する判断力が以前よりも格段に素早く、的確になる。

§1-14 形態を発見する感性

美大を出て医学部の解剖学講座に入った時に驚いたのだが、講座の先生たちが描く絵は、非常にうまい。絵といっても、芸術作品ではなく医学のための図で、解剖という限られた対象の線描だが、日本画の下絵のような繊細で緊張感のある線を引く。論文に使用するイラストレーションを制作するために下図を渡してもらうことがあるが、下図を大幅には更新できない。

餅は餅屋と言うが、解剖学の先生たちは専門領域の形態に対する感性が非常に鋭い。「形態に対する感性」という言葉がわかりにくければ、「形態に関する反応」でもかまわない。パッと見ただけでは気がつかないポイントをいくつも知っている。イラストを依頼された時も、こちらは美術教育を受けた絵描きだからと安心していると、瞬時に様々な形のミスを指摘される。

このことは、観察しただけでは十分に描けないことを示す好例である。専門的に研究していると、形態に対する様々なチェックポイントが増えていく。美術解剖学を学ぶ人は、知識や経験が増えていくほど、人体作品を鑑賞した時に、自然か不自然かの判断が鋭くなっていく。それによって、作者が人体を観察したか、観察せずに誰かの様式を真似たかが推測できるようになったり、解剖図で言えばイラストレーターが解剖体験しているか、していないかがわかるようになる。

しかし、構造を間違って表現していても、作品の価値が下がらないことがある。

オランダの画家、レンブラントの出世作に『テュルプ博士の解剖学講義』（1632、マウリッツハイス美術館蔵）という油彩画がある。長年にわたり外科医組合会館に飾られていたこの絵画には、解剖学者の間でよく知られた「間違い」がある。

テュルプ博士が鉗子（手術の際に摑んだり牽引したりする器具）を使って牽引している筋は、指先の腱の形態から浅指屈筋とみられる。この筋は、親指を除く指の中節骨に付着し、いわゆる第二関節（近位指節間関節）を曲げる働きがある。この筋の起始（近位の付着部）は肘の内側上顆だが、この絵画では外側上顆から起こっている。

筋を強く牽引したので、上腕が外旋しているのではないかと探ってみると、今度は隣接する円回内筋（のような不明の筋）が前腕の小指側の骨、すなわち尺骨に向かって走行している。円回内筋は本来、前腕の親指側の骨の橈骨に向かって走行する。

このミスは、レンブラントが右腕の解剖図を参考にして、そのまま左腕を描いてしまったためではないかと考えられている。ただし、たとえ構造にミスがあったとしても、巨匠が描いた一点ものの絵画に変わりない。多くの外科医が見て、間違いに気づいていただろうにもかかわ

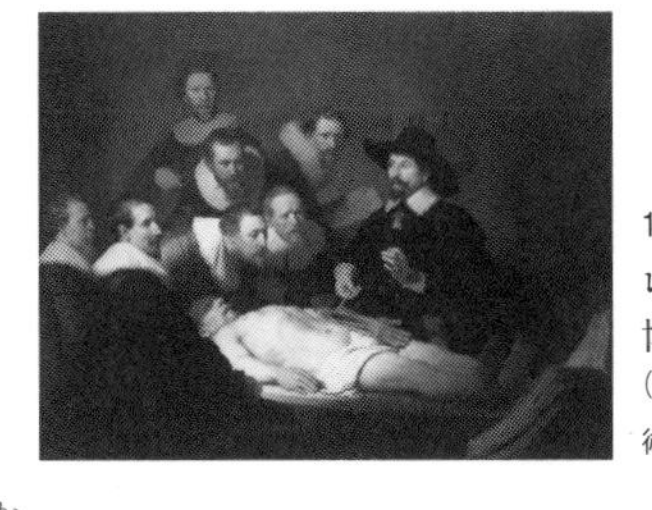

1-14-1
レンブラント『テュルプ博士の解剖学講義』（1632、マウリッツハイス美術館蔵）および部分

らず、この絵画の評価は高い。

この絵画の描写には迷い筆が感じられない。レンブラントは堂々と間違えている、もしくは間違えたことに気づいていないように見える。細かいことは、二次的な印象であって専門家以外は気にしない。それよりも全体の印象や明暗のコントラスト、絵画の主題がきちんと鑑賞者に伝わるかどうか。おそらくそうした判断の結果を我々は「見事」と感じているのではないだろうか。

もちろん、そこには巨匠レンブラントというネームバリューも含まれている。「芸は身を助ける」と言うが、些細な間違いなど上塗りしてしまう「芸」や「術（わざ）」、「勢い（熱気）」がレンブラントとその絵画に存在している。

§1-15 理想美と現実美

西洋美術の歴史を見ると、「芸」や「勢い（熱気）」によって、人体表現が華々しく豊かになる時期が何度か存在する。主に古代ギリシャ、盛期ルネサ

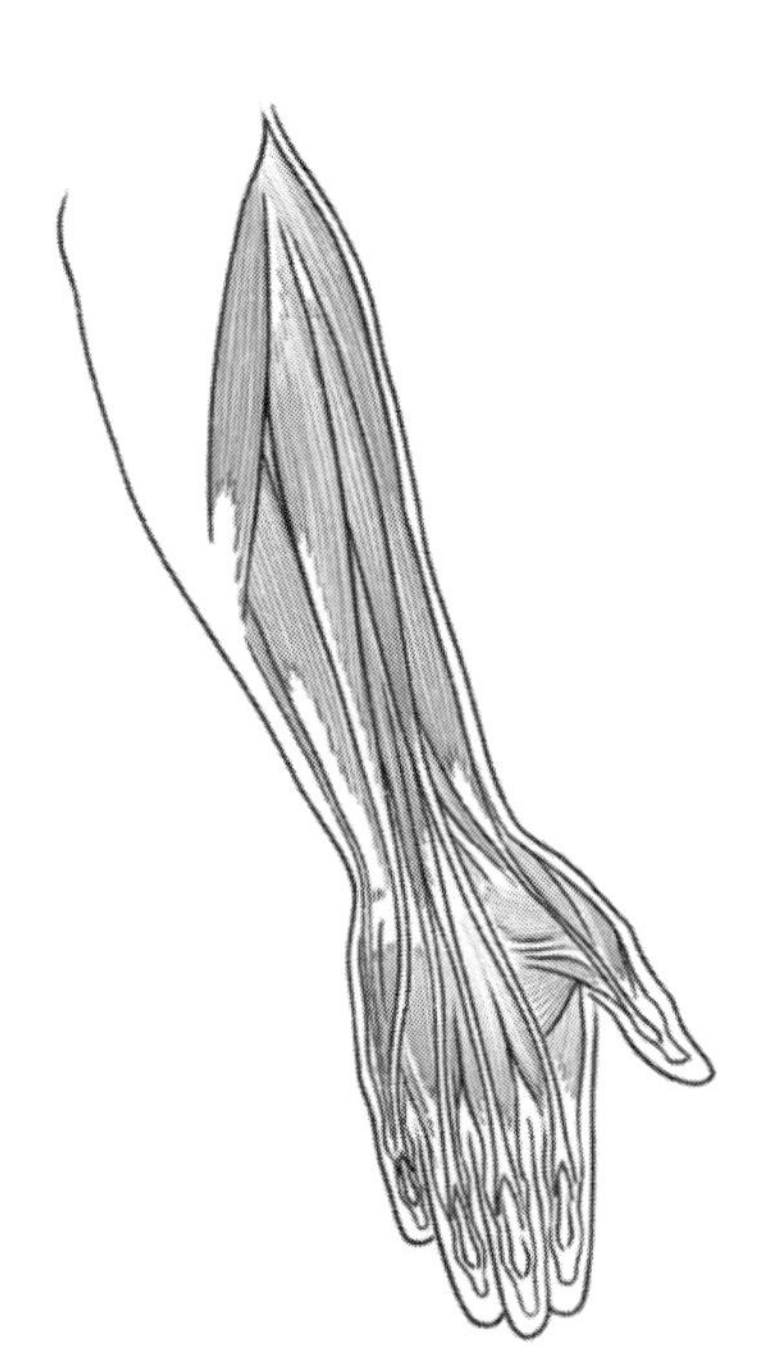

1-14-2 レンブラントが描いた前腕の筋の復元図。左が通常の前腕の筋（長掌筋と橈側手根屈筋を切断）。屈筋の起始が外側と内側で逆になっている。リシェの図を元に作成

ンス、近代（19世紀末~20世紀初頭）である。各々の時代の流れを手短に解説すると以下のようになる（美術史を専門とされる人にとっては割愛しすぎで口を挟みたくなるだろうから、読みとばしていただいて構わない）。

古代ギリシャの歴史家ディオドロス・シクルスによれば、古代ギリシャには前6世紀頃にエジプトから彫刻の制作方法が伝わった。初期の人体像は素朴で稚拙な表現だったが、その後300年かけて独自の表現を獲得していった。独自表現とは例えば、片足重心（コントラポスト）像や横たわった姿勢を含む破風彫刻など、オリジナルのエジプトを超える人体表現である。

古代ギリシャの後に栄えた古代ローマでは、ギリシャ彫刻のコピーによって人体表現が観念的（実際の人体を見ないで作ったような印象）になっていった。それ以降ルネサンスまでのキリスト教美術時代は、アダムとイヴやキリストの磔刑（たっけい）の他にはほとんど裸体が表現されず、神聖比例など概念図形が優位になって人体描写はさらに観念的になる。

ルネサンスになると芸術家たちが人体解剖を行った記録が現れ始め、フィレンツェを中心とした盛期ルネサンスには、見事な人体像が次々と現れた。ルネサンスの芸術家たちの目線の先

1-15-1 リシェ『三女神』（1913）。向かって左からルネサンス、新古典主義、近代（制作時における現代）様式の人体像。写真絵葉書より。筆者蔵

には、古代ギリシャから途絶えていた人体表現の技術を再興させるという大きな目標があった。そして遠近法や解剖学など新しい見方を加えて研究しているうちに、古代ギリシャを超える情報量の人体表現を獲得した。

ルネサンスの後にはマニエリスムやバロック時代が到来した。マニエリスム時代の作品は、一見すると優雅で上手だが、結局のところミケランジェロや盛期ルネサンスの模倣なので、オリジナルと比較するとどうしても格下に見える。バロックは、より優雅で装飾的な表現になるが、先にも述べたように表面技術の方に目が留まる。

その後、17世紀から18世紀中頃にかけて流行した新古典主義は、ルネサンスと同様の古典復興だが、高い技術を用いてローマ彫刻のコピー像、すなわちギリシャ彫刻のコピー像のコピー像のような作品を生んでいった。ちなみに日本の美大受験の課題となっている石膏デッサンは、元をたどるとこの新古典主義のアカデミズム教育がベースになっている。

19世紀末になるとルネサンスよりもさらに写実性の高い、言い換えれば情報量の多い彫刻作品が生まれた。これは写真の普及と関係している。

古代ギリシャもルネサンスも新古典主義も、どこか様式的な人体の形をしていたが、この時期の作品は、肉眼で見た印象にかなり近づいている。人類は写真によって対象の光学的な見え方に気がついたのである。絵画では、モネの『睡蓮』などで知られる「印象派」も生まれている。光学的な意味で見たままを再現するという写実表現は、19世紀末から始まった比較的歴史の浅い表現なのである。

写実表現は生まれてからたった１５０年程度しか経っていない、と考えると、まだまだ人体表現は向上する可能性を秘めていると思えないだろうか。なぜなら、写実性は観察機材の進歩とそれによって得られた新しい観察方法に関係しているからである。

古代ギリシャでは体表観察によって新たな観察眼と表現力を獲得し、ルネサンスでは解剖体の観察によって、19世紀末には写真によって獲得した。道具を手の延長とするなら、こうした観察方法や観察機材は視力の延長である。

今後どのような観察力を獲得できるか、その可能性はすでにいくつも身の回りにある。例えば、3Dスキャン画像のような歪みのない形態や描写しきれない表面の起伏、顕微鏡やサーモグラフィなどの肉眼で観察できない視野を見たことがあるだろう。そこから抽出された新たな写実表現が現れる可能性はいくらでもある。

§1-16 —— 人体を表現することの深さ

美術解剖学の主な効用は、内部構造を知ることで人体表現が向上することである。ルネサンス時代に古代ギリシャを超える表現を獲得したのも、その一部は解剖学による効用と言える。解剖学と人体表現、これらは極めることができるのだろうか。

人体表現は、あらゆる芸術表現の中で、最も重要な主題の一つである。美術に疎(うと)い人でも知っているような有名な美術作品を思い浮かべてみると、そこには人（ないし人の形をした英雄や神）が表現されているのではないだろうか。

人体の形状は、過去の芸術家たちが挑戦し、様々な表現を開拓してきたように、程よく難解で、追求しがいのあるテーマである。美術はヒトが作った人工物であり、そこに込めたテーマや意図、作業の軌跡などは、ヒトの感覚と体が中心となっている。観察すれば観察した分だけ発見があり、表現力の差として現れる。人類の歴史で、これほどよく観察された対象は他にないだろう。ヒトがヒトを観察することは、美術だけでなく、医学、工学、文学、演劇、哲学、スポーツなど枚挙に暇がない。人体を表現することが、自分や人生とは何か、人とは何か、生命とは何かという問いにつながっている。

私は、彫刻家の保田春彦（1930－2018）のアトリエで美術講師のアルバイトをしていたことがある。保田氏は、最晩年に人体デッサンを繰り返し描き、作品として発表していた。そのきっかけは、修学期に通っていたパリのグランド・ショミエール美術学校で体験した人体デッサンだそうだ。人体は、芸術人生の修学期、晩期を問わず向き合える対象で、終わりがない。

もう少し別の切り口から説明する。世界的な文字デザイナーの小林章の話である。文字の形はグラフィックデザイン分野では最重要テーマの一つで、デザインは美術に含まれる。掛軸の「書」だけではなく、この本に印刷された活字も、美しく見えるように誰かがデザインし、調整したものである。小林氏のセミナーに参加した学生からの質疑応答でこんなやり取りがあった。

1-16-1 フェイディアスとその工房によるパルテノン神殿破風彫刻（前438-432, 大英博物館蔵）。中央はディオニュソス像。筆者撮影

小林氏は、学生から「こんなにたくさん書体があって、もう新しい書体はいらないのでは？」と聞かれ、こう答えている。「音楽の世界ではバッハがあった、ベートーベンがあった、ブラームスがあった、ビートルズがあった。じゃあもう新しい音楽はいらないね？」学生は「そんなことない、必要です」と笑って答えたそうだ。

(http://www.tdctokyo.org/news/07kobayashi_02.html アクセス日2018/12/12)

これは美術も同様であろう。レオナルドが出て、ミケランジェロが出て、ルーベンスが出て、ロダンが出て、セザンヌやピカソやマティスが出て、それで終わりではない。今後も新しい人体表現が開拓されることだろう。

一方で科学の見地からするとどうだろうか。例えば、解剖学を完全にマスターすることはできるのか。

解剖学用語のベースとなっている国際解剖学用語は、『テルミノロギア・アナトミカ(Terminologia anatomica)』という用語集にまとめられている。収録された国際基準の用語は7500語あり、臨床で用いられている用語など国際標準として採択していない用語も含めると2万語を超えると言われている。

それぞれの用語には、何らかの構造が伴っている。構造が伴わない、または構造が未だ見出されていない対象には名前がついていない。また、美術解剖学でよく使われる体表の起伏に関する用語も、ほとんどが国際用語として制定されていない。

解剖学が取り扱っている人体構造は、歴代の解剖学者がその生涯をかけて体内を観察し、明らかにしてきたものの集積である。そこには個人が一生に観察できる量を超えた情報が詰まっている。

以前、解剖学講座のベテラン、工藤幸宏先生と雑談していたときのこと、「解剖生理学」というコ・メディカルの学校で行われる授業の話になった。私が「解剖学者と生理学者はいますが、解剖生理学者っているんですか」と聞くと、工藤先生は「いないでしょ。解剖学ですら専門領域以外は知らないことが多いからなぁ」と言っていた。そこから考えると、一生かけてもマスターできない可能性は高い。

学習者にとって、マスターできないという事実は、容易に諦めにつながる。しかし、人体を含む自然物は、知れば知るほど、新鮮な知見を与えてくれる。その気になれば、いつでも新しい発見に目を輝かせ続けられる。終わりがなく、追求しがいのある対象を持つことは、きっと人生を充実させてくれるはずである。私は講習会に来てくださった人にこう伝えている。「解剖学は1年やそこらでマスターできない。医学部生のように3ヶ月で詰め込んでも、3ヶ月で忘れるし、大変なので嫌いになる。だからライフワークのようにして少しずつ学んでいってください」

実はこれは、解剖学者の三木成夫が衣服解剖学の中澤愈に言った「あなたの解剖学は、毛穴から自然にしみ込むようにじっくりとやればいい、急ぐ必要はない」の受け売りである。オリジナルの方がはるかに趣き深い。(http://koki.o.oo7.jp/65.nakazawa.htm アクセス日2019／12／26)

• 第 2 章 •

ある
美術解剖学者の
記録

§2-1 なぜ美術解剖学を学ぶようになったのか

本章では、この分野の教員がなぜ美術解剖学を志したのか、実際の教員を一例としてその経緯を紹介する。実際の教員とは私である。経験の浅いサンプルで恐縮だが、この学問は、専門的に研究している研究者が極めて少なく、どのような経緯で職に就いたか、という記録がほとんどない。

私自身、「なぜ美術解剖学を学び始めたのか」とよく聞かれるし、学習者や後進の参考になるかもしれないので、決して自分語りが好きなわけではないが、記憶を手繰（たぐ）って紹介してみたい。

なぜ、美術解剖学を学ぶようになったのか。

私は東京藝術大学工芸科出身の両親のもとに生まれた。父は漆芸家から漆芸の研究者となり、上野の国立博物館横にある東京文化財研究所に勤め、一時は東京藝術大学大学院文化財保存学のシステム保存学の教授を併任していた。

私が小学生の頃まで、両親は家で漆塗りの椀を制作していた。作業中は家の中に漆の独特の匂いが充満していたのをよく覚えている。小学生の頃、父が椀の図案を取材するために近所の公園に桜をスケッチしにいくというので、ついていったことがある。

目の前で複雑な桜の花と枝ぶりが正確に写し取られていくのを見て、どうしたらできるのか聞いたら「見りゃ、描けんだよ」と、言われた。美術は言語で教えられるものではないので、「見て描く」という解で間違いではない。そんな家庭環境だったので、なんとなく将来は美術系に進むのだろうと思っていた。

しかし、美術の何に進もうとしているのかは決めていなかった(選択肢に漆芸は入っていない)。高校2年生の時に知り合ったファッション好きの友人の家に行ったときに、文化出版局から刊行されていた『ハイファッション』のバックナンバーで「コム・デ・ギャルソン」を知り、衣服でも美術表現ができるのかと衝撃を受けて服飾デザインへ進路を決めた。

そのときに私が見たのは、有名な97年の春夏コレクション「Body Meets Dress, Dress Meets Body」だった。このコレクションは、服だけではなく人体の形状を再構成しているのが特徴で、服と体の間に丸く膨らんだダウン製のクッションがアシンメトリーに配置されている。後年、古着屋でトップスを入手し、分解(解剖)したところ、クッションによって膨らんでいた部分は、直線裁ちのストレッチ素材だったことがわかり、構造のシンプルさに驚いたのを覚えている。

高校卒業後は、文化服装学院という新宿にある服飾の専門学校に進学した。専門学校は職業訓練校なので、毎日流れ作業のようにカリキュラムが進んでいった。毎日違う工程へ進みルーチンワークではないのだが、皆が似たようなデザインの服を同じ手順で進めていくので、造形行為としてはあまり面白くない。

物事を教える時に範囲を絞ることは、多数の生徒を抱える大きな学校では有効な手段である。当時の私はそれが理解できずストレスを感じ、このままベルトコンベアのようなタスクをこなして卒業し、川久保玲(れい)や山本耀司(ようじ)、三宅一生(みやけいっせい)のようなファッションデザイナー、すなわち、自分で自分なりにデザインを考え、企業を経営するデザイナーになれるのか、と燻(くすぶ)っていた。

そんなときに「服装解剖学」という授業を受けた。服装解剖学は、東京藝術大学の西田正秋教授が藝大を退官後に、文化服装学院で教鞭を執るようになって始まった授業である。当初は

「人体美学」という名前で開講していた。服装解剖学の授業は、平たく言えばファッションデザイナー向けの美術解剖学で、人体の骨と筋、それらの可動域の他に、原型（最も基本的な服の作図）との関わりなどを学ぶ。

ある日の服装解剖学の授業で、先生が人の頭蓋骨を出してきて、その下面（外頭蓋底という）を見せてくれた。先生は「気持ち悪いと感じる人は見なくていい」と言っていたが、「自分の中にもあるものが気持ち悪くはなかろう」と思い、授業後に教壇まで近寄って頭蓋骨を観察させてもらった。外頭蓋底の起伏は当時の私にとって極めて複雑であったが、その全てが人体に必要な要素だと思って眺めた。

なぜかわからないが当時の私は、解剖学は衣服の制作にとっても大事な教養だと直感した。衣服は必ず土台、すなわち人体を必要とする。衣服を実際に使用するのは、脚がすらりと長いマネキンや、衣服を作るための人台ではない。実際の人である。

人体の形を知らないと、衣服のデザインを自分なりに考えることができないのではないか。ファッションデザイナーが医師のように人体に詳しかったら、より素晴らしい衣服が生まれるのではないか。そういう思いが日増しに強くなっていった。

文化服装学院を卒業した後は、就職せずに造形感覚を一から養おうと思い、東京藝術大学を受験することにした。東京藝術大学にはデザイン科があり、大学院には日本で唯一の美術解剖学研究室がある。当時のデザイン科の受験倍率は30倍を超えていて簡単には受からなかったが、2年浪人した後に運よく受かることができた。

デザイン科に入り、グラフィックデザインやプロダクトデザインなど様々なカリキュラムをこなした。デザイン科の課題は1ヶ月から3ヶ月ほどかけてデザインのシミュレーション作品を作る。

デザイン科の卒業制作では、「ハンド・モジュール」と名付けた服を作った。手を広げた時の親指から小指までの長さを基準とした服で、この長さは、2倍するとおおよそ肩幅になり、肩幅から2・5倍するとおおよその袖丈が導き出せるというものだ。

尺貫法やヤード・ポンド法に使用された寸や尺、インチといった尺度は、人体の長さに由来している。日本の着物は尺貫法の尺度によって反物の幅や丈が決まっている。それを洋服の原型に組み込めないかと思って作った。その頃読んでいた建築家ル・コルビュジエの『モデュロール』の影響もあった。

デザイン科を卒業した後に、大学院の美術解剖学研究室を受験した。大学院の受験は実技と面接があり、面接では芸術学科の先生2人と、美術解剖学研究室の布施英利（ふせひでと）先生に卒業制作と大学院での研究テーマについてプレゼンテーションした。

布施先生から、「あなたはデザインを機能と美、どちらと捉えていますか？」と質問を受け、とっさに「どちらもです」と答えたら、納得されたようにしていたのが印象に残っている。無事に試験をパスし、東京藝術大学大学院の美術解剖学研究室に進学した。

§2-2 止（や）むに止まれぬ興味

東京藝大の大学院に進学した私は、美術解剖学に没頭するようになった。人体クロッキーの授業に出たり、ギリシャ美術史の授業に出たり、様々な解剖図を眺めて構造を学んでいった。それらは全て美術解剖学、もっと大きな括（くく）りで言えば「人体」でつながっていて、分野が異な

2-1-1
卒業制作の展示風景。手を広げた長さを基準に丈や襟周りを作図した平面的な衣服

るとは思わなかった。

人体クロッキーの授業では、短時間でできる限り形を拾うことに必死だった。毎週1回、1ポーズあたり10分から20分。塵(ちり)も積もれば山となり、大学院時代のクロッキーを数えると1000枚近くなっていた。最初の頃は形が拾いきれなかったが、回数を重ねるうちに目と手が最適化されていき、様々な人体の形と姿勢に対応できるようになっていく。

上達していくさまが見えると、楽しみも増えていくものである。このクロッキーで感じたことだが、解剖学の知識が増えていくと、体表の起伏が何によるものかがわかるようになり、起伏がどの方向に続いていくのか目で追えるようになっていった。

一方でギリシャ美術史にものめり込んだ。西洋美術や美術解剖学の歴史を知っておくことも重要と考えたのである。私が大学院生の頃は、中村るい先生（現高知大学）が教鞭を執っておられた。授業で様々な名作を紹介されているうちに、素朴な造形だと思っていた紀元前6世紀頃の作品が、実は味わい深いと思うようになり、どれがオリジナルで、どれが模倣作かを見分ける目が養われていった。

ある時、これは実物を見に行かねばなるまいと思い、ギリシャ

2-2-1
大学院時代のクロッキー。筆者作成

に行くことにした。実物の情報量は図版で見るよりもはるかに多く、気候や風土を含めて作品が見えてくることを知った。特に彫刻作品は実物の周囲を回って、移ろいゆく表情の変化を味わうのも醍醐味の一つである。これを写真資料のみで知るのは不可能であろう。

中村先生は、時々課外授業と称して、ギリシャ美術の研究会やシンポジウムに呼んでくださった。ある時、パルテノン・フリーズというレリーフ作品に彫られたオリュンポスの神々がどのような配置をしていたか、という研究発表を聴いた。内容は詳しく覚えていないが、横一列に彫られた神々が実際にはL字に配列しているという解釈であった。

聴き終わった私と同級生の村上君が「あの解釈は不自然ではないか」「三次元の実物を作ってみればわかる」などと中村先生に感想を述べたことをきっかけに、レリーフから立体像を起こす企画が立ち上がった。

私も村上君も実技系出身なので、言葉を並べて説得するよりも作って伝える方が早い。美術解剖学で人体を学んでいるので、衣服の下の起伏もある程度推測して造形できる。アドバンテージがあると思っていたのだが、なかなか完成に持ち込めず、いろいろな試行錯誤を繰り返し、様々な人を巻き込んだ末に約3年がかりで立体復元模型が完成した。

模型は制作過程で大英博物館のキュレーター、イアン・ジェンキンス氏の目に留まり、パルテノン・フリーズが収蔵されている大英博物館で展示されることになった。展示後、オリジナルの模型は大英博物館に資料として収蔵された。

中村先生からの依頼はその後も続き、『ギリシャ美術史入門』（三元社）の図版を手がける機会をいただいた。こうした仕事を通じて西洋美術における人体表現の基礎となっているギリシャ美術について広く学ぶことができた。

2-2-2
旅行中のスケッチ。通称「アーモンド型の瞳のコレー」（アクロポリス美術館蔵）。筆者作成

毎日のように人体そのものや人体を象った像や、様々な解剖図を参照していると、実際に自分の手で解剖し、確認したいという気持ちが湧いてくる。文字にすると猟奇的な感じがするが、殺生をしたいという意味ではない。

解剖図は、誰かが描いた平面図であり、実物とは異なる。レオナルド・ダ・ヴィンチやミケランジェロがそうしたように、実際に体験して確認したかった。人体解剖は法律上、医学部でなければできないが、動物なら美術解剖学研究室でもできる。東大の犬塚則久先生や研究室の先輩に骨格標本を作る要領を伺って、研究のために動物解剖を行った。

まずは家の近所の河川敷を散歩し、動物の死骸を探した。見慣れた道でもそういう目で探すと、案外に見つかるものである。カワウやカラス、シラサギ、メジロ、ツバメ、野良ネコなど様々な動物の死骸があったが、首輪をしているものは避けていたので、鳥類が多かった。

死骸の状態は様々で、新鮮なものもあれば、半分白骨化していたり、ウジが湧いていたりするものもあった。カバンの中のビニール袋に入れて持ち帰り、家の風呂場でカッターナイフとゴム手袋を使って剝皮し、除肉していった。剝皮の最初に正中に割を入れる以外は、手順も何もないので、今にして思えば解剖というより、解体である。

ミケランジェロのように死骸の臭いに苦労する人もいるが、私自身はさほど気にならなかった。子供の頃、漆の匂いが家中に充満していた環境もあったかもしれない。死臭というとおぞましいように思われるが、どこかで嗅いだことがある臭いである。死骸の腐敗が進行中であれば生ゴミを至近距離で嗅いだような臭いで、乾燥していれば干物の臭いを強くしたような感じである。全般的には雨の日の土や泥のような臭いがする。臭いが強烈な場合は、玉ねぎのみじん切りのように臭いの粒子が嗅神経に突き刺さるような感覚もあった。

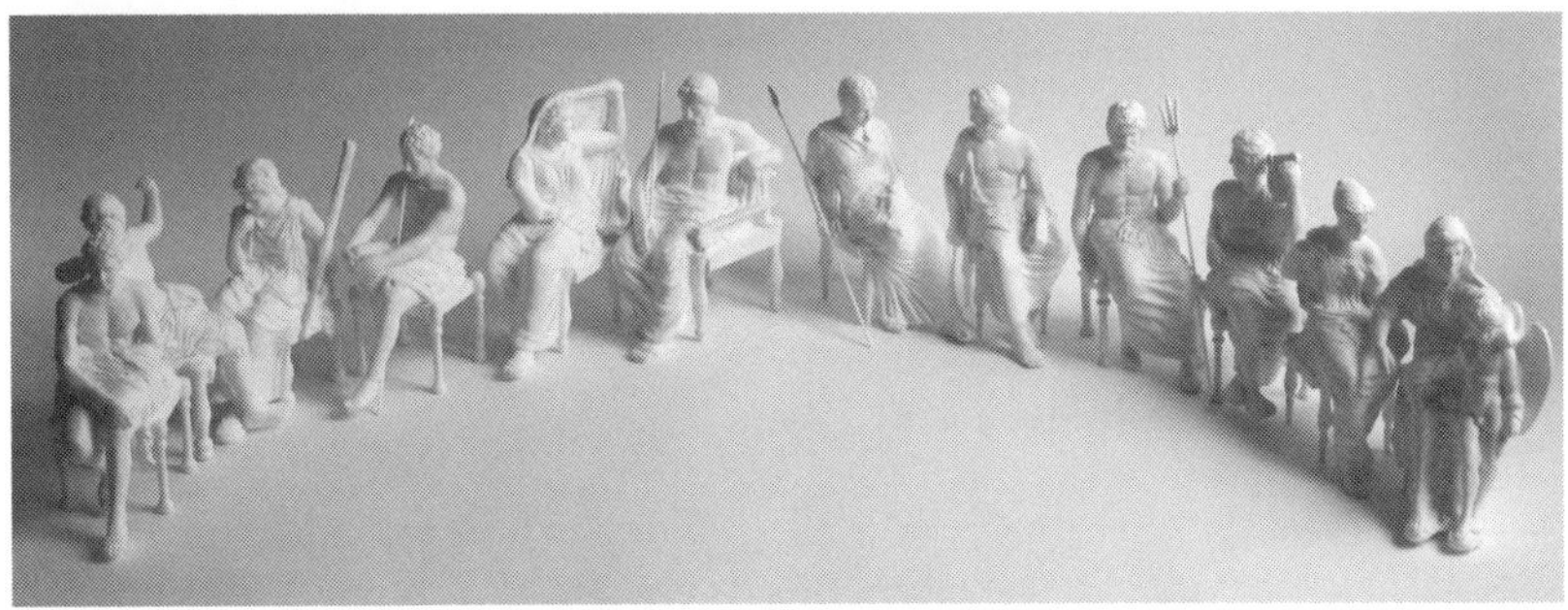

2-2-3
パルテノン・フリーズ、オリュンポスの神々の立体復元模型。© 中村るい

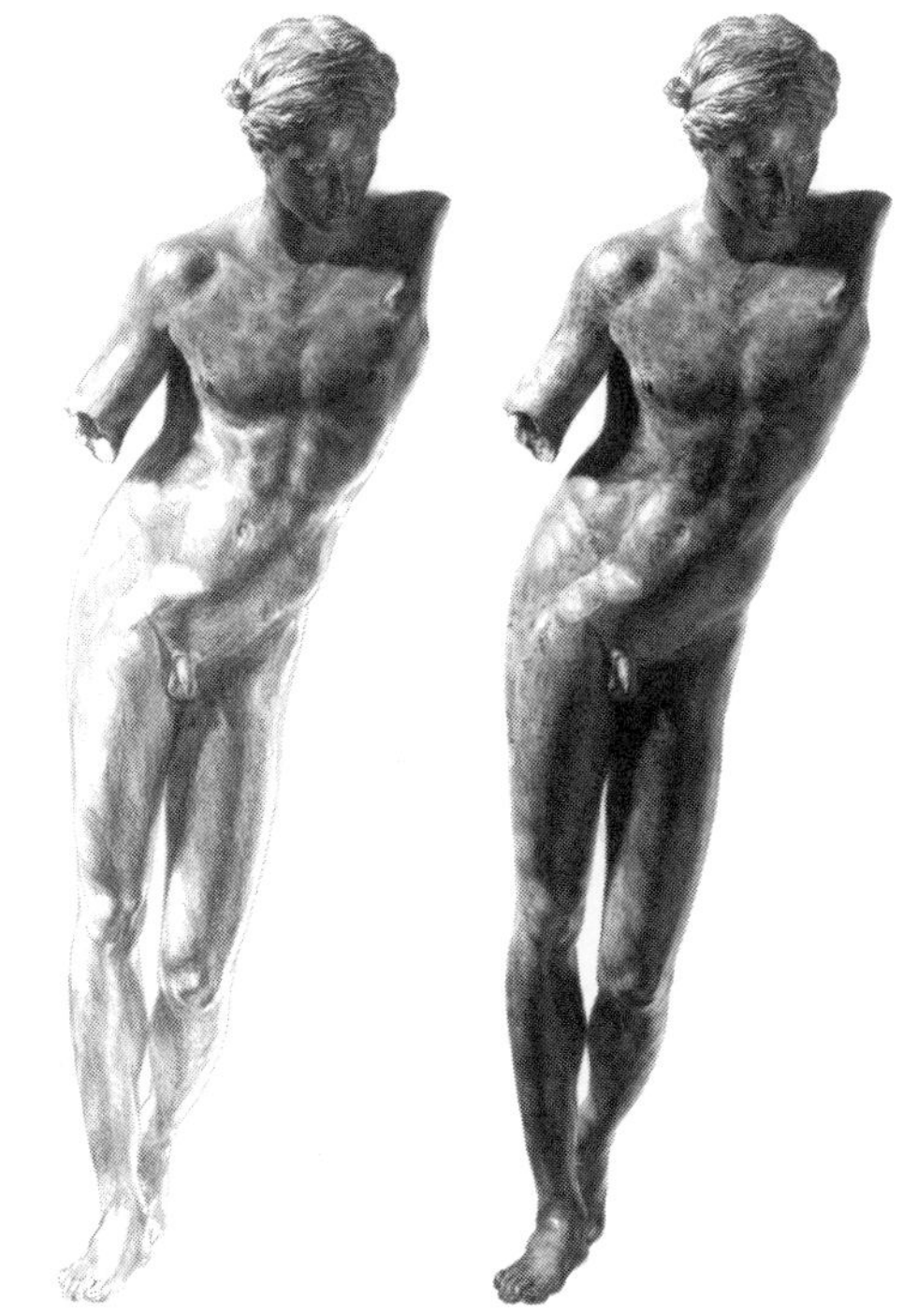

2-2-4
『ギリシャ美術史入門』（三元社）未使用の鉛筆画とその途中段階。筆者作成

臭気が苦にならなかったとはいえ、解剖してから数日の間は家中が臭くなる。唯一臭くない場所は書庫で、おそらく表面積の広い紙が臭いを吸着していたのだろう。余談だが私はビブリオフィリアの気があり、大学院生の当時で、書籍資料を2000冊以上所有していた。

腐敗が進んで生じたウジは、最初おぞましい感じがしたが、表面が非常に白く、必死に生きている姿を見て、彼らなりの一生があるのだろうとあまり気にならなくなった（とはいえ洗い流してしまうのだが）。

解体作業を終えた標本は、半年程度、密閉容器で水没させ、筋肉や靭帯を溶かして除去する。何度か容器の水を入れかえ、軟部組織がなくなったところで骨を洗い、風通しの良い日陰で乾燥させると白く美しい骨標本ができる。

何度も解体を繰り返すと、手順が最適化されていく。種が違っても骨がどこにあるのか、おおよその見当がつくようになり、手応えの違いにも反応できるようになってくる。

立体的な情報は、図では表現しきれない。実物に触れるとその情報量の多さや形の良さに圧倒される。解剖図には、大きさ、奥行き、重さ、手触りなどの触覚的情報や、作業中の状態についての情報はない。実際に動物を解体してみることによって、解剖図が表現できないものを知ることができる。

解体を繰り返すことで解剖への欲求が満たされるかと思いきや、そうはならず、むしろより深く学んでみたくなった。そこで、卒業後は医学部の大学院を受けようと決め、藝大の大学院

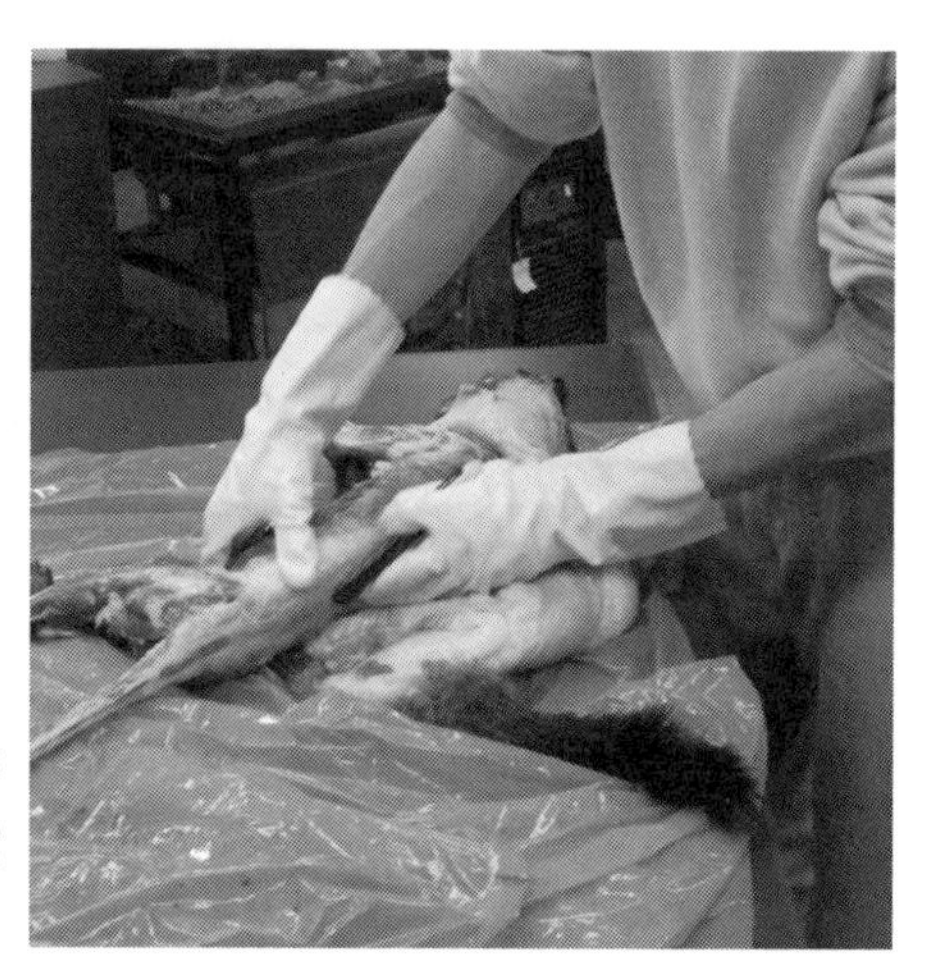

2-2-5
東京藝術大学の美術解剖学研究室での解体風景。交通事故で死んだメスのハクビシン

で特別講義をしていた順天堂大学の坂井建雄（たつお）先生のもとを訪ね、試験を受けて順天堂大学解剖学・生体構造科学講座に入学した。

§2-3 ─ 解剖させていただく人の人生

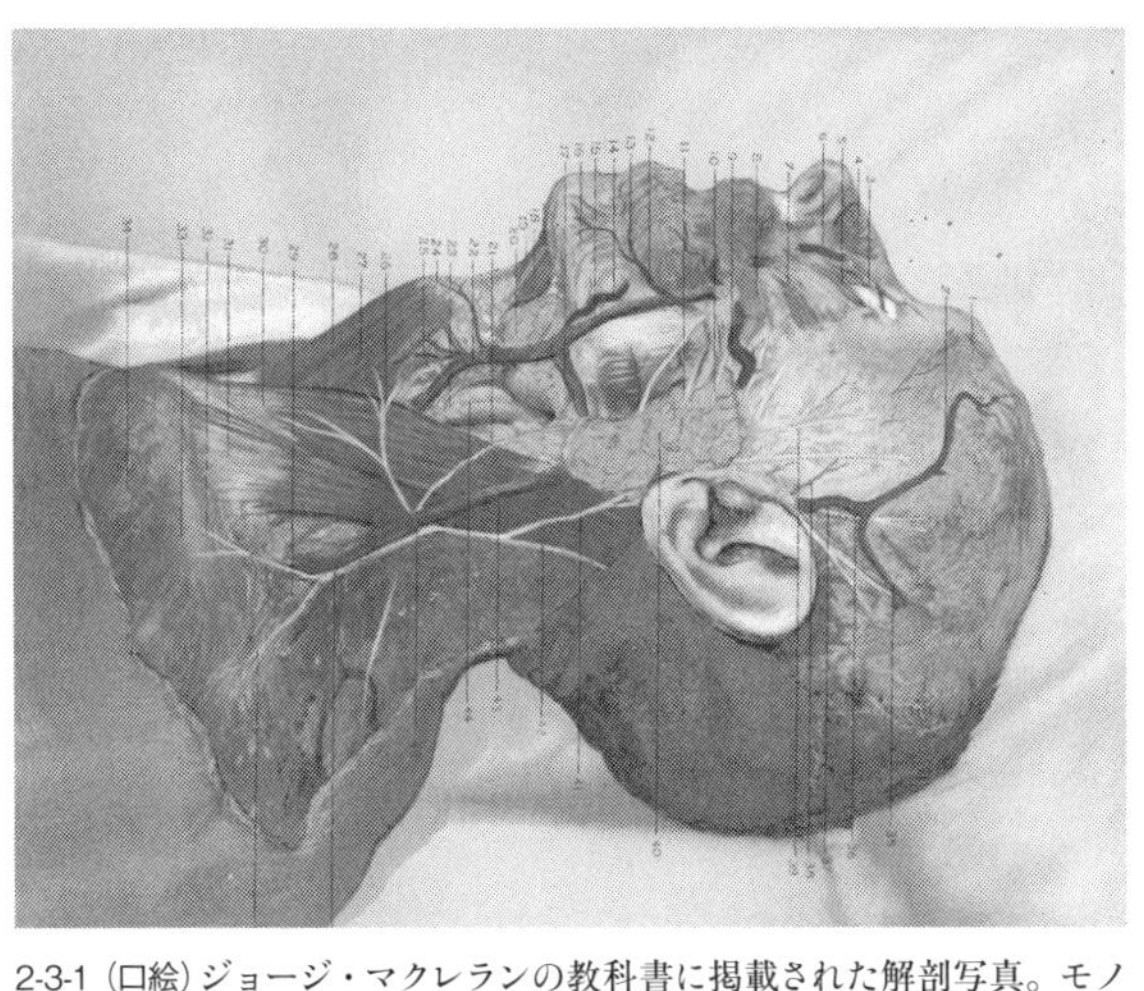

2-3-1（口絵）ジョージ・マクレランの教科書に掲載された解剖写真。モノクロ写真の上に彩色。筆者蔵

藝大卒業後、順天堂大学の解剖学・生体構造科学講座に入学し、その年からさっそく解剖実習に参加させていただいた。

人体解剖は、医学部を設置した大学の解剖実習室で、解剖学講座ないし研究室の教授の許可がある場合のみ行うことができる。解剖実習で対峙する人体は、当たり前のことだが、プラスチック製の解剖模型ではなく、個人の体である。そこには、個人差や手術痕といったその人が歩んできた人生が刻まれている。丈夫な体つきの人もいれば、痩せ衰えた人もいる。それだけではなく体の中には「変異」と呼ばれる構造がある。

変異は、奇形や病変のことではなく、英

語で書くと「Anatomical Variation」、つまりバリエーションである。骨や筋、血管の分岐などの数が通常よりも多かったり、あるいは欠損していたりする。そうした変異は、これまで詳細な研究がなされてきたので、調べてみるとかなりの構造に名前がついていて、発現する割合も判明している。

解剖体は、人体の構造や神秘について、こちらが望んだだけ応えてくれる最良の師である。ふとその日の作業を思い返しているときに故人の人生に思いを馳せることはあるが、作業中は構造を把握する作業に精一杯で、他のことを考えている余裕はなかった。

現代の人体解剖は「献体」という制度に基づく。「医学・医療の発展のために、死後、自分の体を解剖に用いて構わない」という内容を、本人と、その家族か親しい友人・知人に承諾していただいた上で行われる。それぞれの承諾がなければ解剖することができない。

献体者のおおよその年齢は、下は60代から上は100歳を超える。稀に40代の方もいる。基本的には高齢者が多く、亡くなられた理由は自然死や病死など様々だが、死後長時間が経過している場合や、事件や事故に巻き込まれたご遺体は解剖実習には使用できない。

献体登録をする方々の理由は何か。坂井先生によれば、「医療のお世話になったので、恩返しがしたい」という方が多いようである。経緯は様々だろうが、医学・医療の発展のために体を捧げてくれた方々の想いによって解剖学は支えられている。その想いは、解剖学を必要とする他の様々な学問や、美術解剖学にもつながっている。

毎年、医学部の解剖見学に看護などコ・メディカル領域の学生さんたちがやってくる。見学が終わるときに、研究室の工藤先生が決まってこうアナウンスする。「見学させていただいた故人は、医学のために無条件・無報酬でお体を提供してくださった方々です。皆さんはそのご恩をお返しできるように、立派な医療従事者になってください」。このことはアーティストやクリエイターにとっても同じに思う。

解剖にはおどろおどろしいイメージがつきまとうが、実際には、医療を通じて世の中を良くしたいというあたたかい想いによって行われている。そのことを心に留めておけば、解剖体はホラーの対象ではなくなる。そこには、人体、生命の不思議さや尊さ、自分の体、さらにはあらゆる芸術作品を鑑賞する手がかりなど、人生を深く味わえるような気づきのきっかけがある。

§2-4 ― 死後の世界

「解剖をするのは怖くないのか」と聞かれることがある。正直なところ、最初は怖かった。「怖い」というのは、ホラー映画のような怖さではなく、初めて仕事をするときの不安に近い。

最初の執刀は不思議な感覚だった。まず正中線に沿って胸骨の上にメスを入れる。メスの刃は非常に切れ味が良く、手応えとしては新品のカッターナイフで消しゴムを切る感覚に近い。メスが皮膚にスッと入った直後に、コツンと胸骨にぶつかる。皮膚の厚みも骨までの距離も目測ではわからず、手先の感覚から得られる情報は結構多い。

何事でもそうだが、一通り知ってしまえば恐怖感が薄れる。私はこれまで約300体のご遺体と対面した。新しいご遺体を見ても、怖いという感覚はもうない。

ご遺体に対して「不潔」というイメージを持っている方も多い。しかし、解剖体はホルマリンによって完全に殺菌されていて、ウイルスや微生物が生きる余地はない。生きている人の手やスマートフォンの画面よりもはるかにクリーンである。

2-4-1
パリ国立高等美術学校の解剖学の実習風景。19世紀末

私の自宅にはたくさんの骨格模型や筋肉模型が置いてある。訪れた人から「夜中に動き出したらどうするんですか」と言われたことがあるが、もしそんなことが起こるならぜひ見てみたい。動作中の内部構造を観察することができる機会は今のところないからだ。

それは冗談としても、解剖実習をすると、むしろ死にまつわる不気味さや霊などの存在は気にならなくなってくる。仮に実習室で霊に出会ったとしても、医学医療の発展のために体を捧げてくれた人たちなのだから、悪霊ではないだろう。

解剖実習では、次々と構造を切断したり壊したりして、次の段階に進んでいくため、雑に作業を進めてしまうと、もう二度と観察できない。解剖の作業は不可逆的である。構造が壊れてしまうと研究のための解剖所見が取れないので、ある程度時間をかけて慎重に作業していく。解剖所見の方法は、観察による記述、スケッチ、写真撮影など様々である。

解剖学に入学して2年目の夏の終わりに、泊まり込みで作業をすることがあった。丑(うし)三つ時になって、

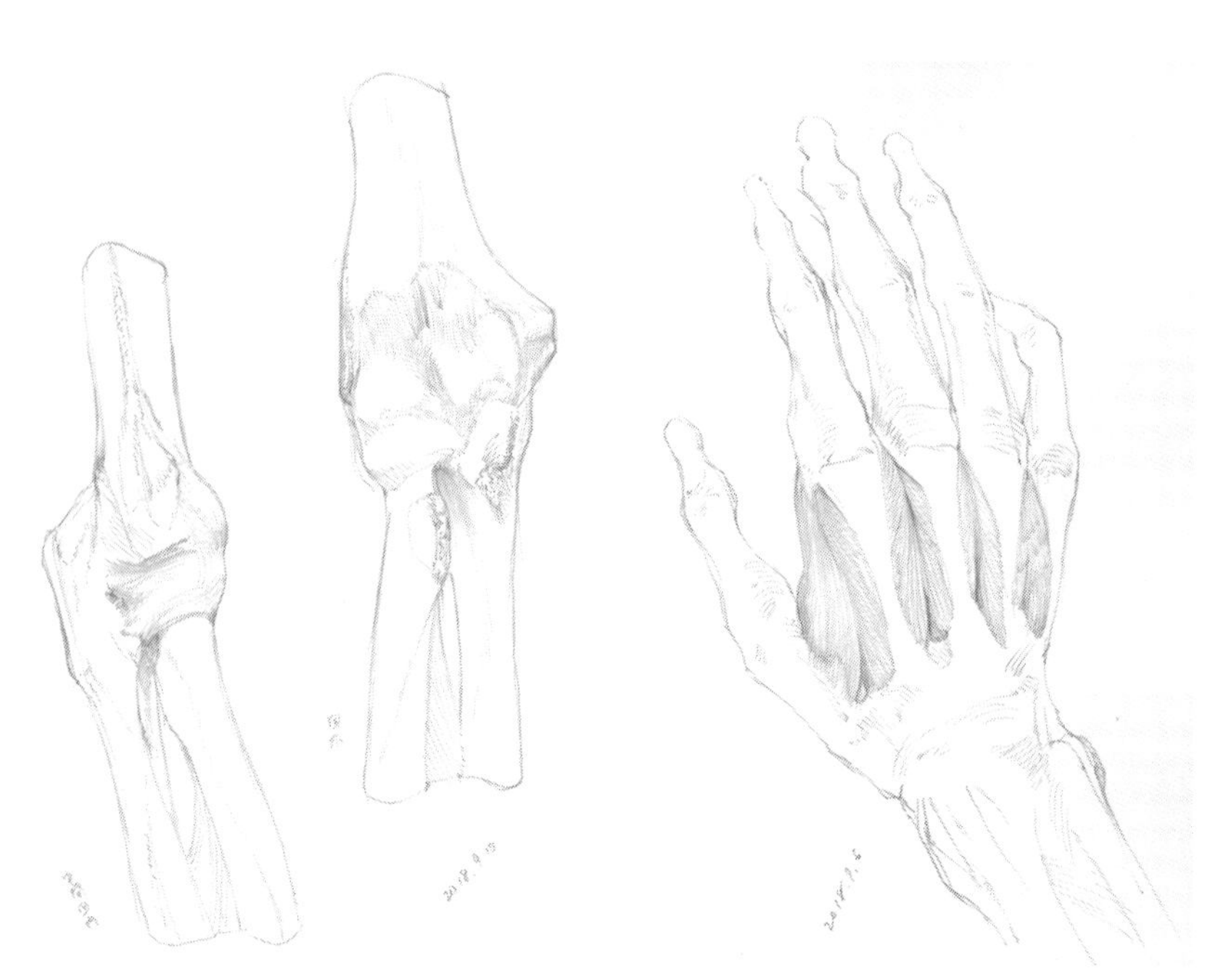

2-4-2　解剖中のスケッチ。左二点：肘関節の外側面と前面（実際にはこのように上腕と前腕がカットされていない）、右：手の骨格と背側骨間筋。筆者作図。

さすがに疲れてきたので、仮眠を取ることにした。ベッドの代わりになりそうなものは、ご遺体が置かれているのと同じステンレス製の実習台しかない。じかに寝ると台が冷たくて寝られないので、ダンボールを敷き布団がわりにして2、3時間ほど仮眠を取った。目が覚めて、天井が見えたとき「これがご遺体視点の景色か」と、不思議な感覚がしたのを今でも覚えている。

死後の世界という概念があるが、私が知る死後の世界は遺体の経過観察である。解剖実習では、実習のためにお引き取りしたご遺体、防腐処置をされたご遺体、実習を前に解剖台の上に並んだご遺体、解剖が進んでバラバラに分けられていくご遺体、火葬されて遺骨になったご遺体……仏教画の「九相図（くそうず）」のように体が変化していく様子を目の当たりにする。これらは確認できる死後の世界である。解剖台で目が覚めた時にも、死後の世界を見たような感覚があったのだ。

もう一つの体験は、ご遺体を保管しておくプールについてである。大江健三郎の小説『死者の奢り（おごり）』に、解剖用のご遺体をプールから浮かんでこないように棒で沈めるバイト、というフィクションがある。随分前の話題であるし、もう信じている人もいないだろうと思っていたのだが、解剖学研究室の電話対応で本当に聞かれることがあった。問い合わせをするのも高齢の方が多いので、当時どこかで聞いた話を覚えていたのかもしれない。

以前、ホルマリン固定作業の見学で、大学の保管プールを見にいったことがある。ご遺体を保管しておくためのプールの中には、保存用のアルコール溶液が満たされていた。解剖に使用するご遺体をアルコール溶液に浸す作業は重要で、そこにご遺体を1年ほど浸して保管しておくことで、ホルマリンをアルコールに置換する。

時間をかけて体の中のホルマリンをアルコールに置換するので、学生たちは実習を行う際には有毒なホルマリンの影響をほとんど受けることなく解剖できる。人体はアルコール溶液よりも比重が重く、ホルマリンによって滅菌・固定されて腐敗することもないので、ご遺体がプールに浮かぶことはない。プールのアルコール溶液は血液のような赤褐色で、血管内に注入したホルマリンが体外に出ていることがわかる。

ちなみに、このプールはその後閉鎖され、迅速装置という短期間で置換できる機械に変わった。時代の流れである。「プールのバイト」の話をされてもわからない人が出てくるだろう。泊まり込みの話とプールの話は、体験したことがない人にとってはホラー映画のワンシーンのように思われるだろうが、私にとって全く恐怖はなく、普段の仕事の延長であった。恐怖は未体験のことを想像することで生じる。体験してみると、大したことがない場合も多い。

§2-5—形を追う作業

解剖の作業は、素描や塑像(そぞう)で形を追う感覚に似ていて、どこか既視感がある。美術の実技系の人が人体解剖を体験すると、おそらく似たような感覚や意見を持つのではないだろうか。

例えば、解剖では、筋の表面を覆う筋膜や脂肪といった結合組織をピンセットやメスを使って除去していく。ピンセットが扱える小さな範囲の結合組織を近視眼的に除去し続けると疲れてくる。硬くなった背筋を伸ばして解剖体に目をやると、そこに筋の全体が現れている。

絵画では、近視眼的にディテールを造形するときに「近目で見る」と言い、適切な鑑賞距離から見て全体の印象を確認することを「遠目で見る」と言う。言い方や使い所は様々だろうが、私は美術予備校時代にそう教わった。

除去作業は近目で見ていて、背筋を伸ばしたときには遠目で見ている。同じ対象を見ていても、それぞれ印象が異なる。近目は、部分に注目している状態で、なだらかな起伏や溝などを観察している。反対に遠目は部分の起伏ではなく、全体の大きな形を捉えている。この解剖作業中の近目と遠目の感覚は、作品の制作中に部分と全体をそれぞれチェックする作業によく似ている。

美術制作と解剖実習の近目と遠目で異なるのは、美術作品は創造物で、解剖は実物という点である。例えば絵画やイラストレーションでは、作者の気質や能力に合わせた形が画面の中に現れるが、解剖体の剖出（ぼうしゅつ）作業では、人為を超えた自然の形が現れる。解剖においては、想像もしていなかった形に出会うこともしばしばある。その時は作品が完成した「達成」の喜びとは異なる「発見」の喜びがある。

解剖をきっちり行うと、構造の表面をすみずみまで追うことになる。これは、絵画や彫刻を学ぶ人にとって、素描や塑像のトレーニングよりもはるかに具体的な学習方法である。なぜなら、美術教育の基本となっている素描や模刻は、対象の起伏を追い、把握することが重要な要素の一つだからだ。しかも、相手は自然物なので、小手先だけの手癖の表現に陥ることがない。

先に述べたように、解剖実習は医学部でしかできない。他の学部の場合は何とか医大に潜り込んで体験してもらうほかないが、熱心な人は、チャレンジしてみることをお勧めする。無論、興味本位で覗いてみたいという気持ちでは長続きしないし、気持ちがそれほどでもなければ得られる発見も少ない。人体や自然に対して敬虔（けいけん）な姿勢を持つことが必要なのは言うまでもない。

正直なところ、自由を重視する芸術家は、人体解剖に向いていないことが多い。なぜかと言うと、自由と言うわりには、彼ら彼女らの頭の中には、あらかじめ観念ができあがっているこ

2-5-1
19世紀末のパリ国立高等美術学校における塑像の授業風景。塑像は粘土で人の形をなぞり、人体の形を再現する

とが多いからだ。頭の中でコンセプト（概念）のシミュレーションを繰り返し、本人も気づかないうちに外界の情報を自分の好みで取捨選択している。やがて世界を自分の見たいように見てしまい、納得のいった世界観で思考停止してしまう。

もし自分が作った作品に「コンセプト」や「ステートメント」があるようであれば、それが言語や概念に依存していないかチェックしてみると良い。体験や事実ではなく言語的に整った理想や物語だと感じるようであれば、それは概念によるものだ。自然は個人の好き嫌いではジャッジできない。10人いればそれぞれが異なる感想を持つ。自分好みで判断すると対象の持つ様々な側面を捉えることができない。

§2-6——常識を上回る自然の形態

人体解剖では、次々と「形」が現れる。実習をする前に人体の構造について勉強しているので、知識としては知っているはずなのだが、実際に目にすると全く知らない形に見える。教科書や解剖図に記載されている構造は、一度に最も多くの構造が見え、なおかつ固定された視点から描かれた図で、個人差を含まない。実習中に解剖図のような視点、すなわち前面、後面、外側面、内側面から見ることは極めて稀である。実習をすると、知っていたと思っていた内容が、大まかなものでしかなかったことに気がつく。

自然の形態は想像を上回る。海水浴や登山で、自然の中に入ってみるとよくわかるだろう。海や山、空、樹々という人体よりも大きいサイズから、石ころ、波のしぶき、葉っぱ、足元の草花といった人体よりも小さいサイズまで、注目してみるとあらゆるものに想像を上回る形が見出せる。それは人体内部も同様である。血管、神経、筋、腱、骨、それらの間にある結合組織などあらゆる形と空間が、教科書の情報を上回っている。

例えば、彫刻を鑑賞した後に、実際の人体を観察すると、人体の方があらゆる点で形態的な情報量が多いと感じるはずである。それがたとえミケランジェロの彫刻であったとしても、実際の人体の方が形態的な情報量が多い。

ミケランジェロも表現していない形が、人体にはまだまだある（4－1レオナルド、4－2ミケランジェロ参照）。だからこそ人体表現は面白い。教科書も同様で、誰かが文章を書き、図を描き、それらをまとめたものだ。どんなに優れた著者や画家であっても、実物の持つ情報をくまなく拾うことはできない。

では、教科書は不要かというと、そうではない。教科書は一般的な構造をまとめたものである。例えば大胸筋を実際のご遺体で剖出すると、解剖図で描かれた大胸筋とは異なる個人の大胸筋が現れる。形も大きさも量も人それぞれ。しかし、これは確かに大胸筋である。

どこに共通点があるかといえば「概念的な構造」である。付着範囲、筋走行、筋や腱の割合、おおよその形、働きと応力方向など、概念レベルまで単純化すると「同じ構造」が現れてくる。この「同じ構造」がなければ、感覚的情報になり、具体的な情報が共有できない。一般構造

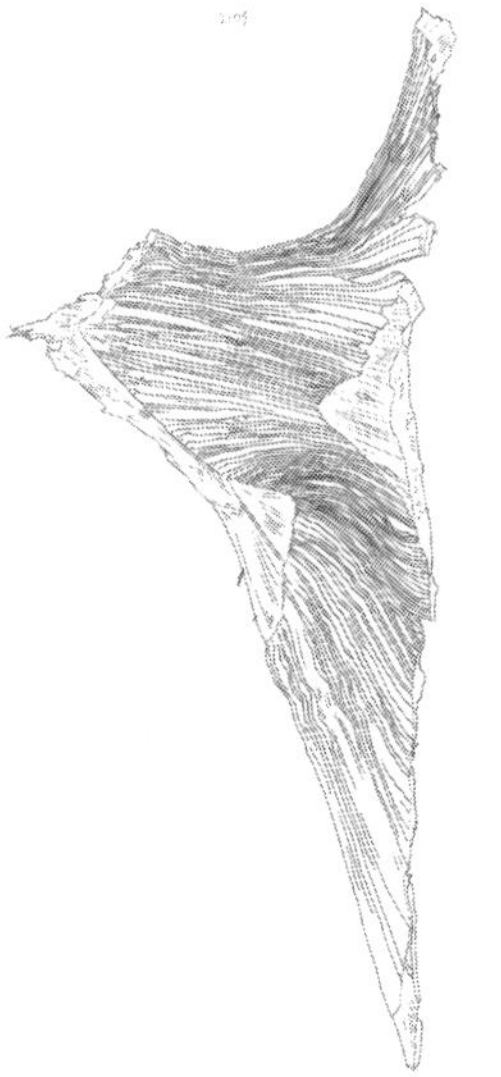

2-6-1 取り外した僧帽筋の筋走行。筋や腱の走行をトレースすると、見たことがないはずであるのに推測では描けない印象になる。筆者作図

は概念が含まれる。したがって、あらゆる解剖図は概念図であるとも言える。

このことは一方で「概念だけを知ればいい」という誤解を生む。

以前、日本美術解剖学会で僧帽筋の研究について発表したことがあった。実際のご遺体から剝離した僧帽筋の表裏の写真を見せて、構造について紹介した。質疑応答の際に参加者の方から「私は医療従事者ですが、今回の発表って、教科書に書いてあることと何が違うんですか」と質問を受けた。

私の説明不足だったかもしれないので、「筋単体を剝離して、表裏から観察し、構造を調査することは、これまでの解剖学の教科書では行われていません」と答えた。これまでにあるのであれば、後学のためにぜひ教えてほしい。私もかなりの数の解剖書や僧帽筋に関する論文をチェックしているが、見たことがない。

その後しばらく、あの人は何でそんなことを質問したのかと引っかかっていたが、あるとき「常識人」という解が出て、得心した。

例えば、学校のテストでは教科書の内容を覚えて、それを応用できる人ほど成績が良い。私はこれが苦手だったので、実技以外のテスト結果は真ん中あたりだった。なぜかと考えてみると、自分が実際に体験していないことを覚えたり、自分が体験したことのように振る舞ったりすることが得意でなかったからだろう。このことは、いまだに苦手である。

反対に、先ほどの質問者は、実際に体験していないことを疑似的に理解し、扱うことが得意だったのではないだろうか。私の発表が教科書に書いてあると思っていたのだから、教科書の内容を信頼し、その情報を扱えるということになる。

解剖学の教科書に記載されている内容は、一般構造である。詳細な構造や、変異などのレアケースは含まれていない。そうして編集された、一般的とされる情報を体験なく取り入れた知識を「常識」と呼ぶ。したがって、私はその質問者を「常識人」だと思ったのである。

概念だけで知ったような気になっている状態は、それ以上深く問わず、事実に基づいて情報を更新する気がない、もしくはそうした発想がない一種の思考停止状態である。

実は解剖学の歴史でもこれが起きていた。古代ローマの医学者ガレノスは、実際にサルの解剖を行って内部構造を記述し、人間もおおよそ変わりがないとして記述した。ガレノスの記述は、その後ルネサンスまでの1500年近く使用され続け、その間更新がなされなかった。ルネサンス以前の人体解剖では、解剖学者が解剖を行わずにガレノスの記述を読み上げ、身分の低い人物が執刀し、学生はそれを遠巻きに見て学んでいた。

それに対し、近代解剖学の父ヴェサリウスは、自ら執刀し、人体構造を手にとって教示した。ヴェサリウスはガレノスを否定したわけではなく、偉大なガレノスのように自分の手で解剖を体験せよと説いたのである。

実際に、ヴェサリウス以降の解剖学では、ガレノス説と異なる解剖学的事実がいくつも見つかっている。言葉や概念による理解は、自分の中に「知ったかぶり」を増やすだけでなく、発想も貧弱にしていく。

実際の解剖体験では、教科書に書いてある常識を上回る情報があらゆる部位に見出せる。昨今、解剖写真や詳細な3Dデータを用いた解剖シミュレーターが開発されている。ご遺体を用いずに解剖を体験できるという謳い文句だが、私にはヴェサリウス以前の解剖学と同じ轍を踏んでいるように思える。

人体解剖で重要なことの一つは、教科書に書いてあることを、自分の目と手で確認することである。そうすることで「常識」がすぐにひっくり返って「非常識」の世界に入る。

ここで勘違いしないでほしいのは、常識も非常識もどちらも大事だということである。常識を飛ばして非常識の世界に入ると、常識とそれ以外を比較する手がかりがない。常識を踏まえた上で、非常識の世界に入ると、目からウロコが落ちる体験を得ることができるのだ。

§2-7 関係のない痛み

映画やゲームなどで人間の身体の内部が描写されるときは、ホラー、つまり恐怖を感じさせる要素として表現されることが多い。例えば、夜の小学校で、下からライトを当てられた解剖模型を見た登場人物が叫ぶ、といったものだ。

市販されている解剖模型は誰かが作った彫刻で、なおかつ壊れにくいように角が丸く処理されているので写実性は低い。これに驚くのは、発想と感情が非常に豊かだということである。しかし、健康状態の良い生物は基本的には死を避けようとするので、生理的に受け付けられないと思うのは当然かもしれない。医学を学ぼうと決心して進学しても、中には解剖がダメという学生もいる。

毎年、解剖実習室にコ・メディカルの学生さんたちが解剖を見学しにやってくるが、おおよそ300〜500人に1人くらいの割合で見学中に気分が悪くなる人が出る。1人が気持ち悪くなると、連鎖して他の人も気分が悪くなることもある。学生さんの中には、潔癖気味で、解剖体（=他人の体）に触れることを気持ち悪そうにしている人もいる。

私自身は解剖体を見て気持ち悪くなるということはなかったのだが、あるとき気分が悪くなったことがある。
日本解剖学会という、解剖の分野では最も大きな学会の発表を聞きに行った時のことである。ある中年の先生が発表に使用したスライド写真の解剖があまりにも下手で、スライドを数枚見ているうちに吐き気を覚えて退席した。その時、気分が悪くなる学生たちの気持ちがよくわかった。

ここで言う下手な解剖とは、構造がきれいに剖出されておらず、結合組織によって覆われてよく見えない状況のことである。反対にうまい解剖は、構図や色彩の美しい一枚の絵画や彫刻を見ているような感覚を覚える。下手な解剖は、医学部の実習でもよく見慣れているはずなのだが、その時の私は中年の（それなりに経験のある）先生なのに下手というのがダメだったらしい。

気持ち悪くならない学生でも、解剖実習中にかなりの確率で顔を歪(ゆが)めるシーンがある。最初の切開、爪の解剖、生殖器の解剖、顔面の解剖などである。学生によっては他にも痛そうにしている箇所があるが、中でも爪を剥がす解剖手順は、最も多くの学生が顔を歪め

2-7-1
虫垂手術の切開箇所を示した図。生体の体表図に切開痕を加筆している。傷を見ると痛みを感じてしまう

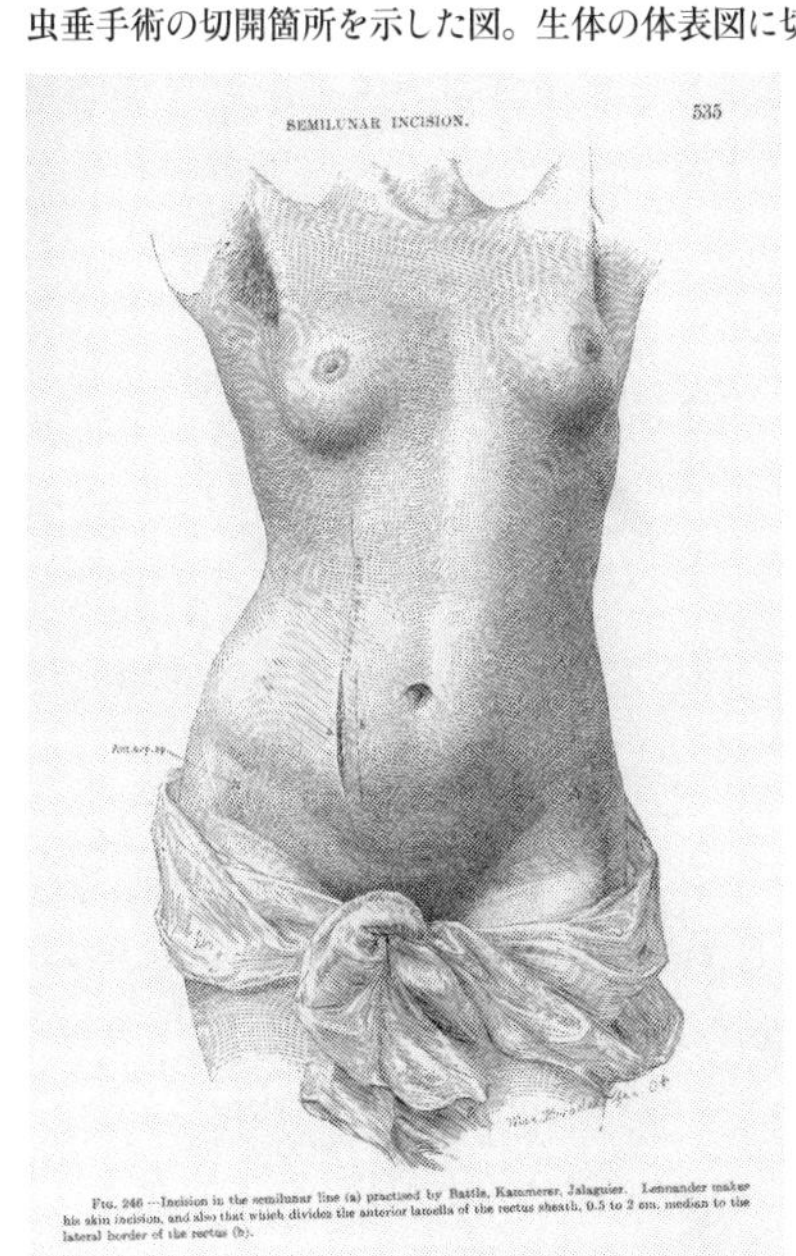

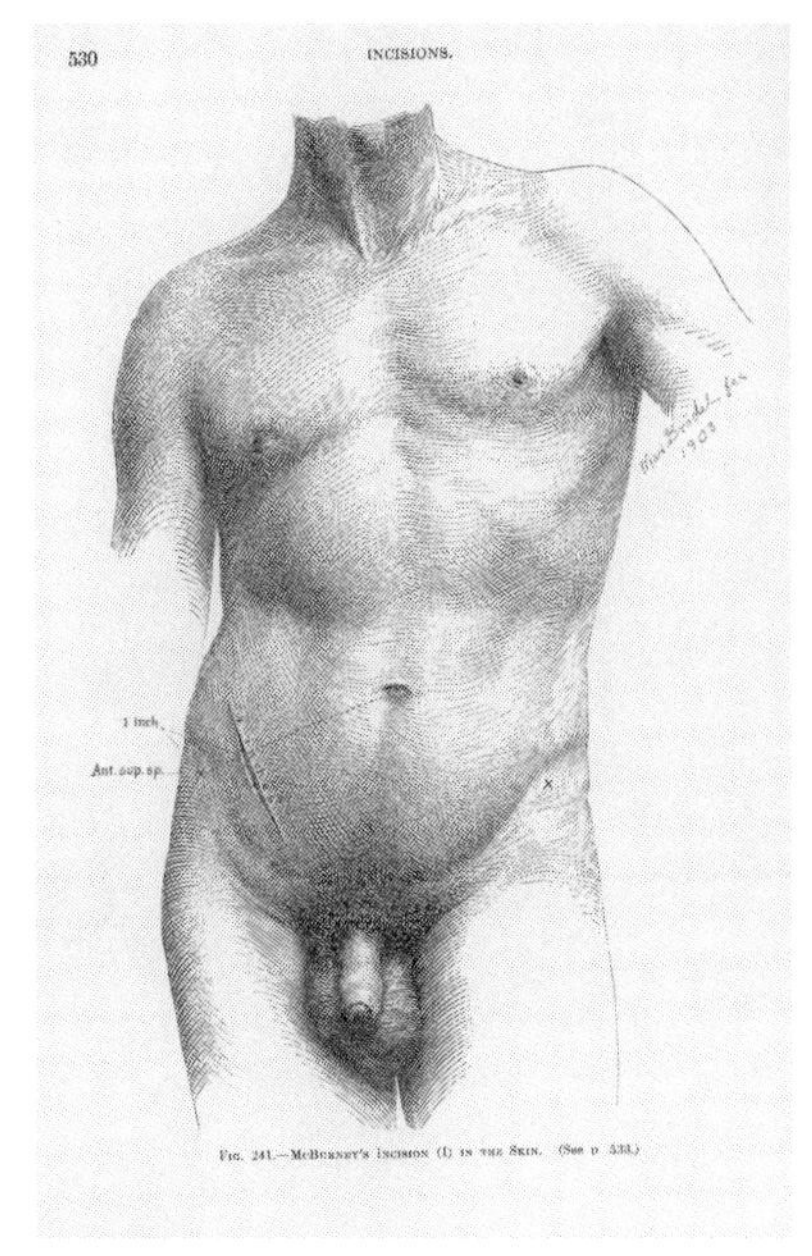

る。もちろん学生自身に痛みが生じているわけではない。

高いビルの展望台などから下を覗くと、ジェットコースターで急降下するときのような感覚を覚える。それと同様に実際には感じない痛みを想像して顔を歪める（痛そうな素振りをする）。

爪の解剖では、爪と爪床（そうしょう）の間にピンセットを差し込み、間を左右にスライドさせると、爪が剝がれていく。爪の付け根までピンセットを押し進めると爪が爪床から完全に浮きあがり、つまんで引き抜くことができる。爪床には爪の表面に現れる縦方向の筋が並び、半月という新しい爪を作る白い部分がある。引き抜いた爪の爪根（そうこん）（根元の部分）はギザギザと波打っていて、新しい爪ができているのを観察できる。

この文章でも痛みを覚える人もいるかもしれないが、何度かやっていると、自分の痛みとは全く無関係なことが理解できるようになる。これは、冷酷な人間になって人の痛みを感じなくなったということではなく、想像に惑わされず眼前に集中できるようになったということである。言い換えると、想像を切り離して、今、目の前で起こっていることに集中する。そうしないと十分に解剖することができない。

§2-8 ― 結合組織取りの夢

解剖というとメスを持って切り刻むイメージが強いかもしれないが、作業の大半は、ピンセットを両手で使って結合組織を除去する作業である。解剖は、まずメスで皮膚を切開し、切開した皮膚をピンセットで持ち上げる。皮膚と皮下組織の間にメス刃を垂直に立てて皮膚側をこそぎとるようにして剝皮していく。刃を寝かせて使うと、深く切り込んでしまい、切り傷をつけてしまう。

剥皮した状態になると、結合組織や皮下脂肪が現れる。この組織の中に皮神経や皮静脈などの表在性の構造が埋もれていて、その下に筋肉や筋膜がある。この結合組織や脂肪はピンセットで裂きながら徐々に除去していく方が良い。

結合組織取りの際にメスを使うと解剖のスピードは格段に上げられるが、表在性の構造の位置や深さを知らないと、勢い余って傷つけてしまう。一度組織を傷つけると、もとの状態には戻らないので、時間はかかってもピンセットでチマチマと根気よく進めていく。

物をつまむことが主な用途のピンセットで、どうやって結合組織を除去していくのか、と思う人が多いのか、初めは効率が良いことに気がつかない。解剖に使用するピンセットは先端が尖った「毛抜き」と呼ばれるタイプである。

両手に鉛筆を持つような感じで持ち、左右のピンセットで結合組織をつまむ。不織布のように線維が折り重なった結合組織は、牽引に対して強靭だが、様々な方向に引っ張ってみると、力をほとんど使わずにほぐれる方向が見つかる。

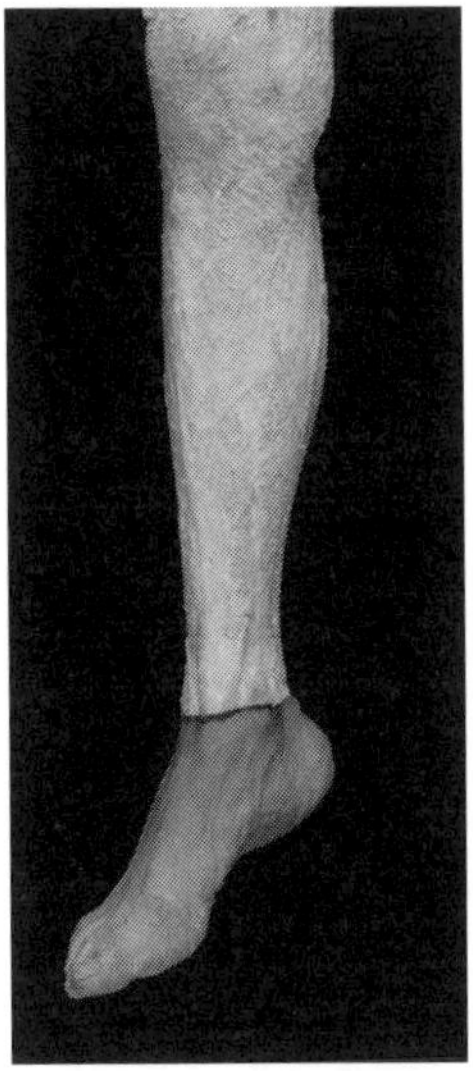

2-8-1（口絵）実際の解剖体の右足。足首から上を剥皮した状態。足首から上の明るい色の部分が結合組織

慣れてくると、この方向が何となくわかるようになるのだが、慣れるまでは余計な力を使って手が疲れる。解剖の翌日あたりは、親指の付け根にある母指球筋が筋肉痛を起こす。

結合組織はあらゆる組織の間に入り込んでいるので、ピンセットでつまめないような細かい部分は完全には除去できない。それでも9割ほど除去すると、解剖図のような見た目になる。

作業時間は部位によって様々で、一概には言えないが、うなじや足の裏など硬い場所や、脇の下など血管や神経の分岐が複雑な場所は時間がかかる。数センチ四方の範囲のクリーニングが1時間ほどかかることもザラである。結合組織が硬い領域をクリーニングし終えると、ピンセットの使いすぎで前腕の筋までパンパンになる。

こうして除去を終えると、その瞬間は一仕事終えた気分になるが、クリーニングしきれなかった1割は常に心残りである。余談だが、この結合組織取りの作業を夢に見ることがある。結合組織が全くなくなり、喜んだところで目が覚める。現実の作業は全く進んでいない。

そんな夢を見て、またその日の仕事に向かうのだが、周囲の研究室スタッフに聞くと結合組織取りの夢を見ている人は結構いるようだ。

§2-9 個性と無個性

私は順天堂大学の大学院に入ってまもない頃、学生に混じって座学の授業も受けていた。授業内容は、一回ごとに器官や範囲を分け、授業全体を通して全身をくまなく解説していく。内容は毎回盛りだくさんで、なおかつ情報量のムラがなく、過不足もない。最後まで座学を受けた感想は、「この情報量を独学で覚えることはできなかっただろう」というものであった。

独学では、自分の得意とする箇所は詳しくなり、苦手とする箇所は情報が薄くなる。その結果、知識にムラができる。解剖学は解剖学者たちが生涯をかけて情報を積み上げてきた。そうして編纂された知識は体系化され、現代ではムラや抜けがほとんどない状態までブラッシュアップされている。膨大でムラがない、すなわち「癖」がない情報は、個性を良しとする美術教育で長年育った私にとって、静かな衝撃だった。

反対に人体解剖実習では、教科書のような人体は一つもないということを知る。人それぞれ顔が違うように内部構造もまた違う。解剖中には教科書に掲載されていない構造にも頻繁に出くわす。

解剖学の教科書に掲載された情報は、標準構造といって、顕性（けんせい）（頻繁に現れる）の構造を集めたものである。頻繁に現れない潜性（せんせい）の構造は割愛されていて、論文や専門書など専門性の高い書籍にのみ掲載されている。

解剖学の教科書に掲載された人体像は、この世界に存在しない、もしくはこれまで解剖されたことがない。

そのように言うと驚かれるかもしれないが、私たちの顔が一人ひとり違うことを考えればよくわかる。たとえ一卵性双生児でも、腕に見える皮静脈をペンでなぞれば走行や分岐の違いが可視化できる。解剖を体験

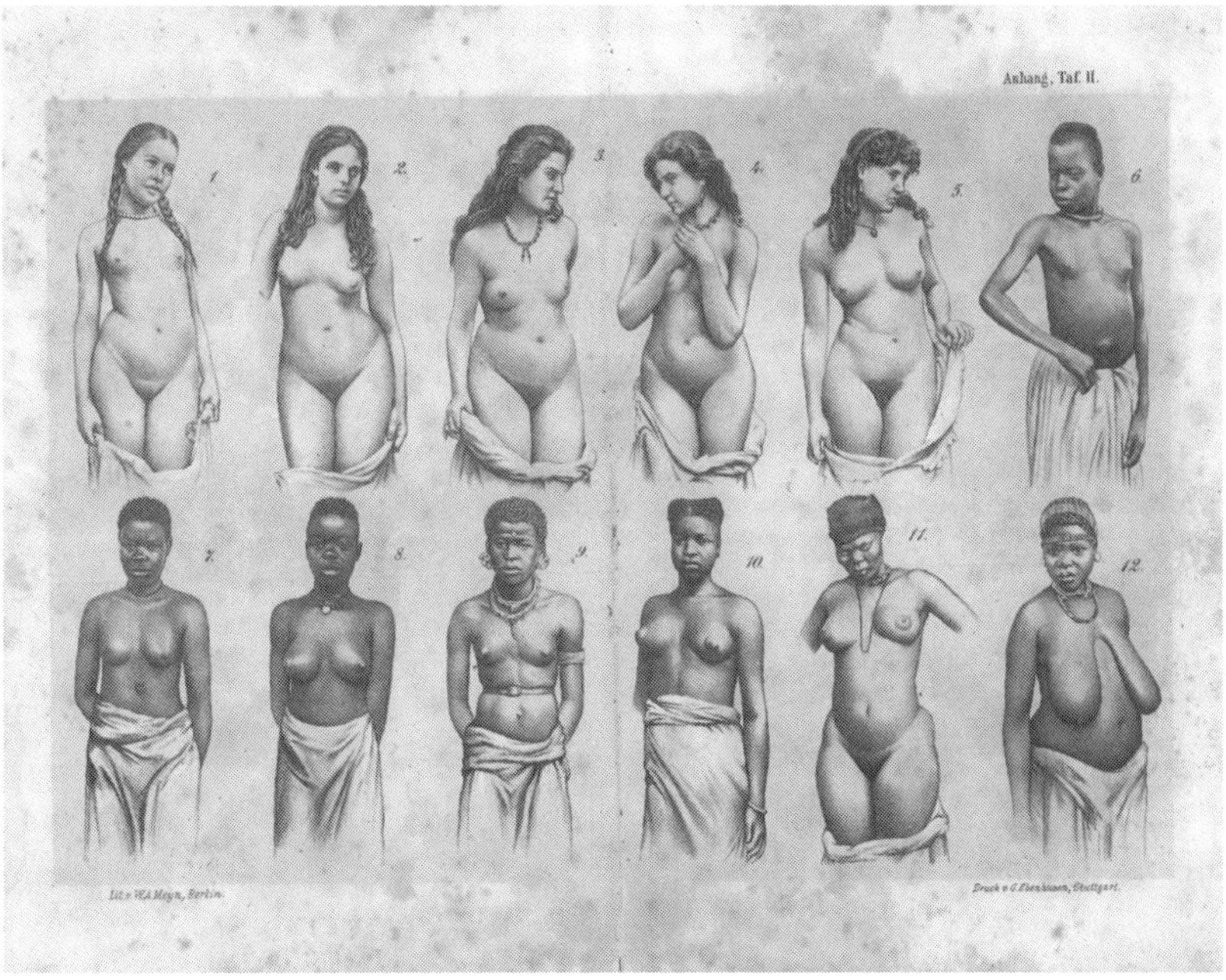

2-9-1　ハルレスとハルトマンによる様々な人種の体型差を示す美術解剖図。筆者蔵

すると、個性があるのが当たり前で、標準的、すなわち無個性のみというのはかなりレアだということがわかる。

個性、無個性に優劣はない。私は美術教育の現場で度々個性を重視するような発言を聞いてきた。人によっては無個性は悪しき風習であるとして、個性を善とするような印象操作もしていたように思う。だからしばしば、芸術的（個性重視）、科学的（無個性重視）という視点の違いで話し合いにならないことが起こる。

芸術と科学以外でも、絵画と彫刻、デジタルとアナログ、現場と経営、男性と女性など、価値観の違いは単なる偏見である。偏見はどうして起こるのかというと、癖や好み（＝習慣）からなかなか離れられないからだろう。そうした習慣から起こる偏見は、物事の一側面でしかないことを、芸術と科学の現場を通じて知ったように思う。

§ 2-10 ― 解剖学で表現は上達するのか

解剖体験を通じて得た効用はといえば、技術というよりも「見る目」が養われたことが大きい。

単なる描画技術に関しては、手前味噌ながら藝大入試の段階でほとんど獲得していて、端からは上達はわずかに見えるらしい。個人的には、触ったことのない画材で描いてみても、慣れた道具と同じとはいかないものの、ほぼ同等の仕上がりに持ち込めるようになり、ハードルがあるとされるアナログ機材からデジタル機材への移行もそこまで難航しなかった。

技術の向上があまり見られないのは、解剖学の教員になったことで、授業用教材を用意したり、こうした書籍を執筆したりして絵を描く時間が減少した、というのもあるかもしれない。ただ、特に練習をしているわけでなくても、描こうと思った時には仕上がりに納得した絵が描ける。美術予備校の頃から絵は描けたが、当時は出来上がりが不満だったし、今よりも下手に見える。

美術解剖学を学んで、表現の天井が「見る目」に依存していることに気づけたことは大きな収穫だった。人は気づかないうちに何をどこまで見るか、という取捨選択を習慣で行っている。

人は、視界の情報量を落として最適化している。「木を見て森を見ず」というのも視界の取捨選択を言い表したものである。だから写実的に絵を描こうと思っても、当人の「ここまでは見る」という習慣に応じて観察にストッパーがかかる。

例えばリンゴの絵を描いても、リンゴの色むらや表面の粒々までは見ない、という見方の習慣があると、そこで観察が止まって、筆が入らない。写真のように絵が描けない人がいるのはそのためである。

絵がうまく描けるようになるための決まった教え方はないが、予備校で教わったこと(大学では具体的な描画方法を教わらなかった)を個人的所感から要約すると以下のようになる。「観察すれば表現できる。何度も繰り返し練習すれば目的の表現に近づくことができる。先輩たちの作品を見よ。表現できているではないか」。抜本的な変化なしに何度も繰り返し練習しても、観察眼はなかなか伸びない。

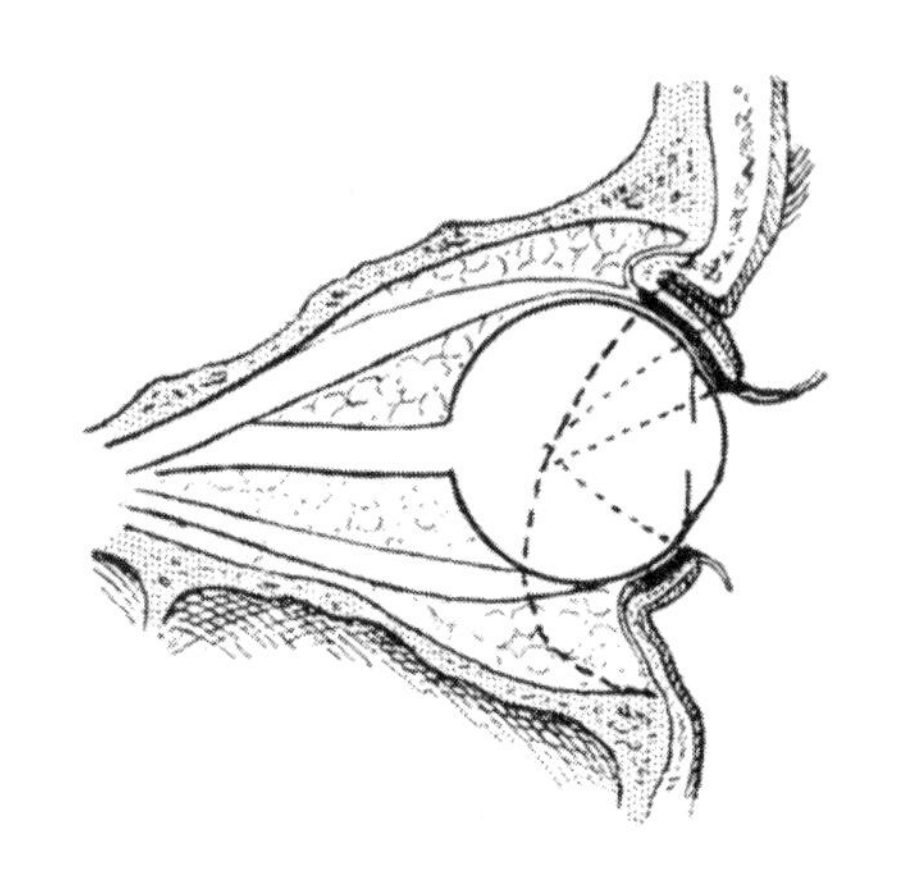

2-10-1 リシェによるまぶたの開閉図。筆者蔵

解剖学や美術解剖学では、人体や生物の見方を教える。その内容は抽象的な精神論ではなく、観察可能な情報である。学べば学んだだけ、観察のポイントが増えていく。そうした知見の集積によって目が養われていき、結果的に形が拾えるようになる。習慣的に獲得していた観察のストッパーが外れるのである。

「見る目」は、美術解剖学の教科書や授業でもある程度得られるが、解剖実習で得られる情報量の方が多い。解剖体験をした芸術家と、座学で解剖学を学んだだけの芸術家では、「見る目」の深度が異なるだろう。解剖体験をした芸術家については、第4章で詳しく紹介していく。

§2-11 我々を操る本体

初回の解剖実習で開腹した時、腹腔に収まっている腸がまるで無脊椎動物や原始的な生き物のように見えたのを覚えている。

筋骨格は形態や付着部、走行が概ね整然としている。しかし内臓、主に腸管は、大部分が固定されておらず、腹腔内に都合よく収まっていて姿勢が変わるたびに位置が変わる。見た目も、ミミズやナマコのようなそれ自体が独立した生命のように見える。実際に腸管などの内臓は、不随意（ふずいい）といって意識ではコントロールできない。

腸管を初めて見た時、私にはそれが我々を操る本体に思えた。もしかすると、昔読んだ三木成夫の影響もあったかもしれない。

実際、腸管は種を超えてかなりの数の動物に存在する。多数の器官を持つ生物は、腸がないと食物から栄養を吸収することができないため、発生においても最初期に形成される器官である。

　ご遺体を見ても、体格が良く、生前は健康だったと思える人は、腸管も太くしっかりしていて立派である。反対に痩せて小柄な人では、腸管も細くて弱々しく、病変があったりすることが多い。

　我々は、意識を生み出す脳（大脳新皮質）のことを自分の本体と思いがちである。しかし、思考や意識を司る大脳は、進化的に見て比較的新しい構造で、大脳よりも、小脳や腸管の方がはるかに昔から存在している。

　そもそも脳は、血液を介して消化管から供給されるグルコースなどの栄養分がなければ維持できない。脳の維持にとってもう一つ重要な酸素を供給する肺（魚類では鰓）も腸管から派生した臓器である。その証拠に肺をたどっていくと、喉頭（のどぼとけの高さ）で消化管から分岐しているのがわかる。

　それでも脳の方が優位だと考える人が現代では多いかもしれない。そうした人に、意識が腸管に敵わないという実例を紹介しよう。

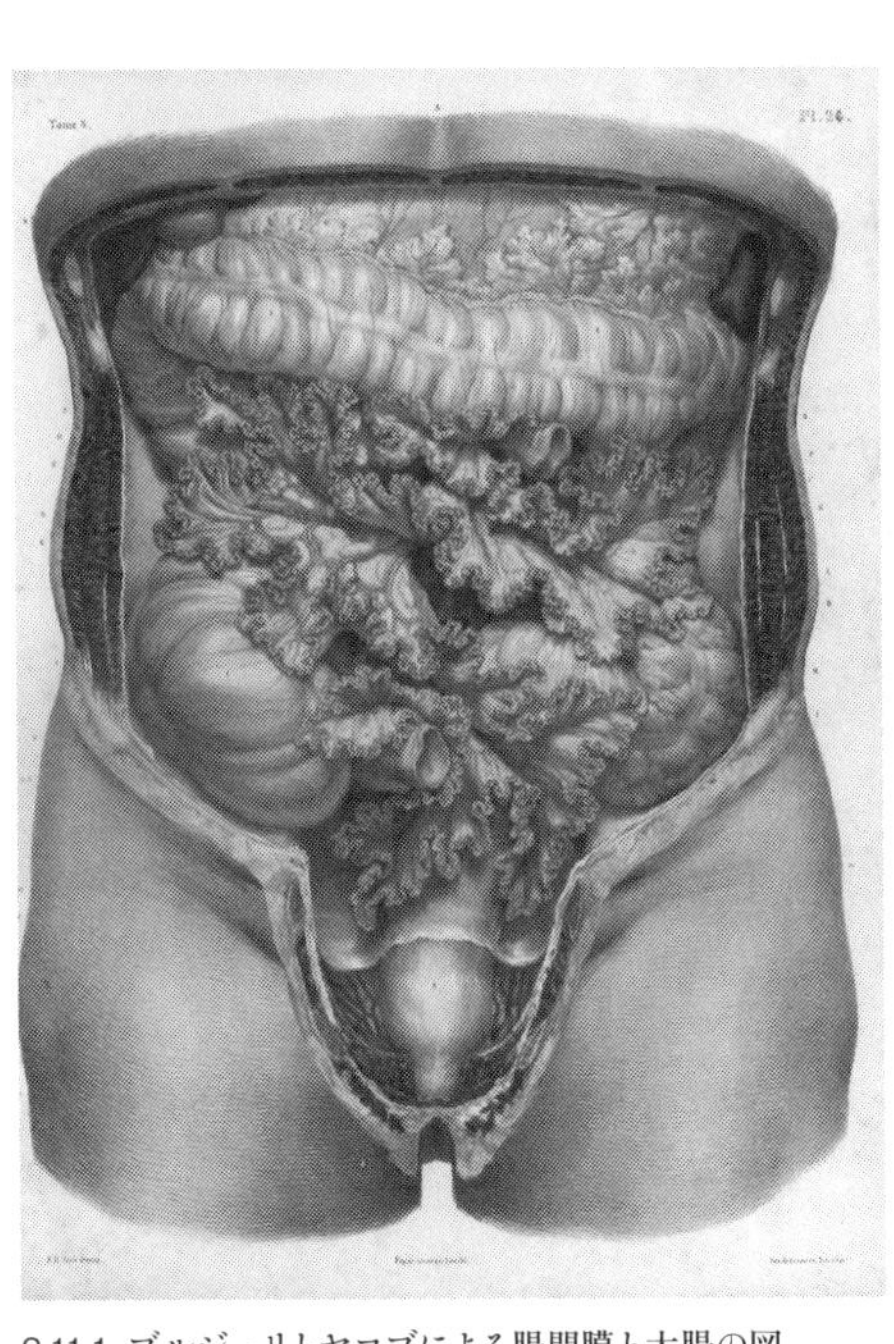
2-11-1 ブルジェリとヤコブによる腸間膜と大腸の図

腸管の出口である肛門の断面を観察すると、複数の層が観察できる。このうち最も外側にある外肛門括約筋は、意識で収縮させることができる。この筋の内側は腸壁と接している。内臓は自律神経によって制御されており、腸を意識的に動かすことはできない。中でも腸管の周りにある壁内腸神経系は、「第二の脳」と呼ばれるほど数多くの神経細胞が存在している。

腸管が何のために動くかといえば、消化した食物を肛門から排泄するためである。腸管が食物を肛門へ運ぶと、便意を催す。このとき、近くにトイレがなかったり、会議などで席を外せなかったりして排便できない場合、随意の外肛門括約筋と不随意の腸管が拮抗する。随意と不随意、勝負をしたら最終的にどちらが勝つかおわかりだろう。随意は不随意に決して勝つことができない。

他にも、眠気を我慢して夜更かしを続けると、自律神経失調症になり、気力や判断力が失せ、やがて鬱になる。頭で考えたことよりも意識と関係なく体から発せられるサインの方が優勢なのである。

§2-12——二度目の解剖体験

最初の人体解剖は、見たことのない形態の連続に目を白黒させながら作業することになる。作業中はあらゆる形を観察し、現在の状況を把握しようとして、すみずみまで目を凝らしている。知らない土地を初めて歩くような感覚で、先入観がない分、全てが新鮮に見える。おそらく脳内はフル稼働していることだろう。

何事も初めての経験は大切で、2回目以降は、情報の取捨選択が起きて要所を見るようになる。知らない土地を歩くような感覚は薄くなっていく。

先入観なく観察している状態は、子供の頃に一日の時間が長く感じられたことにどこか似ている。見たものをいろいろと記憶しているし、作業の終わりには充実した疲労感がある。大人になっても、新しいことを体験すると子供の頃のような処理能力が呼び起こされるのだろう。

人体解剖にも慣れてきた頃、自分の全身をCT（コンピュータ断層撮影）で撮影する機会があった。

病院の検査で経験された方もいると思うが、CTは、CTスキャナーを用いたX線写真を頭の上から足先に向かって何枚も撮影する技術である。一説にはレコード会社のEMIがビートルズのレコードの売り上げで開発した機材とされる。撮影で得られた断層画

2-12-1 筆者の右前腕のCT画像

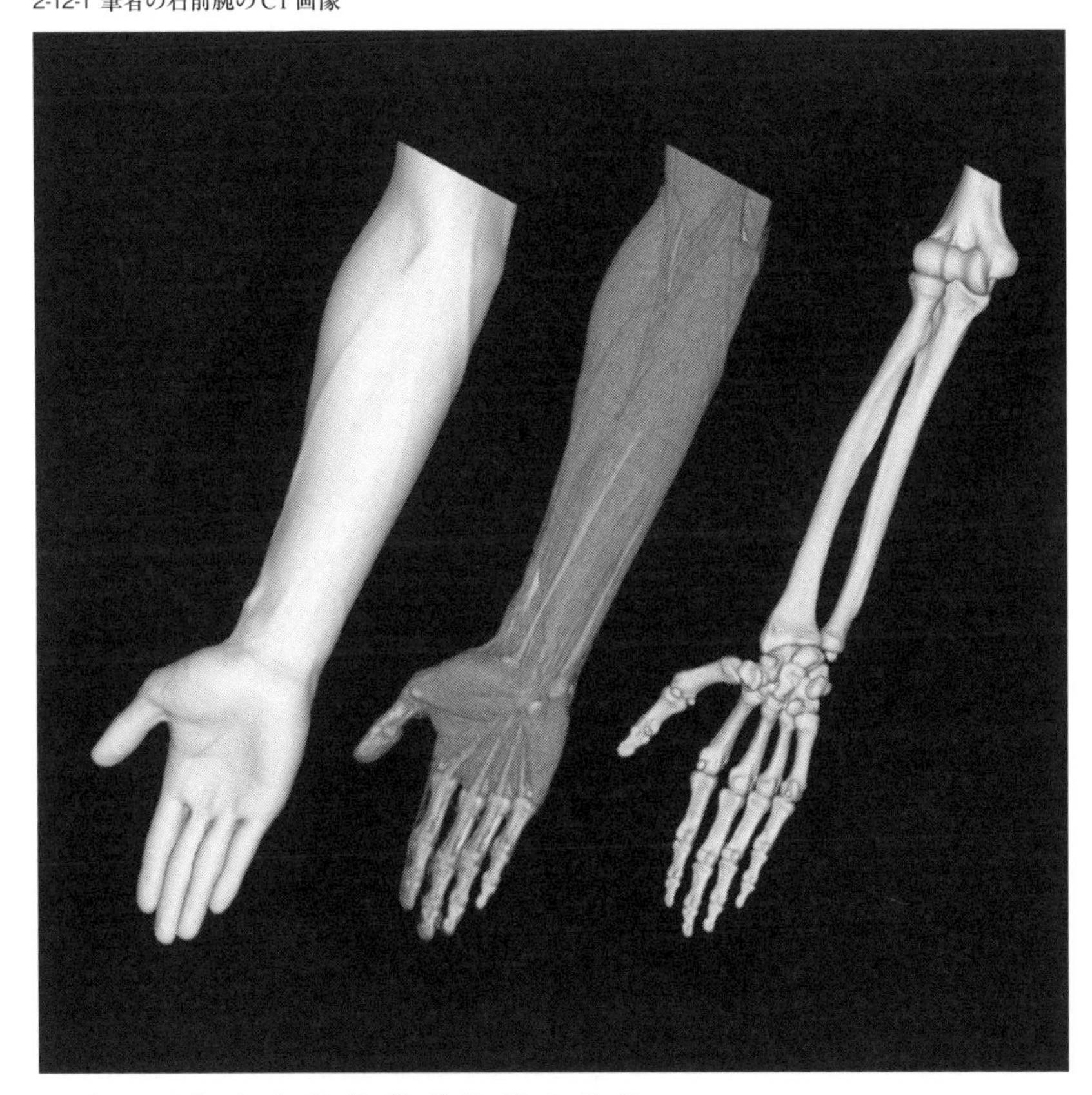

像に解析ソフトウェアを使用すると、複数の画像を重ねた３Ｄ画像を作成することができる。輪切りの画像を積み重ねて、立体を作る感じである。

作成された３Ｄ画像で、ＣＴ値を操作すると、骨や筋を抽出できるようになる。こうした３Ｄ技術を「ボリュームレンダリング」と言う。ボリュームレンダリングは１９８８年に論文として発表され、２０００年代に入ってＰＣの処理性能が向上したことによって広く普及した比較的新しい技術である。撮影には放射線を使用するが、最新の機材は線量が当初の10分の１程度に抑えられているそうだ。

さて、私自身のＣＴ撮影では、身長を１ミリ刻みにしたおおよそ１８００枚の断層画像を、３Ｄ画像解析ソフトに移してみると、合成された３Ｄ画像によって自分の内部構造が手に取るように見えた。

先に述べたように、人体には「変異」と呼ばれるものが必ずあるとされるが、それも実際に見ることができた。私の場合は、第二頸椎（けいつい）と第三頸椎が癒合（ゆごう）し、一つになっていた。一応部分的に分かれていたので、骨の成長途中に癒合したのだろう。私は頸椎が６つ（正確には関節が一つ少ない）しかない。哺乳類は通常頸椎が７つとほぼ決まっていて、頸椎６つは、ジュゴンやマナティと同じ数である。関節が一つ少ないということは普通の人よりも首が回らない。

自分の３Ｄ画像を最初に見たときは、最初の人体解剖に極めて近い感覚を覚えた。モニタ上の仮想空間にある、自分の内部構造。初めて見たはずなのに、どこかで見たような印象がある。このとき、解剖体験とは人体を先入観なく再発見することかもしれないと感じた。

§2-13 研究テーマ探し

医大に入って、教育者および研究者となったからには、自分なりに研究テーマを探す必要があった。独自のテーマを選ぶことは案外難しく、学生から相談を受けることも多い。

私が最初に選んだ研究テーマの一つは美術解剖学の歴史であった。きっかけは美術解剖学を教えるにあたって、先人が何を教えてきたのかを知りたかったというのが大きい。

先行研究には、日本の美術解剖学の黎明（れいめい）期を丁寧に調べたものがいくつかあったが、それらに掲載された日本の教材や教育内容には革新的な内容が見られず、主に西洋の優れた教材そのものか、それらの模倣であった。

そこで西洋の美術解剖学の歴史を調べることにした。調査のモットーは「できる限り実物を見る」である。例えば古い解剖学書に掲載された版画は、画家と版画職人の手わざが拡大縮小なく印刷される。実物の画面サイズやストローク、プレスによるインクの乗り具合などを電子化されたデータで確認することはできない。

研究内容の一部は「19世紀における西洋美術解剖学の歴史：日本の美術解剖学の前史として」（日本医史学雑誌, 63: 23-42, 2017）にまとめた。調査の過程で得た資料は、本書でもいくつか使用している。歴史調査は現在も継続していて、18世紀や20世紀の歴史調査を行っている。

歴史調査の派生として、美術解剖学の歴史的名著を翻訳出版することも始めた。というのも日本で売られている美術解剖学書は、ほとんどが西洋の入門書を翻訳したものであり、本当に勉強したい人や授業での使用に堪える書籍ではないからだ。

東京藝術大学の美術解剖学の授業では、100年以上ポール・リシェの教科書（4－16参照）が使用されている。世界的な美術解剖学のスタンダードブックはゴットフリード・バメスの教科書（4－26参照）である。芸術家向けの動物解剖学では、エレンベルガーの動物解剖学書（4－22参照）もある。

これらの歴史的名著の出版を進めており、エレンベルガーの書籍は2020年1月に『エレンベルガーの動物解剖学』（ボーンデジタル）として刊行された。

私はこうした翻訳仕事の位置づけを美術解剖学教育のインフラ整備と捉えている。日本に流通している美術解剖学の教科書が入門書ばかりでは、日本の美術解剖学教育の水準が向上しない。歴史を調査し、教科書を比較していくと、医学領域の解剖学でも通用しそうな教育内容の書籍がある。

和訳本には専門書がないと書いたが、実はリシェの教科書が和訳されたことがある。美術批評家の柳亮（やなぎりょう）（1903－78）が監修した『藝用人體解剖圖譜』（1943）である。

これはリシェの図版だけを和訳してまとめた書籍で、一部の体表図の顔が書き換えられていたり、図に添えられたリシェのサインが消されていて、所々改変されている（もし、著者や出版社がリシェをリスペクトしているのであればそのような判断はしなかっただろう）。

この本は、初版しか出版されなかったため、あまり普及しなかった。解剖学を熟知していな

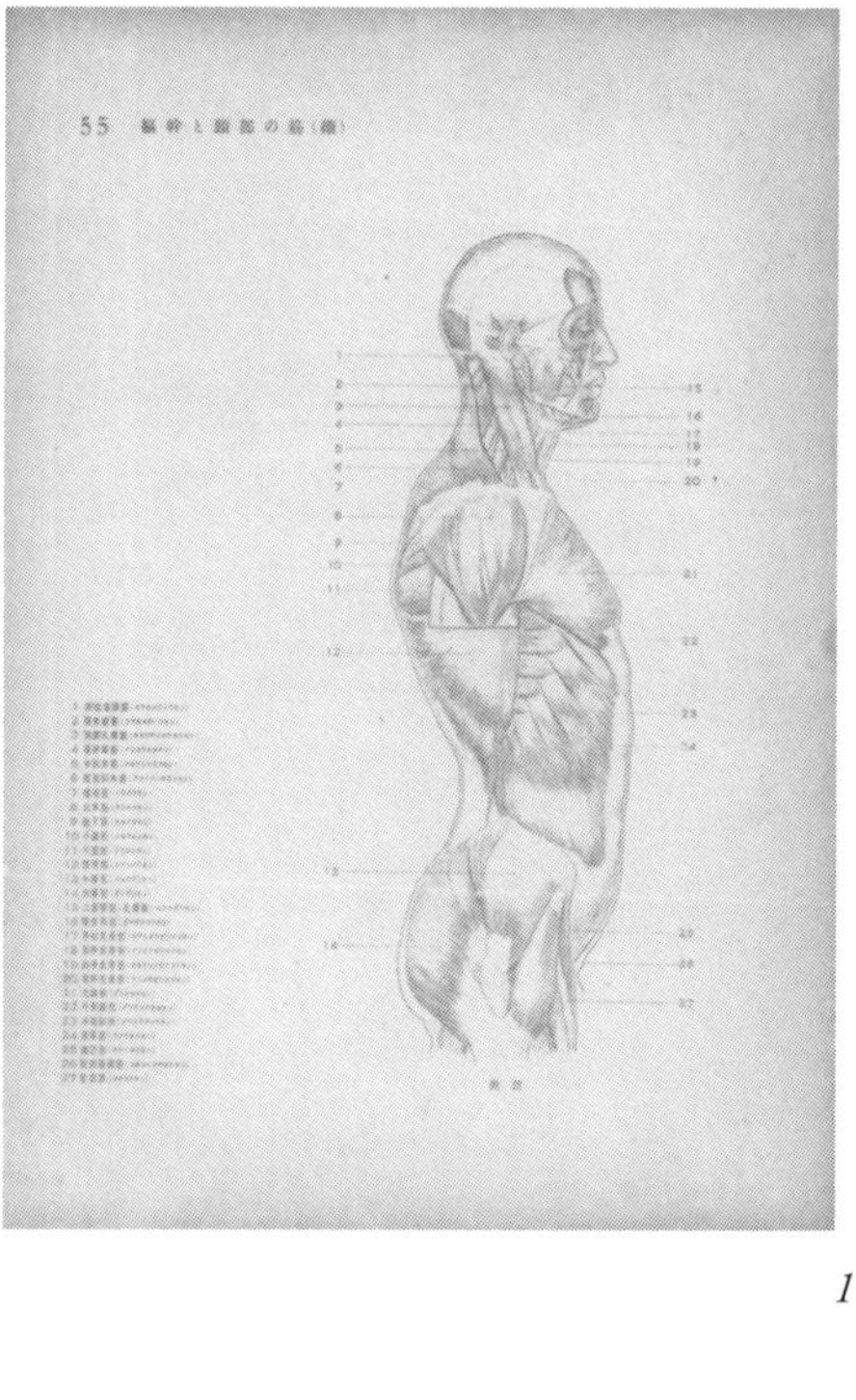

2-13-1
柳亮監修『藝用人體解剖圖譜』（1943）。ポール・リシェの図版だけをまとめた和訳本。筆者蔵

い人物が監修しても本文の内容を判断できない。その結果、図との相互作用を生むテキストが割愛され、なぜこの書籍が良いかを明文化、宣伝することができない。こうしたマッチングのミスはなんとなく読者にも伝わる。

歴史研究やそこから派生した出版企画の他には、メディカルイラストレーションの研究も行うようになった。様々な解剖図を眺めていると表現方法にバリエーションがあり、案外に奥が深い。他者に美術解剖学を伝えるには図示が必要である。特に美術系の人は言葉よりもヴィジュアルで理解する。これを学ぶのも重要だろうと考え、調査を始めた。

まずは解剖図を描くために必要な資料のうち、不足している情報を探した。例えば、「色」の情報がない。解剖体を観察していてよく感じることだが、組織の色は個体差が大きい。内臓はわかりやすいが、筋の色や骨の色も微妙に異なり、解剖図の色彩はバラバラで、派手に色付けされている。バリエーションが豊かということは、調査のしがいがあることでもある。

19世紀の解剖図には、表情筋が他の筋と違う色で表現されていることがある。表情筋は、骨から皮膚に停止する皮筋で、瞬発力が高いが、力が弱く、持久力がない白筋に分類される。実際に白っぽい色をしていて、皮下組織と区別できないこともある。白身魚を想像してもらうとわかりやすい。

表情筋以外は骨から骨に付着している骨格筋で、スピードは遅いが、力が強く、持久力がある赤筋に分類される。これはマグロなどの赤身を想像するとわかりやすい。

色彩調査は解剖体からサンプルを取り、サンプルの最も色むらの少ない部分を選び、絵具で近似値の色彩を調色し、記録していった。自分の色彩感覚が信用ならないので、一部は藝大油画出身の技術員の方に手伝ってもらった。

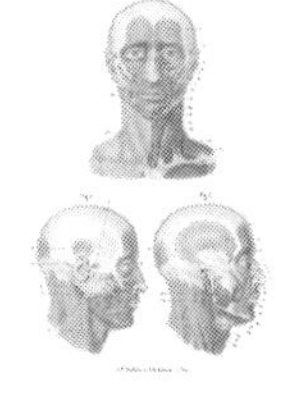

2-13-2（口絵）
フォーの小型版教科書に掲載された表情筋の色彩。やや白っぽく描かれている。筆者蔵

出来上がった色データは、一般的な解剖図と異なり、かなり褐色味を帯びていた。この理由の一つは遺体がホルマリンで固定されているということもある。ホルマリンで固定するとタンパク質が変質するため、色彩が変わってしまう。これは、ゆで卵を想像してもらうとわかりやすい。透明な白身が熱によって変性し、不透明な白色に変わる。

実際にホルマリン固定が導入された20世紀以降の解剖図の筋肉色はピンクやオレンジ（=不透明色）に近く、ホルマリン固定が導入されていない19世紀の解剖図は赤黒い（=透明色）色彩で表現されていることが多い。

ピンクやオレンジといった色彩は、明瞭さや濁って見えない色を目指した印刷的な調整だろう。この研究を通じて、骨や筋の色彩設計が自分なりにできるようになった。

他にもいろいろな研究を行っていて、医療と芸術の間にあってこれまで記述されていない情報を調査している。短期間でできそうなものもあれば、長期間かかりそうなものもある。

こうした研究のアイデアは、自分一人で考えて出てくるものではない。自分一人で考えて出てくる答えは、たいてい既に誰かが行っている可能性が高い。それよりも、他者の意見を見聞きしたり、私の場合は歴史調査をしたりする中で、「穴」が開いている箇所に気がつくことがある。そこを調べていくと新しいことを発見したりするものだ。

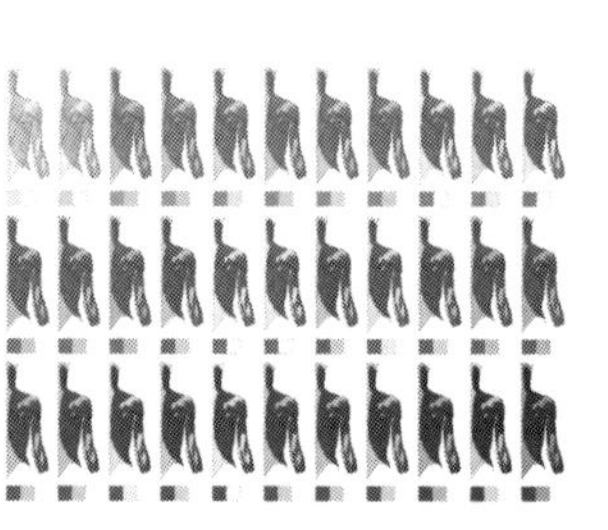

2-13-3（口絵）
骨格筋の色彩に関する研究。解剖体の組織に近い色を絵具で調色し、合わせてRGBの近似値を導き出した。筆者作成

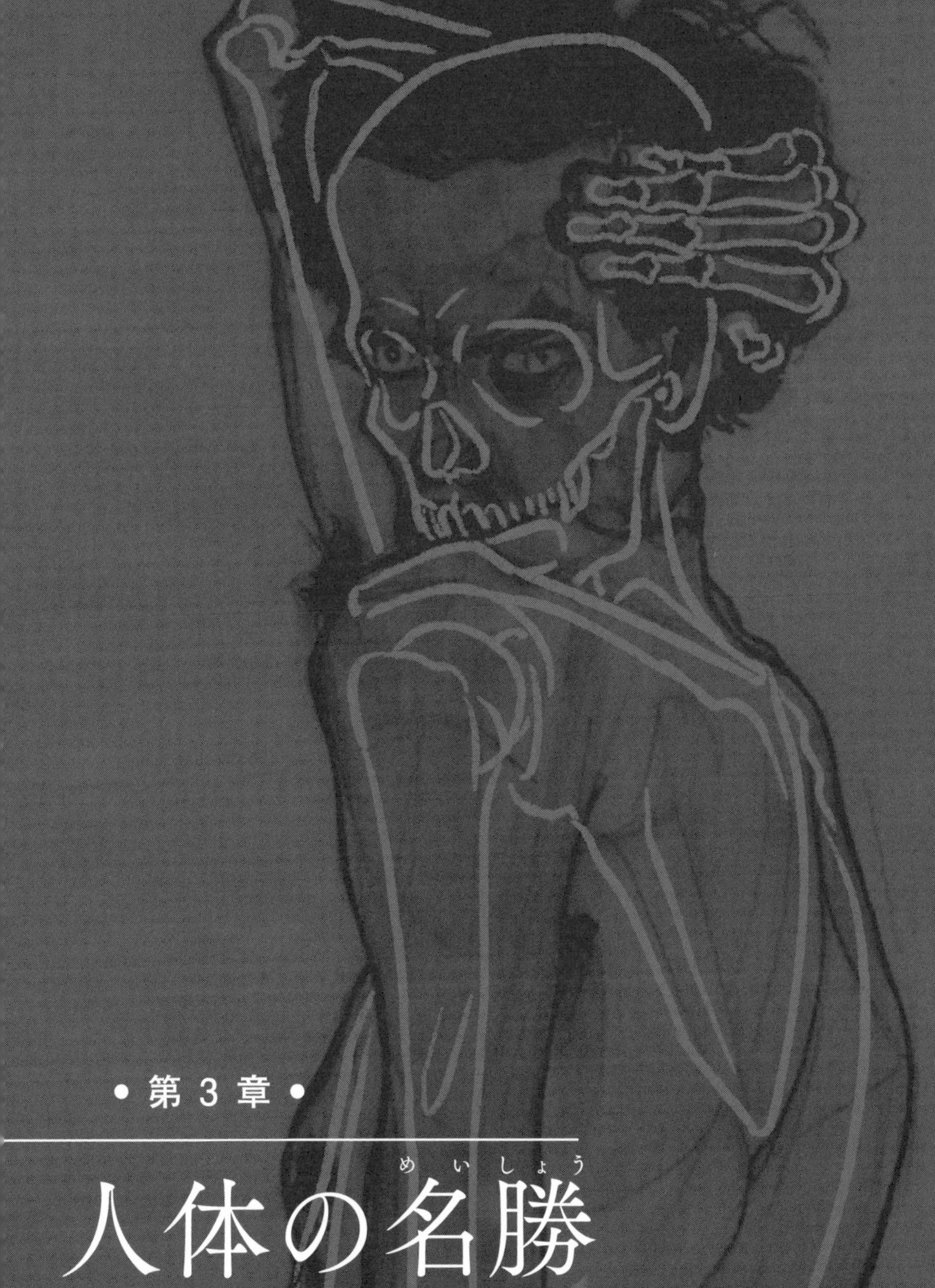

●第３章●

人体の名勝（めいしょう）

この章では、人体や解剖学の見どころをいくつか紹介していく。

観光名所に「名勝（景色の良い土地）」と呼ばれる場所があるが、同じように人体にも名勝のような見どころがいくつかある。考えてみれば、山や海の景色も起伏とその重なりに面白さや味わい深さを感じているので、人体にも同じように見どころとなる起伏があれば、そこは作品の見せ場にもなりうる。

例えば、複雑な起伏が現れる腋窩は、ラオコーン像に見られるように、古代ギリシャ時代から造形のポイントになっている。

ケーテ・コルヴィッツの『緑のショールと背中側から見た女性のヌード』（1903）という版画作品は、肩の中央に突出した第七頸椎の棘突起が見どころになっている。第七頸椎の棘突起がどこかわからない方のために少し解説したい。

頸椎は脊柱、いわゆる背骨の首の領域にある骨（椎骨）である。哺乳類は基本的には7つの頸椎を持ち、上から順に第一頸椎、第二頸椎と続き、最も下が第七頸椎である。棘突起というのは背骨で唯一体表から目視もしくは触知できる部分で、頭を前に曲げたり、背中を丸めたりすると正中線上に点々と隆起するのが確認できる。

第七頸椎の棘突起は、頭を下げたときにうなじの皮膚を強く押し上げ、目で見ても、指で触れても確認することができる人体のランドマーク（指標）の一つである。実際に自分の首で触知してみると、上から弱い隆起（第六頸椎）、強い隆起（第七頸椎）、中くらいの隆起（第一頸椎）の順に点々と棘突起を確認することができる。

第六頸椎より上の椎骨は後頭部の隆起（外後頭隆起）に続く靱帯（項靱帯）によって通常は触れることができない。頭を下げた姿勢で最も突出する第七頸椎は、隆起した椎骨という意味

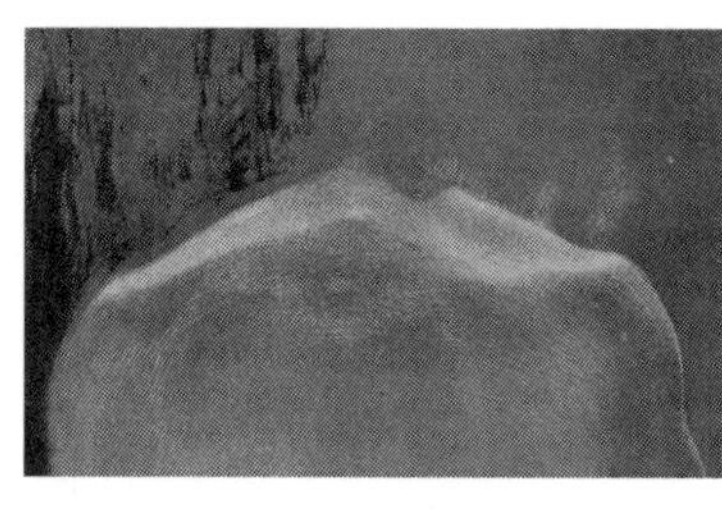

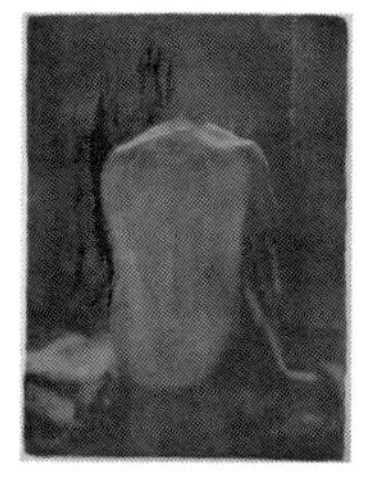

3-0-1
ケーテ・コルヴィッツ『緑のショールと背中側から見た女性のヌード』（1903）および部分。筆者蔵

の「隆椎（りゅうつい）」という別名を持つ。コルヴィッツが描いたうなじの光が当たった隆起部が、第七頸椎の棘突起である。解剖学的なランドマークは作品の見せ場だけでなく主題にもなりうる。

§ 3-1 ― 解剖図の姿勢

現代的な解剖図に描かれた人体像は、姿勢が決まっている。頭は、真っ直ぐ前方を向き、背筋を伸ばして直立し、両足は閉じてつま先を前に向け、腕は胴体の側面に沿って垂直に下げ、手のひらを前に向ける。この姿勢は「解剖学的正位（Standard anatomical position）」と呼ばれる（図版3-1-1）。この姿勢は解剖図に使用され、エコルシェには通常使用されない。

人為的な姿勢だが、この姿勢に基づいて上下、左右、前後などの方向が決まっている。手のひらを前に向けるのは、前腕の橈骨と尺骨が交差せず、説明をするのに都合が良いからだ。

この解剖学的正位が採用されるより以前の解剖図は、人体の姿勢はある程度自由に表現されていた。正面、側面、後面という三面図の概念はあったようだが、それぞれの視点で姿勢が異なり、場合によっては骨と筋でもバラバラ、部位によってもそろっていない。

例えば、ヴェサリウスの図（3-1-2）は、骨格図や筋肉図がまるで物語のワンシーンのような姿勢をとっている。この頃は解剖用語も定まっておらず、前腕の筋は数字で識別されていた。それが例えば尺側手根屈筋（しゃくそくしゅこんくっきん）などの方向を含む名称が制定されると、記述と図の姿勢が対応する必要が生じる。そこから解剖学的正位が生まれた。

美術解剖学の教科書には、ヴェサリウスから約300年後の19世紀中頃になってこの姿勢が採用され始めた（初出は1845年に出版されたフォーの美術解剖学書）。

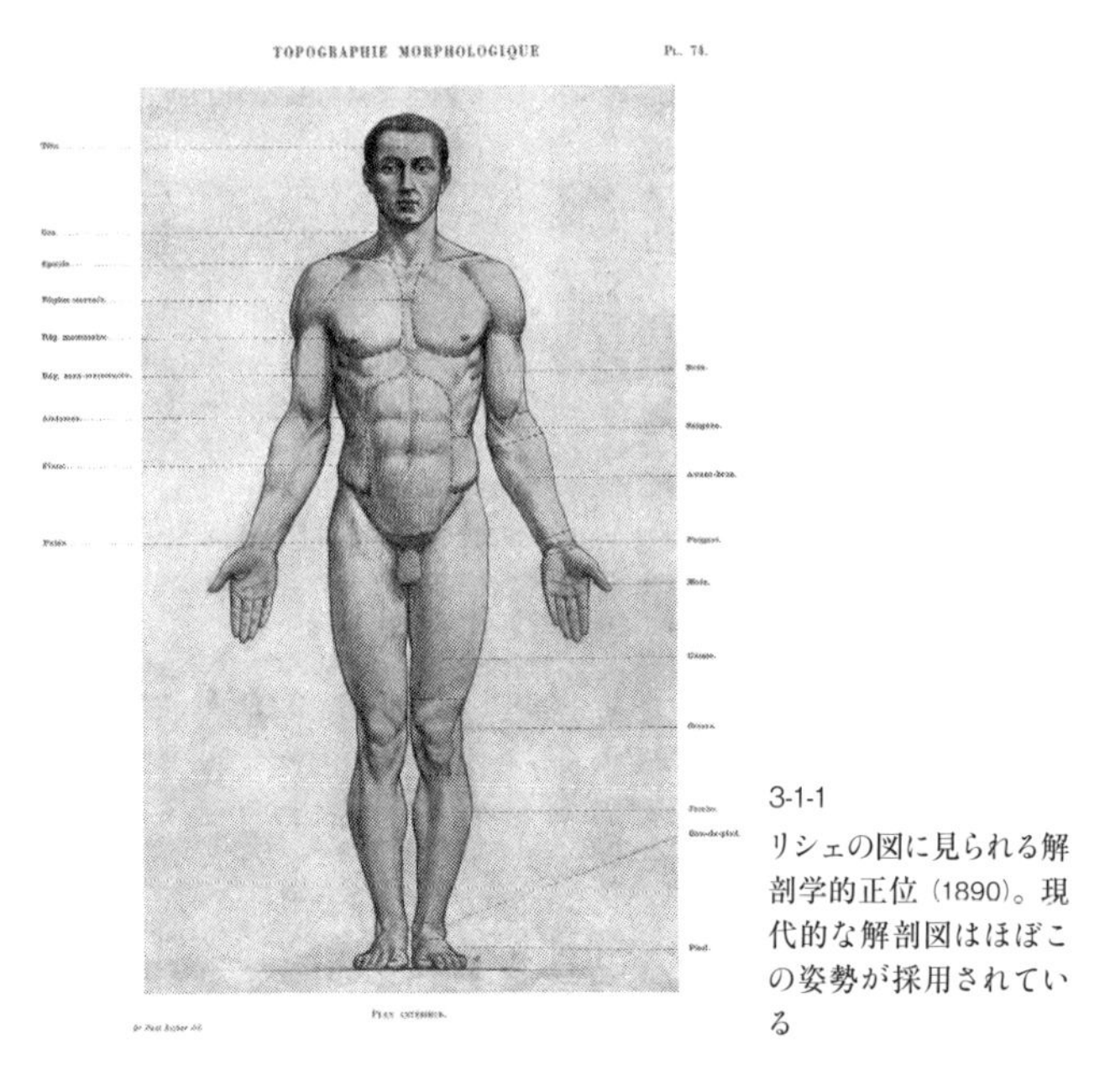

3-1-1
リシェの図に見られる解剖学的正位（1890）。現代的な解剖図はほぼこの姿勢が採用されている

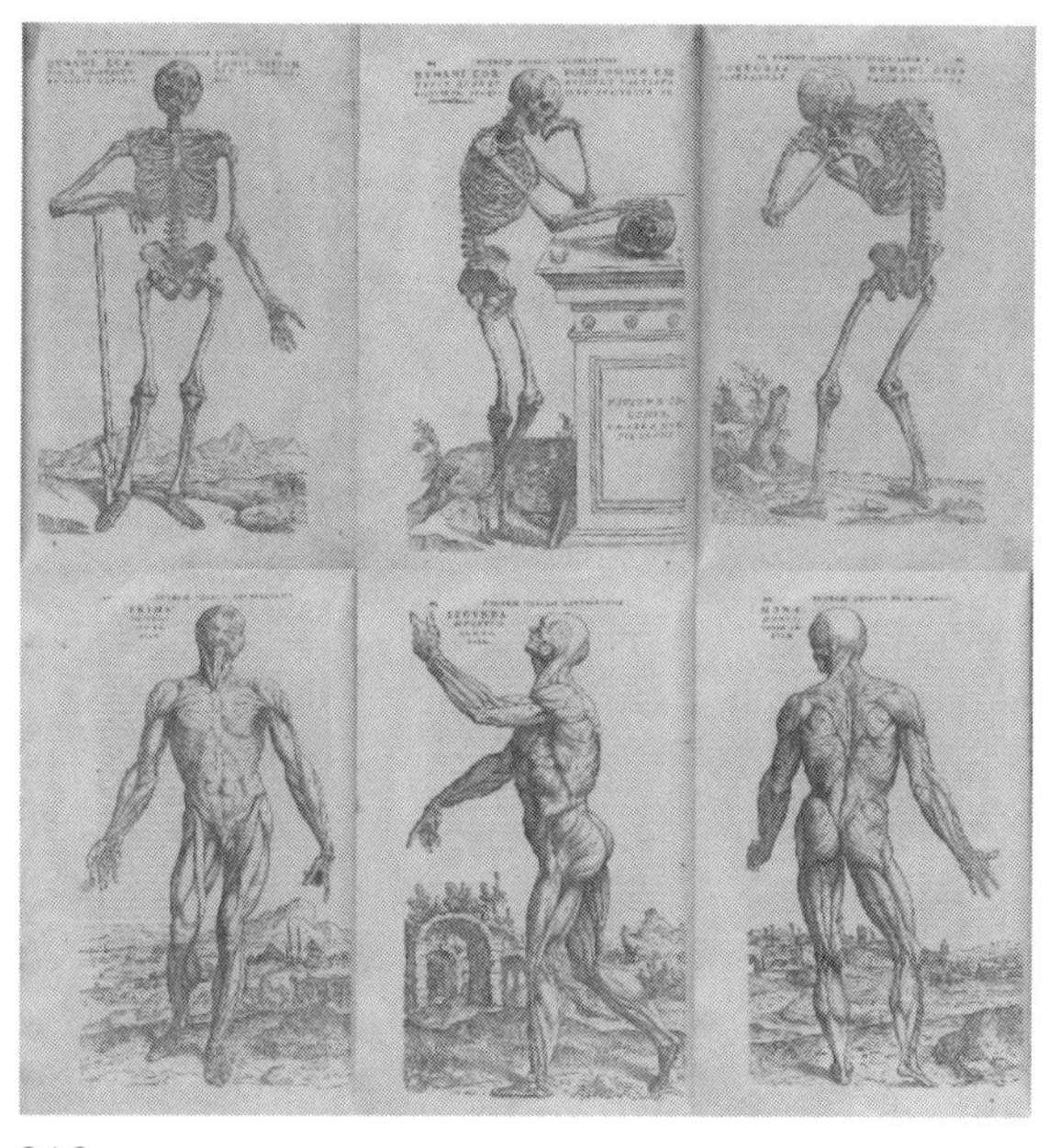

3-1-2
ヴェサリウス『ファブリカ』（1543）の三面図。姿勢は現代ほど厳密に定まっていない

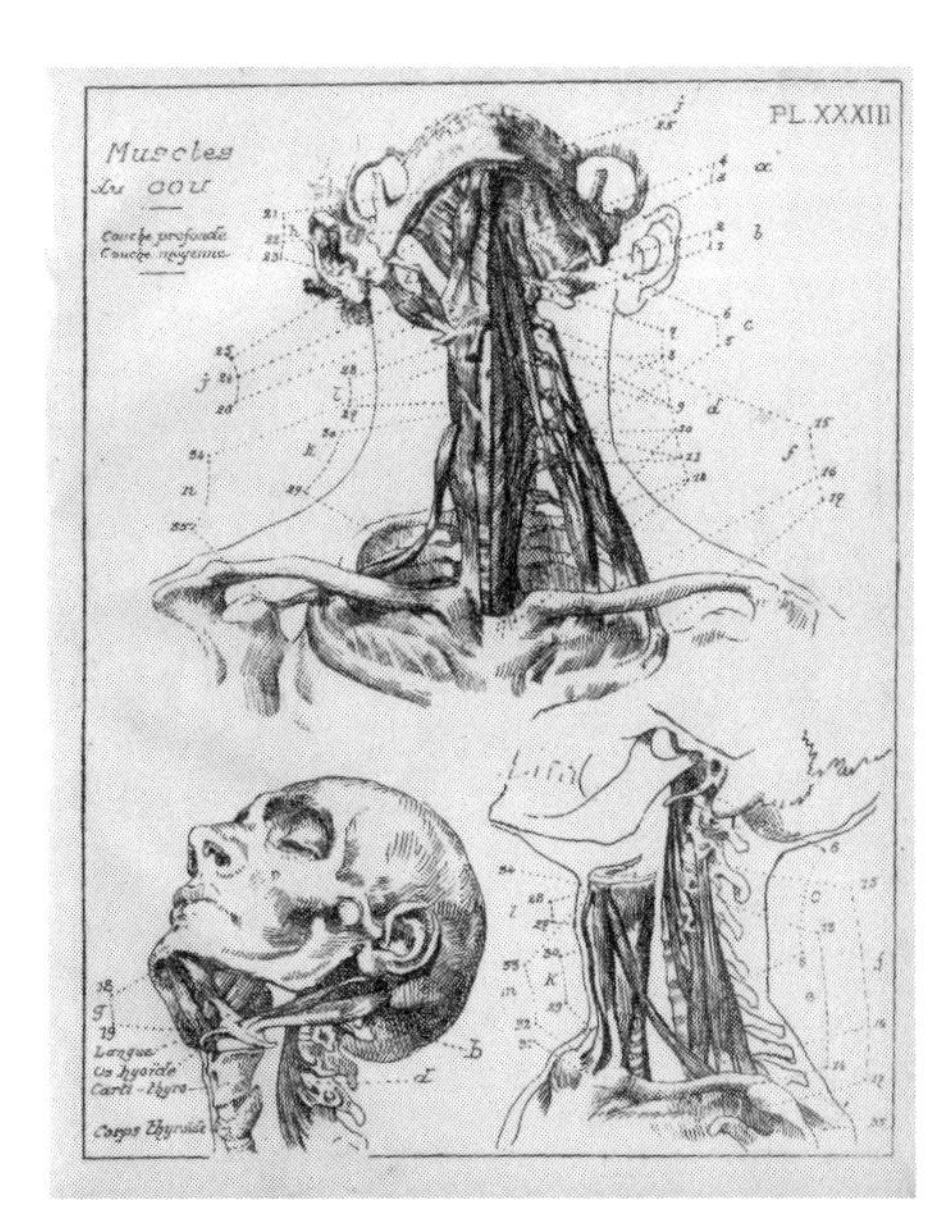

3-1-3　顎下領域を見せる姿勢。筆者蔵

ただし、一部の部位では、今でも解剖学的正位が守られていない。特に腋窩と顎下(がっか)である。

腋窩は、腕を挙上させた姿勢もしくは、外転させた姿勢で描かれる。顎下では、顎の下面にある舌骨上(ぜつこつじょう)筋群(きんぐん)を示す場合に上を向いた姿勢で表現されることが多い。どちらの姿勢も入り組んだ構造を明瞭にさせるための配慮である。

§3-2 骨および骨格について

骨のオリエンテーション

先ほど解説した解剖学的正位には、さらに位置を定めるための基準がある。例えば頭蓋では、「フランクフルト平面（眼耳平面）」と呼ばれる基準がある。フランクフルト平面は頭蓋の傾きの基準となっている面で、眼窩（がんか）下縁と外耳道（体表の場合は外耳孔）の上縁を結んだ線が水平になる時に、頭蓋骨が真正面を向いている状態にほぼ等しいとしている。

　こうした人体の位置関係の指標や方向を定めることを「オリエンテーション」という。フランクフルト平面は1884年にドイツのフランクフルトで開催された国際人類学会議で制定された。

　現代的な解剖図では、ほぼこの方向が採用されているが、制定以前の古い解剖図では角度が異なっている。フランクフルト平面が制定される以前の有名な指標は、外耳道と鼻下を結んだ「カンパー平面（カンペル平面とも表記される）」がある。カンパー平面を基準に描かれた頭蓋は、フランクフルト平

3-2-2
ペトルス・カンパーの著作に掲載された頭蓋骨の基準線。カンパー平面は頭部がやや上向きに見える。筆者蔵

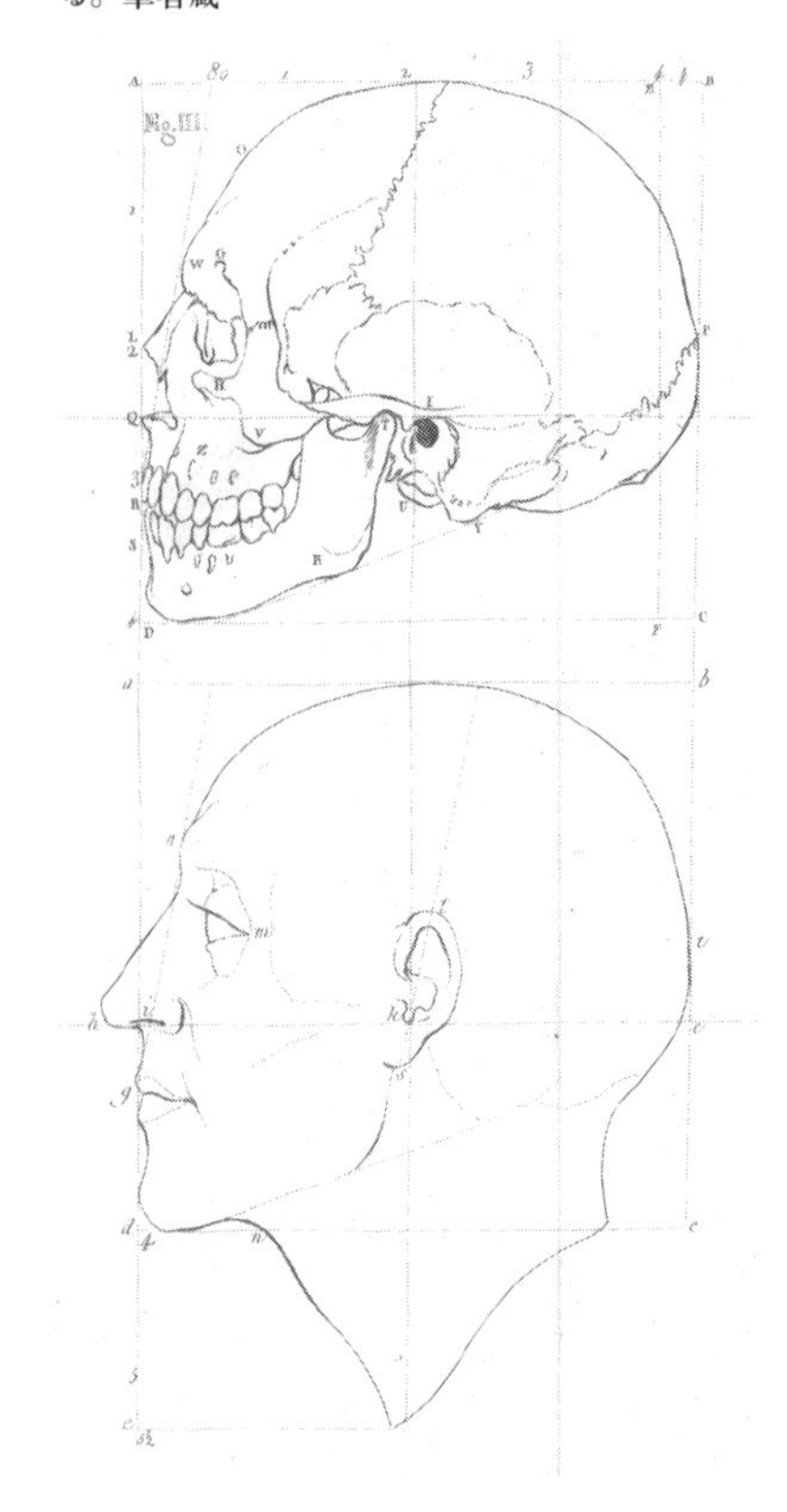

3-2-1
様々な頭蓋骨の指標。図のWの線がフランクフルト平面を表す。筆者蔵

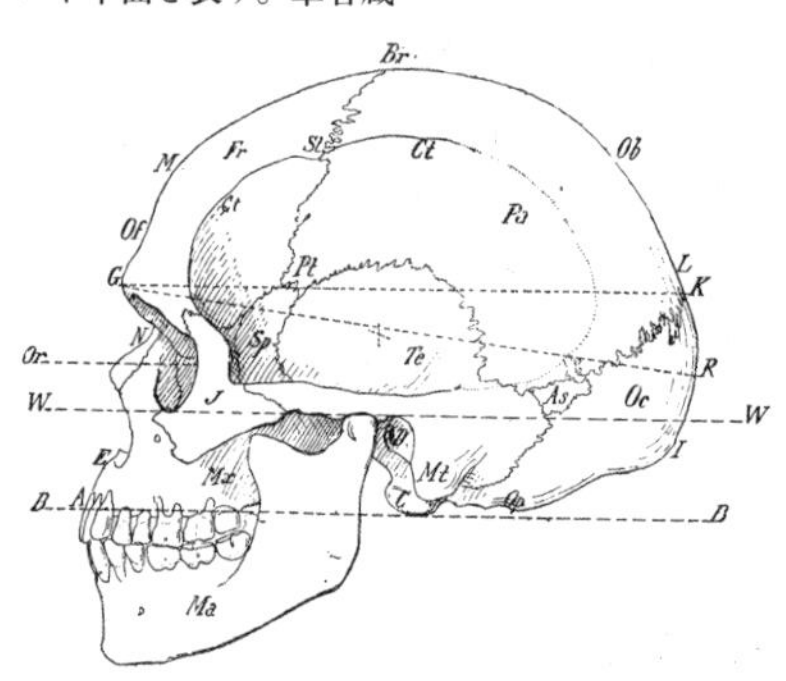

面の頭蓋と比較するとやや顎が上がって上向きに見える。

フランクフルト平面は、歯科で頭部や顎部のレントゲン写真を撮る時に使われる。以前、歯科でレントゲン写真を撮ることになり、撮影機材に顎をのせて撮影を待った時のこと。若い看護師が機材のセッティングで何か不慣れにしていると、歯科医が駆けつけてここ（耳の穴）とここ（目の下の頬）を水平にする、と指示出しして戻っていった。「ああ、フランクフルトですね」と言うと、その看護師は苦笑いしていた。

解剖学でもう一つ欠かせないのが骨盤のオリエンテーションである。

立位の骨盤の位置は、上前腸骨棘（じょうぜんちょうこつきょく）と恥骨結節（ちこつけっせつ）がほぼ垂直になる。教科書によっては垂直になると書かれていることが多いが、実際にはわずかに男女差がある。男性ではやや後傾し、女性ではやや前傾する。

私も人に骨盤のオリエンテーションを教えるときには、最初は「骨盤のここは垂直に並んでいる」と教える。その知識を踏まえた上で、「実は、男女差があって……」と性差を教える。いきなり男女差を教えてしまうと、最初に必要な垂直のイメージが頭に入らない。基準があって、そこから少しずれていることを教えるには二段階の情報伝達が必要になる。

3-2-3 トムソンによる骨盤のオリエンテーション。左が男性、右が女性の骨盤。それぞれ真横から見ている。筆者蔵

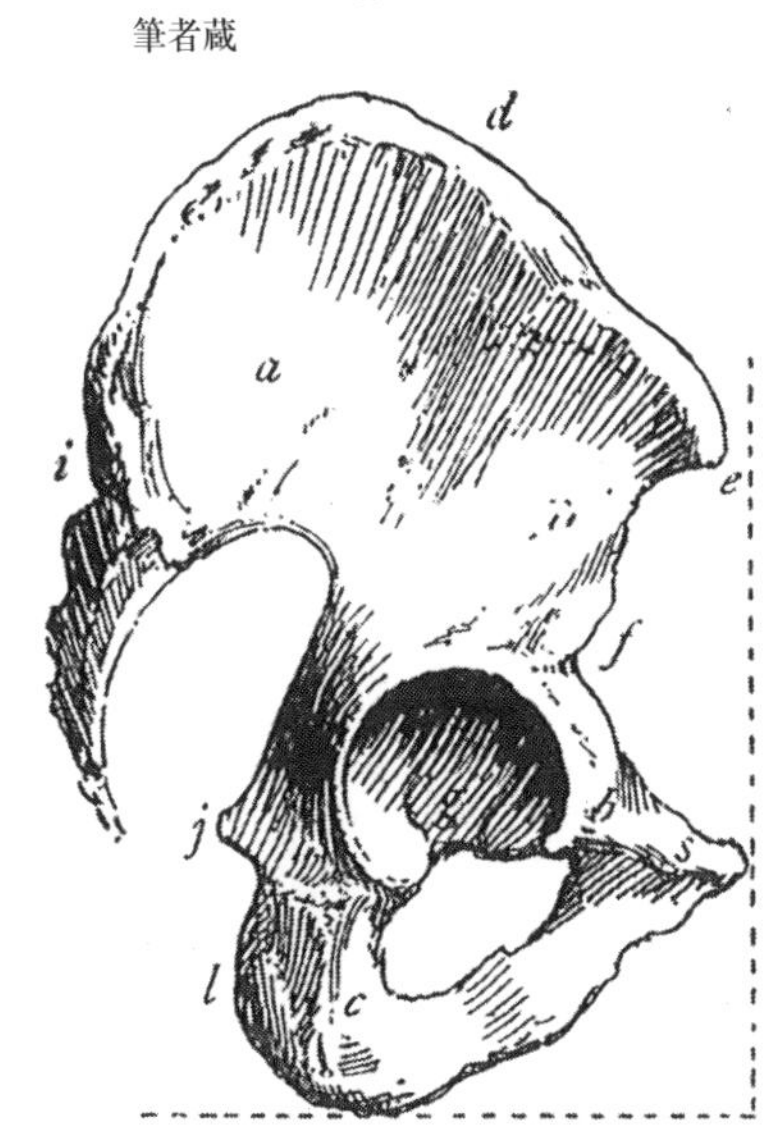

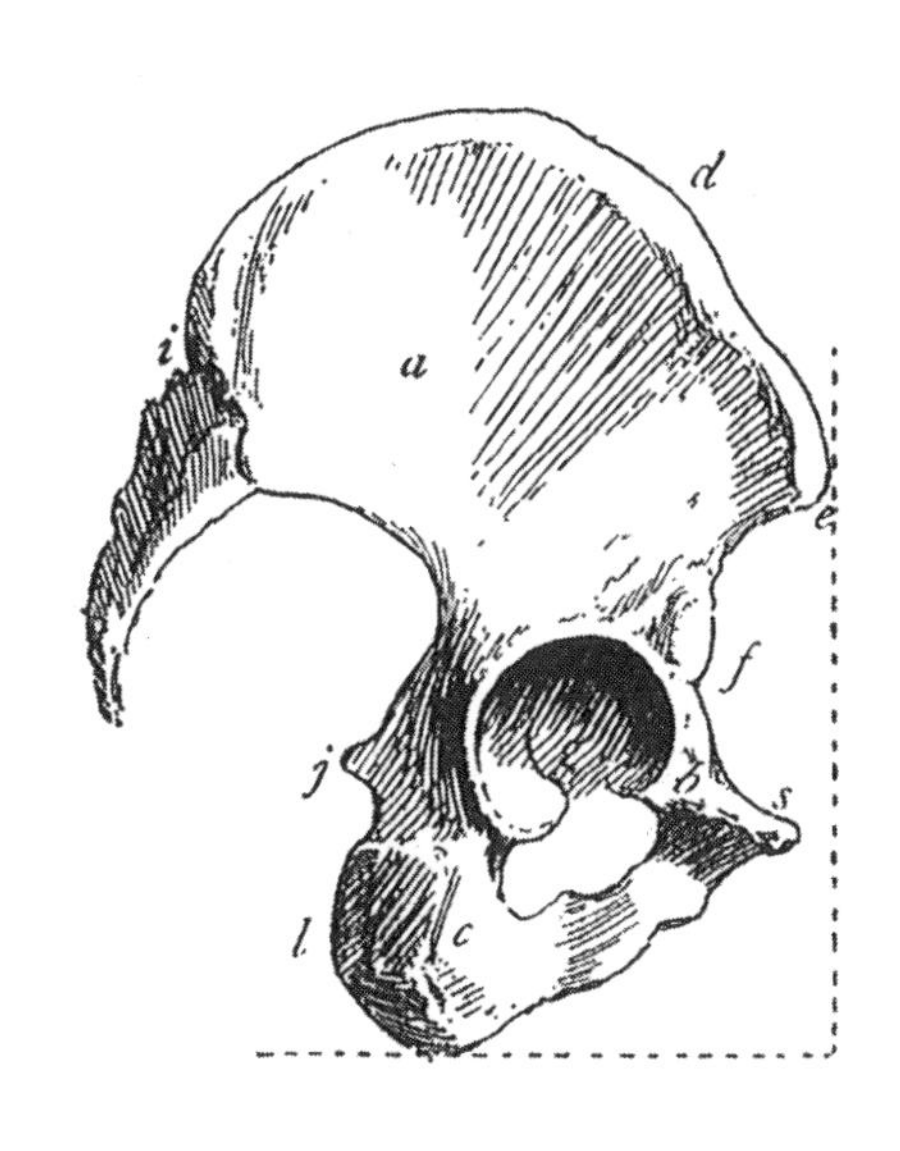

胸郭と骨盤の隙間

現在流通している模型や3DCGの骨格は、実は正確に組まれたものとは言えない。胸郭下縁と骨盤上縁の距離が生体の2倍近く離れている。理由は、展示もしくは市販されている骨格模型を参照し、コピーしたためだろう。

なぜ長いかと言えば、腰椎の前弯が弱いからだ。19世紀頃までの骨格模型は、背中までの脊柱管（脊柱内を縦走する脊髄の走路）の中に真っ直ぐな棒を差し込んで立った姿勢を組んでいた。これは解剖図でも確認できる。

生きている人の脊柱は前後方向に交互に曲がっている（次項参照）。脊柱を立たせるために真っ直ぐな芯材を使えば、脊柱のカーブは弱まる。腰のカーブも弱まり、胸郭と骨盤の間のウエストが間延

3-2-5

ヨハン・マーティン・フィッシャーによる腰椎が真っ直ぐな解剖図（1806）。当時の骨格模型は背中あたりまで真っ直ぐな棒を差し込んで姿勢を維持していた。骨盤のオリエンテーションにも注意。筆者蔵

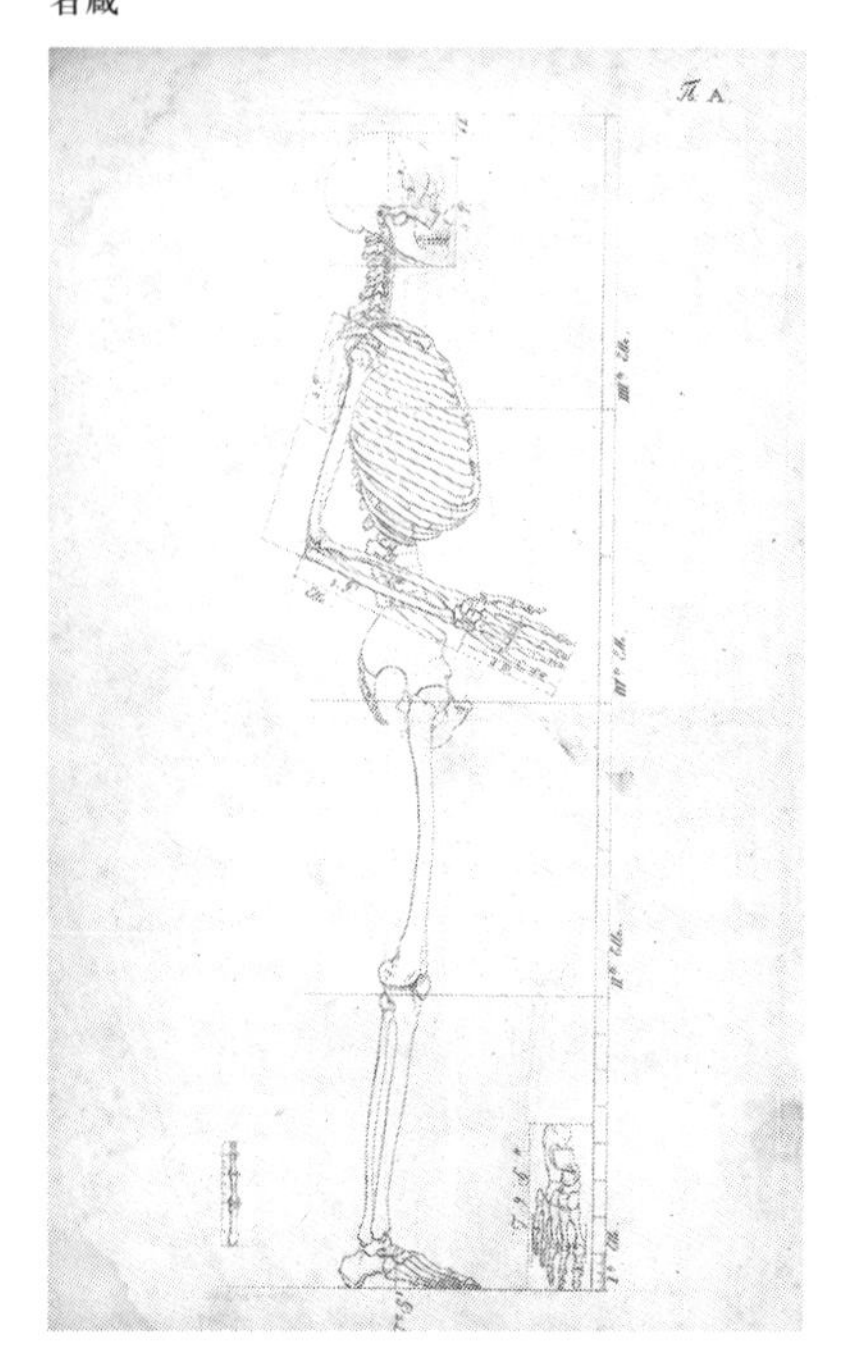

3-2-4

ジョン・マクレランの教科書に掲載されたスーパーインポーズ図。胸郭下縁と骨盤上縁の間の距離は案外に近い。筆者蔵

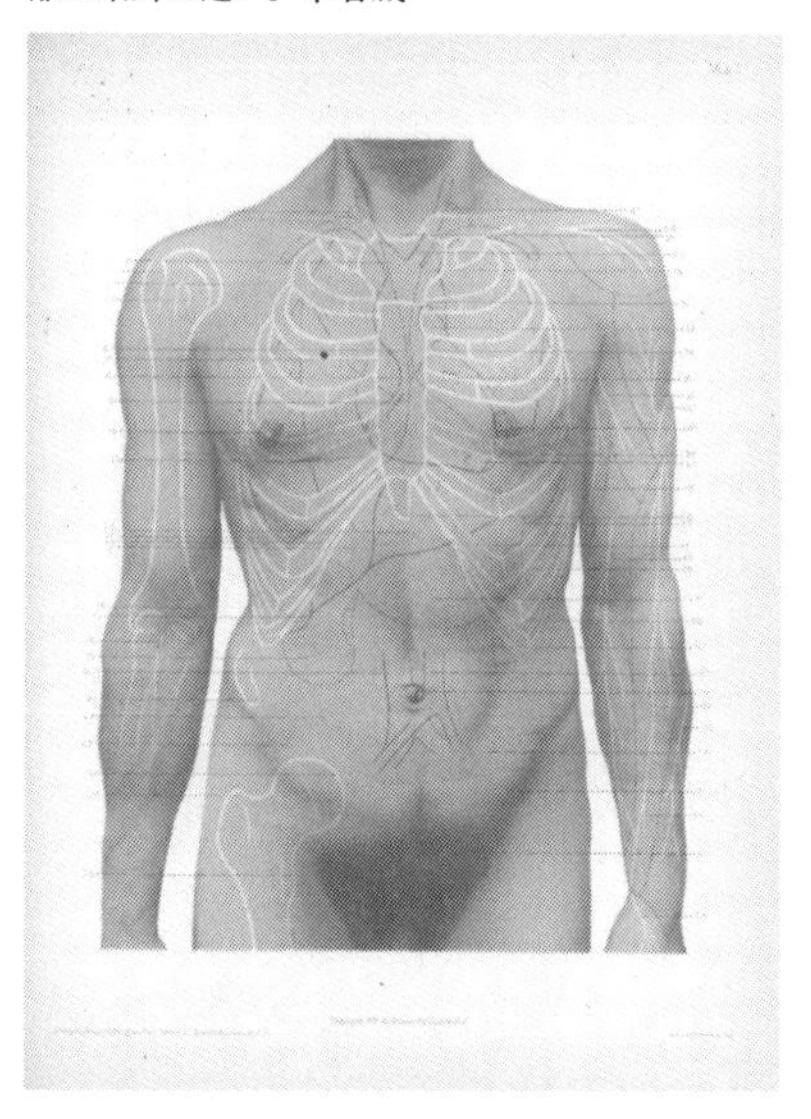

びする。現代の骨格標本は、当時に比べるとカーブが整っているものの、長い時間をかけた伝言ゲームのようになだらかな腰のカーブが維持されている。

フランスのポール・リシェは、『美術解剖学』（１８９０）の中で解剖図や骨格模型の腰が離れすぎていることを指摘した。自分の脇腹で触れる第十二肋骨と腸骨稜（ちょうこつりょう）の垂直距離は、指3〜4本分程度の長さである（女性ではさらに指1本程度離れている）。モデルで観察する場合は、ウエストの最もくびれたあたりと骨盤の上縁を観察すると良い。実際の骨格は筋によって覆われているものの、骨格標本よりは距離が短く見えるはずである。

もし、ウエストの長さが2倍程度ある骨格模型や３ＤＣＧから筋肉図を描こうものなら胴が著しく長い人体像になってしまう（実際に３ＤＣＧ教材ではこれが多い）。ただし、骨格が未発達の子供はウエストの距離が広い。

「骨は嘘をつかないが、骨格は嘘をつく」と言われるほどで、単に骨を連結しても元の位置にはならない。例えば標本のような骨では、関節軟骨の厚みが含まれていない。

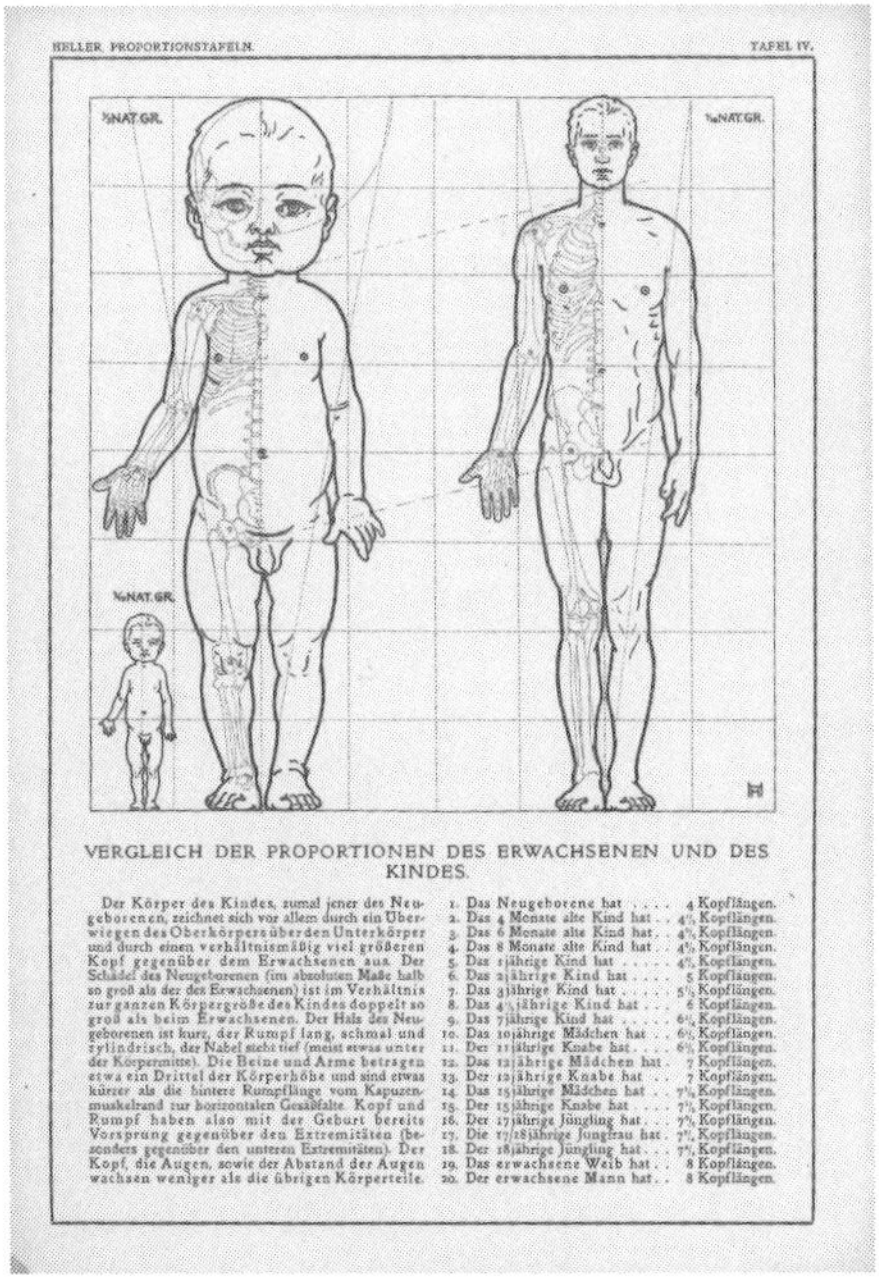

3-2-6　ヘルマン・ヘラーによる小児骨格と成人骨格のプロポーション図。筆者蔵

肉屋で豚骨スープ用のゲンコツ（豚の手足の骨）を買って、骨端の軟骨をナイフで削り取ってみるとよくわかるが、関節軟骨は、分厚いところでは3ミリほどの厚みがある。この厚みがなくなった標本を元の位置に組み立てることが難しいことは容易に理解できるだろう。人為的に組み立てられた骨格図や模型は、正確ではないのである。

脊柱のカーブ

脊柱は上から頸椎、胸椎、腰椎、仙骨と尾骨に分かれる。それぞれの並びを横から見ると曲線を描いていて、頸では前方（前弯）、胸では後方（後弯）、腰では前方、仙骨と尾骨では後方にカーブしている。

しかし、リシェはさらに踏み込んで、このカーブの説明が脊柱の前方部分（椎体の連なり）のみを指していることを指摘した。後方（棘突起の連なり）のカーブは前方のカーブには従っていない。頸椎では前方よりも強くカーブし、下位2つの頸椎を除いて体表には現れない。胸椎は前方よりもなだらかなカーブを描き、頸椎との境界部で強く曲がる。特に腰椎はほぼ垂直で、ときには後方にカーブしていることもある。

リシェがなぜ踏み込んだ記述をしたのかというと、体表から観察できるのは、この後方のカー

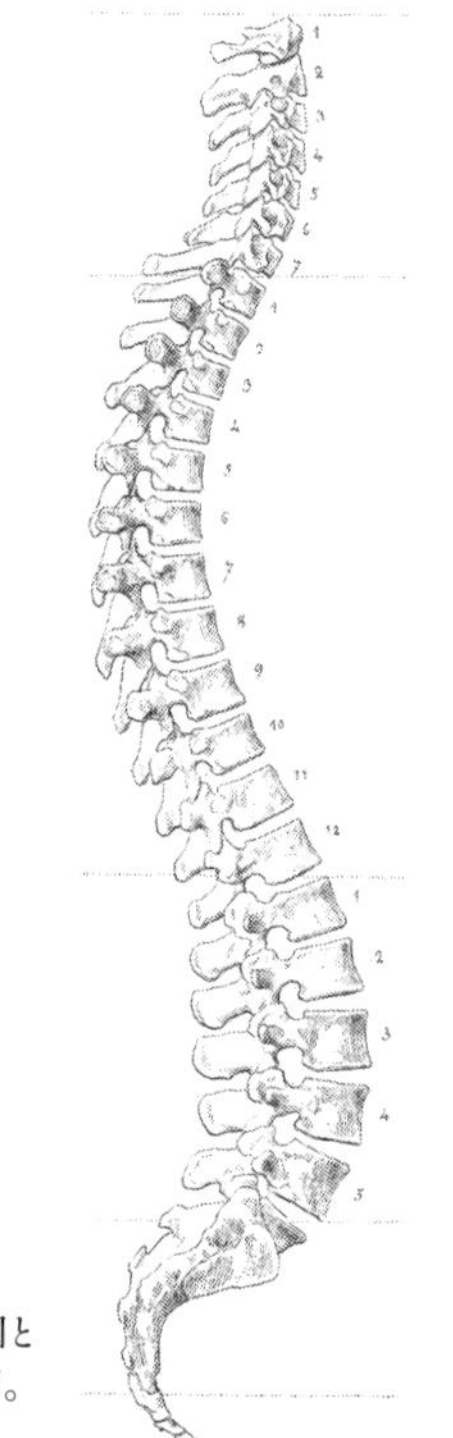

3-2-7
リシェによる脊柱の図と脊柱の曲線の概念図。筆者蔵

ブの方だからである。

脊柱の屈曲と伸展

リシェの脊柱の話は、さらに展開させることができる。

屈曲（曲げる）と伸展（伸ばす）は、骨や筋の働きに注目した記述である。外形に注目すると、例えば体幹の屈曲（前屈みになる）では、腹部にしわがより、筋が隆起する。このとき背中側では、皮膚と筋が平たく引き伸ばされ、骨が体表に近づく。

体幹の伸展（背中を反らす）では、背中側にしわがより、筋が隆起する。腹側では皮膚と筋が引き伸ばされ、骨の隆起が現れる。

こうした話は書くよりも自分の体で試すと良い。腹側を曲げると、背中側は伸びる。一方に曲げると反対側が伸びる。屈曲と伸展は単一方向への動作に思われがちだが、体表に目を向けると、伸び縮みという相反する現象が起こっている。

FIG. 61. — Extension du torse.

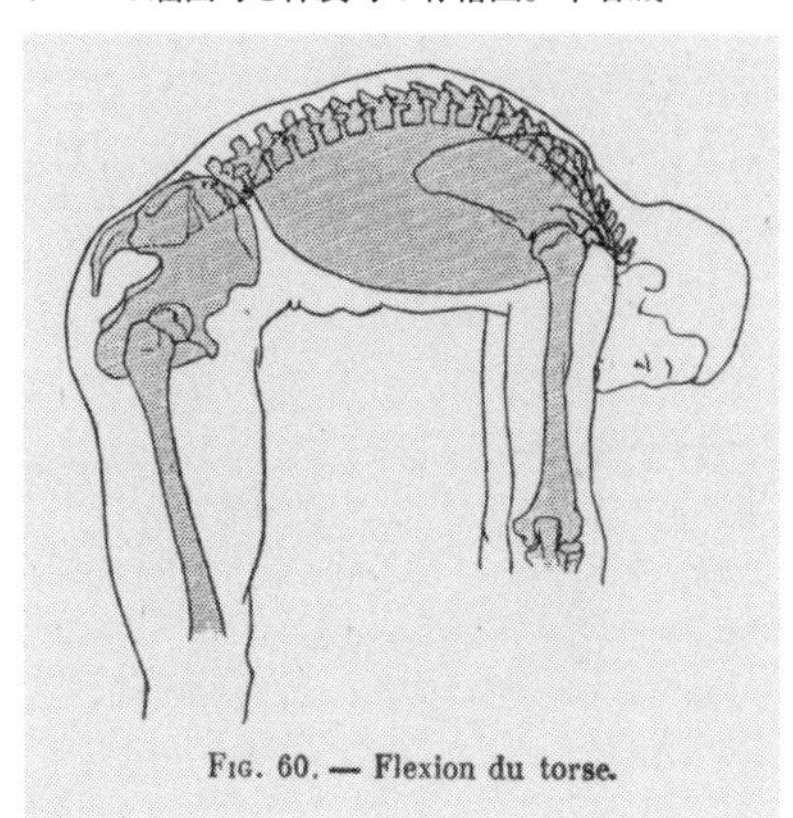

FIG. 60. — Flexion du torse.

3-2-8
リシェの屈曲時と伸展時の骨格図。筆者蔵

§3-3 筋について

筋の構造

筋は、赤くやわらかい筋腹（筋線維の集合）と白っぽい乳白色をした強靱な腱からなる。筋腹の両端は腱（もしくは骨の表面にある骨膜）に付着していて、筋が力瘤をつくるとき、収縮しているのは赤い筋線維の方である。白っぽい腱は骨を牽引するのみで収縮しない。

四肢のほとんどの筋の付着様式は、起始（動きが少ない方の付着部）が腱か筋で、停止（動きが大きい方の付着部）が腱になっている。筋が直接骨に付着しているか、腱で付着しているかは、付着部の面積による。骨の付着面積が大きい場合は筋で付着し、少ない場合は腱で付着する。手足は末端に向かうほど細くなるので、それに伴って付着面積も狭くなり、細長い腱で付着する。

起始側の付着が腱の場合は、筋全体の形状が紡錘形になり、起始側が筋の場合は付着部が幅広くなるため扇形になり、停止側に向かってすぼまった形状になる（これには例外もあり、鎖骨下筋、肘筋、膝下筋などは起始側が腱で付着し、停止側が筋で付着しているので、停止に向かって広がった扇形になっている）。

映画やアニメーションのアクションシーンで、グッと力を溜めてから攻撃や動作を繰り出すシーンをよく見かける。その方が見た目に力強く見える、という誇張表現である。しかし、筋

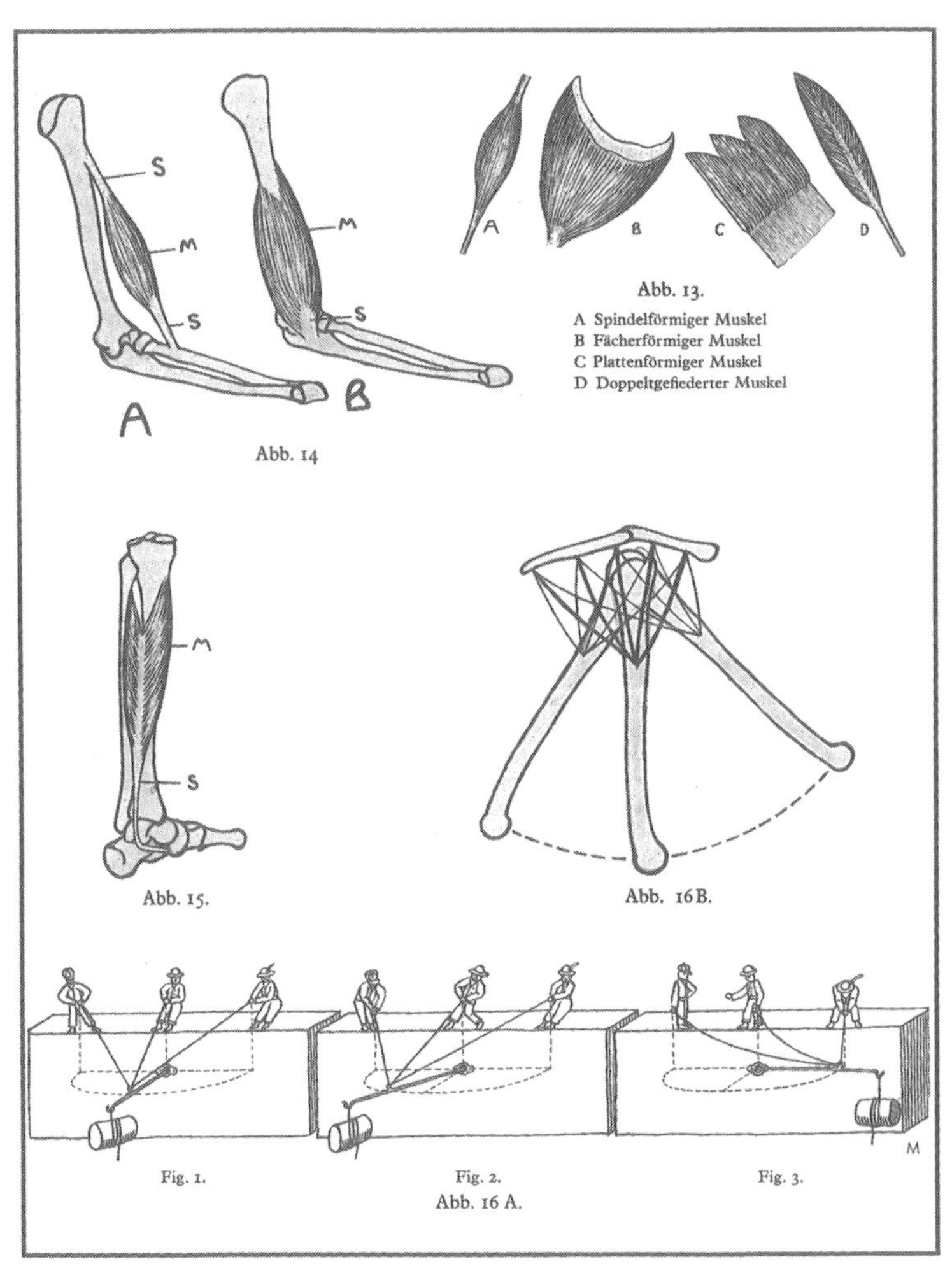

3-3-1 モリールによる筋の模式図。筆者蔵

はバネではないので、力を溜めない。収縮して骨を動かし、弛緩（しかん）して元に戻すだけである。

もし筋がバネのように力を溜め、弾性を持つのであれば、関節を曲げて伸ばすと、何度もバウンドしてしまうはずである。武術の達人などの動きを見ていると、溜めるような予備動作が見られない。抜刀でも切っ先がすぐ相手に目の前に出る。その方が技の術理的にも筋の構造的にも理にかなっているのだ。

筋の構造はシンプルで、一種類しかない。これは半（はん）羽状筋（うじょうきん）と呼ばれ、ベニンホフら多くの解剖学者が描

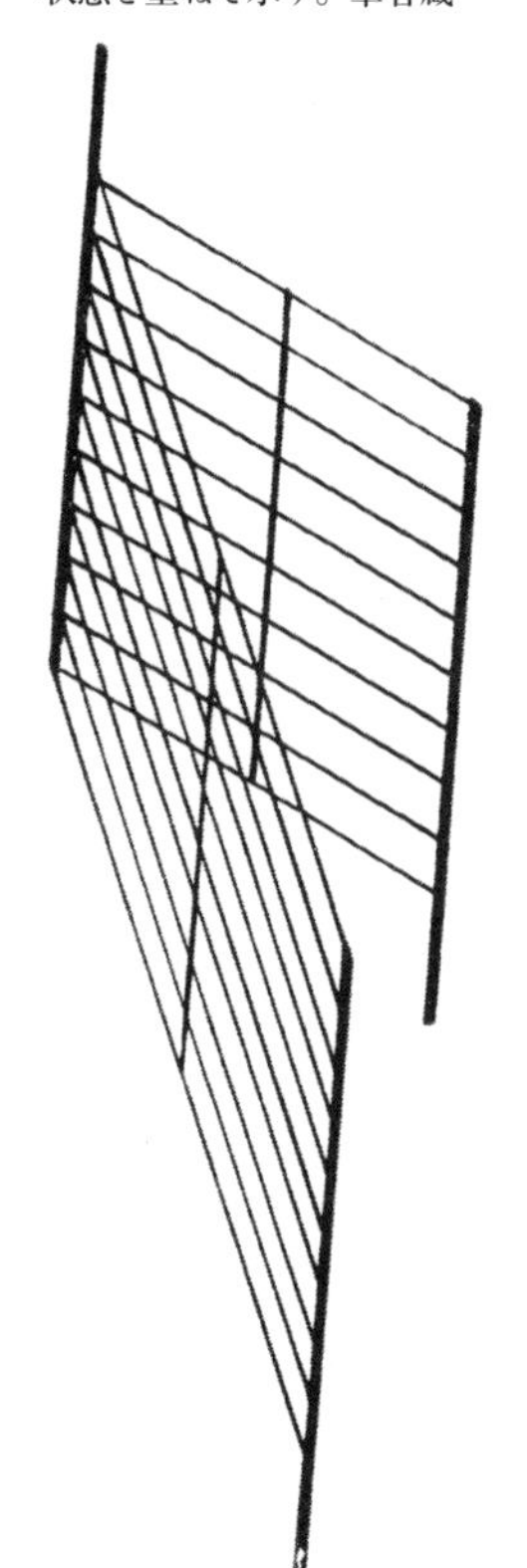

3-3-2
ベニンホフの解剖学書（1928）に掲載された羽状筋の模式図。太線が腱、細線が筋線維。下方に傾斜した筋線維が収縮によって上方に引き上がった状態を重ねて示す。筆者蔵

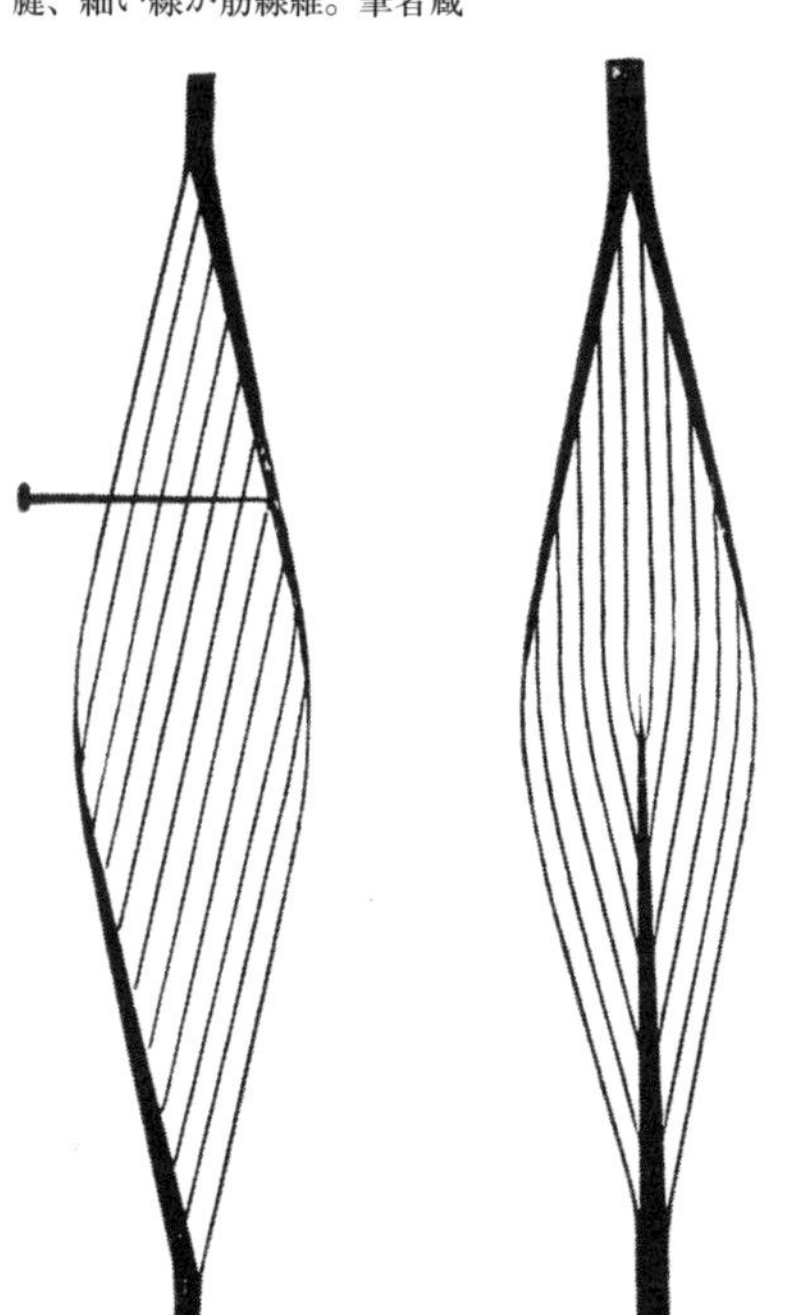

3-3-3
ベニンホフの解剖学書（1928）に掲載された羽状筋の模式図。左は半羽状筋、右は羽状筋（半羽状筋が片方の腱の両面に配置された筋）。先細りの太線が腱、細い線が筋線維。筆者蔵

いた模式図のようになる。

筋線維の両端は腱や骨膜に付着し、筋線維が起始腱ないし骨膜の表面に付着したら、停止腱では腱の裏面に付着する。あとは腱の間の筋線維が長いか短いか、筋線維量が多いか少ないか、腱が長いか短いか、膜状か棒状かなどで様々な形態のバリエーションを生んでいる。この構造は半羽状筋と呼ばれる筋の基本構造である。半羽状筋が2つになると羽状筋、羽状筋が3つ以上の複数になると多羽状筋になる。

羽状構造が図示され始めたのは1669年、ニコラウス・ステノによる。その後、筋の形状分類が行われ、紡錘状や鋸（のこぎり）状、二腹、三頭など外形による筋の分類が加わった。しかし、それらの筋を長軸に沿って切断してみると、断面が羽状構造になっている。筋はこの構造が保たれていないと最良の距離（最短距離ではない）で骨に付着し、収縮することができない。

このことは、いくら形態を分類しても構造の分類にはならないことを示す例である。

腱の走行

腱は淡い乳白色で、角度を変えると様々な色に反射する。表面を観察すると線維走行が確認できるが、断面は飴色に透けている。テレビ石（ウレキサイト）のように、横から見ると線維が見え、断面から見ると透明になる。線維走行が整っていて密度が高いことを示す。断面は牛スジ（ウシのアキレス腱）で確認できる。

腱は、現代的な解剖図では真っ白く描かれていて、走行が描写されていないことが多い。実際の腱に近寄ると筋のように走行がはっきりと観察できる。腱の走行は、筋走行と違って、牽引される方向とほぼ一致する。筋線維の走行が牽引方向と異なるのは、前述した半羽状構造で説明できる。

図版3－3－4はエミール・ボーが描いた腹部の解剖図である。彼の解剖図は、腱の走行がすみずみまで描かれていて観察できる。腹部前面を覆う腱膜は、腹直筋鞘（ふくちょくきんしょう）と呼ばれる。この腱膜は脇腹にある腹斜筋群（ふくしゃきんぐん）の腱が、バイアス方向の布地のように編み込まれている。腱の走行がここまで描写された例は見たことがない。上方の走行の角度と下方の走行の角度が異なる点や、まばらな織りは観察しなければ描けない。

筋の圧痕

人体の内部は器官が隙間なく埋め尽くしている。満員電車の車内のように組織がぎゅうぎゅうに詰まった状態である。例えば刃物で深い切り傷を負ったときには、中身が押し出されて飛び出してくる。それで縫合しなければ傷が閉じない。

ぎゅうぎゅうになった筋と筋が接している箇所は圧痕がついている。筋の圧痕はその上にある筋を取り払うと見える。平らな面になっていたり、くぼんで受け皿のようになっていたり、その上にあった筋の形態を想起させる。

イメージが湧きづらいという人は、風呂場でシャボン玉を観察すると良い。2つ以上のシャボン玉が接している箇所は平らな面ができている。同様に筋も接する箇所に面ができる。これが圧痕である。この面はシャボン玉のように平らではなく、筋力の影響を受ける。筋量が多い方が膨らんだ面になり、筋量が少ない方はくぼんだ面になる。

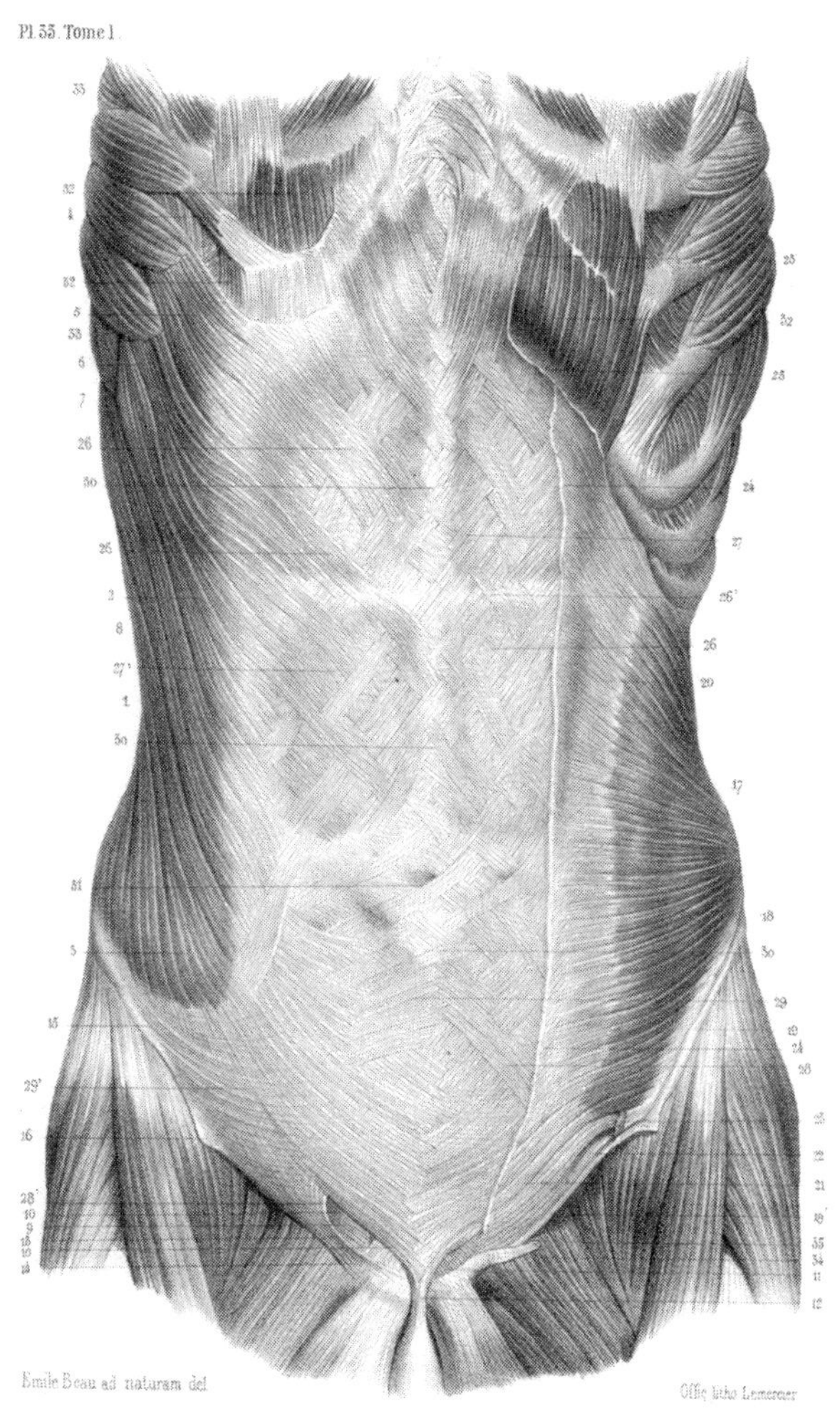

3-3-4　ボナミの解剖学書に掲載された腹直筋鞘。図はエミール・ボーが描いた。筆者蔵

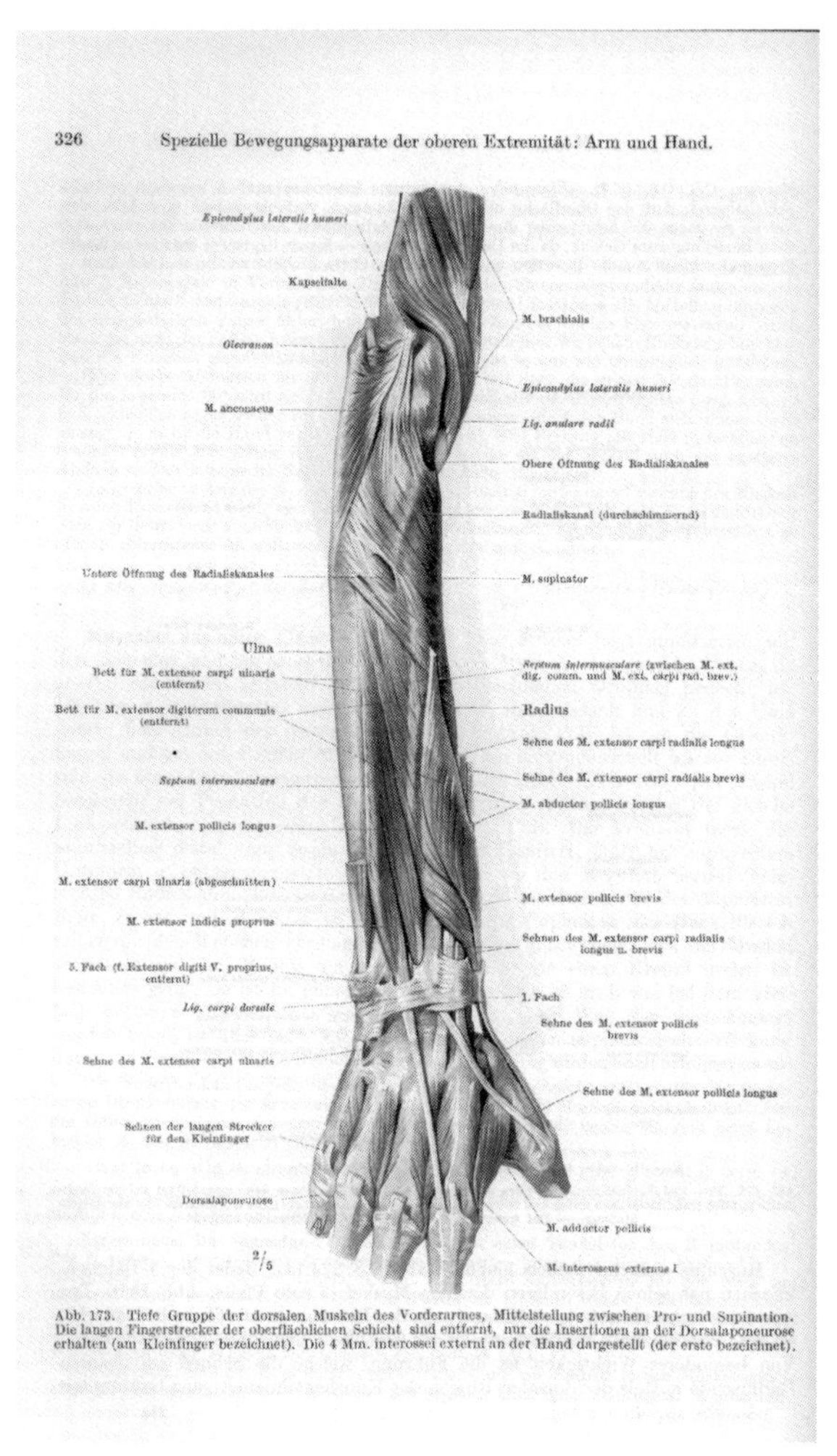
326 Spezielle Bewegungsapparate der oberen Extremität: Arm und Hand.

Abb. 173. Tiefe Gruppe der dorsalen Muskeln des Vorderarmes, Mittelstellung zwischen Pro- und Supination. Die langen Fingerstrecker der oberflächlichen Schicht sind entfernt, nur die Insertionen an der Dorsalaponeurose erhalten (am Kleinfinger bezeichnet). Die 4 Mm. interossei externi an der Hand dargestellt (der erste bezeichnet).

3-3-5 ブラウスとエルツ『人体解剖学』(1932) より、前腕深層の伸筋を示す図。筆者蔵

例えば上腕二頭筋と上腕筋が接した部分は、上腕二頭筋の方が接している部分の筋量が多いので、上腕筋側の圧痕はくぼんだ受け皿のようになっている。互いの筋力が拮抗していれば平らな面になる。例えば長橈側手根伸筋（ちょうとうそくしゅこんしんきん）と短橈（たんとう）側手根伸筋が接した面はかなり平らである。

筋の圧痕は骨の粗面や隆起、稜線のように構造名を持たないため、記述では省略され、図では描かれていないことがほとんどだが、これが描かれていると、筋のボリュームや位置関係がわかりやすくなる。

筋の断面

解剖図を見ていると、筋の断面が描かれているのを見かける。断面は圧痕と同様に観察しないと描けないディテールである。

筋の断面を観察すると、羽状筋では腱が筋内に進入しているのが観察できる。こうした筋の内部に進入した腱のことを筋内腱と呼ぶ。実は解剖学領域でも、筋内腱の範囲や大きさに関してはまとまったデータがない。

人体解剖は、主に浅層から深層へ向かって進み、その過程で除去したものは、ほとんど観察しない。例えば、筋を取り去ったら、取り去った側の筋を観察しない。取り去った側を観察するのはかなり専門的な研究になるので、あったとしても数本の論文のみだろう。つまり、筋の裏側や内部は知られていないことも多いということだ。

よく知られている筋であっても、裏側やその中がどうなっているのか調査されていないのは不思議に思えるかもしれない。しかし、古代ローマの医学者ガレノスの記述が、レオナルドによって図として描き起こされるまでに１５００年近くかかっているように、人類が気づくまでには長い時間を要することもある。

特に、解剖学のような生体という連続体に人為的な範囲を作っていく作業では、見方ができないと目の前にあっても気づかず、気づいたとしても表現するための発想や技術が十分でないことがある。しかし、見方がわかれば宝の山となるのだ。

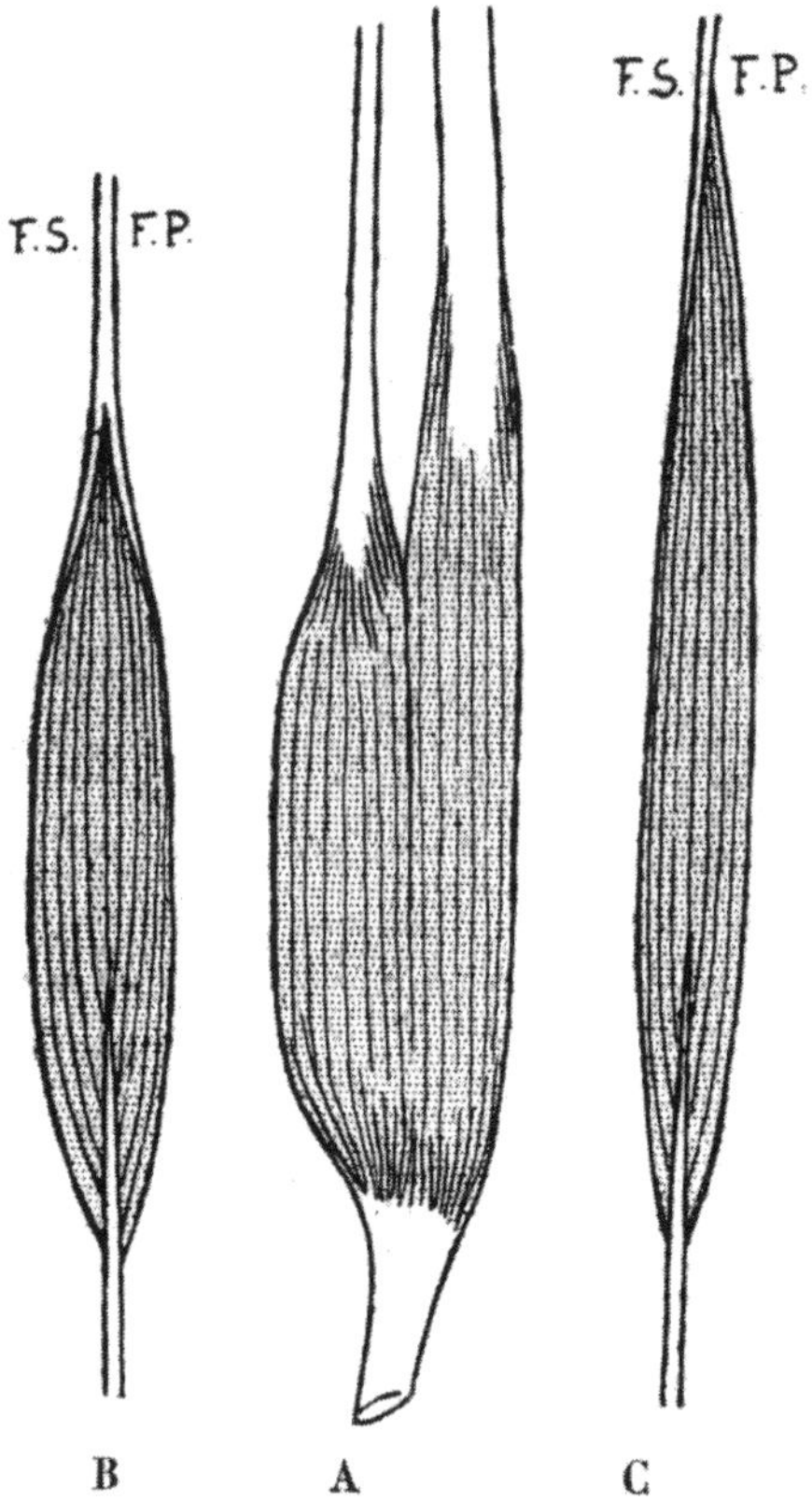

3-3-6
リシェによる上腕二頭筋の断面図。中央が前面から見た二頭筋、左が長頭の矢状断、右が短頭の矢状断。停止腱が筋内に進入しているのが描かれている。筆者蔵

筋のフットプリント

筋のフットプリントとは、筋が付着している範囲のことである。彩色された骨の図や模型があるが、彩色された範囲が筋の付着部で、赤い色の範囲が筋の起始、青い色の範囲が筋の停止として描かれていることが多い。

このフットプリントは個人差が大きく、模型や図に表現された範囲はおおよその目安であまり正確ではない。19世紀末のフットプリント図には現代よりも詳細な図がある。

ポール・ポワリエ『人体解剖学の論考（Traité d'anatomie humaine）』（１８９２）に掲載されたフットプリント図は、薄い赤色と濃い赤色に分けられている（図版３－３－7、口絵）。最初は何となく情報量が多いなと眺めていたが、しばらくして、筋線維が付着している部分と、腱が付着している部分とで色を分けていることに気がついた。現代の教科書で、このように筋と腱の付着範囲を分けた図を見たことがない。

筋と腱の付着部を分けることには、どういう意味があるのか。

筋が骨（骨膜）に直接付着している部分は、面積が広く、骨の牽引力が弱い。骨への牽引力が弱いと、骨は発達せず、付着部もなだらかになる。反対に腱が付着している部分は面積が小さく、牽引力が強い。牽引力が強いと骨が刺激を受けて発達し、その部分が隆起や結節、粗面として膨らむ。したがって、筋と腱の範囲を分けた図があると、実物を見たときに骨が発達した部分と筋の付着部を詳細に対応させて理解することができる。

この図を描いたのは、パリ国立高等美術学校の講師エドゥアール・キュイエである（４－15参照）。１３０年前の図は現代よりも詳細で、当時の美術解剖学の教員は、現代の解剖学書を上回る知識を持っていたことを示している。

ダ・ヴィンチ筋

人類学領域で「ダ・ヴィンチ筋」と呼ばれる筋がある。解剖学や美術解剖学ではこの通称を聞かない。少なくとも解剖学領域では、あまり重要ではない構造として淘汰されたのだろう。

解剖用語の中には、「ハンター管（ジョン・ハンター）」や「マーシャル静脈（ジョン・マーシャ

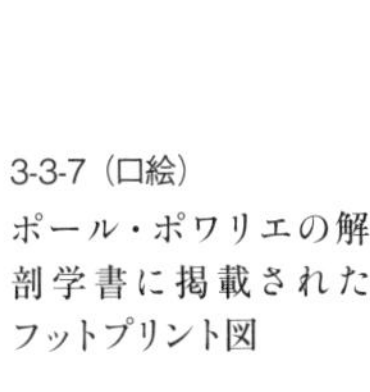

3-3-7（口絵）
ポール・ポワリエの解剖学書に掲載されたフットプリント図

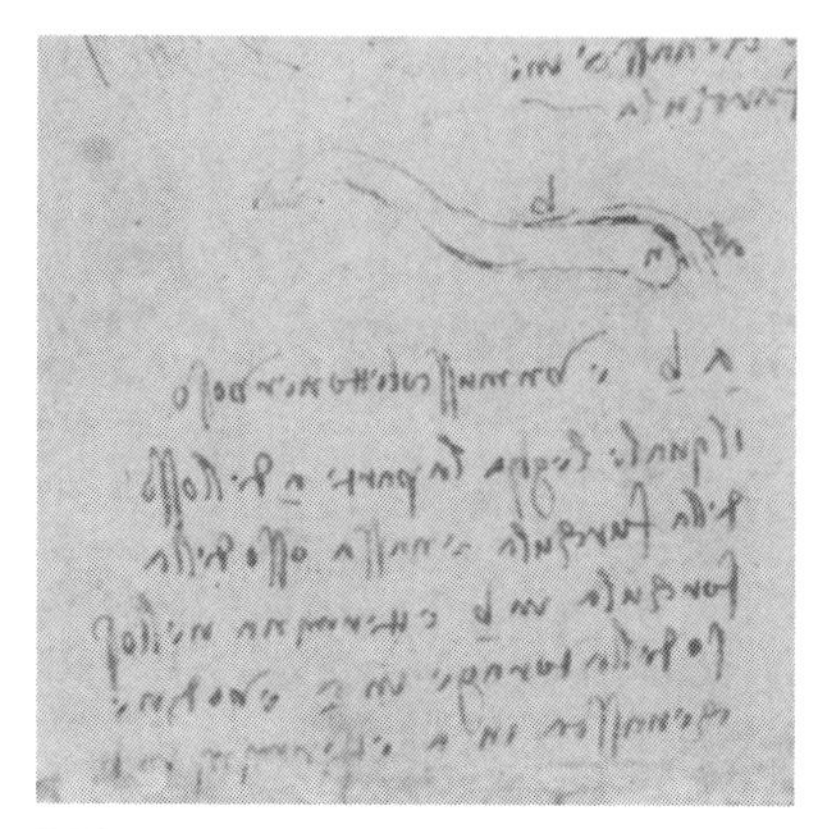

3-3-9
レオナルドの手稿の拡大図

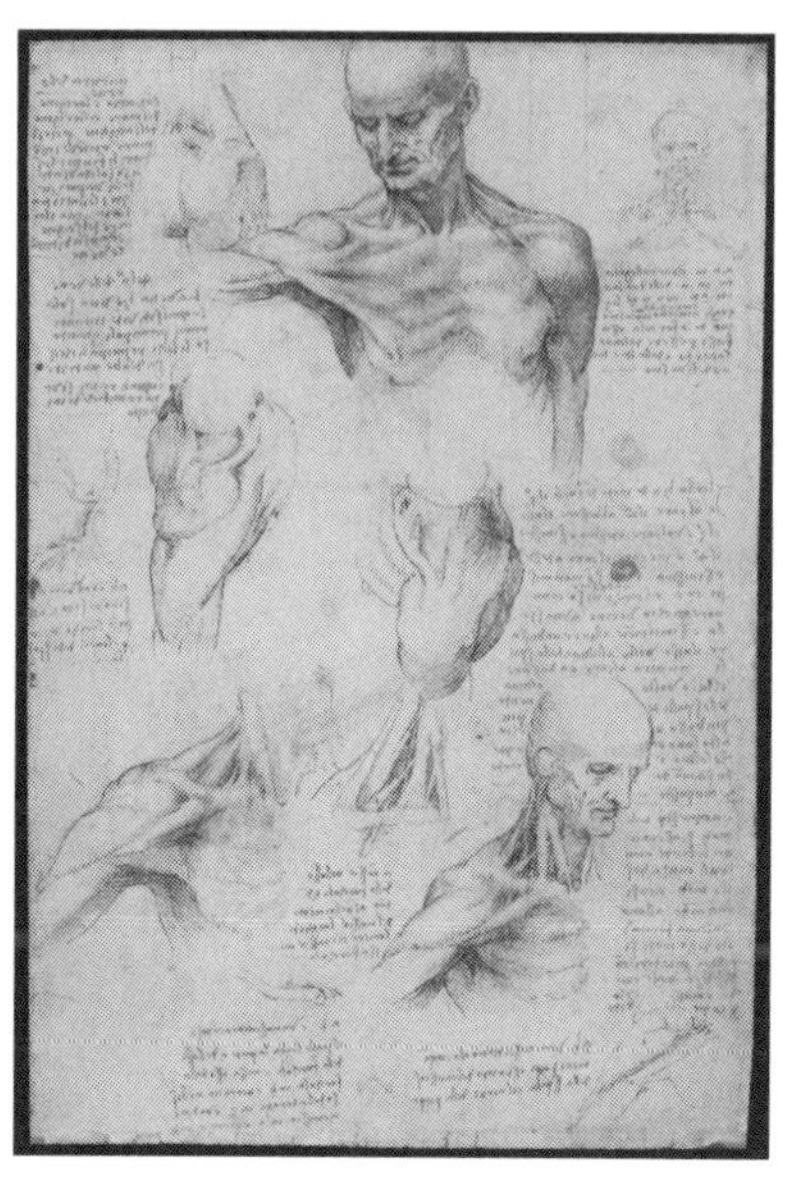

3-3-8
通称ダ・ヴィンチ筋が描かれた手稿。ウィンザー手稿 919003r（1510 年代）

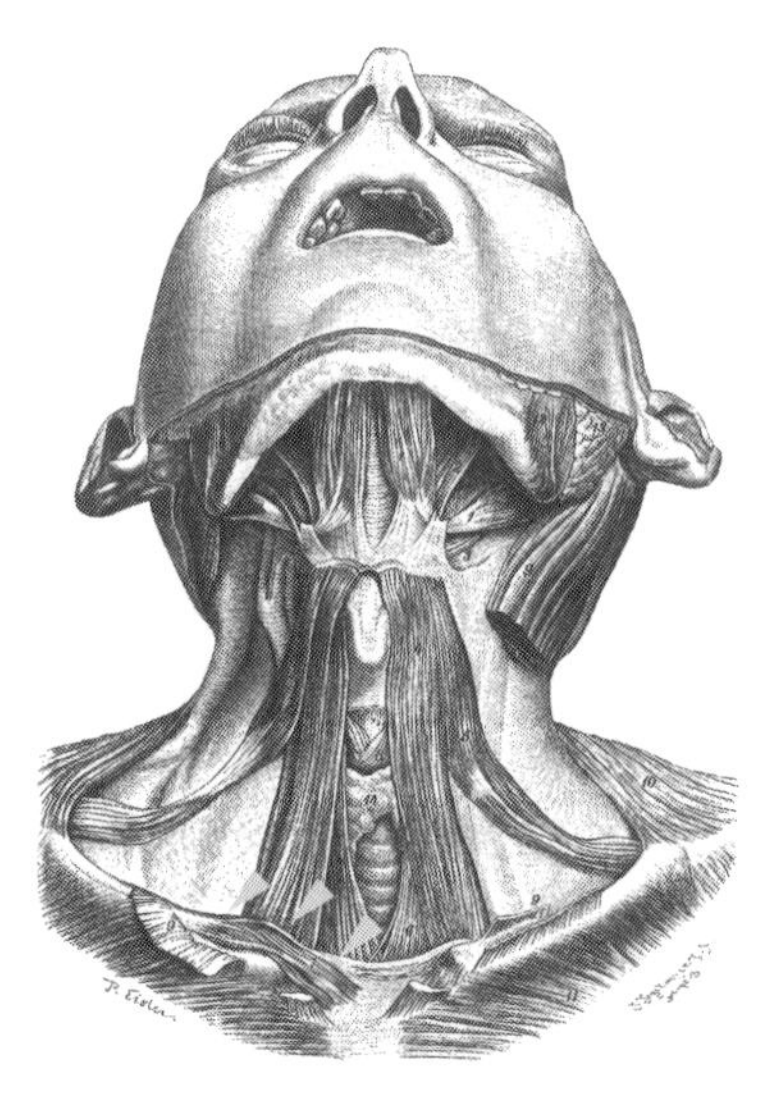

3-3-10
ポール・アイスラーによる前頸部の筋肉図。胸鎖関節の上にダ・ヴィンチ筋（上胸鎖筋）が描かれている。複製版筆者蔵

ル）」、「カンパー筋膜（ペトルス・カンパー）」、「スカルパ筋膜（アントニオ・スカルパ）」など人名がついた構造がいくつかある。

それぞれ解剖学や臨床で重要な構造で、最初に調査し、記述した著者の名前がついている。「ダ・ヴィンチ筋」の名前が解剖学領域で定着しなかった理由の一つは、臨床などであまり重要な構造ではなく、動作に直接影響しないためであろう。

レオナルドが観察したのはどのような筋かというと、手稿の中に図と所見が記録されている。鏡文字の記述によれば、鎖骨と胸骨をつなぐ小さな腱質の筋とある。通常、この部位には前胸鎖靭帯(ぜんきょうさじんたい)という靭帯があり、専門知識にアクセスできなかった美術領域の研究者は「前胸鎖靭帯の間違い」と解釈する人もいるが、これは胸鎖関節の上に稀に現れる「上胸鎖筋(じょうきょうさきん)（M. sternoclavicuralis superior）」である。

名前は定着しなかったが、レオナルドの解剖と観察眼が専門家レベルの詳細さであったことを表す例として紹介するのは有益だろう。

§ 3-4 ── 体表について

体表と内部を見比べる

19世紀中頃の美術解剖学書には、体表図と内部構造が同時に比較できるようにレイアウトされた教科書がある。現代からすると当たり前のように見えるが、実はこのレイアウトは画期的であった。

一般的に芸術家は、言葉で理解するよりも見て理解する方が得意である。説明を読んで頭の中に絵が浮かばなかったことでも、図説として示されると一瞬で理解できる。この美術解剖図のレイアウトでは、体表から見た起伏と、筋の配置が一目瞭然で、さらには体表に線で描かれた骨格図が添えられている。図版は、側腹部に新古典主義のような膨隆が見られるものの、当時の目で見て自然な人体像で描かれている。

こうした図は、実際に解剖をする時の手がかりとなるだけでなく、美術家の学習にも役立っている。すなわち、図を見ることによって、必ずしも解剖体を参照しなくても、内部構造や体表の起伏を学習できるようになったためだ。

実際にこの教科書は、大型版と小型版が用意され、広く普及した（4－12参照）。ただし、そのことは同時に実物を見なくてもいいという誤解も生むことになった。

与えられた必要最低限の情報だけで実物を見たような気になって探究心がおさまってしまう、というのは

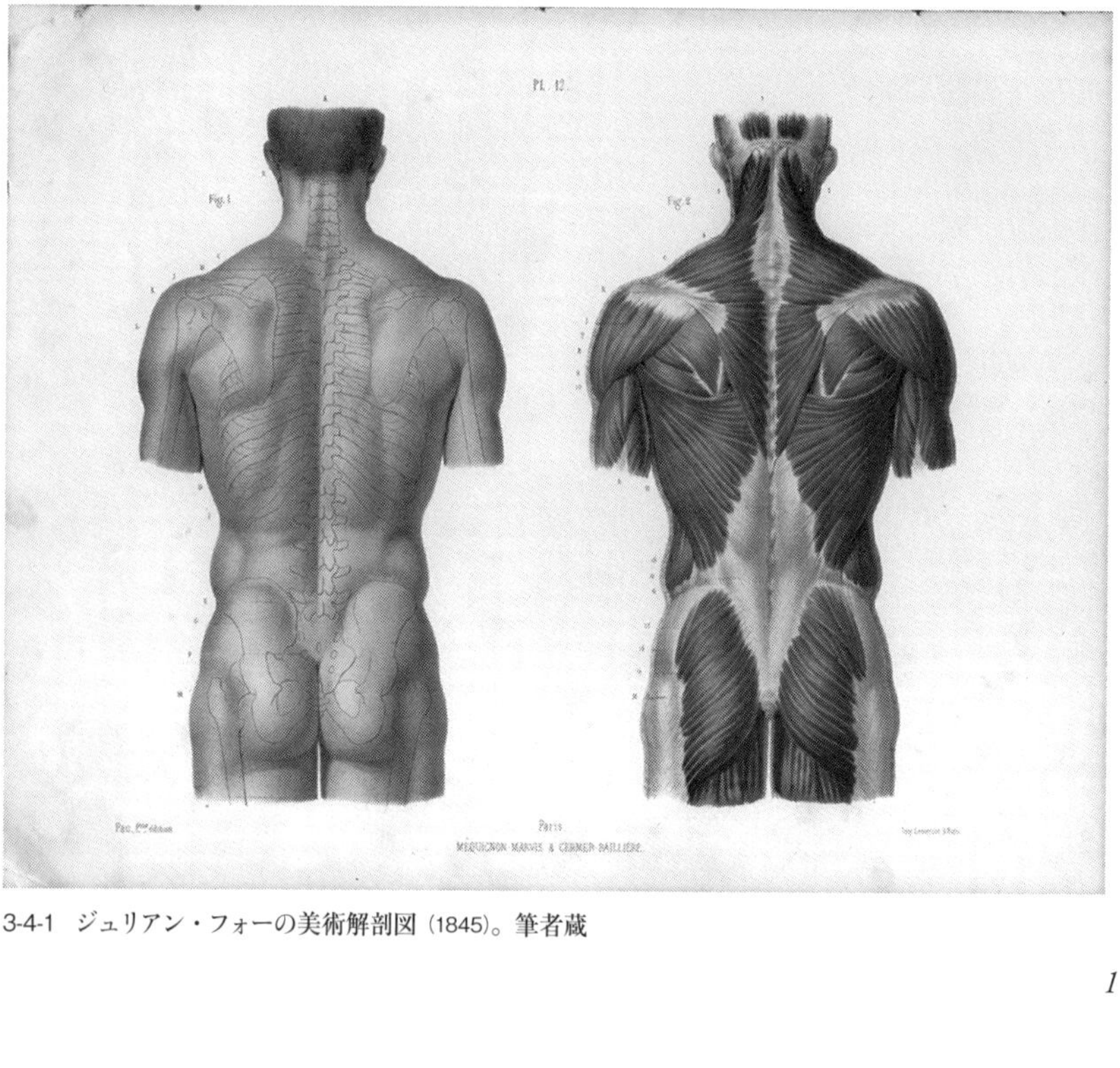

3-4-1　ジュリアン・フォーの美術解剖図（1845）。筆者蔵

学習の悪い面である。良質な学習や研究は、一つ知ると三つも四つも疑問が生じ、それを一つずつ調べて解決していく、という連鎖が続くものだ。

体表のくぼみ

体表に観察できるくぼみは、概ね三角形か2つの三角形が合わさった菱形をしている。こうしたくぼみの用語には、膝窩(しっか)、腋窩、鎖骨上窩(さこつじょうか)、聴診(ちょうしん)三角、腰(よう)三角、大腿三角、三角筋胸筋三角、頚動脈三角など、三角や窩という字が含まれる。筋と骨に囲まれた隙間なので、そこを重要な血管や神経が走行していることが多い。例えば腋窩では腕神経叢(わんしんけいそう)と腋窩動静脈、膝窩では坐骨神経と膝窩動静脈などが走行する。

これらのくぼんだ構造は、物体ではなく物体によって囲まれた空間を指す。普段何気なく使っている「口」も空間のことで、物体の方は「口唇(こうしん)」になる。形と構造名というと物体のみを対象としていると考えがちだが、物体によって囲まれた空間にも名前がついている。当たり前だが、物体に囲まれていない空間には名前がつけられない。

余談だが、こういう話をすると「解剖学者は人体を物と言うのか」という話が出てくる。人間を物として捉えたくないという意見は、おそらくヒトの生理的な側面を重視していることから生じる。

純粋な意味での解剖学は、解剖体を観察して構造を明らかにすることなので、生体で現れる生理現象を観察することができない。したがって、血液の循環や感情の変化のメカニズムなどは生理学などに譲っている。解剖学者が人体を物と捉えるのは、形と構造を明らかにするとい

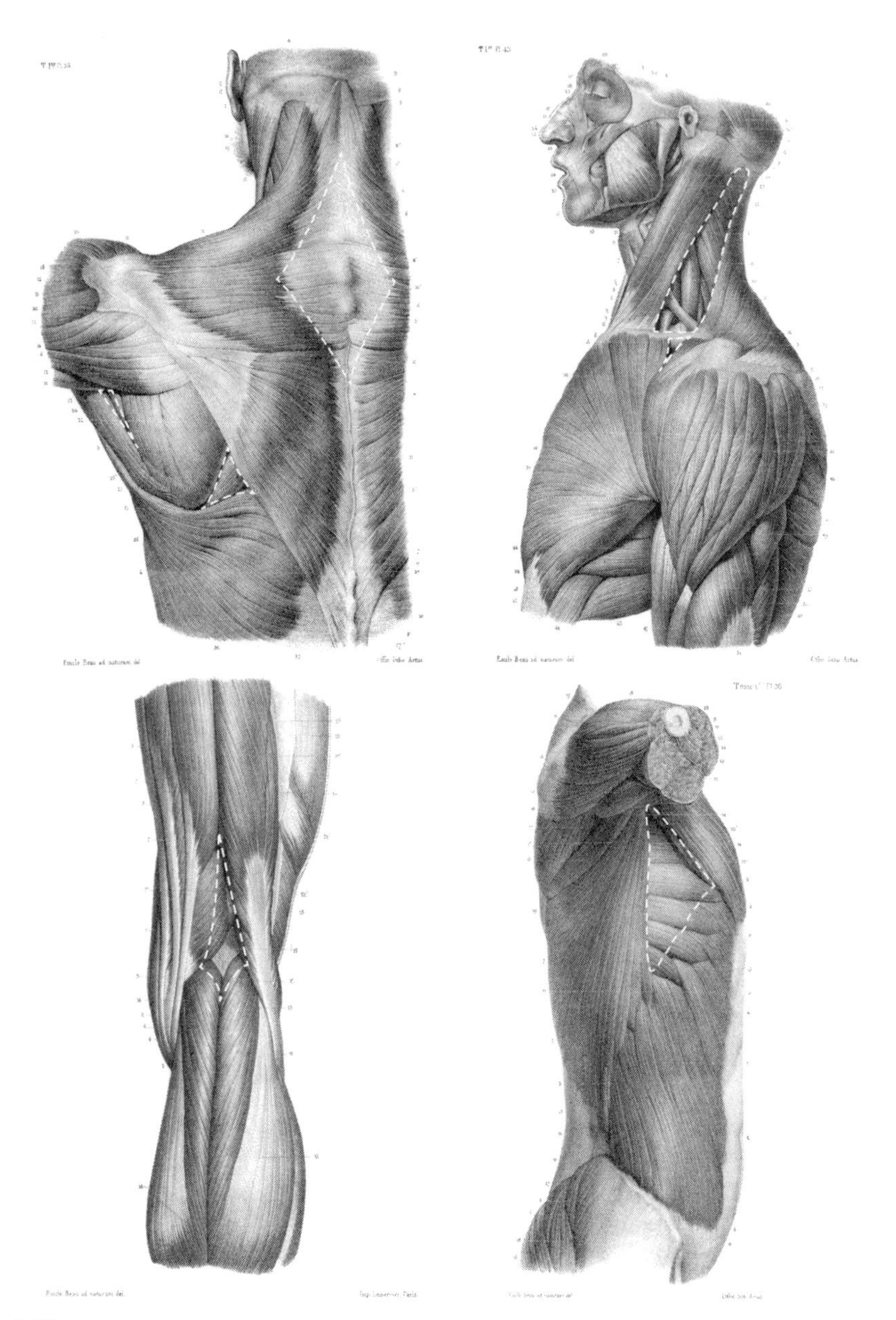

3-4-2
ボナミとボーの解剖図に主要な人体上のくぼみを点線で示した。筆者による改変

う目的に基づいて述べているためである。実際の人体の物体的側面と現象的側面が切り離せると思っているということではない。

この議論を広げていくと、「魂は存在するか」というところに行きつく。魂と呼ばれる現象的要素が人体という物体なく生成されたり、存在できるのか？ ということだ。これについて解剖学が答えることはないが、意識を持った魂のような存在が体外に出ていくかどうかは、自分の体外に排泄されるものを考えればすぐにわかるはずである。

腋窩

魂の議論に関しては話題がずれるのでこの辺にして、体表に現れるくぼみのうち、腋窩について紹介したい。

名作と言われる人体彫刻の多くは、腋窩を見せた姿勢になっている。例えば、古代ギリシャ彫刻の『ラオコーン群像』、ミケランジェロの『瀕死の奴隷』、ロダンの『青銅時代』などが挙げられる。

腋窩は解剖学においても重要な構造である。腋窩を構成する複数の筋が作る様々な形や、そこを通過する腕神経叢と腋

3-4-3 ブルジェリとヤコブによる腋窩の図。筆者蔵

窩動静脈の分岐は人体解剖実習のハイライトの一つになっている。

腋窩を構成する構造を解剖学的に説明すると、前方の壁が大胸筋、後方の壁が大円筋（＋広背筋の停止部）、内側の壁が前鋸筋、外側縁が上腕骨である。腕を上に上げたときの上縁（外側縁）には、上腕二頭筋短頭と烏口腕筋を挟むように大胸筋と広背筋、大円筋が位置している。

腋窩の程よく複雑な形状を再現できるということは、腋窩の構造が把握できているということである。したがって腋窩は芸術家にとって腕の見せどころであり、作品の見どころなのである。

§ 3-5 — 体型について

太った人の骨格

フランスのミシェル・ローリセラが執筆した「モルフォ人体デッサンミニシリーズ」があるが、そこから『脂肪とシワを描く』（グラフィック社）という書籍が出て、私のまわりで話題になっていた。太った人の図は、需要があるようだ。

太った人の骨格は、通常の人とほぼ同じである。太ったからといって、肋骨が長いといった骨の形状の差はほとんどない（ただし、大腿骨の頸体角が直角に近づいていたり、内臓の重さによって骨盤の腸骨翼が開くなど荷重による変形が見られる）。

私は１０５キロの人を解剖したことがあるが、脂肪層を除去すると、上肢や下肢は、かなり筋が発達していた。腹壁は内臓脂肪によってタル形に膨らんでいて、腹直筋や外腹斜筋は薄く、引き伸ばされていた。

太った人の筋腹は自重トレーニングのように発達する。しかし、筋肉質の人と違って腱が薄く、骨の付着部の隆起や粗面がなだらかであった。この関係は、骨の可動域と、動かす部位の重さが関係していると考えられる。可動域が広ければ牽引によって腱が強度を増し、重いものを動かせば筋腹が発達する。

体幹の大きさ

古代ギリシャ彫刻は、頭部が小さく、四肢がすらりと長いとされる。この理想的人体のプロポーションの好みは現代にも継承されていて「8頭身美人」

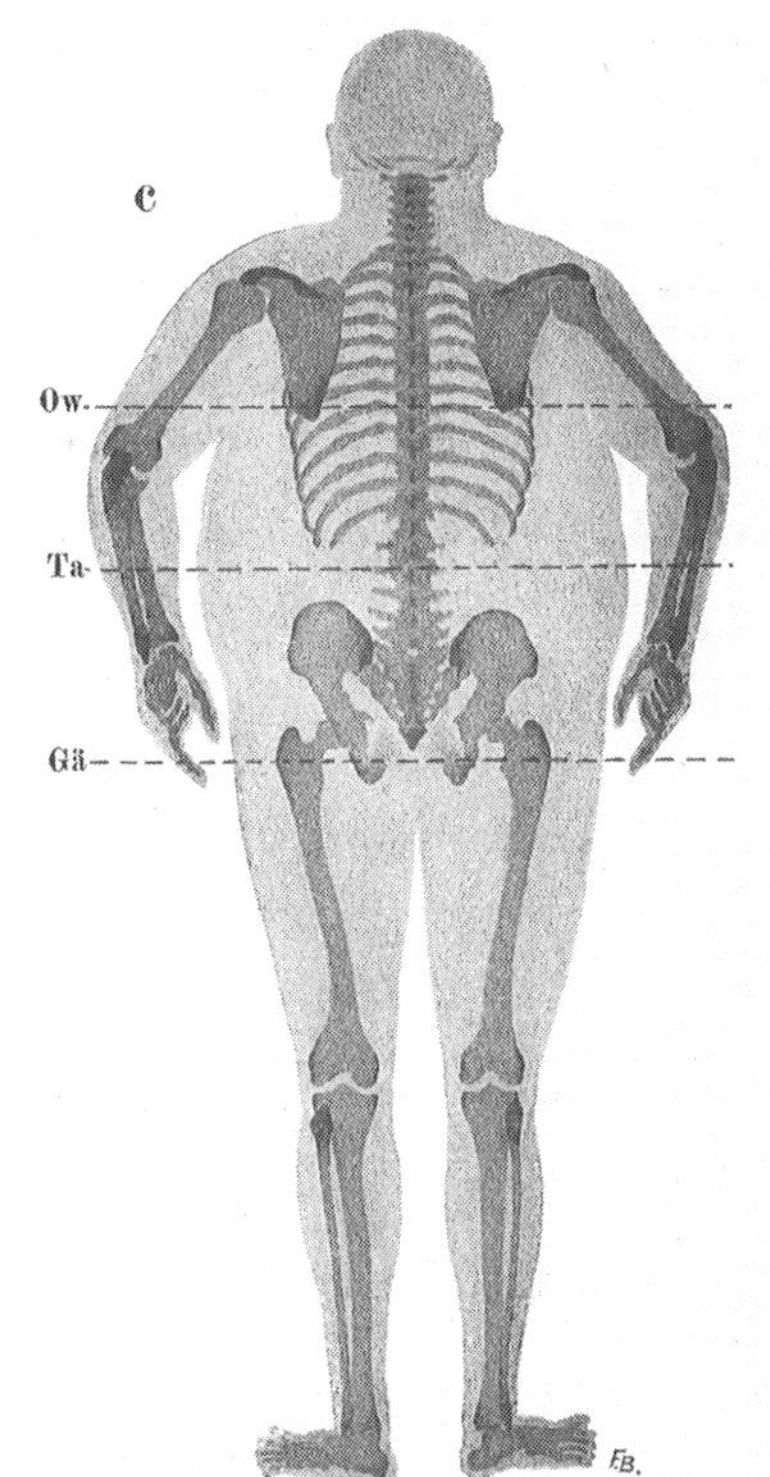

3-5-2
ファイファー『応用解剖学のハンドブック』に掲載された太った人の骨格（後面）。筆者蔵

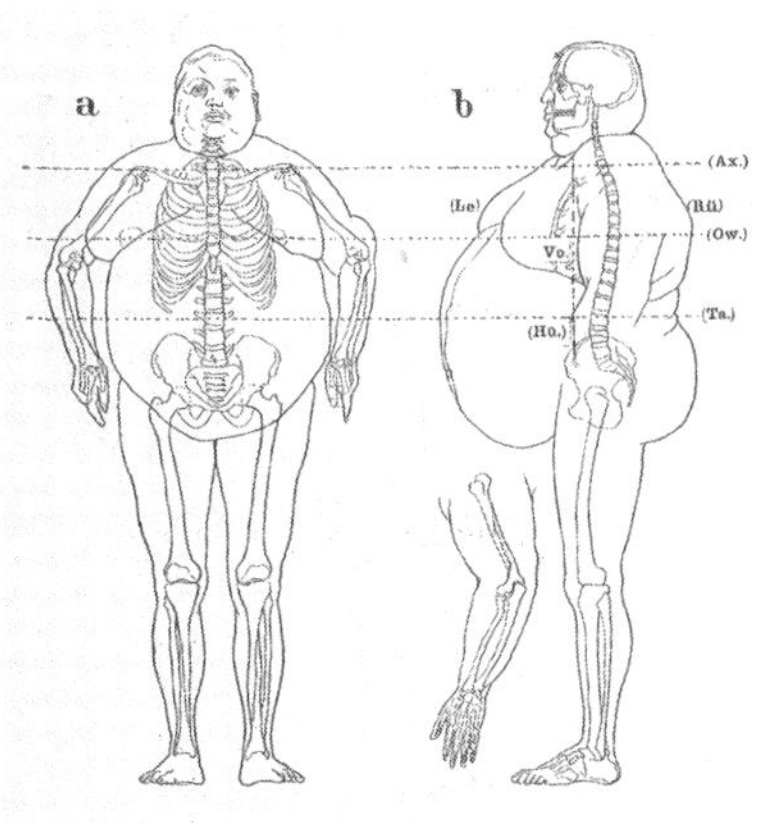

3-5-1
ファイファー『応用解剖学のハンドブック』（1899）に掲載された太った人の骨格（前面と側面）。筆者蔵

という言葉もある。

しかし、実際に彫刻と人体を並べてみると、頭部は小さいものの、四肢はさほど長くなく、体幹が巨大であることがわかる。図版3－5－3は、アメリカの解剖学者ジョージ・マクレラン(McClellan, George. 1849－1913)の『美術に関係する解剖学(Anatomy in its relation to art)』(1901)に掲載された彫刻と生体の比較写真である。両者を見比べると、彫刻の体幹は太っているというより、拡大されたように大きい。体幹が大きいと堂々として見え、さらに頭が小さく見えることで大人びて見える。

この比較は、男女の体型比較を想起させる。男女の身長は、女性が男性よりも10%ほど低く、体格も小柄なことが多い。しかし、仮に男女を同じ身長にそろえると、女性の方が男性よりも体幹が発達している。

図版3－5－4は、男女の輪郭を重ねた図である。灰色の部分が筋骨格による内部構造、その外側を覆う黒い輪郭が男性の皮下脂肪層、白い輪郭が女性の皮下脂肪層。女性の体幹は自然な状態では皮下脂肪層が厚いのだが、これをなくそうと努力しているのをよく見かける。ダイエットのロールモデルが誰かはわからないが、男性並みの脂肪量を目指そうとしているのであれば、不自然なことである。

アルファ体型

ボスザルなど、動物の集団のリーダー格のオスのことを「アルファ・オス」という。動物界では、物理的な力が強い(生命力が強い)個体がボスになる。サルの場合はオスがアルファに

3-5-3
マクレランによる彫刻と生体の比較写真。筆者蔵

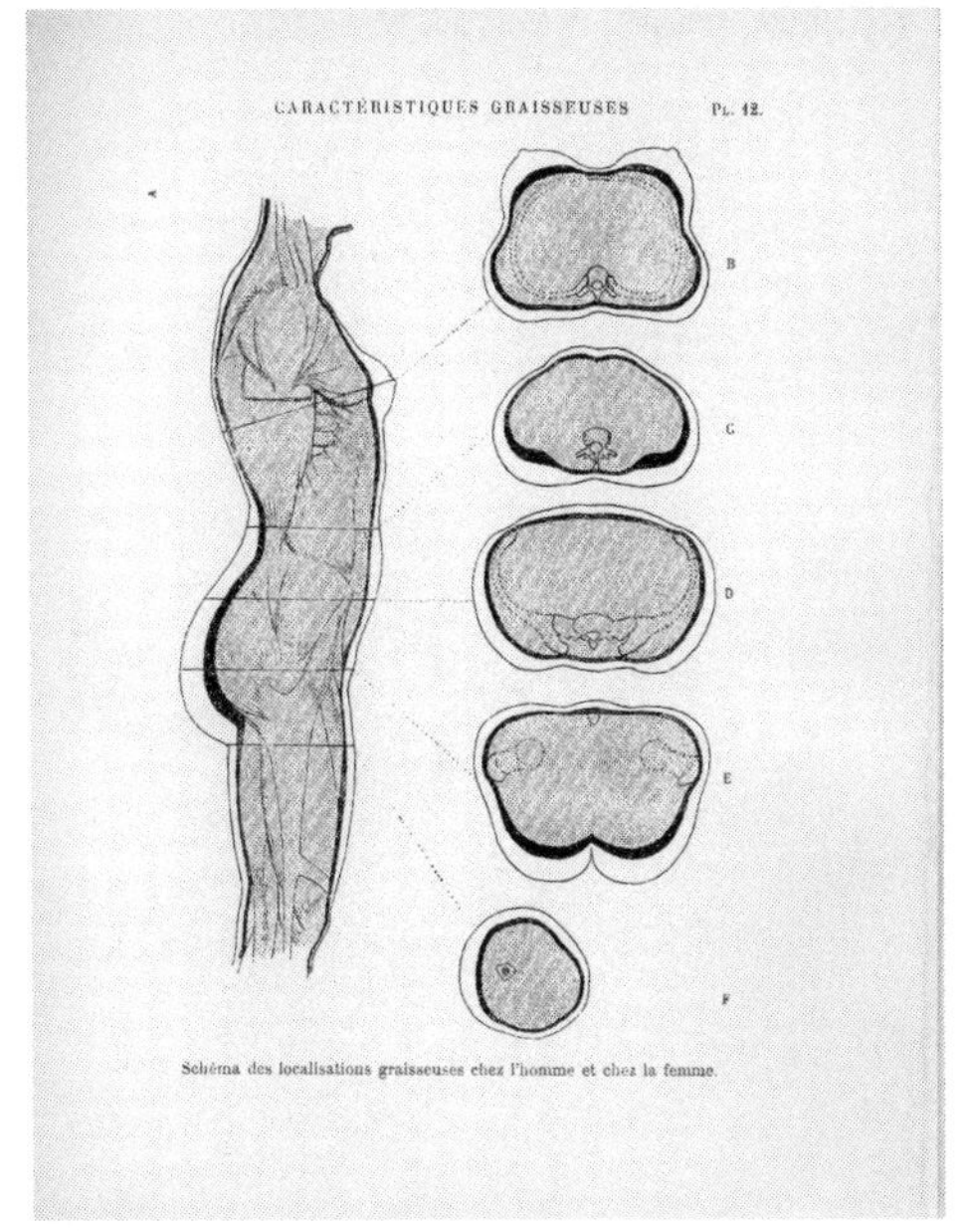

3-5-4
リシェによる男女の皮下脂肪の比較。筆者蔵

なるが、種によってはメスがアルファになることもある。

この感覚はヒトにも関係し、リーダーと呼ばれる人物は、疲れ知らずに働き、生命力が強いことが多い。美術作品も同様で、発達した見事な体格で表現された像が、名作となっていることがある。

例えばロダン『考える人』などは健康的で見事な体格をしている。『考える人』は、未完の遺作となった『地獄の門』の一部を拡大した作品で、最後の審判を前に門をくぐるべきか思い悩む人物像である。上野の西洋美術館の前庭でどちらの像も鑑賞できる。

この像を見ていると「本当にこの人物は思い悩んでいるのだろうか」と疑問が湧く。体の発達した人や体育会系の人を見ていると、思い悩むことがないように見える。それは言いすぎとしても、運動をすることで鬱状態が改善されることが多いということは、精神状態が体の栄養状態に左右されやすいことを物語っている。

体格のいい人がみな楽天的だというわけではないが、地獄の門の前で『考える人』を見ていると、どこ

3-5-6
ロダン『考える人』(1902)。20世紀初頭の写真。筆者蔵

3-5-5
オルセー美術館の『地獄の門』(石膏製)。写真中央に『考える人』のオリジナル像が見える。筆者撮影

か演技めいて見えてくる。もちろん、美術作品も演劇と同様、演技・演出されるものである。体が貧弱で本当に思い悩んでいる人を表現していたら、ここまでの有名作になっただろうか。

生物は基本的に死や病気を避ける。不健康な作品も、長く見続けていると、鑑賞している側まで影響を受けてしまう。『考える人』がアルファ体型だったことは、多くの人々を魅きつけた要因の一つになっているような気がしてならない。

§3-6 骨と筋以外の構造について

外形に影響する筋膜

美術解剖学の教科書の多くは、外形に影響する構造が記載されている。骨、筋、静脈、体表、運動などの順で系統的にまとめられていることが多い。しかし、分類から外れる構造も出てくる。

骨や筋、脂肪、静脈以外で外形に影響を及ぼす構造の一つに、筋膜がある。筋膜は筋を覆う結合組織のシートで、部位によっては肥厚（ひこう）して筋線維よりも硬い。この肥厚して硬い部分が外形に影響する。

肥厚部には名称がついているこ

3-6-1
殿溝を横切る筋膜が坐部端綱。坐部端綱は大殿筋の外側下端部を押さえつけて外形を変える。筆者作成とがあり、例えば「腸脛靱帯（ちょうけいじんたい）」は大腿全体を覆う筋膜の外側面にある肥厚部である。線維走行がはっきりしていて腸骨から脛骨まで真っ直ぐ走行している。また、腸脛靱帯は筋の付着部にもなっていて、殿部の高さでは大腿筋膜張筋と大殿筋の下部が付着している。現代的な解剖図では、筋線維が付着した範囲のみがトリミングされて描かれている。19世紀頃まではトリミングも様々で、ザクザクと切ったように波打っているもの、下端部を除去しているものなどがある。

外形に影響する筋膜の記述はあまりない。例えば、殿部の筋膜は美術でも重要である。左右の殿部の間にある上下方向の溝は殿裂（でんれつ）、殿部の下にある横方向の溝は殿溝（でんこう）という。この殿溝は分厚い筋膜が大殿筋を押さえつけることによってできた溝である。

この筋膜は、ドイツ語系の解剖学書で「坐部端綱（はづな）」と表記されるが、国際解剖学用語には制定されていない。端綱というのは、馬の頭部につける馬具のうち「はみ」のないたわんだ綱を指す。大殿筋の下縁をこの分厚い筋膜と皮膚が押さえているので、体表から見た殿溝は大殿筋を横切る。

リシェ支帯

美術解剖学の教科書には「リシェ支帯（Richer's Ligament）」と呼ばれる構造がある。リシェが解剖体と生体の観察に基づいて記述した構造で、大腿筋膜のうち、膝のやや上内側にある外形に影響する肥厚部のことである。

この大腿筋膜の線維は、外側大腿筋間中隔（がいそくだいたいきんかんちゅうかく）の表層から起こり、腸脛靱帯の表層を横切り、

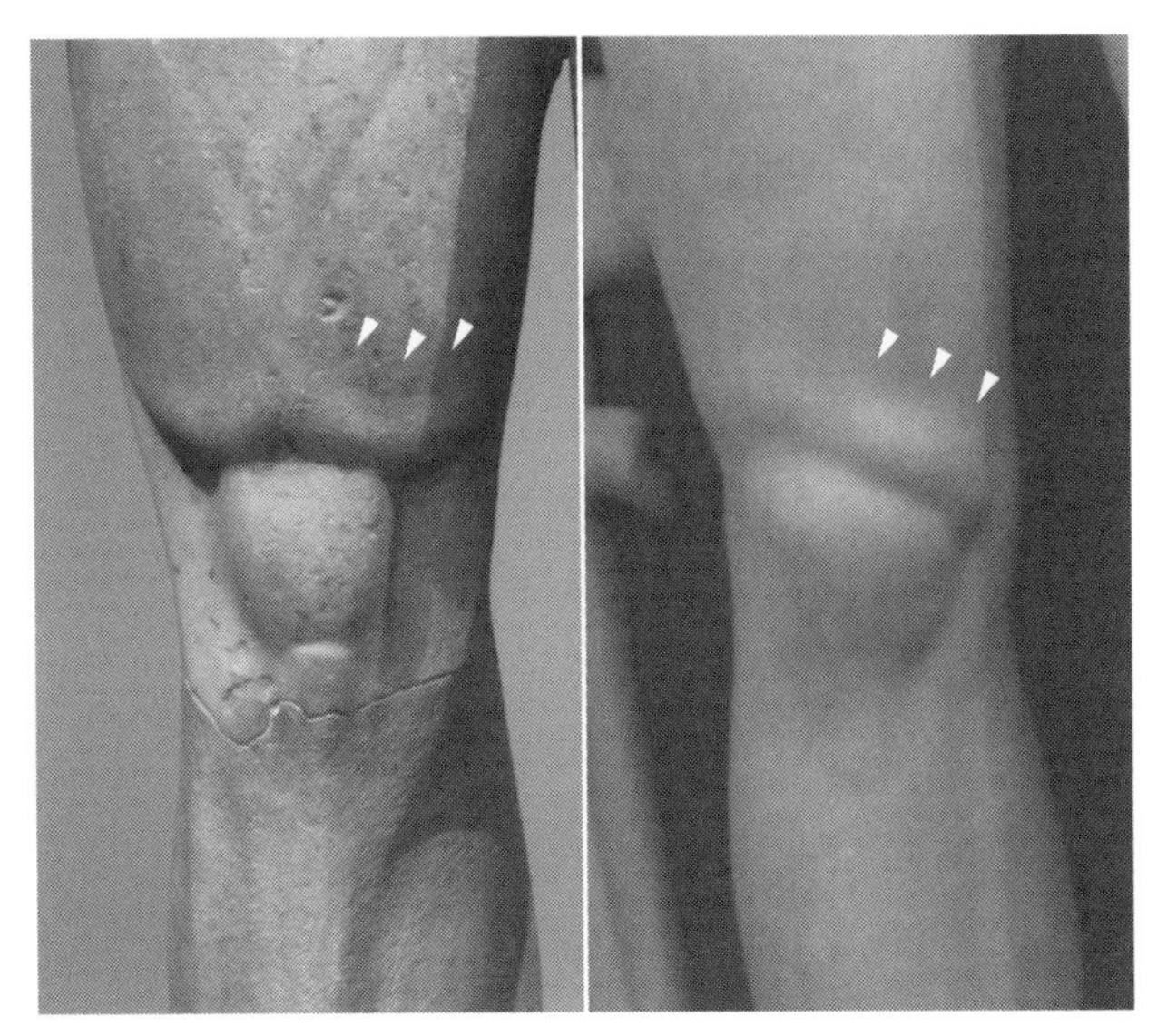

3-6-2

左：『スニオンのクーロス』（前600年頃、アテネ国立考古学博物館蔵）の膝。右：『ディアドゥメノス（鉢巻を巻く人）』（原作前5世紀のローマ時代のコピー像、アテネ国立考古学博物館蔵）の膝。矢頭の箇所がリシェ支帯による溝。筆者撮影

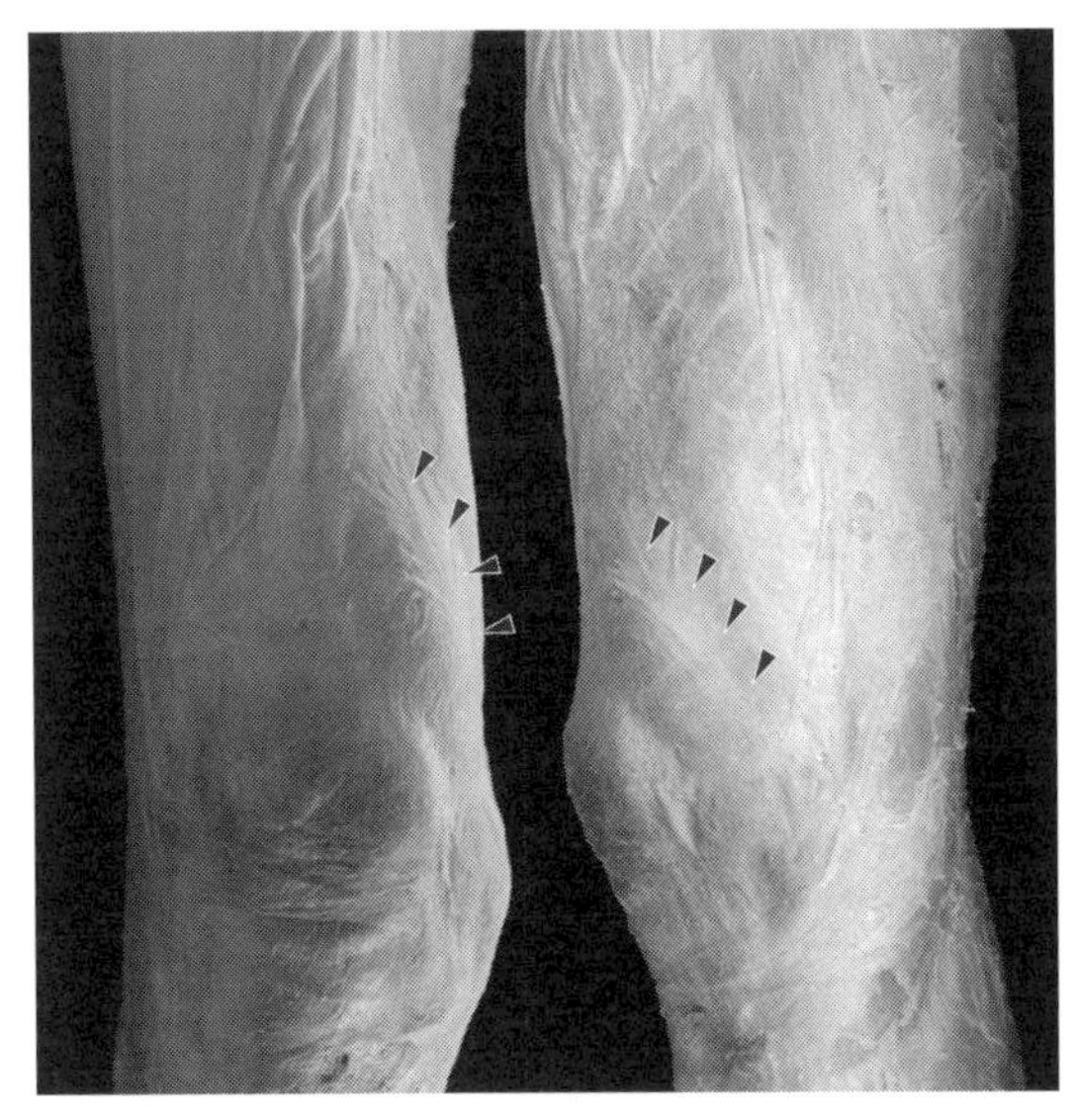

3-6-3

実際の解剖体の大腿筋膜。左：前面。右：内側面。矢頭の白っぽく見える箇所がリシェ支帯の線維。筆者撮影

大腿前面で内側広筋の上を下内側方向に弓なりに曲がって、内側大腿筋間中隔の下端部に合流し、大腿骨の内側上顆の前上方に付着する（付着部には結節ができている）。大腿筋膜の一部なので、解剖した直後は図版3－6－3のように境目がないが、やや肥厚していて線維走行が観察できる。

　この線維は、立位姿勢で膝が完全に弛緩した状態のみで現れる。この姿勢の時に線維が弛緩した内側広筋を押さえ、膝の内側上方に弓なりの溝を作る。膝に力を入れると、大腿四頭筋が収縮して筋膜よりも硬くなって溝が消える。

　この溝は個人差があり、全く出ない人、片足のみに現れる人、立位で現れる人、片足重心で現れる人などがいる。おそらくこの部位の大腿筋膜の硬さと筋の硬さがちょうど良いバランスになっていると溝が現れ、全く現れない人は筋膜が筋腹よりもやわらかいと考えられる。

　このアーチ状の筋膜による溝は、古代ギリシャ時代から人体彫刻ないし壺絵に表現されている。リシェは最初に構造を明記した人物の名前だが、彼は自分の名前をつけたわけではなく、発表した時には「大腿筋膜の弓状支帯（Bandelette arciforme de l'aponévrose fémorale)」や「広筋の支帯（Bandelette des Vastes)」と呼んでいた。

3-6-5

リシェによる古代ギリシャ彫刻の膝のディテールの比較。Bが紀元前600年頃の『スニオンのクーロス』、最後のKが紀元前5世紀頃の『ドリュフォロス』。筆者蔵

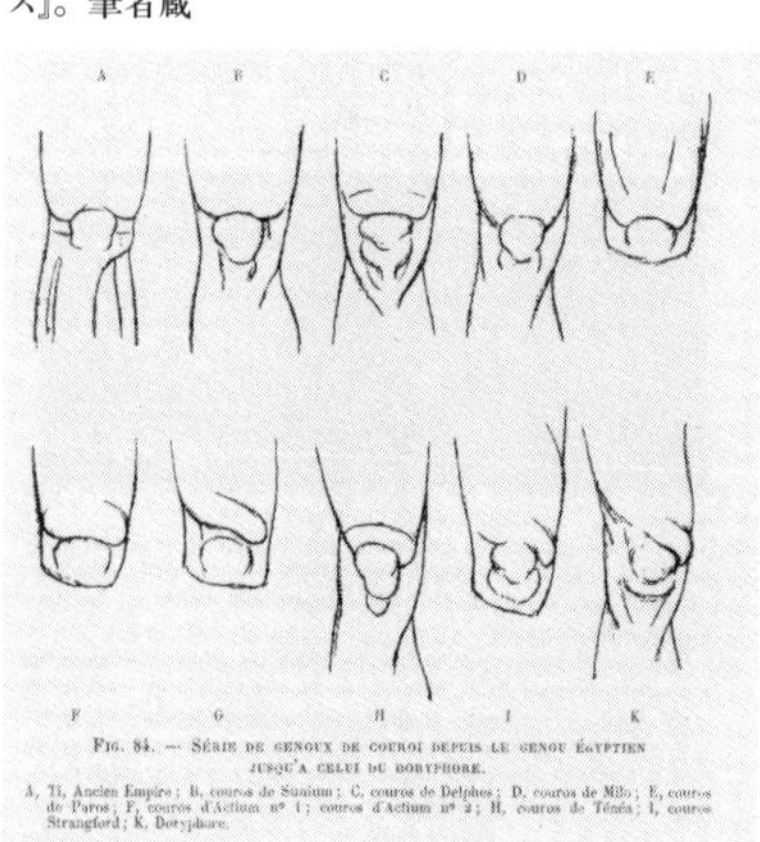

3-6-4

左：膝が弛緩した状態で現れる起伏としわ。
右：膝が緊張した状態で現れる起伏としわ。緊張時にはリシェ支帯の溝が消える。筆者蔵

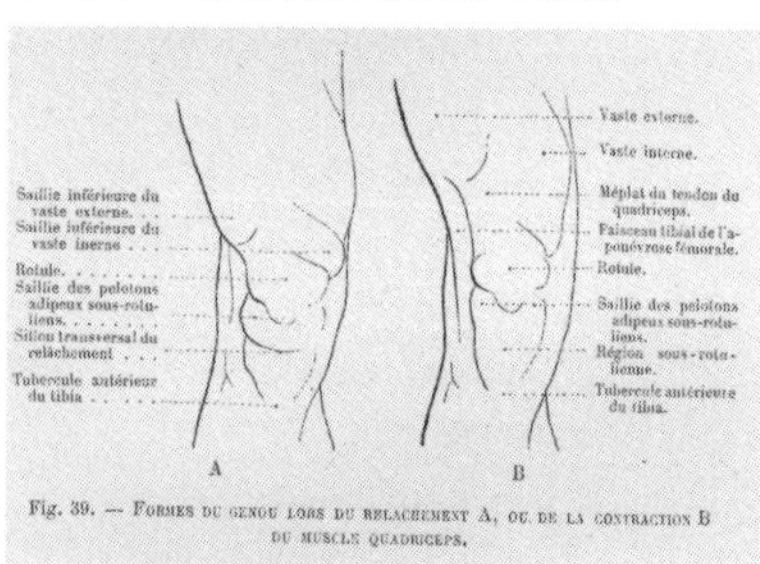

Fig. 39. — Formes du genou lors du relachement A, ou de la contraction B du muscle quadriceps.

その後、1920年代後半に彼の書籍を引用した著者たちによって「リシェ支帯」と呼ばれるようになった。翻訳で「リシェ靱帯」と書かれることがあるが、靱帯は関節をつなぐコラーゲン線維のことなので、筋を押さえる「支帯」の方が構造名としてふさわしい。

リシェ支帯は、美術表現に関係する構造なので、解剖学書にはほとんど記載されていないが、稀に図示されている(例えば、ゾボッタやランツの解剖学書)。これはそれぞれの教科書の図版を手がけたイラストレーターがリシェの図を参考にしたためと考えられる。

美術におけるリシェ支帯は、古くは紀元前6~7世紀の古代ギリシャ彫刻から表現されている。当時の石工たちもリシェ支帯による溝に気がついていたが、それを自然に表現できるようになるまでに150年近くかかっている。おそらくモデルを観察していて、現れたり現れなかったりする形をうまくまとめることができなかったためだろう。

膝の表現を歴史順に並べるとその推移が可視化できる。図版3-6-5を見ると、時代を下っていくほどディテールが正確になり、なおかつ情報量が増えていくことがわかる。

喉頭

首の前方にある喉頭は、食道や気管とつながる頸部内臓である。この部分のボリュームを作る支持体は、主に舌骨と大小様々な軟骨、甲状腺というホルモンの生成に関与する器官である。これらは頸部の外形や性差に影響するため、美術解剖学の教科書にも記載されている。

一般的に甲状軟骨(のどぼとけ)は男性で発達し、英語圏では「アダムのリンゴ」と呼ばれる。その甲状軟骨の下外側にある甲状腺は、女性で発達し、女性が上を向いたときに胸鎖乳突筋と

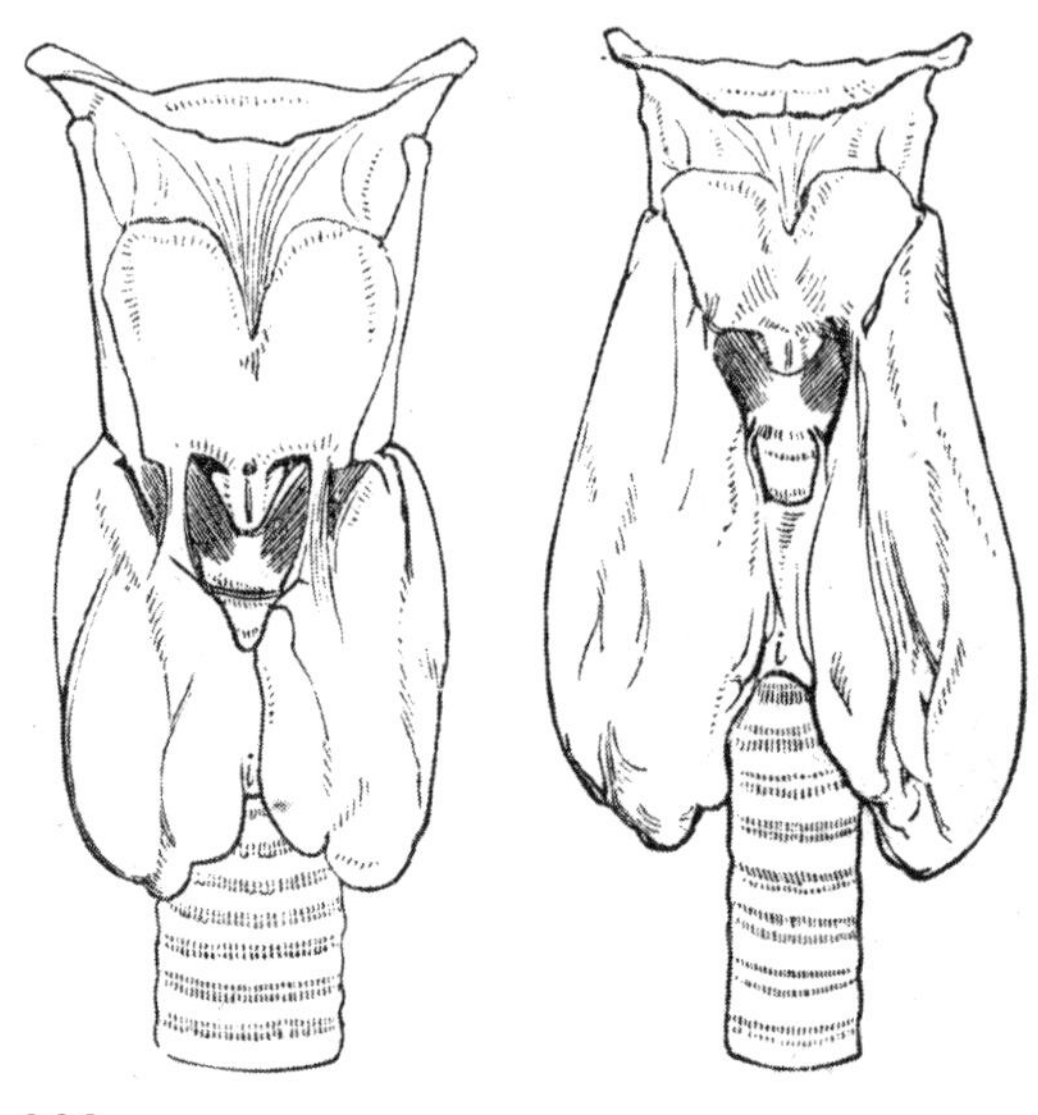

3-6-6
マーシャルとカスバートによる喉頭の図。左が男性、右が女性。甲状腺の大きさが異なる。筆者蔵

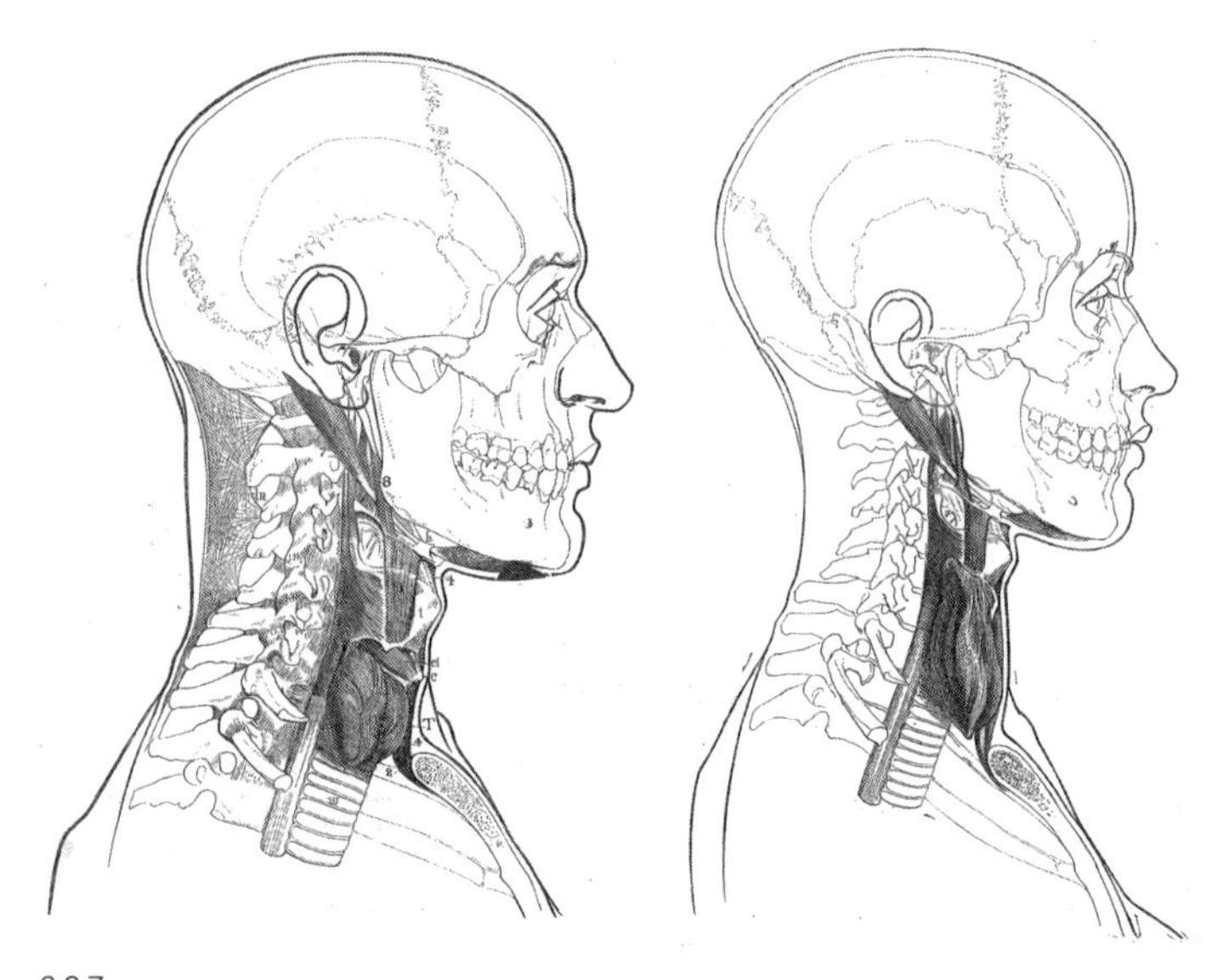

3-6-7
マーシャルとカスバートによる頸部内蔵と甲状腺の性差を示す図。左が男性、右が女性。筆者蔵

気管の間で膨らみを作る。女性では甲状腺が大きく、甲状軟骨が発達しないために頸部前方はなだらかである。男性では、甲状軟骨が大きく甲状腺が小さいために頸部前方にのどぼとけが突出して見える。

喉頭は自分でも確認できるので鏡で確認したら、次に生唾を飲み込んでみてほしい。上下に大きく動くのが見えるはずである。また、喉頭は声を出す声門があり、のどぼとけを押さえて「あー」と声を出すと、音によって振動するのがわかる。

ちなみに「のどぼとけ」は、生きている人と亡くなった人で指す場所が異なる。生きている人では甲状軟骨のことだが、亡くなった人では第二頸椎（軸椎）を指す。この第二頸椎を上後方から見ると、合掌した仏様に見えるのでこう呼ばれる（41ページ、図版1－9－1左列中央）。

皮静脈——描かれる血管

美術解剖学では通常血管は記述されないが、表在性の静脈である皮静脈は記載される。静脈とは、心臓へ戻る血液が流れる血管のことで、反対に心臓から出た血液が流れるのが動脈である。

よく動脈を流れる血液には酸素が多く含まれ、静脈は少ないとされるが、動脈と静脈の分類は、血液の酸素濃度とは関係がない。これには、肺をめぐる肺循環と全身をめぐる体循環という2つの循環経路が関係している。

例えば心臓から出て肺に向かう血管は肺動脈だが、その中を流れているのは、ガス交換が行われる前の酸素濃度の低い血液である。肺から心臓に向かう血管は肺静脈だが、中を流れてい

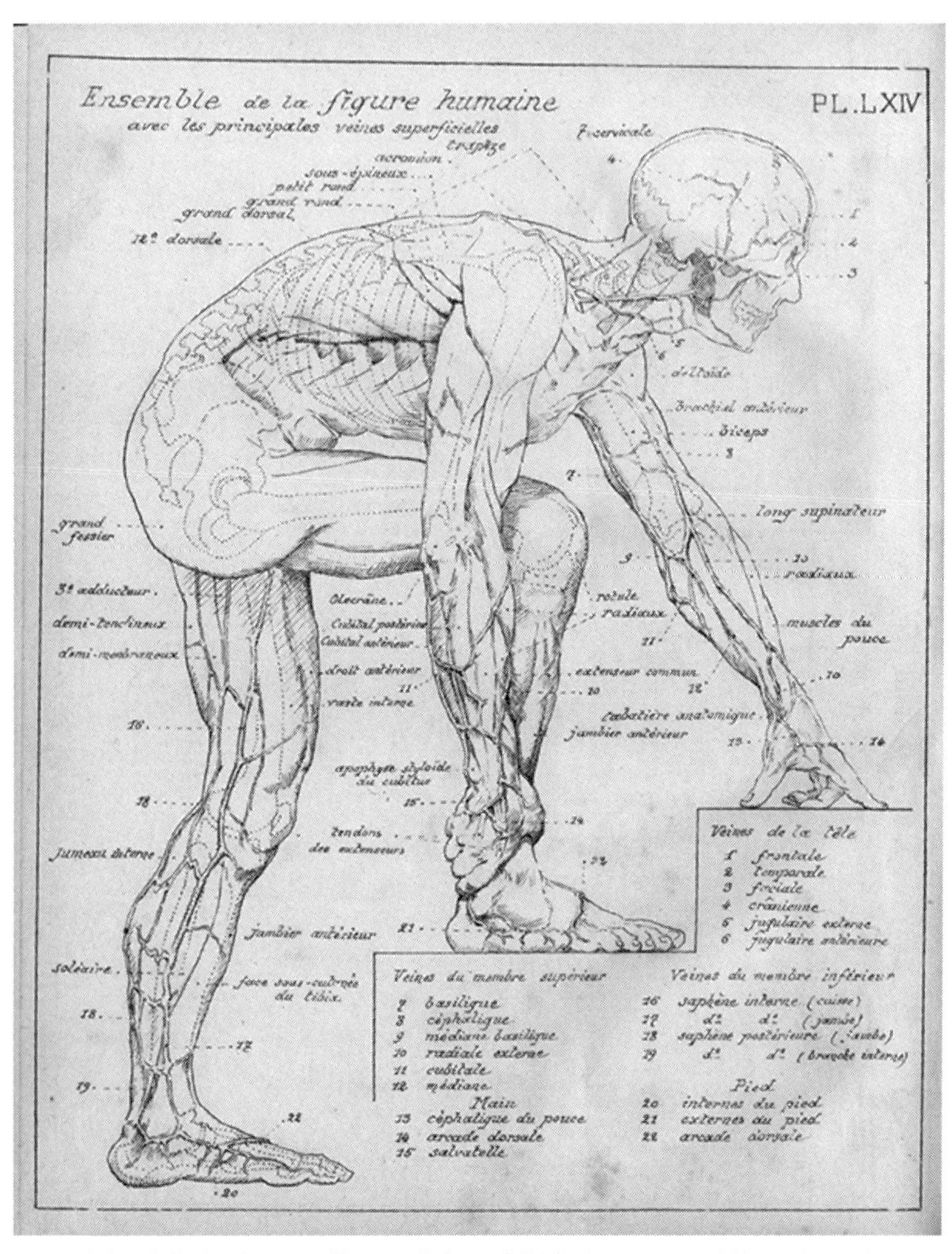

3-6-8　全身の皮静脈を表す図。1 枚の図で数多くの皮静脈を描いている。姿勢の工夫も興味深い。
筆者蔵

るのはガス交換が行われた直後の酸素濃度の高い血液である。図解は解剖学書に譲ることにして、美術解剖学で扱う静脈は全身をめぐる体循環の静脈が関係している。

体循環の静脈には体表付近を通る静脈と、動脈のそばを通る深部の静脈がある。外形に現れる表在性の静脈は、皮膚や皮下組織などで栄養交換した血液を回収し、深部の静脈は筋や骨などで栄養交換した血液を回収する。

静脈は動脈のように拍動しないので、周辺構造、例えば筋の収縮や動脈の拍動をポンプの代わりにして血液を運ぶ。静脈は自分で血液を押し戻す力がないため、血管の途中に弁を作って逆流を防ぐ。この静脈弁は男性の腕や手を見ると膨隆部として観察できる。腕の静脈を観察して、わずかな膨らみが見えたらおそらくそこに弁がある。

上肢で有名な皮静脈は、主に3つある。肘の中央あたりに見えることが多い肘正中皮静脈（採血の静脈）、上腕二頭筋の上を走行して三角筋と大胸筋の間で深部に潜る橈側皮静脈、肘窩（肘の前面にある三角形のくぼみ）の前内側面を走行し、上腕の内側面で深部に潜る尺側皮静脈である。

下肢では主に2つ、足の甲から膝の内側を通って大腿前

3-6-9『アルテミシオン沖のゼウス』（前460年頃、ブロンズ、アテネ国立考古学博物館蔵）の右腕。心臓よりも高く上げた腕に膨らんだ皮静脈が表現されている。筆者撮影

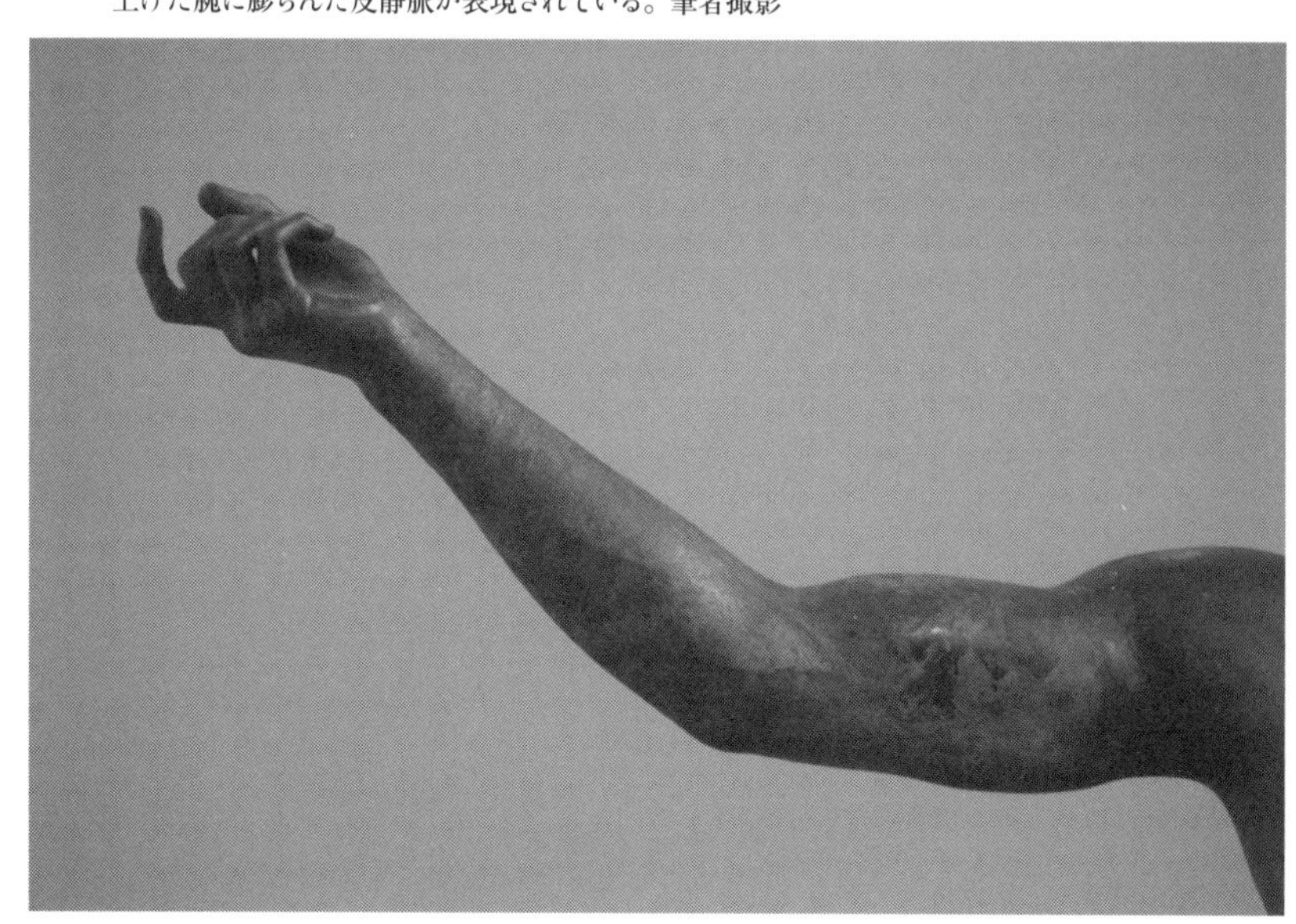

面を走行する大伏在（だいふくざい）静脈と、足の内側面からふくらはぎの中央を通って膝下に潜る小伏在（しょうふくざい）静脈がある。これらの皮静脈は運動後や風呂上がりなど血行が良いときに観察できる。こうした四肢に見られる皮静脈は、美術作品でもしばしば表現されていて、概ね正確に走行が表現されている。

皮静脈の膨らみ

美術作品に表現された皮静脈の多くは、血管が膨らんだ状態で表現されている。腕を下げているときならばこれで良いのだが、腕を心臓より高い位置でしばらく上げていると、血圧の関係で手へ向かう血流量が少なくなり、血管の部分がくぼむ。

例えば夏場に電車やバスでつり革につかまっている中年男性の腕に目をやると、皮静脈がくぼんでいるのが観察できる。中年男性がいいのは、長年の血圧によって静脈壁が薄くなっていて、若い人よりも静脈が柔軟で太く、観察しやすいためである。

ところが美術作品では、腕を心臓の高さより上げていても、皮静脈が膨らんだ状態で表現されていることが多い。人体表現において、あえて皮静脈を膨らませることは、動作中のワンシーンを切り取ったような視覚効果が得られる。こうした要素は、静止した姿勢に躍動感を感じさせる。

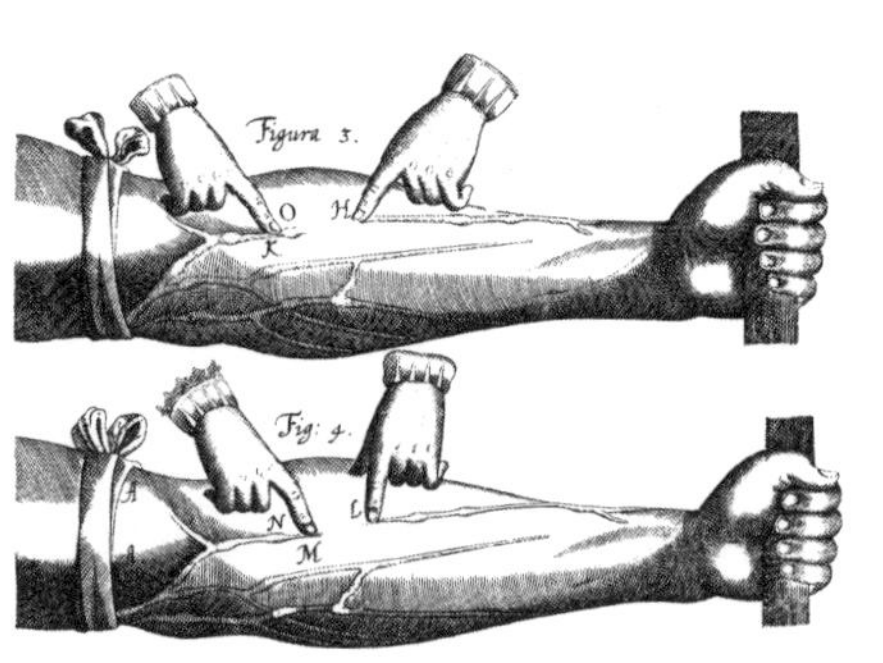

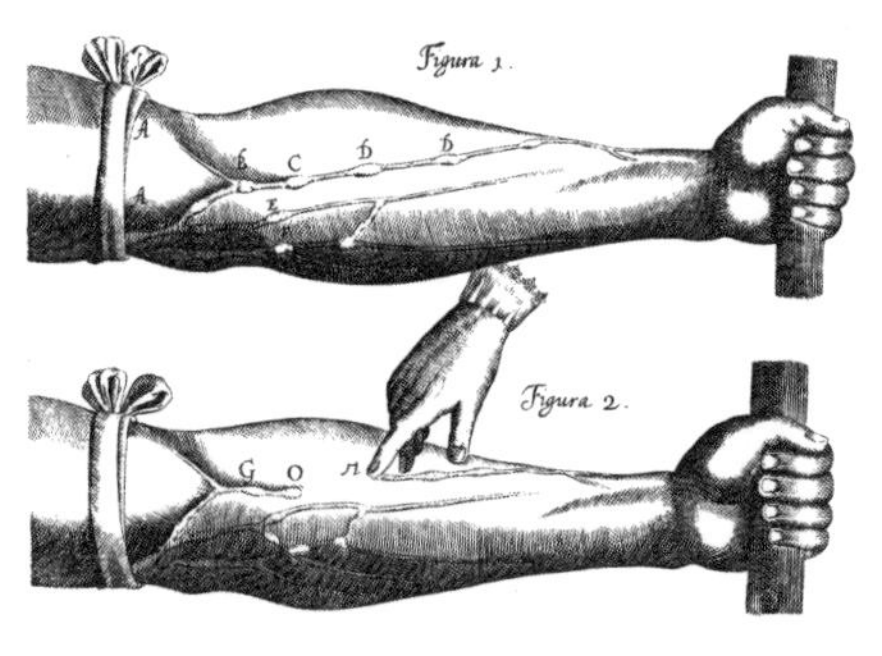

3-6-10
ウィリアム・ハーヴェイの血液循環論に掲載された実験図。複製版、筆者蔵

では、電車内の中年男性の皮静脈はくぼんでいたにもかかわらず、美術作品で膨らんだ表現をするのは「演出」なのだろうか？

以前、筋が発達したモデルさんでスケッチ会をしたことがあった。頭の上に手を置いていても、血流量が多いためか、ポーズの間の数分くらいであれば静脈はくぼまなかった。痩せた人であっても、運動直後ならば短時間だが膨らんでいるのが観察できる。したがって、彫刻などに表現された膨らんだ静脈の表現は、解剖学的にも正しいと言える。

皮静脈は美術に表現されるだけではなく、医学でも重要な発見のきっかけとなった。ウィリアム・ハーヴェイ（Harvey, William. 1578-1657）の「血液循環論」である。ハーヴェイの理論の元になった『動物における血液と心臓の運動について』（1628）が出版される以前は、動脈血と静脈血が異なる血液で、体の中を循環しているとは考えられていなかった。

静脈系は肝臓で栄養豊富な血液が作られていると考えられ、動脈系は肺に取り込んだ外気のスピリット（精気）によって拍動しているのだと考えられていた。ハーヴェイは上腕を紐で縛り、浮き上がった静脈を指で押さえて血流を止め、指を離すことで静脈内を血液が流れていくことを実証した。

血液が循環していることをすでに知っている我々にとっては、当たり前のことに思えるが、ハーヴェイの理論の登場は画期的なことであった。しかし、血液が循環していることを意識している人は、現代でも案外少ないのかもしれない。それを示すように、体を締めつける構造の衣服がよく売られていて、多くの人がそれらを気にせず着ている。

ストレッチ素材でできたタイトな衣服やゴム紐を使った肌着は皮静脈を圧迫する。血管を圧迫するということは、血液の循環が悪くなり、組織に栄養が行き渡りにくくなるということである。人体は栄養不足になると、気だるさを覚えたり、やる気が出なかったりする。

　そして皮静脈には人体に欠かせないもう一つの働きがある。

　人間は恒温動物であり、体温を一定に保っている。どうやって保っているかというと、血液の循環によってである。皮静脈は体表近くの体温維持を担っているのだが、これの血行が阻害されると「冷え」が起こる。だから、冷えで悩んでいる方は、体を締めつけない衣服を選ぶと改善する可能性がある。

　モンゴルのゲルで暮らす人々は、氷点下を下回る気温の中にもかかわらず裸で毛布に入って寝ると聞く。これは理にかなっていると思い試してみたところ、真冬でもつま先が冷えなくなった。

クリーチャーのための資料

　映画やゲームなど、特殊メイクやVFXの発達によってクリーチャーの表現への需要は高まっている。私が美術予備校の講師をしていた頃、東京藝大デザイン科の入学試験に「クリーチャーを作れ」という課題が出たほどである。表現もCGの発達に伴ってよりリアルで、詳細なものが表現されるようになっている。

　クリーチャーには動物、想像上の生物、怪物などの意味合いがある。ディテールにはしばしば、イソギンチャクなどの細かなヒダや、爬虫類や昆虫のような表面の質感、または病変の様子などが用いられ、生物や自然物の様々な質感を組み合わせて作られている。それらはおどろおどろしく、嫌悪感を抱かせる対象であったり、また全く逆で親しみがあったり、幻想的な印象を与えたりする。

ホラーゲームなどのおどろおどろしい造形の資料には、病理学の図版が参考になるかもしれない。病理学とは、病気や病変を調査し、その原因や発生機序を明らかにし、病気の診断をより正確にするための医学である。

病理学の教科書には様々な病変の典型例を示した図や写真が掲載されている。細胞の異常増殖である腫瘍（しゅよう）や、嚢胞（のうほう）（体液が貯留した水膨れないし細胞質）や過剰に栄養を供給する血管などが観察できる。色彩は血流量の増加によって赤みを帯びる（炎症）。ところがこの病理標本の図は、おぞましいだけでなくどこか美しさも同居している。丁寧に描写された絵が美しいのかもしれないし、（変形しているとはいえ）自然が作る構造に美しさを感じているのかもしれない。

反対に幻想的なクリーチャーの造形には、美しいと感じる自然物を組み合わせると良い。キラキラと光る鉱物、透き通るような色をした昆虫の羽、可憐な植物などの自然物がアイデアの源になるはずである。

そして一番大事なことだが、病気を参考にするときには、その病気にかかっている人とその家族がいることを忘れてはいけないということを書き加えておく。中には病気に対して怒りや恨みを持つ人や、悲しみに暮れている人もいる。答えが出ることではないが、そのことを気にとめておく必要があるだろう。

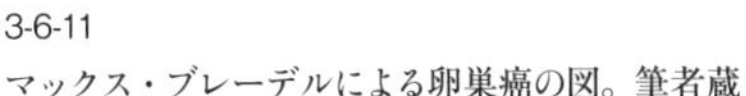
3-6-11
マックス・ブレーデルによる卵巣癌の図。筆者蔵

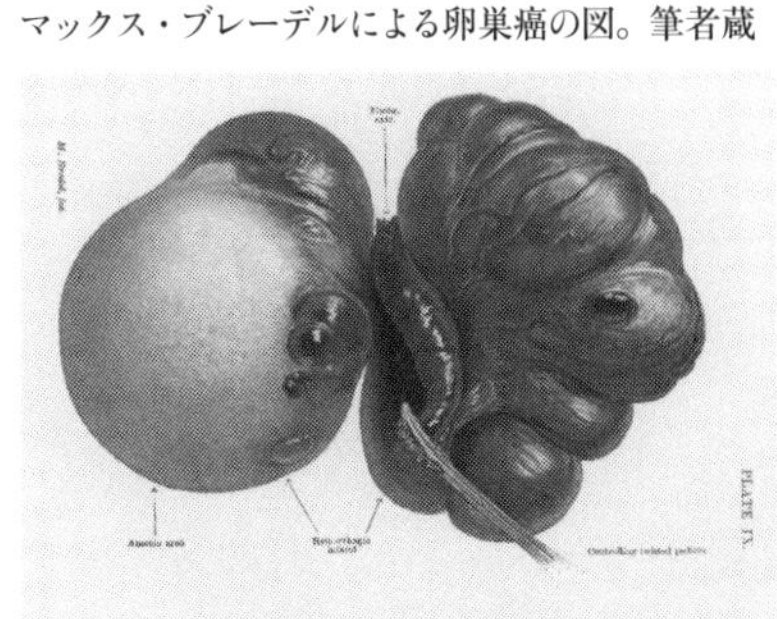

§ 3-7 ― 解剖学について

トリミングとレイアウトのセンス

解剖図というと、科学的・客観的で誰が描いても同じ無機質なものだと思うかもしれない。しかし、全ての解剖図は人為的なトリミングがなされたものだ。図だけではない。例えば皮膚を除去するというのも、人為的な状態である。図に描く場合には、どの構造をどのように見せたいか、それがどういう効果や知見を与えるのかといった検討がなされるが、何かを取捨選択することには必然的に作家性が現れる。

独自性が高く、ハッとさせられる図を見ると、画家のセンスを感じる。この「センス」を説明するのは難解だが、ポール・リシェの著書にこれに類する著書がある。

「芸術家と呼ぶにふさわしい者は、瞬時に形態そのものを捉え、見極め、判断し、そして解釈する能力を生

3-7-1
リシェによる腰部外側の冠状断図。左が女性、右が男性。筆者蔵

Grand oblique
Petit oblique
Transverse
Crête iliaque
Moyen fessier
Petit fessier

Fig. 40. — Section verticale et transversale de la hanche chez la femme.

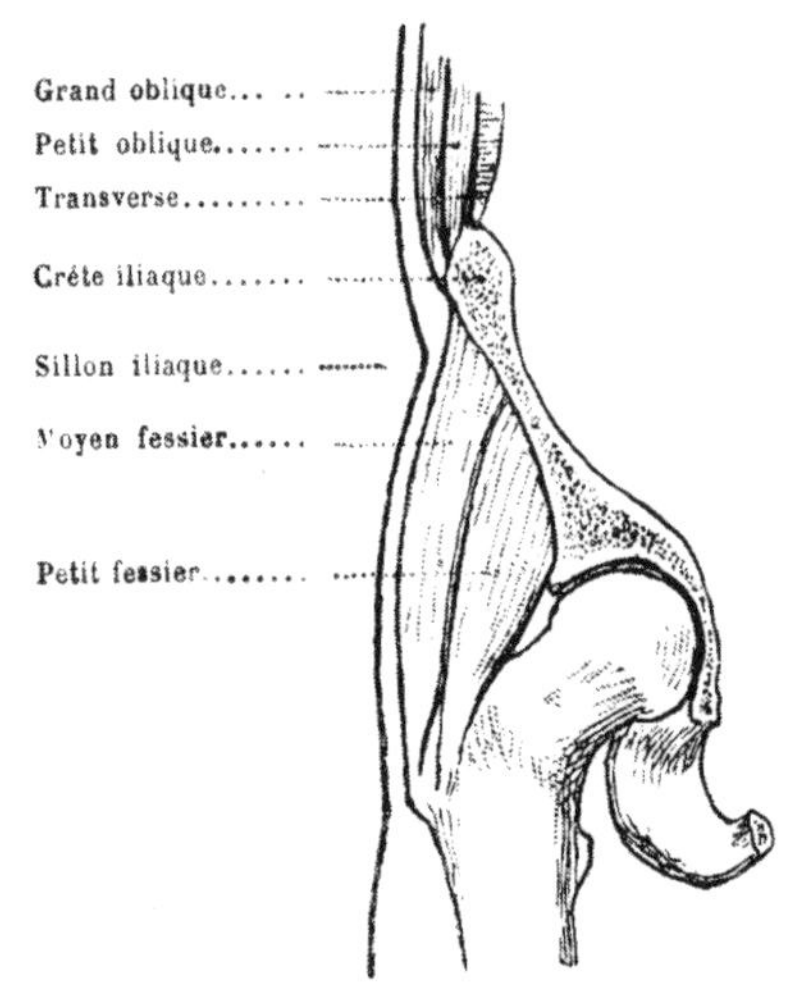

Fig. 35. — Anatomie du flanc.
Coupe verticale transversale par le milieu de la crête iliaque.

まれながらにして持っている」（『美術解剖学　人体の外形の解説』の序文より）。

生まれながらにして持っている、とは身もふたもない話だが、一般的にセンスといわれる能力は、他者が思いつかない方法や、真似できない技術で説得力のある解を導き出せる能力や実行力のことだろう。

図版３－７－１は、リシェが描いた前面から見た腰の外形の性差である。皮下脂肪の厚みによる体表のアウトラインの違いが描かれている。この図は今のところ、他の教科書では見られない上に、「なるほど」という気づきが得られる。

古典的な解剖図では、図版３－７－２のように構図が博物館の標本の展示のように整然としていて美しいものを見かける。これは、リトグラフの図譜など、画面を画家が全面的に手がけることで生まれる。

現在の書籍は、ＤＴＰ（デスクトップパブリッシング）を担当するデザイナーと、図版を描くイラストレーターが分業体制になっている。イラストレーターは描き上げたイラストを納品し、デザイナーはそれをテキストと合わせて都合の良いレイアウトに収める。共同

3-7-2
コンスタンティン・ボナミの骨格図。左：足の骨格。右：頸椎。筆者蔵

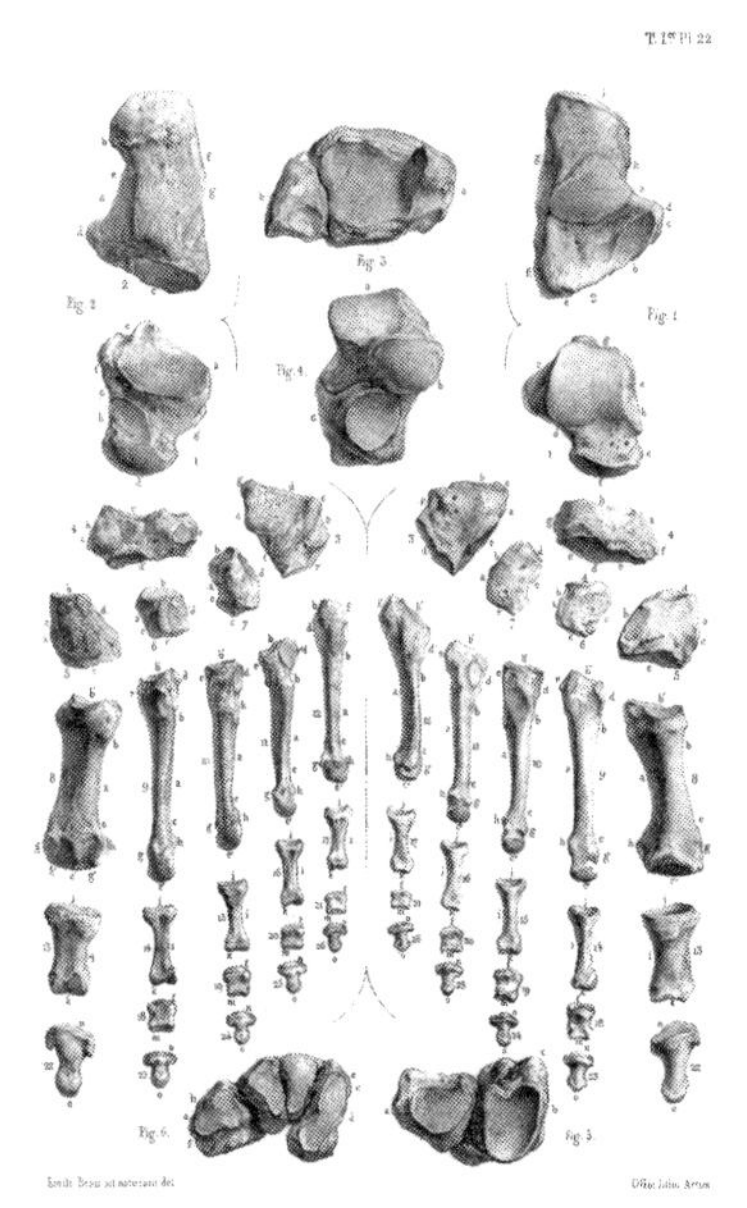

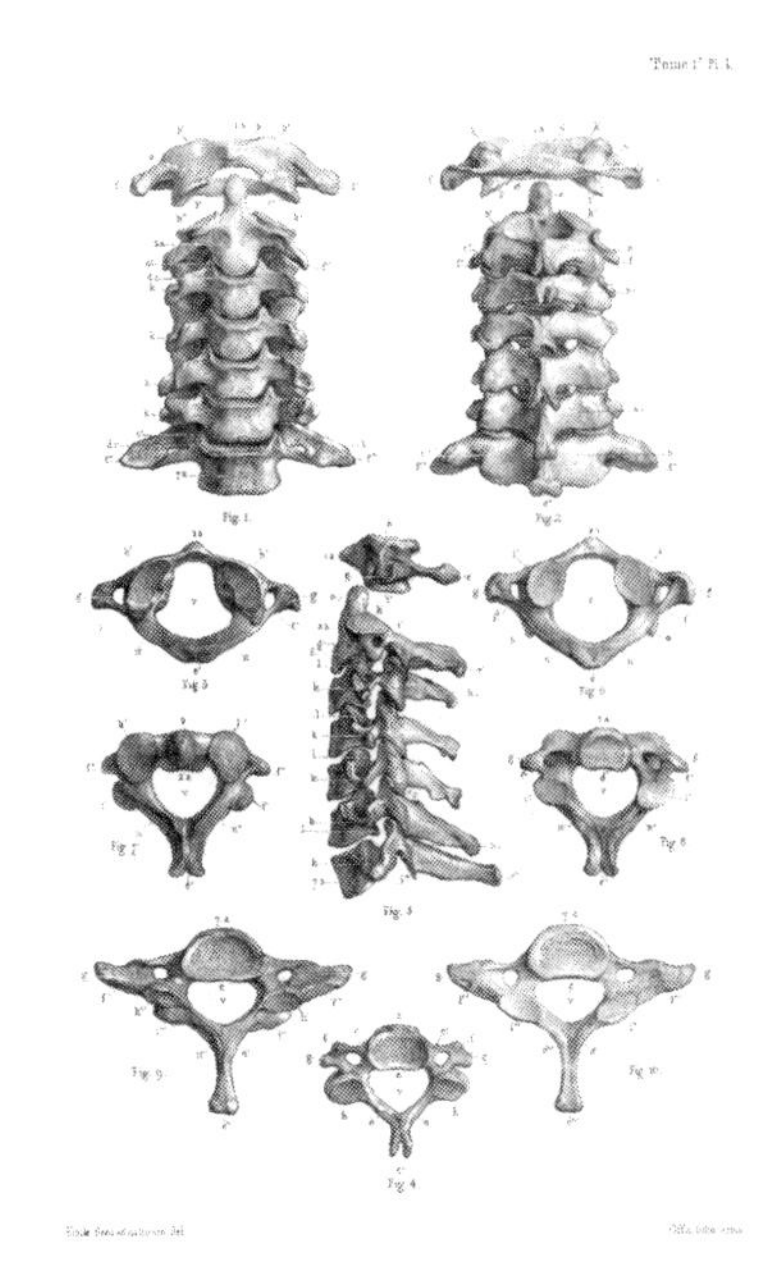

作業によって効率は良くなったのだが、複数人が関わることによって失われた表現もある。こうした美しいレイアウトの図譜を見かけると、画家の全力投球を見るような思いがして清々しい。

解剖図における鑑賞者との距離

アルビヌスの『タブラエ』（4－8参照）以降の解剖図は基本的には、「無限遠」から描かれる。無限遠というのは、字義通り無限のかなたから対象を見ている状態である。現実には無限は存在しないので、可能な限り距離を離して描く。

無限遠から見ることによって、解剖図における視覚的な形の歪みが抑えられる。どれだけ差が出るかというと、図版3－7－3のようになる。図は、35ミリレンズで30センチの距離から撮影した頭蓋骨の写真（左）と、105ミリレンズで200センチの距離から撮影した頭蓋骨の写真（右）をもとに図を描き起こした。まるで違う印象の頭蓋骨に見えるが、前頭骨に同じ前頭縫合（成人で稀に残る）が見られる。

アルビヌス以降の解剖図が、なぜ対象との距離を無限遠に設定したかというと、方眼のプロポーションを用いた作図方法を採用したからである。マス目を基準にした平面的な作図で描かれた人体像は、遠近感が取り除かれて無限遠となる。

ちなみに完全な無限遠（眼球の凸レンズ効果を除く）は、3DCGによって確認できるようになった。3DCGには遠近感のオンオフが可能で、オフにした場合にはモニター内で全く歪みのない形状が確認できる。人類は20世紀末になっても新しい視点を獲得している。

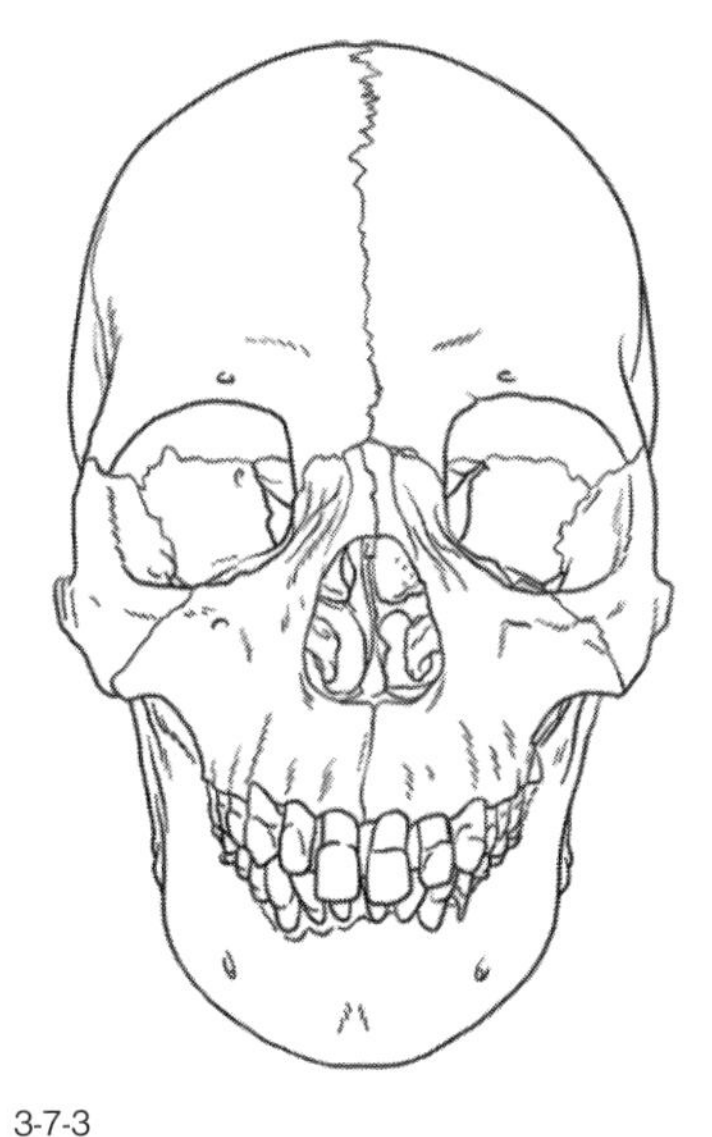

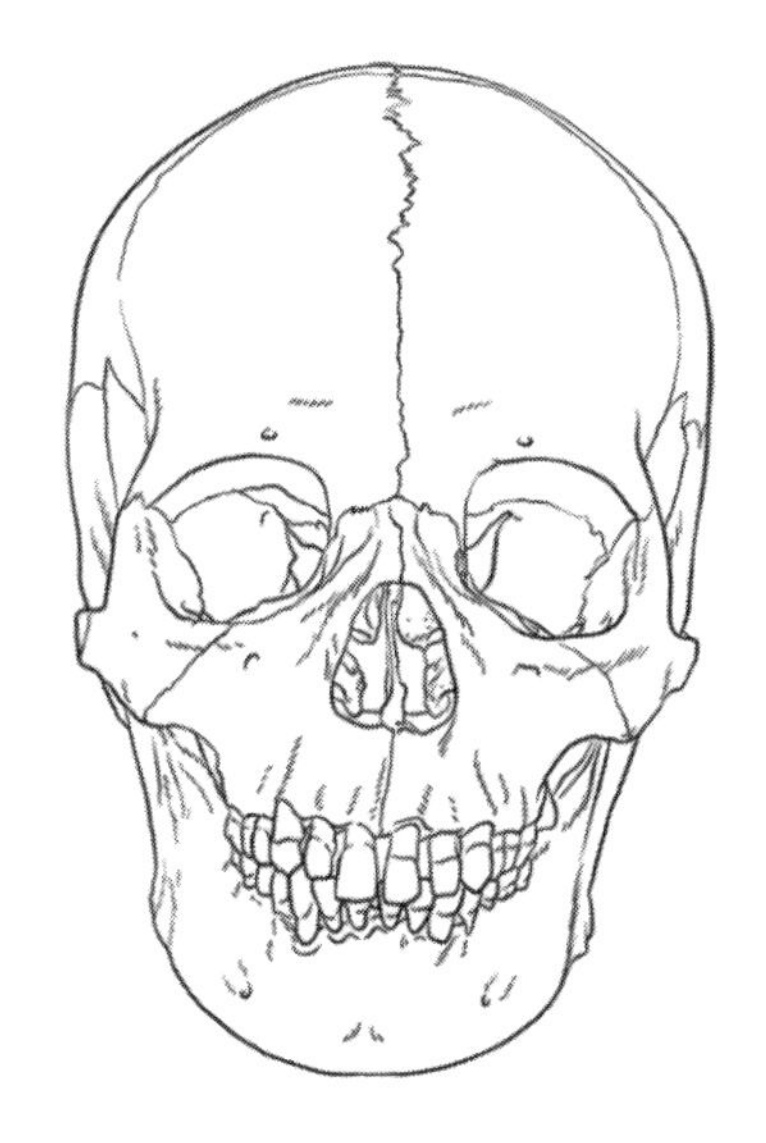

3-7-3
望遠レンズで撮影した写真から描き起こした頭蓋図（右）と、広角レンズで撮影した写真から描き起こした頭蓋図（左）。撮影距離が遠いほど歪みが少なくなる。筆者作図

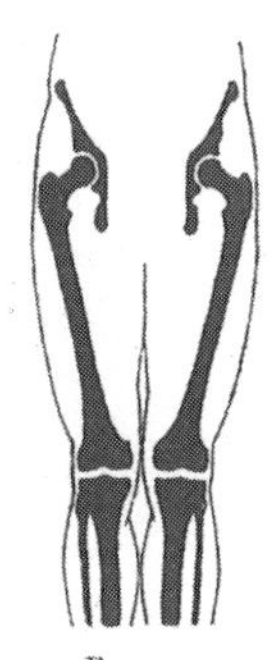

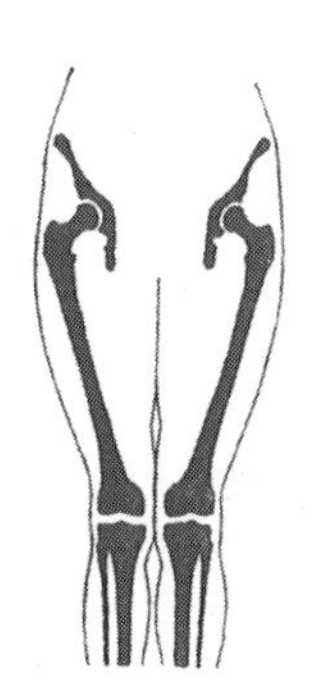

FIG. 127. FIG. 128.

Diagrams showing the greater degree of obliquity of the thigh-bones dependent on the greater pelvic width in woman, Fig. 128, as compared with man, Fig. 127.

FIG. 115. Diagrammatic representation of the shoulder-girdle.

a. First dorsal vertebra.
b. First rib.
c. Breast-bone (sternum).
d. Shoulder-blade (scapula).
e. Collar-bone (clavicle).
f. Humerus (bone of upper arm).

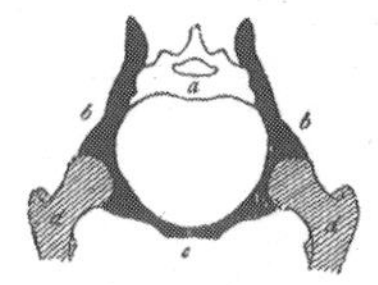

FIG. 116. A diagrammatic representation of the pelvic girdle.

a. Sacrum.
b. Haunch-bone (os innominatum).
c. Symphysis pubis.
d. Upper end of thigh-bone (femur).

3-7-4
トムソンによる骨の模式図。要点が詰まった最小限の情報。上：男女の大腿部の骨格の違い。下：上肢帯と下肢帯の比較図。筆者蔵

挿絵とトリビア

19世紀頃に木口木版技術が発達し、図と文字が同じページに印刷できるようになると、それに伴って小型の挿絵が出現した。小型の図版は描写量=図の情報量が限られているため、伝達のための最低限のディテールに抑えられている。図のわかりやすさを視認性というが、小さい挿絵ほど視認性が高い。

解剖図は詳細に描かれた図や写真の方が必ずしも学習に有効というわけではない。情報が多すぎて鑑賞者が判別できなくなることもある。逆に、小さく簡略な挿絵は対象の特徴を端的に提示する。

例えば駅のホームでトイレを探そうとする時、丸と棒で表現された人型のマークを探すはずである。さらにそのマークには色や形が添えられていて、男性か女性かを判別できる。海外の都市部に行っても同様のマークがあるので、迷わずに用便が足せる。こうしたマークはピクトグラムと呼ばれ、誰が見ても迷わないように形や色彩が設計されていて、グラフィックデザインの中でも特に気を使われる表現である。

小さな解剖図もこれに似た造形感覚を感じる。描かれている要素や線は少ないが、それら一つひとつの形に意味があり、端的な情報が取捨選択されている。初学者にとっては、多くの情

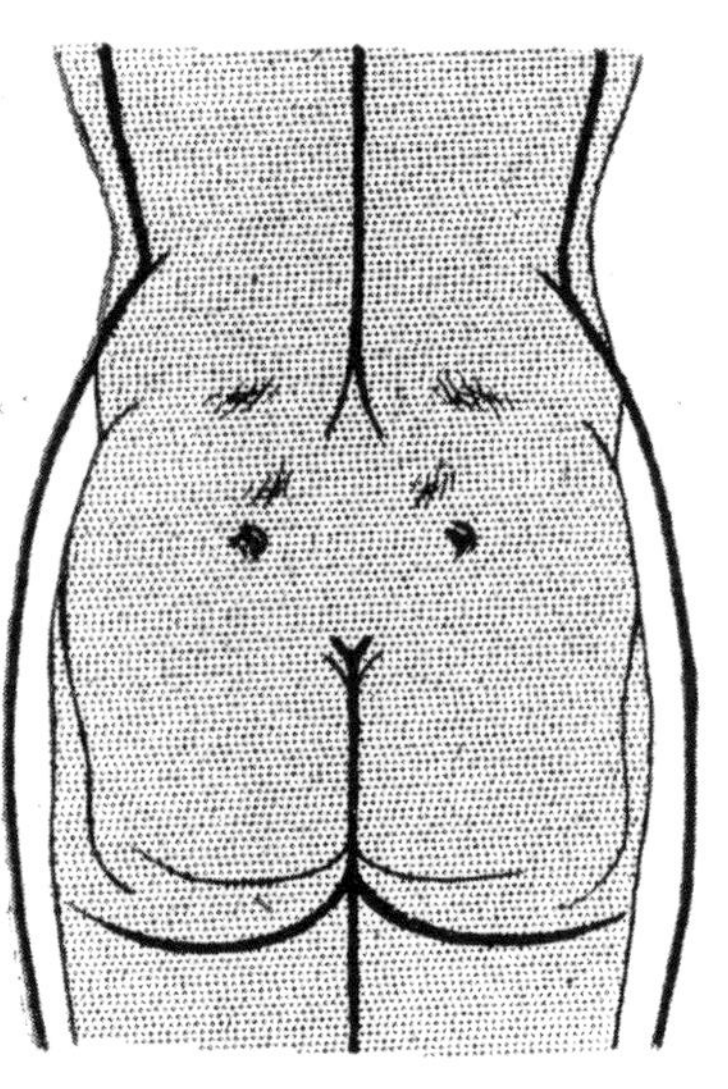

FIG. 37. — Superposition schématique des reins de l'homme et de la femme.

La silhouette masculine a été teintée de gris. — La silhouette féminine a été marquée de gros traits pleins.

3-7-5
リシェによる殿部の性差を示す図。太線は女性、細線にグレー地は男性の殿部。筆者蔵

報量が描かれた写実的な図だけでなく、要点を絞った図が役に立つだろう。

余談だが、こうした要素を絞った図は、別の形に見えてしまうことがある。私の教え子が、女性の殿部が困ったウサギの顔に見える、と言っていた。何のことだと思っていたが、ある時、私も困ったウサギの顔に見える図（3－7－5）を見つけてしまった。

こうした見方は、キャラクターに親しんでいる現代人ならではかもしれない。1000年前の人に見せたら「何のことだ」と言われるか、別の何かに見立てるだろう。私は星座が写実的な造形に見えたり、月にウサギやカニがいるようには見えたりしたことがない。

人体の形をどう捉えるのも自由であるし、形を捉えた瞬間に人為的なバイアスはかかるものだ。身近なものに見立てることで、人体に興味を抱くきっかけになるのであればそれに越したことはない。

私も授業で「女性の骨盤を上から覗くと舞浜にいるネズミのキャラクターマークが見える」と教えている。解剖学用語よりもネズミのキャラクターの方が圧倒的に認知度が高いので、学生が興味を持って覗きにくる。それが見えた後で女性の骨盤下口と分解線は円形に近いからだよ、と教える。一種の抱き合わせ商法である。ネズミのキャラクターは下からだと見えないので、身近に女性の交連骨格があれば確認してみてほしい。

各部位の名称と階層構造

解剖学用語は国際標準で7500語を超えると書いた。その多くは、形状や働きを端的に表した語句が当てられているが、普通であれば1年や2年の短期間ではとても覚えきることができない。しかし、医学部での解剖学教育は3ヶ月しかない。用語の多さに惑わされて、うまく整理できていない学生も見かける。

解剖学用語は、人体の住所のようなものである。住所が都道府県、市区町村、丁、番、号と続くように、大構造から小構造まで階層構造が維持されている。この階層構造を整理して場所を覚えるとずいぶんと楽になる。

例えば上腕骨で解説してみると、大区分は上端、骨幹、下端に分けることができる。上端内の区分には、頭（上腕骨頭）、頸（解剖頸、外科頸）、結節（大結節、小結節）、溝（結節間溝）などがある。これを可視化させると、図版3－7－6のように樹形図として並べることができる。

教科書の記載順序もこうした階層構造に従っているが、通常はこうした階層構造自体が記載されることはほとんどない。とはいえ、教科書を書いている人はこの階層が頭に入っているだろう。この樹形図を理解できていなければ理路整然と記述できないからである。

これは、坂井建雄先生のオフィスでデスクトップパソコンのデータを見せてもらった時に、フォルダ分けの階層性があまりにも整然としていて気がついたことである。坂井先生は、月刊誌なみのペースで解剖学書を執筆していたことがある。きっと頭の中もパソコンのフォルダのようにきっちりしているのだろう。

触覚から得られる情報

西洋美術の原点、古代ギリシャには美術解剖学の記録が全く見つかっていない。しかし、人体解剖はされていたようで、そのことが用語から窺い知れる。

例えば「十二指腸」は、古代ギリシャのヘロフィロス（Herophilos. 335－280BC）によって命名されたと言われている。指12本分、すなわち4本指幅3つ分の長さである。解剖実習で十二指腸を測るとおおよその長さ（25～30センチ）で、外周を測ると12本分よりも長いとする人もいる。

身体尺の単位そのものは、実際の人体のサイズよりも長く設定されていることが多い。「尺」という漢字は、手の親指と人差し指を広げた様子を表したものだという説がある。尺という単位の長さは時代によって変遷があるが、現在は30・3センチとされる。実際に手を広げてみるとわかるように、こんなに大きな手の人はなかなかいないだろう。

ちなみに、尺骨の「尺」は長さか

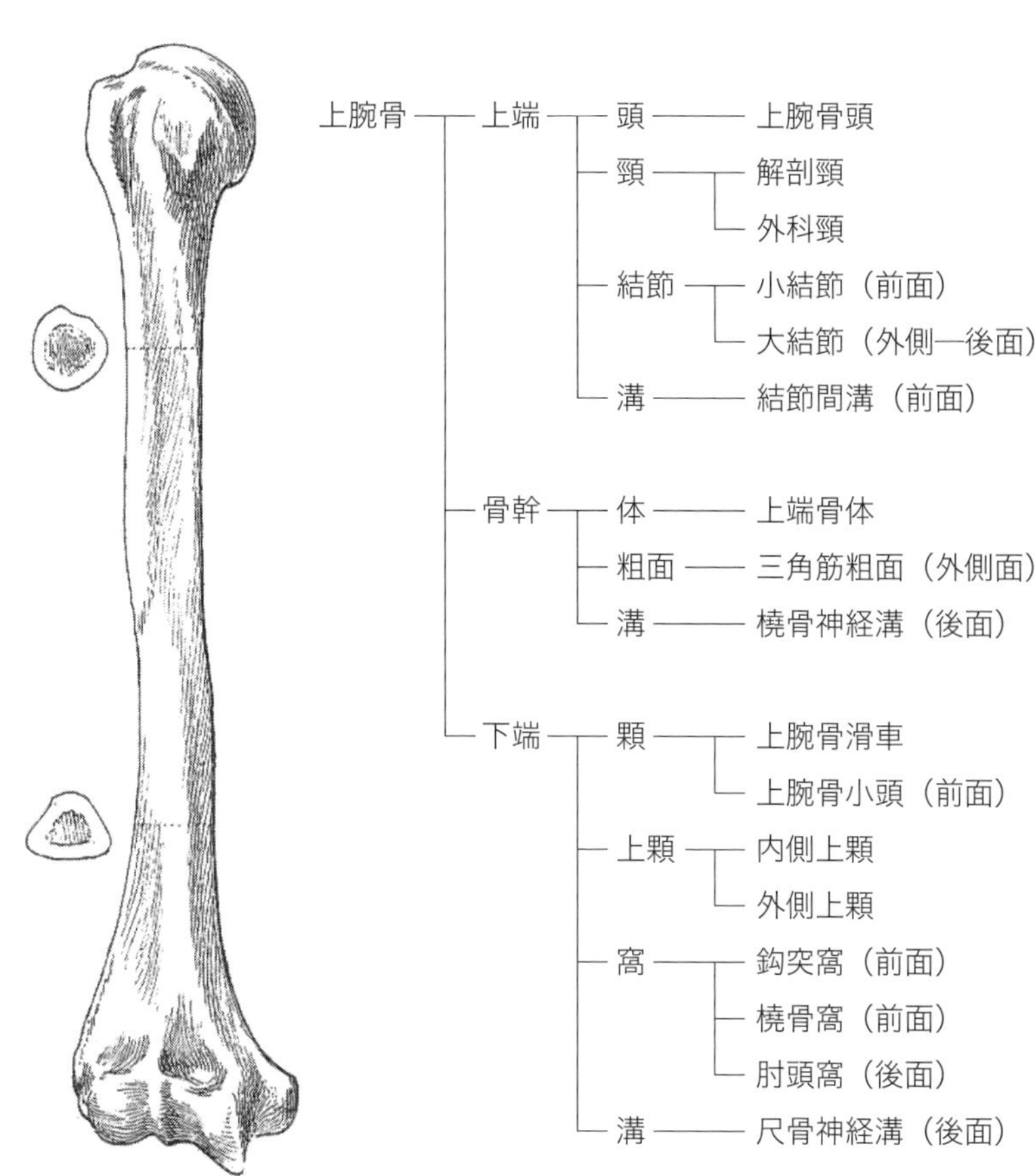

3-7-6 解剖学用語の階層性を示す樹形図。左の図はリシェによる上腕骨。筆者作成

らきたものではない。尺骨という言葉は、『解体新書』を出版した杉田玄白（げんぱく）らの弟子である大槻玄澤（おおつきげんたく）が『重訂解体新書』として改訂した際に初めて使用した造語である。その由来は、古代ローマにおいては尺骨を度量衡として使用していたことから、度量衡の漢字である「尺」の字を当てたものである。

人体には、こうした触覚的な命名がなされているものがいくつか見られる。ヘロフィロスも指か定規を十二指腸に当てて実測したと考えられる。

他にも、例えば肩幅を作る三角筋は、ギリシャ語でも「三角（Delta）」が由来のDeltoidという名前がついている。

ただ、本当に三角に見えるだろうか？　体表から観察した時には肩先に丸い膨らみとして確認でき、見た目の形状は三角形と言えなくもないが、イチジクやビワなどの果物や、ティアドロップ型の方が近い。

実は、三角筋が最もきれいに三角形に見えるのは、筋を骨から取り外した時である。古代ギリシャの解剖学者も筋を取り外した時に形状を目にしたのではないか、と歴史専門の先生に伺ってみたのだが、なんとも言い難いとのことであった。

人体解剖実習ではそれぞれの部位を否応なしに触って確認していく。しかし、美術解剖学では、教材やモデルの観察だけで済んでしまうため、触覚的情報が希薄になる。重さ、硬さ、大きさ、厚み、温度、質感。触覚から得られる知見は結構ある。

解剖体でなくとも、自分やモデルの体で筋などの軟部組織を触知することもできる。日本で唯一の美術解剖学モデル、海斗さんが主宰されている講習会では、実際にモデルに触れて構造を確認させてもらえる。

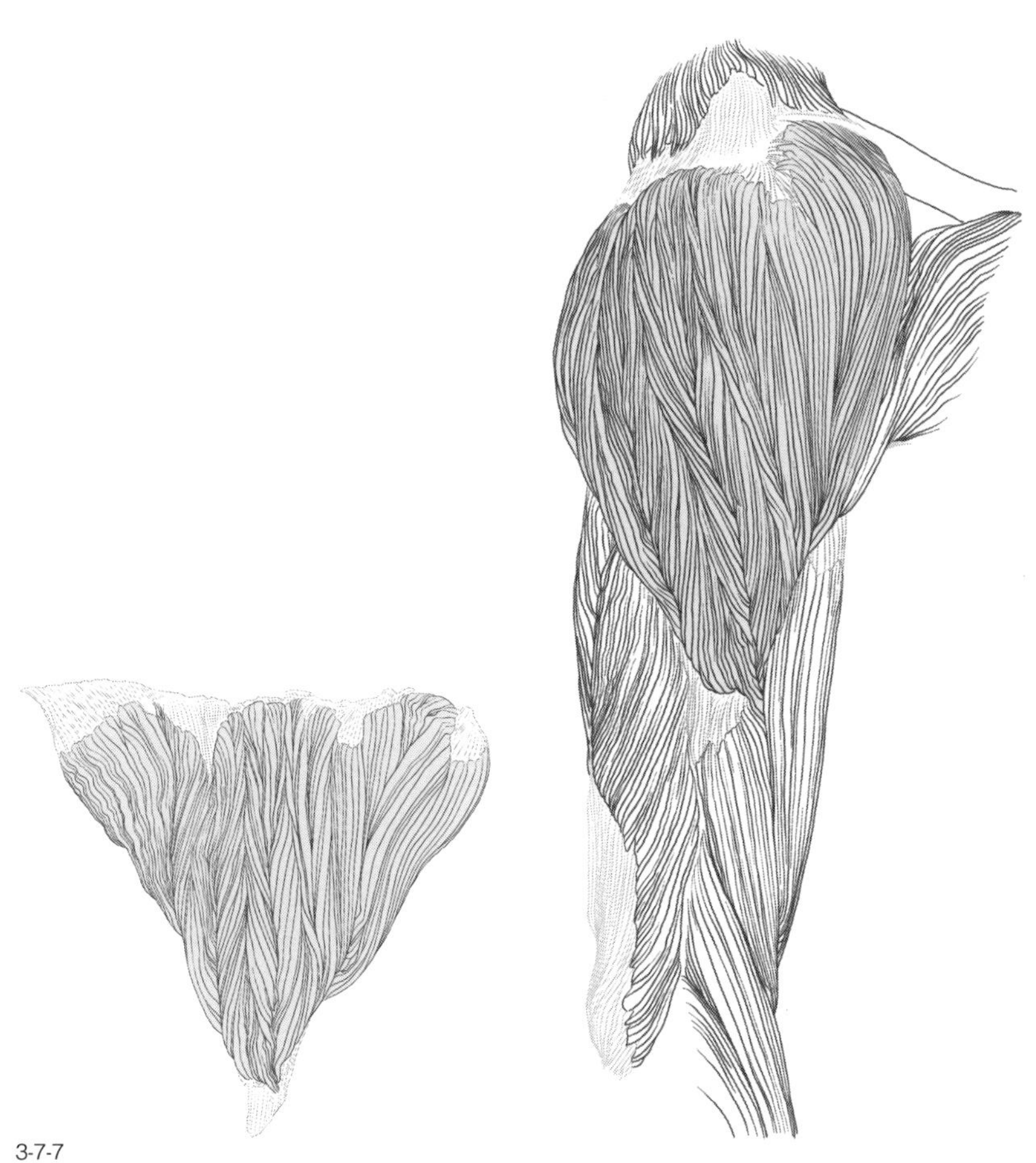

3-7-7
原位置の三角筋（右）と骨から取り外した三角筋の線描（左）。右腕。筆者作成

筋に直に触れたければ、肉屋で鶏肉や豚肉などを買ってくるのも良いだろう。骨の標本であれば、直接握ることができる。美術においても触知は大事な学習方法である。

不自然を自然にする

美術解剖学は、応用解剖学である以上、通常は解剖学で培(つちか)われた情報を美術に適用することになる。例えば、個々の作品の造形の不自然さについて、解剖学的見地から指摘するなどといったように。世界初の女性の構造を専門に記述した美術解剖学書は、彫刻家がミロのヴィーナスの内部構造をうまく把握できないことから執筆された(4-13参照)。

こうした医学的見地からの指摘には、その時代の風習に対する意見もあった。例えば、コルセットである。

ドイツの解剖学者ゼンメリング(Sömmerring, Samuel Thomas von. 1755-1830)は、女性のコルセットが体に悪影響を及ぼしているとして、『コルセットの身体への影響』という論文を書いた。初版はさほど普及しなかったが、1793年に出版した第二版では図を追加したことで、一気にヨーロッパ中に普及した。

これに類似した例として高いヒールと足の骨格の変形を関連づけたカンパーの論文がある。カンパーの論文は没後の1791年に出版され、ハイヒールによって槌指(つちゆび)(ハンマートゥ)になることや、先の尖った靴は爪先を変形させるということが図示されている。

コルセットが一般的に使用されなくなったのは、ゼンメリングの論文発表から100年後のことで、カンパーが論文で紹介したハイヒールは、まだファッションアイテムとして使用され

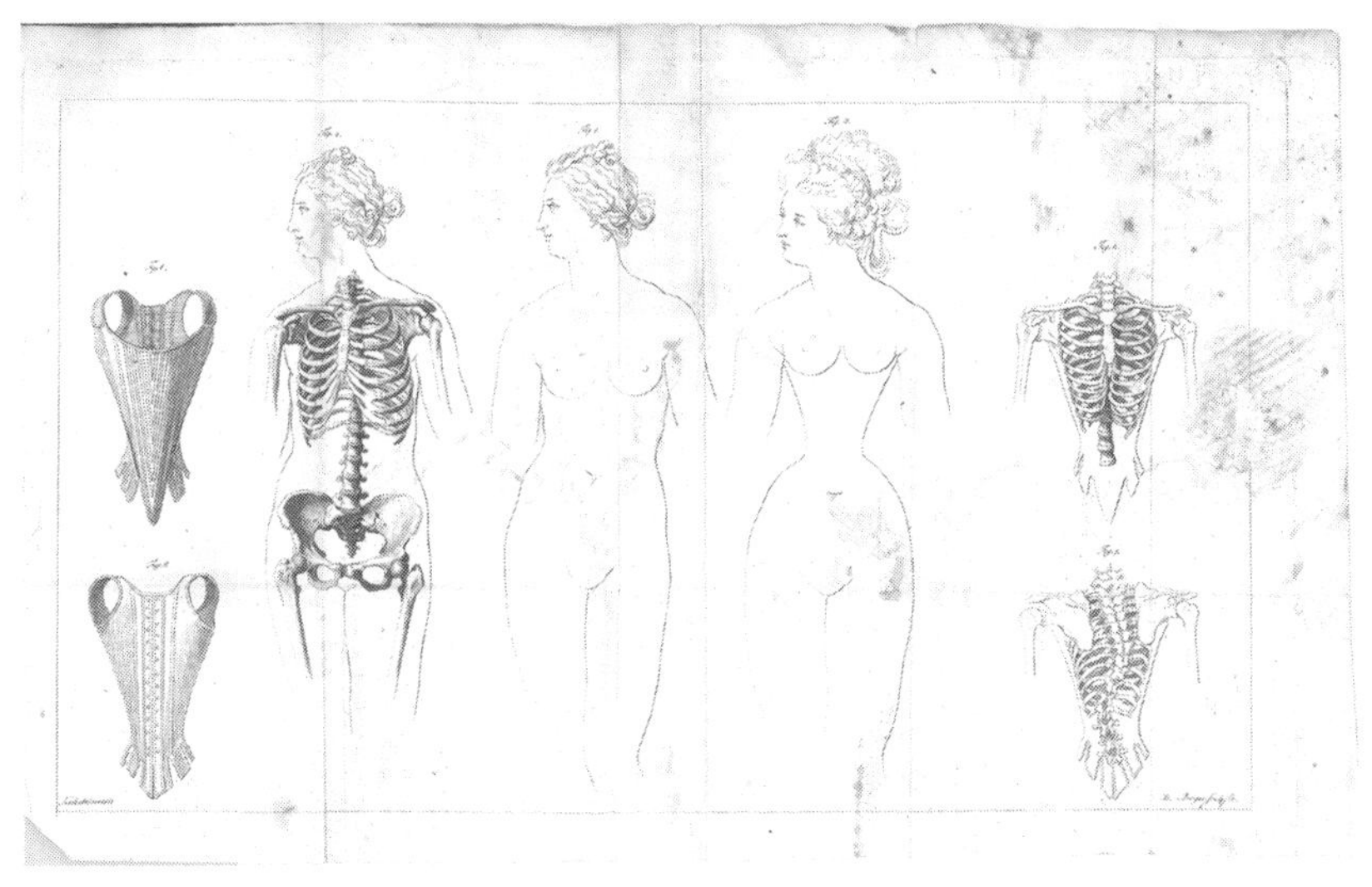

3-7-8
ゼンメリング『コルセットの身体への影響』(1793)。筆者蔵

3-7-9
シュトラッツ『女体美体系』より。結核で亡くなった若い女性の骨格標本。筆者蔵

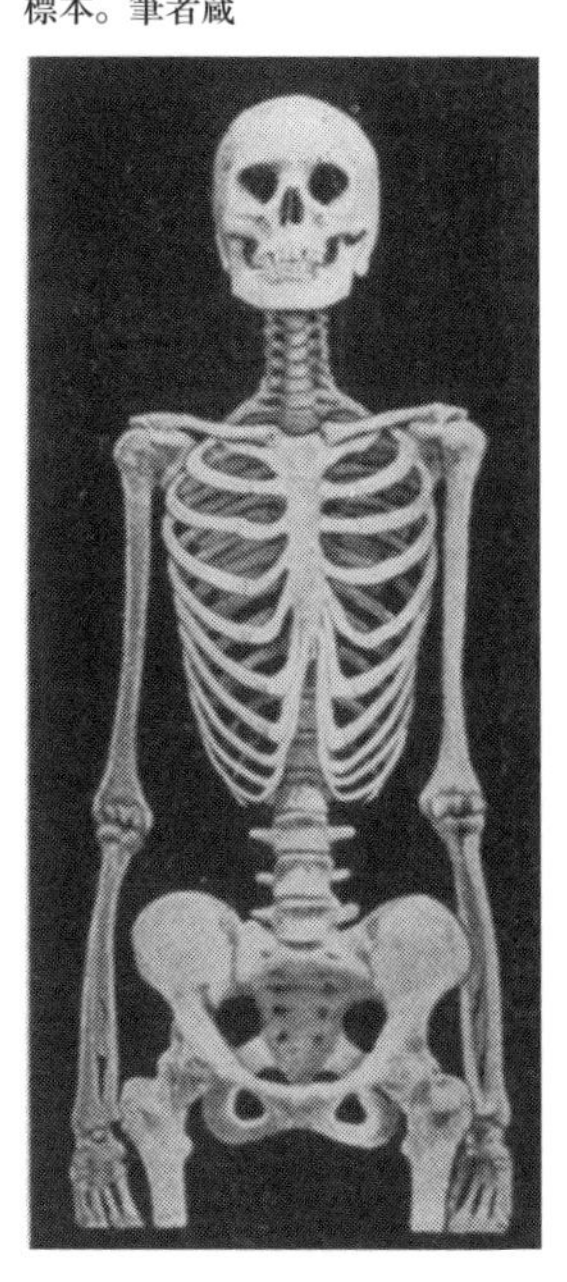

3-7-10
ペトルス・カンパーによるヒールや先の尖った靴による足骨格への影響を示す図。筆者蔵

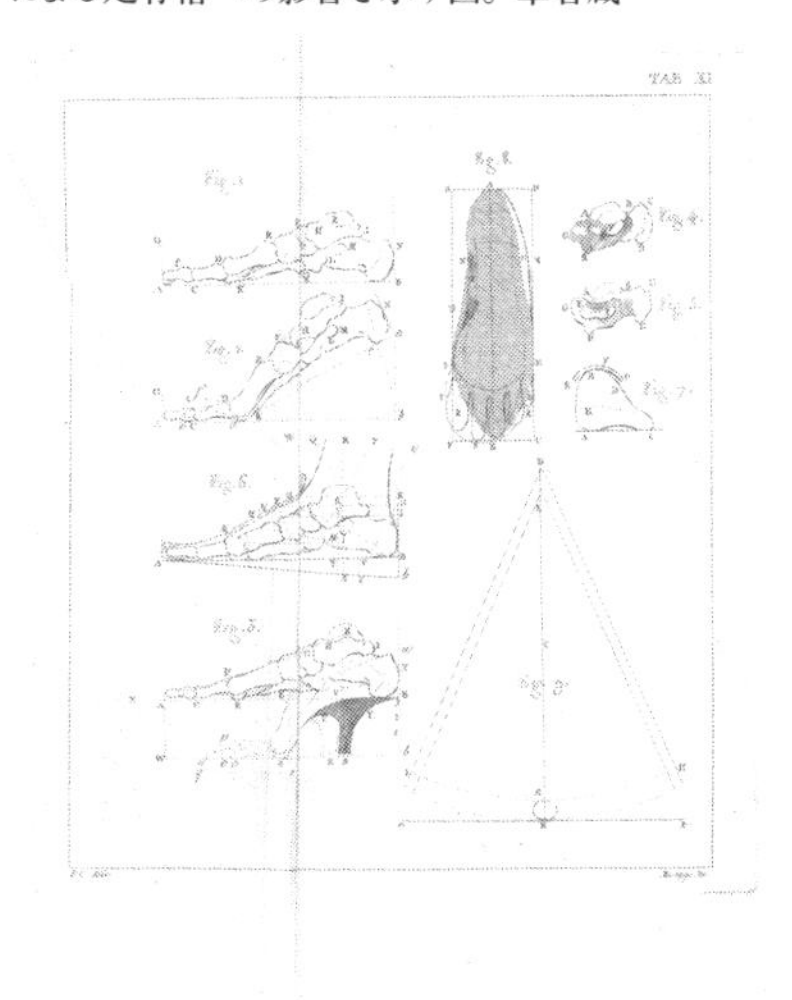

ている。ヒールは足の指を変形させやすいと古くから言われていたが、いまだに改善案が出るに至っていない。

ゼンメリングやカンパーの例は、不自然な表現を自然な方向へ軌道修正するために研究・発表する、ということも美術解剖学や解剖学の役目であることを教えてくれる。

§3-8 造形について

多視点をつなぐ

多視点とは、人体をパーツごとに観察し、それらをパズルのように組み合わせて全身像を構築する見方である。なぜそうした見方が生まれたかというと、人間の注視は部分ごとにしか行えないためだ。

19世紀頃までの西洋の美術の初等教育では、初学者に目鼻口などのパーツを描かせた。顔や胸像へとだんだん範囲を広げて練習していくと、やがて全身が描け

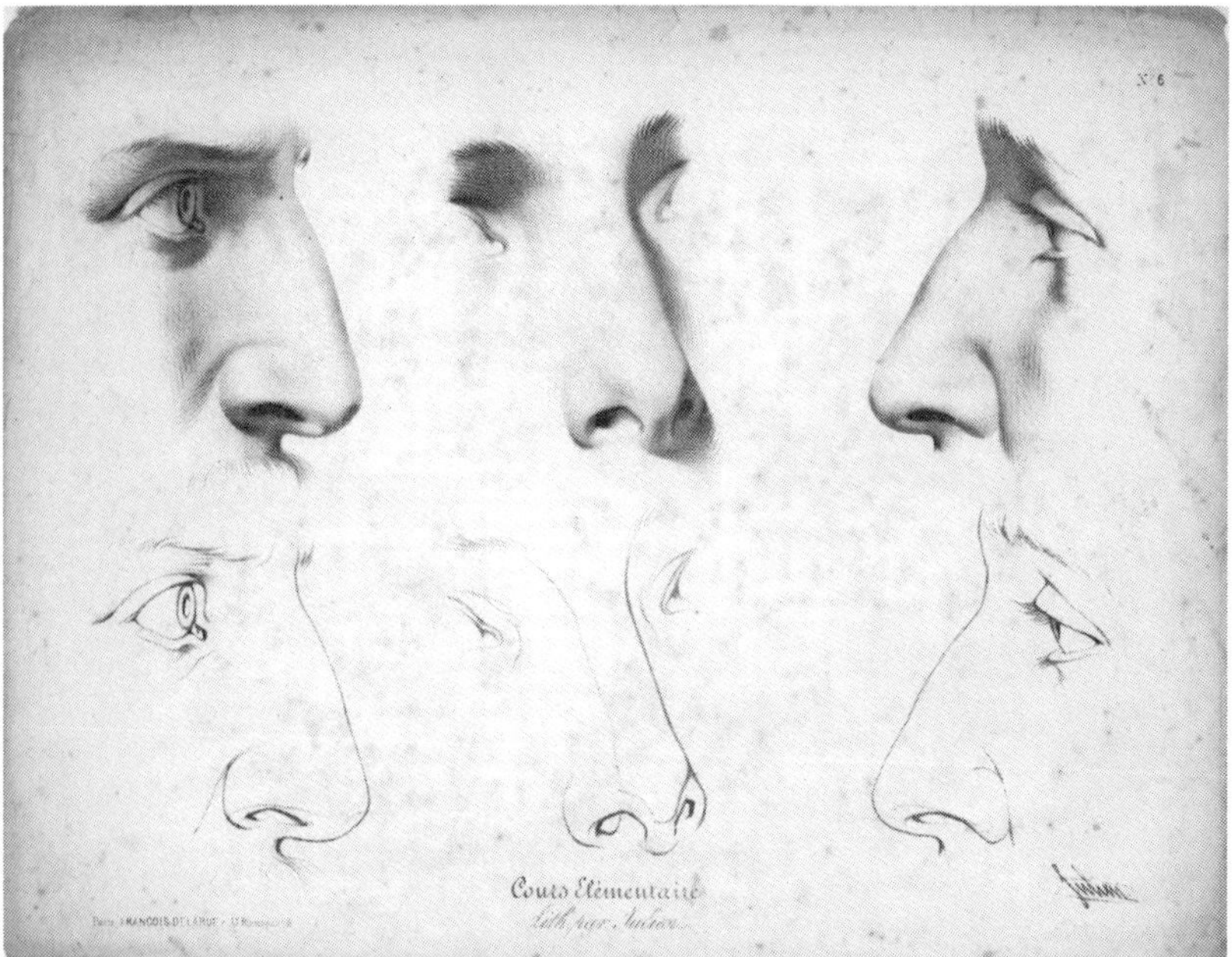

3-8-1 ベルナール・ロマン・ジュリアンによる目鼻のパーツの素描教本（1930年代）。筆者蔵

3-8-2
リシェによるエジプトの人体表現の例。筆者蔵

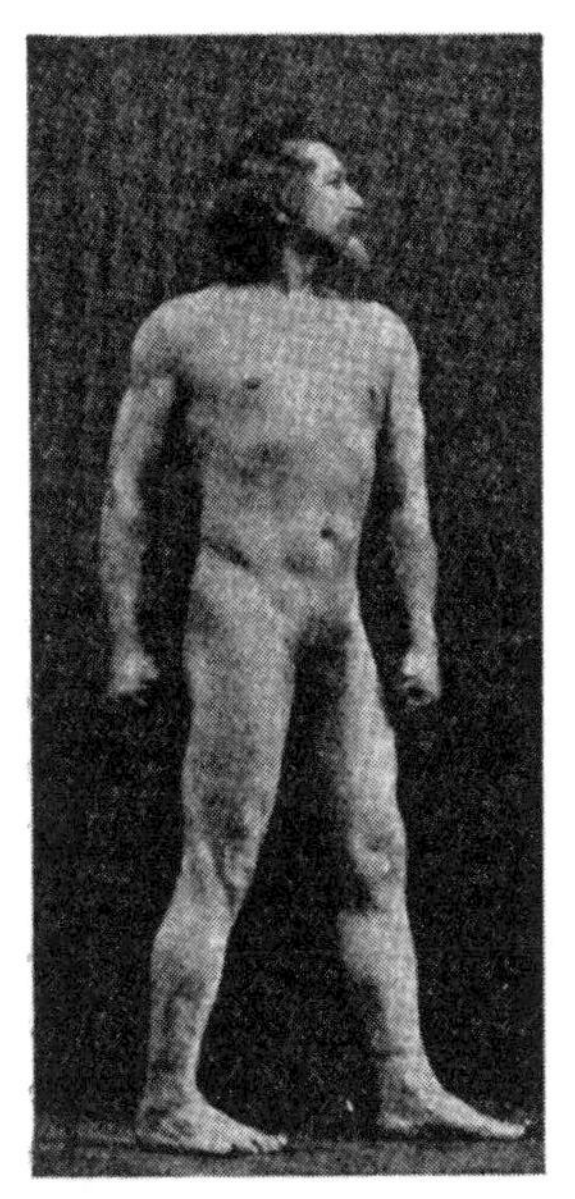

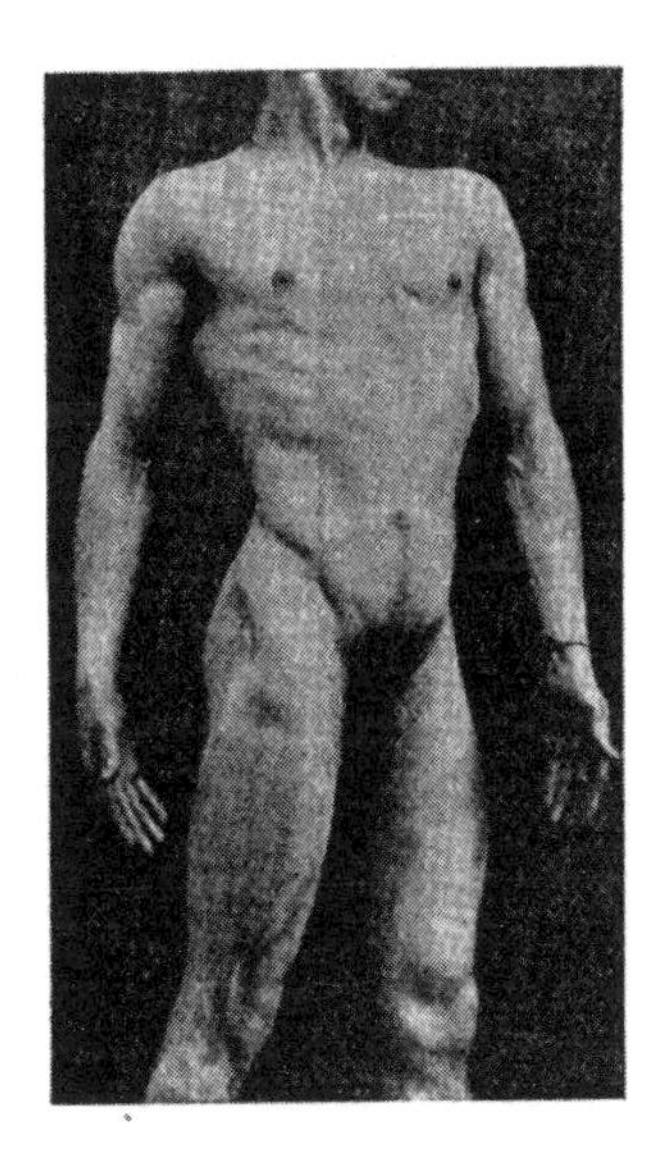

3-8-3
リシェによるエジプトの人体像と同じ姿勢をとったモデルの写真。筆者蔵

るようになる。注視した視界と視界をつなげて全体を造形していく方法は現代でも同じである。

多視点の作例で有名なのは、古代エジプト美術である。エジプトの壁画のほとんどは、顔は側面、目は正面、胸は正面、手足は側面で人体像が表現されている。それぞれのパーツはバラバラな方向から見た視点で表現されており、部分ごとの連続性はないが、頭の中で補正がなされて連続的な人体像として鑑賞することができる。

この姿勢を人で再現すると、何とか同じ姿勢をとることができるようだ。古代エジプト人もなかなかに写実的な線を引いていたことがわかる。

古代ギリシャでは前6世紀頃にエジプト美術の造形方法が導入された。当時のギリシャの石工たちの造形力は素朴なもので、エジプトの職人の使っていた道具や、細かな造形のレギュレーションなどが伝わらなかったかのように見える。

例えば図版3－8－4上段のアテナ・ポリアス神殿破風彫刻の線画では、骨盤から下の下半身が横向き、腹部が水平に倒れ、胸から上は正面を向いている。左肩は正面を向いているが、右肩は斜め前方を向いている。パーツごとの造形はしっかりしているが、それぞれのパーツの境目でなめらかにつながっていない。このように部位ごとの組み合わせで体をひねることを表現したが、その間の形をつなぐ部分を注視できていなかったようだ。

この姿勢は、神殿の屋根飾りの三角形のスペースに彫刻を安置する必要から生じた姿勢で、立位または座位がほとんどのエジプト彫刻では類例を見ない。そこでギリシャの職人の間で作

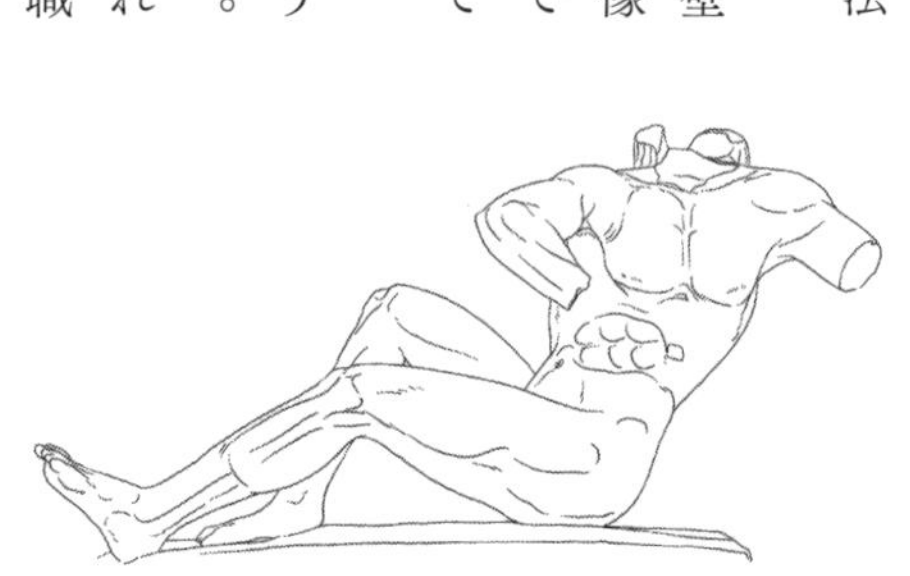

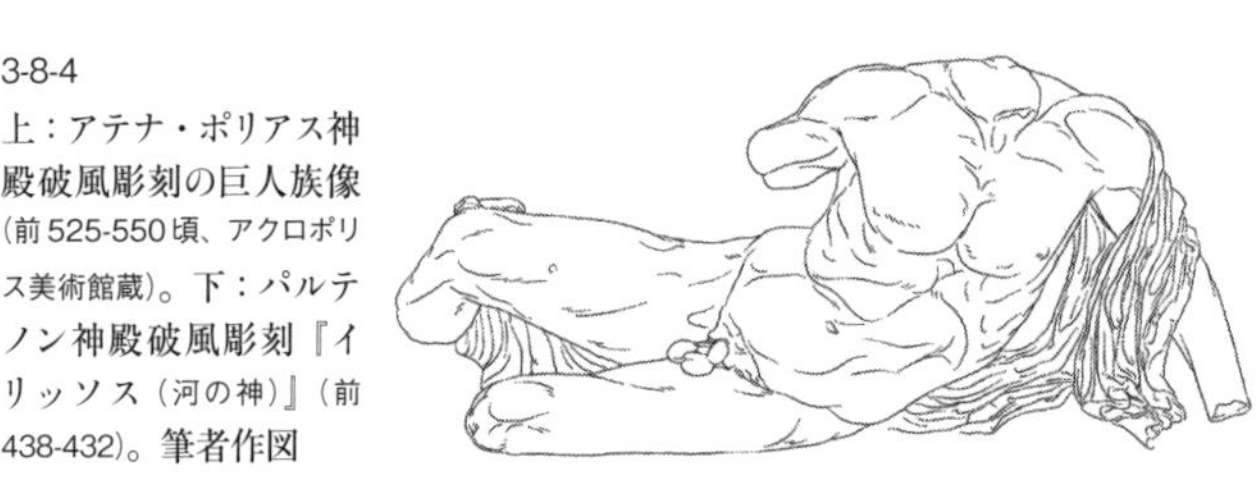

3-8-4
上：アテナ・ポリアス神殿破風彫刻の巨人族像（前525-550頃、アクロポリス美術館蔵）。下：パルテノン神殿破風彫刻『イリッソス（河の神）』（前438-432）。筆者作図

り方を工夫する必要が生じ、人体をパーツに分け、それらを組み合わせることで、なんとか完成させた。

図版3－8－4下段のような自然にひねった像が出現するのは、それから100年ほども後のことになる。

これはフェイディアスによるパルテノン神殿破風彫刻の描き起こし図である。上段の横たわった像と似た姿勢だが、体のひねりに無理がない。上半身は側屈し、右肩をやや前進させ、膝を立てた右脚は外旋している。回旋の度合いは上段より穏やかなものの、部分のつながりが自然になることによって、見事な人体が表現されている。

新しい技術の獲得

古代エジプトや古代ギリシャと異なり、現代はいろいろな見方や描画方法が編纂、紹介されていて、その気になれば技術を身につけることができる。しかし、全く何もないところから技術を獲得しようとすることは難しい。

レオナルド・ダ・ヴィンチの解剖図を見ると、1489年頃に描かれた図と1510年代に描かれた図で見方と描画方法が異なる。1489年頃の素描は陰影を表現するストロークが1方向に整えられ、起伏に沿っていない。これは光線の方向を描いているように見える。

1510年代に描かれた解剖図を見てみると、陰影を拾うと同時に起伏に沿ったストロークが見られる。絵画や彫刻を制作したことがある人ならわかるが、両者の形態認識はまるで異なる。前者は眼前の光景（触覚的要素を含まない）を描いていて、後者は立体を描いている。

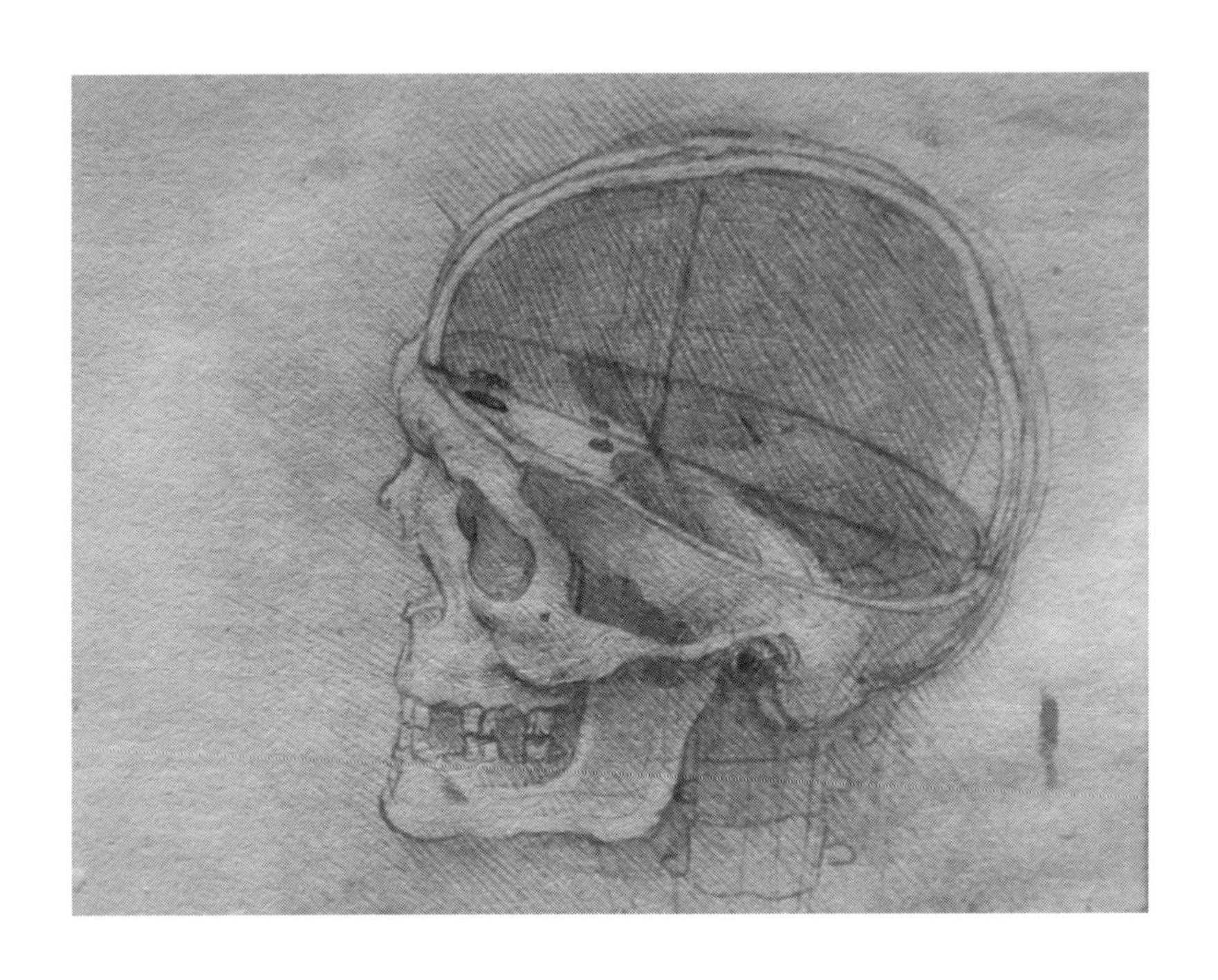

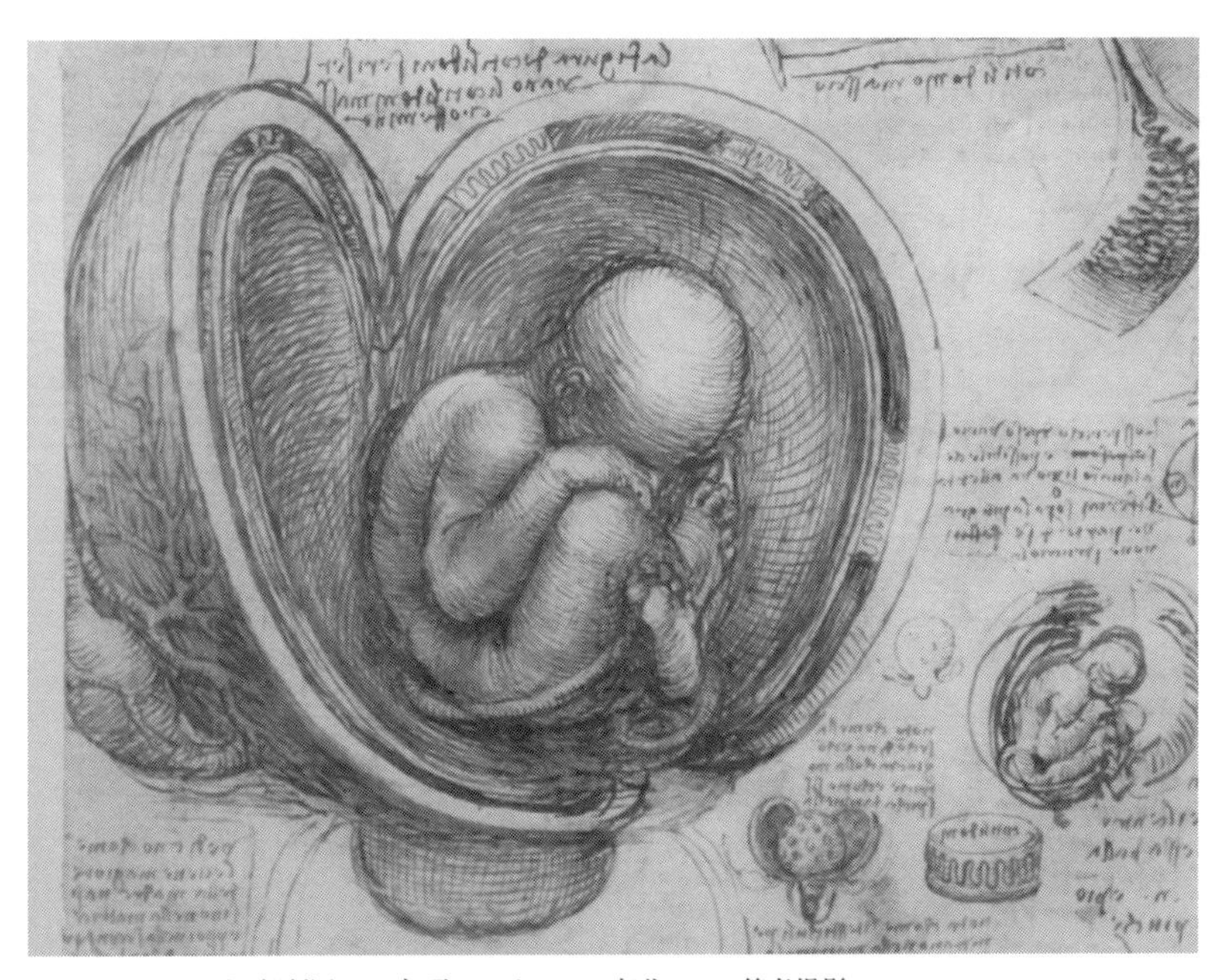

3-8-5 レオナルドの解剖図 1489 年頃（上）と、1510 年代（下）。筆者撮影

この描画方法は絵画作品にも通じている。ヴェロッキオの工房の頃に描いた『受胎告知』と、晩年の『モナリザ』では形態認識も異なるはずである。レオナルドですら新しい描画方法を獲得するまでに20年かかったということだ。

巷にあふれた技術を覚えることはたやすいが、新しい描画方法を編み出したり、更新したりするには時間がかかるのである。

実際よりも大きな手

美術作品を見ていて、手や足がひとまわり大きい作品があることにお気づきだろうか。ミケランジェロ、カラヴァッジョ、ロダン。彼らの作品を注意して観察すると手足がかなり大きいことに気づくだろう。

試しにロダン『考える人』の頭蓋と手の骨格を図示してみる。次に屈曲した手の骨格を真っ直ぐに伸ばすと、ほぼ頭蓋と同じ長さになる。通常の手は顎先から眉程度の長さなので、かなり巨大に造形されていることがわかる。ちなみに『考える人』の足も同様にかなり大きい。

なぜ手足が大きいのか。それは、人体で注目される箇所だからである。注視する箇所は印象として「大きく」感じられる。

例えば、対面でコミュニケーションをとるときには顔に注目する。顔の中でも「目は心の扉」というほど情報量が多いので、とりわけ目に注意が行く。漫画やゲームのキャラクターの頭や目が大きいのは、この習性に基づいたデフォルメと言える。現実にはいないが、実際にそうしたキャラクターが物語を演じていても、概ね不都合は起きない。

3-8-6
ロダン『考える人』の頭部に推測による骨格図を線描で示した。筆者作図

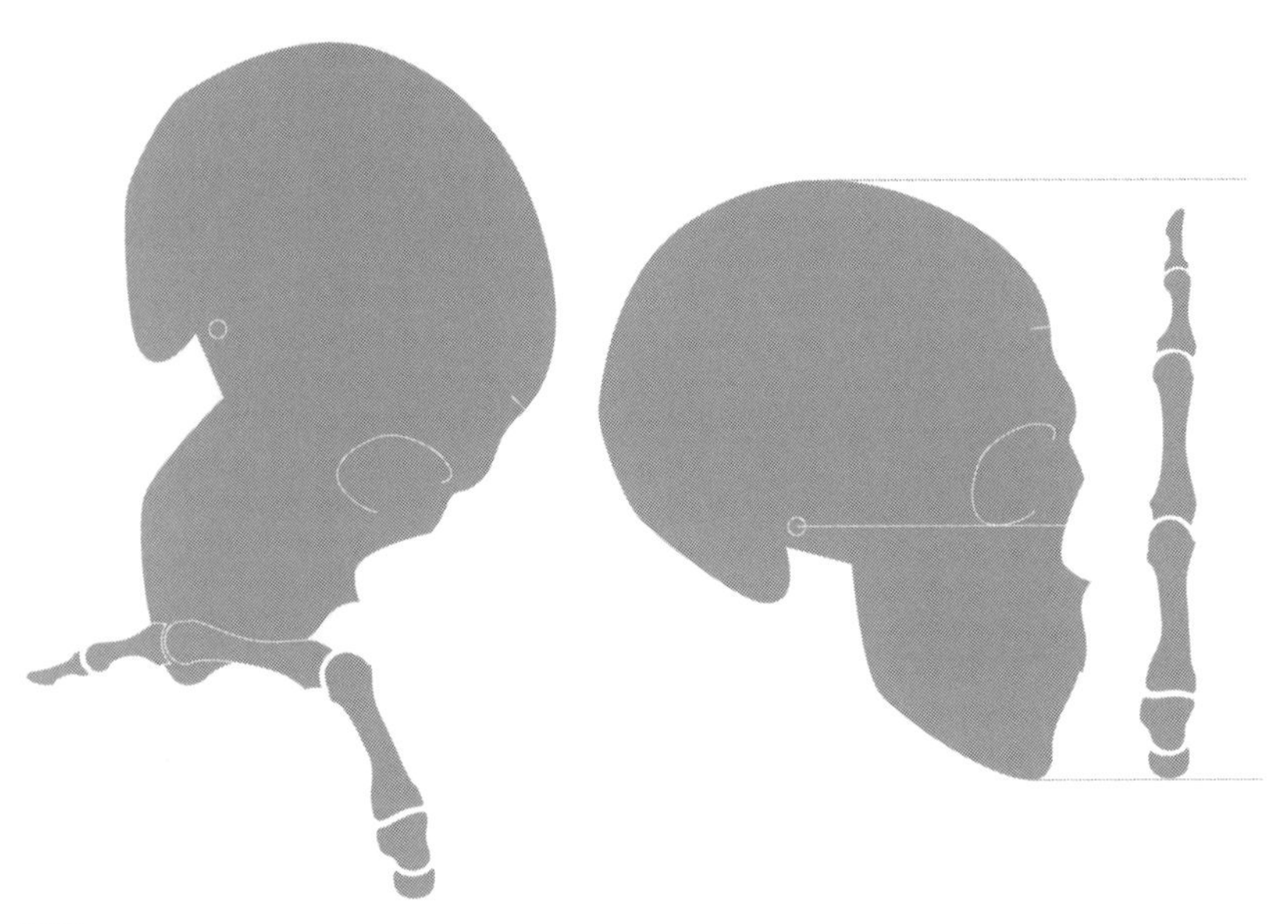

3-8-7
前図から抽出した骨格図の位置と姿勢を改変。手の骨格を真っ直ぐに伸ばすとほぼ頭蓋と同じ長さになる。通常の手は顎先から眉程度の長さ。筆者作成

顔に次いで手は情報量が多く、身振り手振りで相手とコミュニケーションを取る。足は手に伴って大きくなり、地面を摑み、姿勢や重心を示している。こうした調整はデフォルメの一種で、体の中で目につきやすい部分を大きく作って視覚補正を行っている。

性差のない表現

解剖学や美術において、性差はどのように扱われてきたのだろうか。調べてみると、結構曖昧であることがわかる。

解剖学の教科書では、男女の性差は、生殖器や骨盤内臓の配置が異なるという程度にとどまる。解剖図は、構造が体表から観察しやすい、筋の発達した男性図が採用されていることがほとんどだが、骨盤に関してはほぼ必ず男女の図が並んでいる。

発生的には、男女の生殖器はそれぞれ相同器官になっていて、発生初期には性別がわからない。つまり、共通の起源を持つということで、例えば卵巣＝精巣、子宮＝前立腺小室など対応する構造がある。

よく、男性の乳首は必要ないのになぜ存在するのか、という問いがある。この質問の解は発生を学ぶと簡単なことで、男女どちらにも同じ素材がないと、胎児の頃にどちらかの性に分化できないためである。人体には男女どちらの性別も名残がある。昨今よく取り沙汰されるＬＧＢＴも、男女どちらにも分化できるという性別のバランスによって生じていると考えれば不思議なことではない。

絵画や彫刻などの人体表現では、時代に応じて男女のトレンドが変わる。

古代美術では豊満な女性像が作られることが多かった。『ヴィレンドルフのヴィーナス』（前2万2000年頃、ウィーン自然史博物館蔵）や『レスピューグのヴィーナス』（前2万6000年頃、パリ人類博物館）などを中心に、見事な作例が残っている。

古代エジプトや古代ギリシャ時代になると、男性社会的になり、男性裸体像が多く表現されるようになった。古代エジプトなどの王制社会では王の尊厳を表現するために、健康的で発達した体型が採用されていったと考えられる。王などの集団の長だけでなく、拡大解釈すれば神々のような超人的存在がそれに該当する。

その美術的な要因の一つは、裸体像で起伏の数を多く表現するという条件の中では、男性の方が起伏を表現しやすいということが考えられる。起伏がはっきりしていた方が作者にとっては「作りごたえ」があり、複雑な起伏を再現できた方がクライアントや鑑賞者に技術の高さを示すことができる。

例えばミケランジェロは、女性像を制作する際にも男性をモデルに使用していたとされる。実際にミケランジェロ作品の女性の乳房は、その下にある大胸筋の起伏と馴染んでおらず、乳房と下腹部を除いて男性と差があまり見られない。

ミケランジェロはしばしば同性愛者と捉えられがちだが、表現という点で見ると、そうとも言い切れない。先ほども書いたが、痩せていたり、起伏がなだらかな体型は、解剖図に男性モデルが選ばれるのと同様に体表の起伏が見えにくい。解剖学を学び、皮下の構造を知っていたミケランジェロは、それらを表現したい気持ちが沸々と湧いていたはずである。「私の作品は、他の作家よりも人体表現が正確ですよ」とクライアントにプレゼンテーションすることもできただろう。

3-8-8
ミケランジェロ『曙』『夜』（メディチ家礼拝堂、フィレンツェ）。筆写撮影

ミケランジェロの『メディチ家礼拝堂彫刻群』の場合は「男性的な体つきをした女性像」であったが、その反対の「女性的な体つきをした男性像」もある。古代ギリシャ美術には「ヘルマプロディトス」という両性具有の作例がある。

ヘルマプロディトスは、ギリシャ神話のヘルメスとアフロディテの息子（名前もヘルメスとアプロディトスをつなげたもの）で、ニンフと交わって両性具有になってしまった美少年である。有名な作例の一つに『眠れるヘルマプロディトス（ボルゲーゼのヘルマプロディトス）』（ルーヴル美術館蔵）がある。

この像は原作が前155年頃のものとされており、台座のマットレスは1620年にバロックの巨匠ベルニーニが彫った。背中側から見るとうつ伏せに寝た女性像に見えるが、反対側へ回ってみると男性器がついている。

像として表現されるのは、このような外形的にわかりやすい、乳房も男性器もあるといったものが多いが、実際の両性具有はいろいろなタイプがある。オリンピックに出場して圧勝した陸上の女性選手が、性別検査の結果、精巣を併せ持っていることが判明したという報道があった。男性ホルモンの影響で体が発達したと考えられるが、本人も知らなかったことだった。

頭と体を付け替える

他には、顔と体で性が違う作例もある。19世紀に活躍した彫刻家、ジャン・バティスト・カルポーの『世界の四つの地域（通称：天文台噴水）』（1872）という彫刻作品がある。実物はパリのリュクサンブール公園の噴水彫刻で、複製がオルセー美術館に収蔵されている。

3-8-9
『眠れるヘルマプロディトス』(ルーヴル美術館蔵)。筆者撮影

この彫刻では、ヨーロッパ、アフリカ、アメリカ、アジア、四つの異なる人種の女性たちが地球儀と天球を支えている。このうちのアジア人は、ヘアースタイルが弁髪（べんぱつ）になっている。弁髪は、頭頂から後頭部付近の毛髪を残して剃り、残った髪を長く伸ばして三つ編みにした中国人男性の髪型である。

カルポーもモデルが男性ということを知っており、ワルシャワ国立博物館などに『中国人男性の頭部』という ブロンズ製の胸像が収蔵されている。この胸像は『世界の四つの地域』の習作となっている。

『世界の四つの地域』では、中国人男性の首から下の体が女性に変更された。首と体が巧妙に連結されているので、弁髪の風習を知らなければ、首から上が男性モデルとは気がつかないほどである。

頭部の性差がない、という作例は古代ギリシャにも見られる。例えば、紀元前5世紀に活躍したアルゴスの彫刻家ポリュクレイトスの作品である。現存する彫刻はローマ時代に制作された大理石製のコピー像だが、顔や足を計測すると、どのコピー像もほぼ同じ造形をしている。しかも、その比率は男性像でも女性像でも関係がない。

ポリュクレイトスは、生涯に1000体のブロンズ彫刻を制作したとされる。もし事実であれば、限られた時間で作業効率を向上させるため、型を使用していたと考えられる。特に顔は時間も手間もかかる部分である。男性とも女性とも取れるニュートラルな顔立ちの型を作成し

3-8-10 カルポー『世界の四つの地域』(1872、オルセー美術館蔵)。筆者撮影

ておいて、どちらの性別の像でも対応できるようにしていたのだろう。カルポーの『世界の四つの地域』に見られるような「男女の顔に性差がない」や、「顔と体の性差を変える」といったことは、古くから例がある。美術表現における男性らしさと女性らしさの差は、存在はしても絶対的なものではない。

造形の類似

人体像を数多く見たり、調べたりしているとよく似た作品に出会うことがある。通常であれば、芸術家が先人を真似て作っている。西洋美術では、先人の様式や表現を真似た作品は多い。それらの表現は「パクった」「パクられた」ではなく、テーブルマナーや挨拶のような共通言語に近い。

引用元を調べてみると影響や継承が明らかになって歴史が紡がれていることがわかるのだが、似ているのに全く関係性が見つからないこともある。

ミケランジェロの『河の神』（1525頃、カーサ・ブオナローティ蔵）と名付けられたマケット（彫刻の習作）は、古代ギリシャの巨匠フェイディアスが制作したパルテノン神殿破風彫刻『河の神』（438－432BC、大英博物館蔵）とよく似ている。ミケランジェロもパルテ

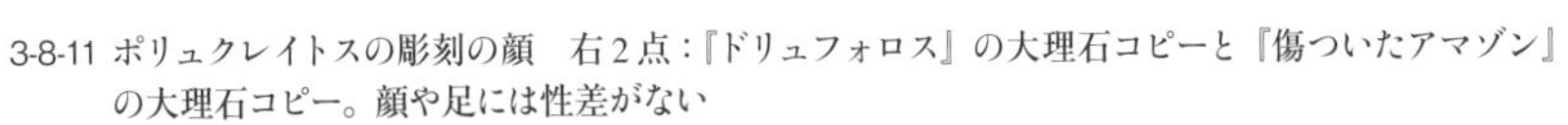
3-8-11 ポリュクレイトスの彫刻の顔　右2点：『ドリュフォロス』の大理石コピーと『傷ついたアマゾン』の大理石コピー。顔や足には性差がない

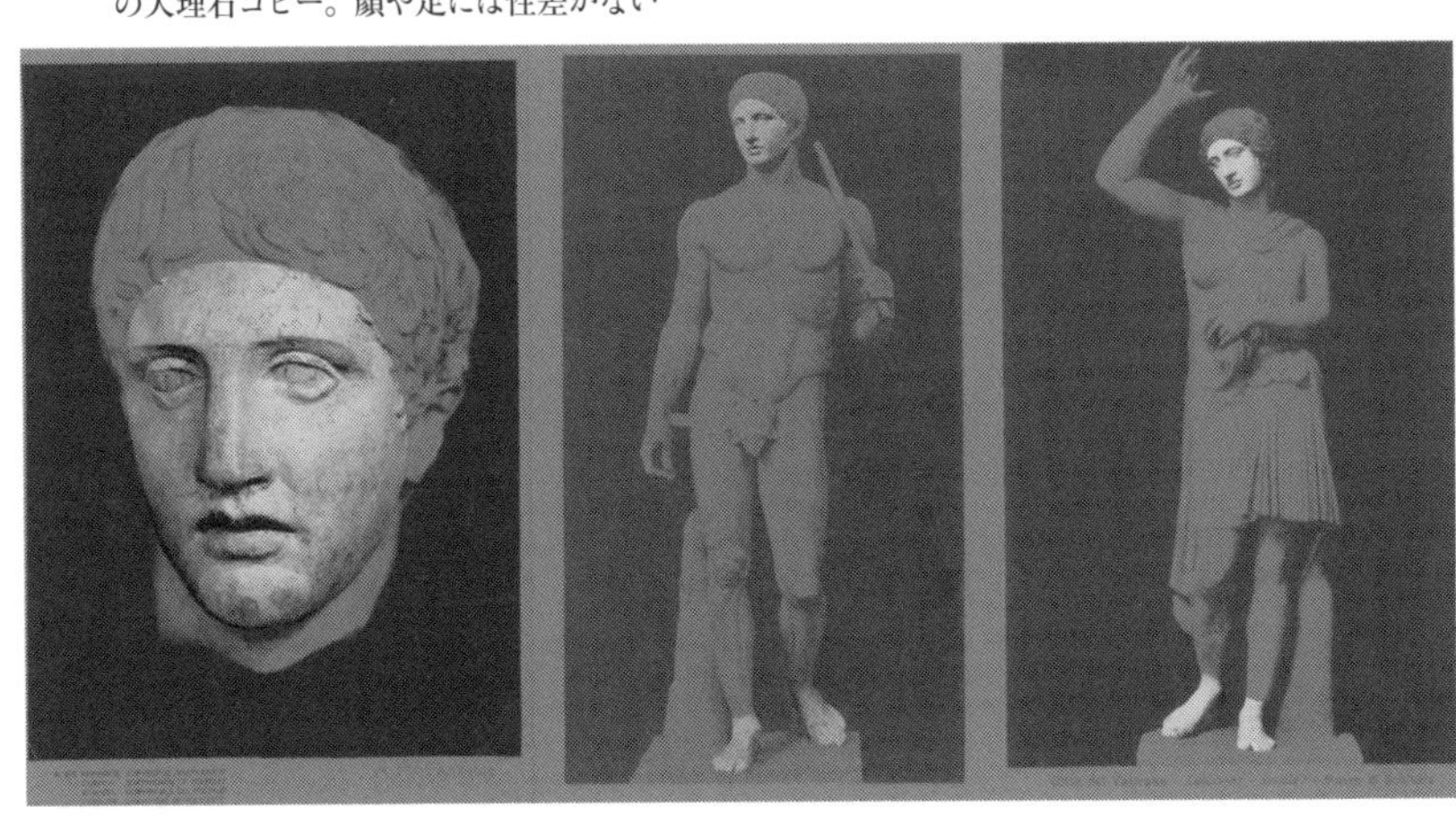

ノン神殿を見学したのか、と思ったが、ミケランジェロがパルテノン神殿を見た記録がない。調べてみると偶然が重なっている。

パルテノン神殿の破風彫刻は、現在は大英博物館に展示されていて、目線の高さで像を見ることができる。しかし、ルネサンスの頃には神殿の屋根飾りとして高さ10メートルの位置に設置されていた。肉眼で見てもかなり小さく、像の下の方は台に隠れていただろう。何より破風彫刻は現在ほど破損していなかったと考えられる。

パルテノン神殿が大幅に破損したのは、1687年のヴェネツィアとオスマントルコの戦いの際である。当時のパルテノン神殿はオスマントルコの統治下でモスクに改修され、戦争時には武器庫になっていた。そこにヴェネツィアが砲弾を撃ち込み、神殿内の火薬に引火して屋根が吹き飛んだ。

現在展示されている破風彫刻は、この戦火を経た後にもう一度破損される事態に見舞われている。イギリスの外交官だったエルギン伯爵トマス・ブルースが彫刻群を半ば強引にイギリスに持ち帰り、それらは大英博物館に収蔵された。大英博物館の当時のキュレーターたちは、像の汚れ（彩色）を落として白い大理石像にした方が良いと考え、あろうことか彫刻の表面を金属製のヘラで削り落としたのだ。

パルテノン神殿の彫刻群は、そうした「破壊」を経て現在に至っている。それがたまたまミケランジェロのマケットと似ているということだ。

しかし、像の形が似ているだけではない類似性を私は感じる（例えば自我の強そうな性格を表す逸話など）。うまく説明することができないが、人体表現を極めると似たような水準に近づくのかもしれない。

3-8-12
ミケランジェロ『河の神』(1525、カーサ・ブオナローティ蔵)。筆者撮影

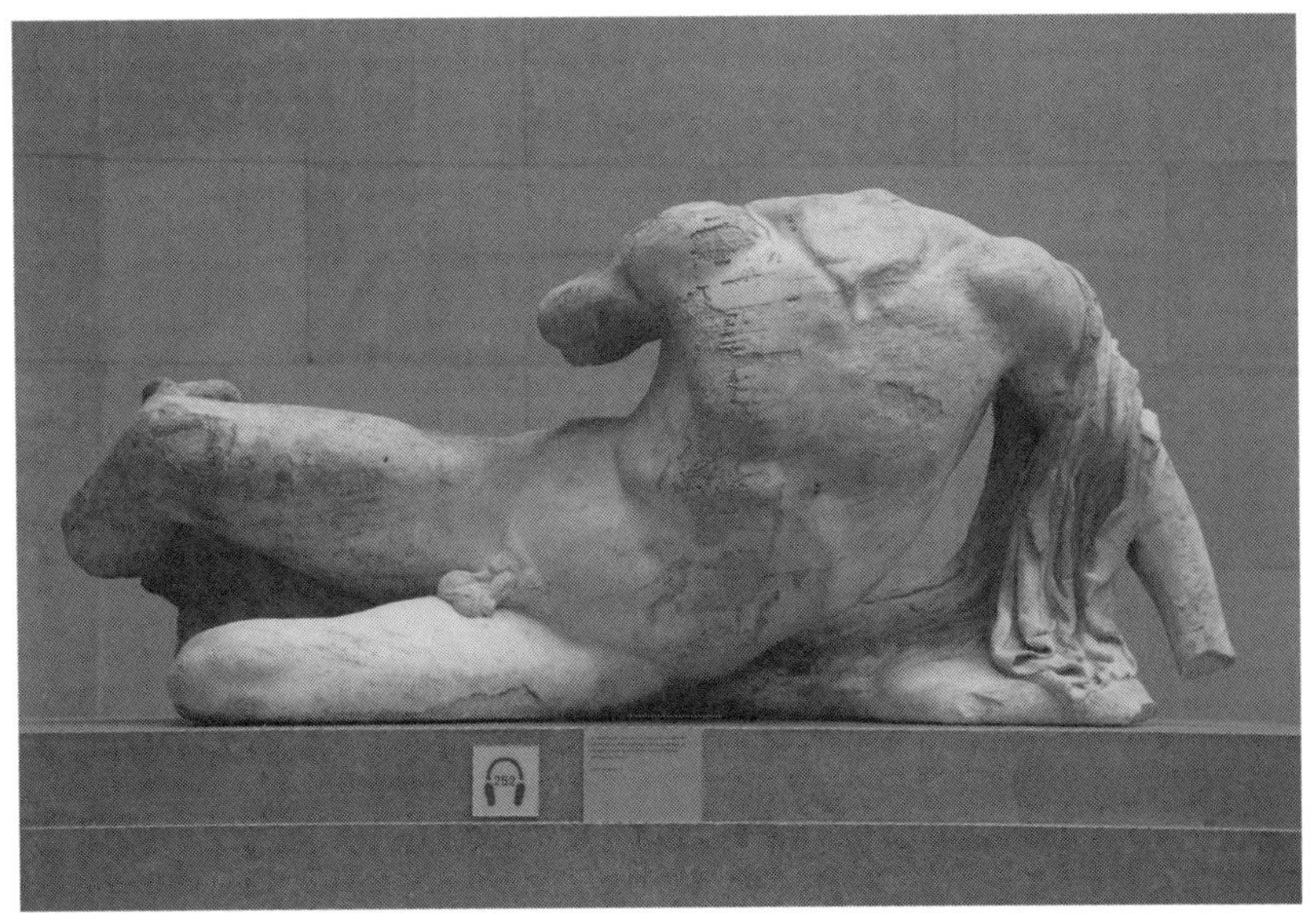

3-8-13
フェイディアスとその工房『河の神』(438-432BC、大英博物館蔵)。筆者撮影

神が観ている背中

古代ギリシャの巨匠フェイディアス（Phidias, 前490年代–前430年代）には、様々なエピソードが残っている。中には後世の人が偉業を称えて創作したものもあるだろう。しかしその物語には、芸術家の心を摑むよく出来た話があるのも事実である。

フェイディアスは、アクロポリスにあるパルテノン神殿の彫刻群の統括を任されていた。パルテノンの彫刻群は、パナテナイア祭りの行列を表現したフリーズ（薄肉のレリーフ）、ケンタウロス族との戦いであるケンタウロマキアを描いたメトープ（ハイ・レリーフ）、オリュンポスの神々と巨人族との戦いであるギガントマキアを描いた破風（丸彫り彫刻）、内陣に安置された本尊のアテナ・パルテノス像（像高約12メートル、表面が象牙と金で覆われていた）の4つに分けられる。どの造形も当時最先端の技術と様式を見事に融合させた作例である。

パルテノン神殿が完成した際に、アテナイ市の行政官は、フェイディアスへの制作代金の支払いを渋り、「誰も観ない背中側の制作費は支払わない」とケチをつけた。破風彫刻は屋根の下にある低い二等辺三角形のスペースに配置される彫刻で、すぐ後方は壁になっている。だからそこまで作らなくてよいという主張だ。

それを聞いたフェイディアスは「神が観ている」と答えた。行政官はそれに対して何も答えられず、代金をきっちり支払ったとされる。

誰も観ないところまできちんと作る。しかも、それはフェイディアスにとって神のためだった。このエピソードは、芸術家や美術解剖学の教育にとって豊かな示唆を与えてくれる（フェイディアスとアテナイ市の話には話の続きがあり、フェイディアスはパルテノン神殿の本尊「アテナ・パルテノス像」の盾に自画像を彫った罪や、本尊の材料を着服した罪で投獄され、アテナイ市を追放されている）。

私はフェイディアスの背中のエピソードを知ってからというもの、彫刻の背中をなるべく見るようにしている。確かに、背中は作家や作品によって作り込みに差がある。肩甲骨の造形に手が行き届いていないこともあれば、フェイディアスのように隅々まで見事に表現されたものもある。

おそらくフェイディアスは彫刻を単なる人工物だとは考えていなかったのではないだろうか。だから、誰も見ない部分であってもないがしろにしなかった。それは宗教彫刻、例えば、日本で言えば仏像彫刻に通じるものがある。

仏像は、博物館などで展示する際に僧侶が抜魂の儀を行うことがある。仏の依代（よりしろ）である像から魂を一旦抜いておく。私は仏教徒ではないが、仏像に魂が宿るという感覚は、何となくわかる。巨匠の作品や仏像と比較するにはあまりに貧弱な例だが、私も人体や自然物のイラストレーションを制作する際に、「これは、鉛の粉末や色のついた顔料を平滑な支持体に擦り付けた人工物である」とは思っていない。

美術解剖学を学ぶと、作品の表面に現れない部分とそれらのつながりに気を配ることができるようになる。骨や筋の位置関係、均整の取れたプロポーション、生き生きとした姿勢、中身が詰まったような起伏、デフォルメのコントロール。

この目は、作品が着衣であろうと、ヌードであろうと表面から内部構造を見通すことができる。美術解剖学の目を養って、より生き生きとした人体像を表現したいという欲求は、単なる人工物を制作するのではなく、より人体そのものに近づけたいという欲求であろう。そしてその探究は「人とは何か」というより根源的な欲求につながる。美術解剖学を学ぶことは「人を知る」ことにつながっているのである。

3-8-14 フェイディアスとその工房『ディオニュソス』（438-432BC、大英博物館蔵）の背中。筆者撮影

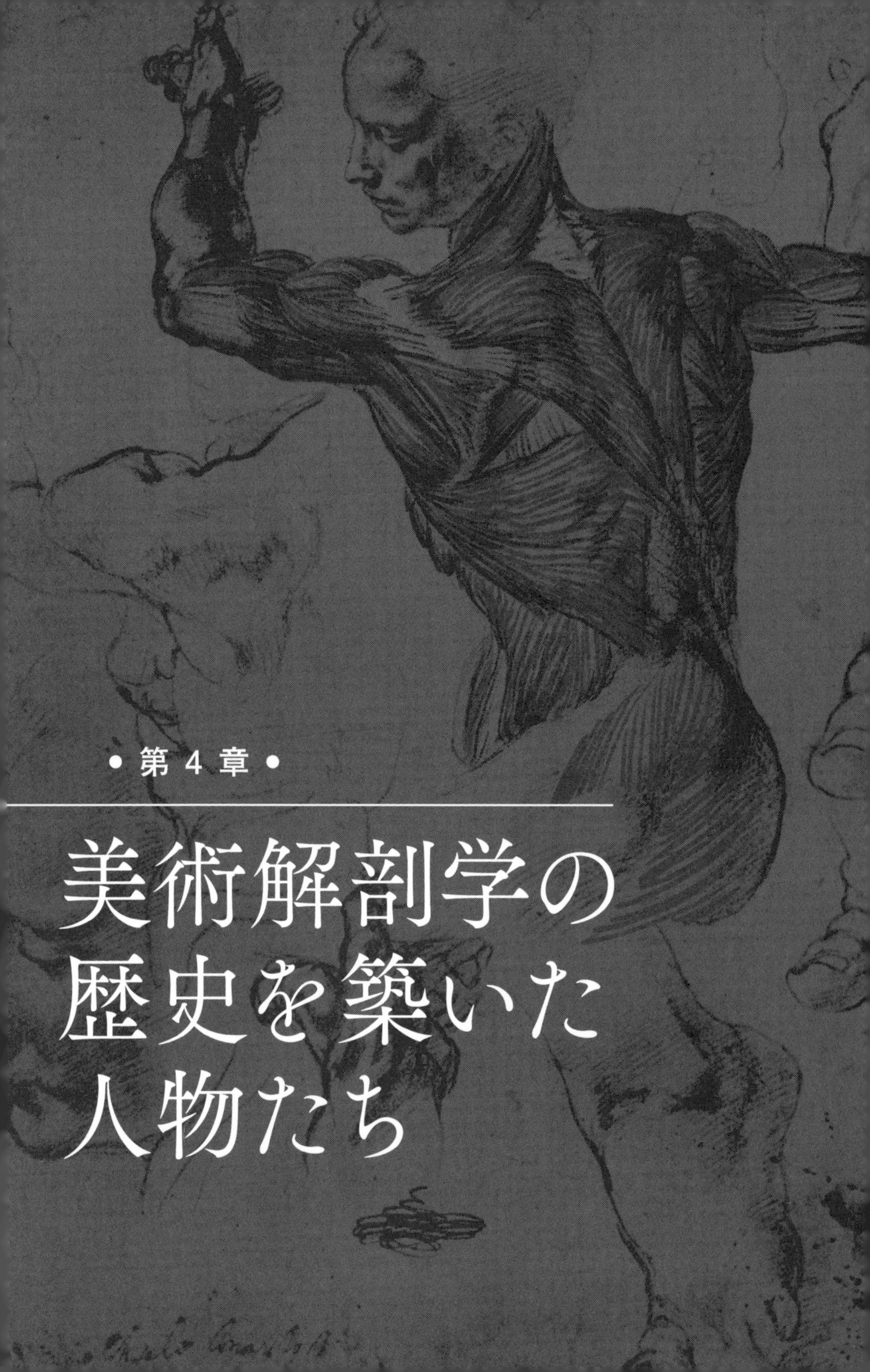

第4章

美術解剖学の歴史を築いた人物たち

本章では、歴史の転換となった画期的な美術解剖学に関わる作品や資料を残した人物をたどることで、美術解剖学がどのように発展し、今日に至ったかを俯瞰する。

「美術解剖」と「美術解剖学」を分ける立場からすると、「美術解剖」の始まりは15世紀末、盛期ルネサンスのフィレンツェである。レオナルド（Leonardo da Vinci. １４５２‐１５１９）やミケランジェロ（Michelangelo Buonarroti. １４７５‐１５６４）らが始祖ではなく、その少し前のポッライウォーロ（Pollaiolo, Antonio del. １４２９／33‐98）や、レオナルドの師匠ヴェロッキオ（Verrocchio, Andrea del. １４３５頃‐88）の頃に始まったというのが通説になっている。彼らに共通しているのは、表現や技術の習得のために人体解剖を行ったという点である。

古典復興を目指したルネサンスでは、他の工房との競争や古代ギリシャ・ローマの卓越した人体表現を超えるべく、より正確な人体描写の方法を試行錯誤した。その中で人体解剖を視覚芸術に導入するというアイデアが生まれたのだが、当時はまだ芸術家が表現の素養として人体解剖を取り入れたに過ぎず、他者に伝えるための学問体系として整理されていない。

ポッライウォーロの作品からは、解剖を体験したことの効用が読み取れる。描かれた人体像には、これみよがしに明瞭な筋の溝が入っていて、そのほとんどに解剖学的構造を当てはめることができる。これは、皮下に横たわる構造の連続を観察していなければ、表現できない。ルネサンス以前の中世でも「アダムとイヴ」や「キリストの磔刑」など、たびたび裸体像が表現されていたが、古代ギリシャやローマの裸体像と比較して観念的な形態で、体表の観察量が少ない、もしくは観察眼が養われていない。そもそも人体の写実性を高めるという意識も薄い。

ポッライウォーロもヴェロッキオも、解剖体をスケッチして記録に残すというアイデアや工房外へ発信された記録がなかったため、伝記で伝わる以上の物証はない。だが、それ以前の人体表現よりもはるかに多くの起伏が人体作品に表現されている点で、初期ルネサンスの人体表現とレオナルドの解剖手稿の間の時代の表現を埋める資料となっている。

§4-1—レオナルド

レオナルド・ダ・ヴィンチは1489年、1500年代、1510年代の三期に分けて解剖を行った。紙の貴重な時代に750枚近いスケッチと記述を残している。

レオナルドは、数多くの詳細な図を残したが、近代解剖学の始まりには位置付けられていない。理由の一つは、前述したように手稿に描かれた内容が自己研鑽のための記録であり、学問体系としてまとまっていないためである。

近年レオナルドの鏡文字が日本語に翻訳されて出版された（マーティン・クレイトン、ロン・フィロ著『レオナルド・ダ・ヴィンチの「解剖手稿A」』、グラフィック社）。和訳された鏡文字の内容を読んでもらえばすぐに理解できるが、自問自答形式の備忘録が多い。教科書として誰かに教えるた

4-0-1　ポッライウォーロ『裸の男たちの戦い』（1470年代、ヴィクトリア＆アルバート博物館蔵）。解剖学的に説明可能な起伏や溝が数多く表現されている。筆者撮影

めに書かれた文章ではなく、自己研鑽のため、あるいは後世の人に課題を託す、というスタイルである。

レオナルドのスケッチは様々な前提に基づいて描かれている。例えば、レオナルドは古代ローマの医学者ガレノスの記述を読んでいた。その証拠は、7つに分割された胸骨の図に見られる。

胸骨を7つに分割して描くのは、ガレノスがマカクザルの解剖を行って得た知見を「ヒトとほぼ同じである」として記述していた内容と一致する。実際の成人の胸骨は、胸骨柄（へい）、胸骨体、剣状突起の3つのパーツからなる。10代前半の子供の骨格では胸骨は分節しているが、成人になるにつれて癒合する。

この図においては、寛骨（かんこつ）は癒合しているので成人の骨格であることがわかる。レオナルドは、実際には存在しないガレノスの記述を素描に当てはめて描いたと考えられる。しかしながら分割線の位置は正確で、実際の子供の胸骨と同様に肋軟骨が連結する高さに引かれている。

解剖学を学ぶことは、ガレノスの記述のような教科書だけでなく、解剖学を教えてくれる人の手引きによる所も大きい。レオナルドはパドヴァ大学の解剖学者マルカントニオ・デッラ・トーレ（Marcantonio della Torre. 1481-1511）から解剖学を学んだ。両者は共同で解剖学書の執筆を計画していたが、デッラ・トーレが病に倒れ、未完に終わった。

おそらくレオナルドはデッラ・トーレの存命中に様々な知識を教わっていたことだろう。そ

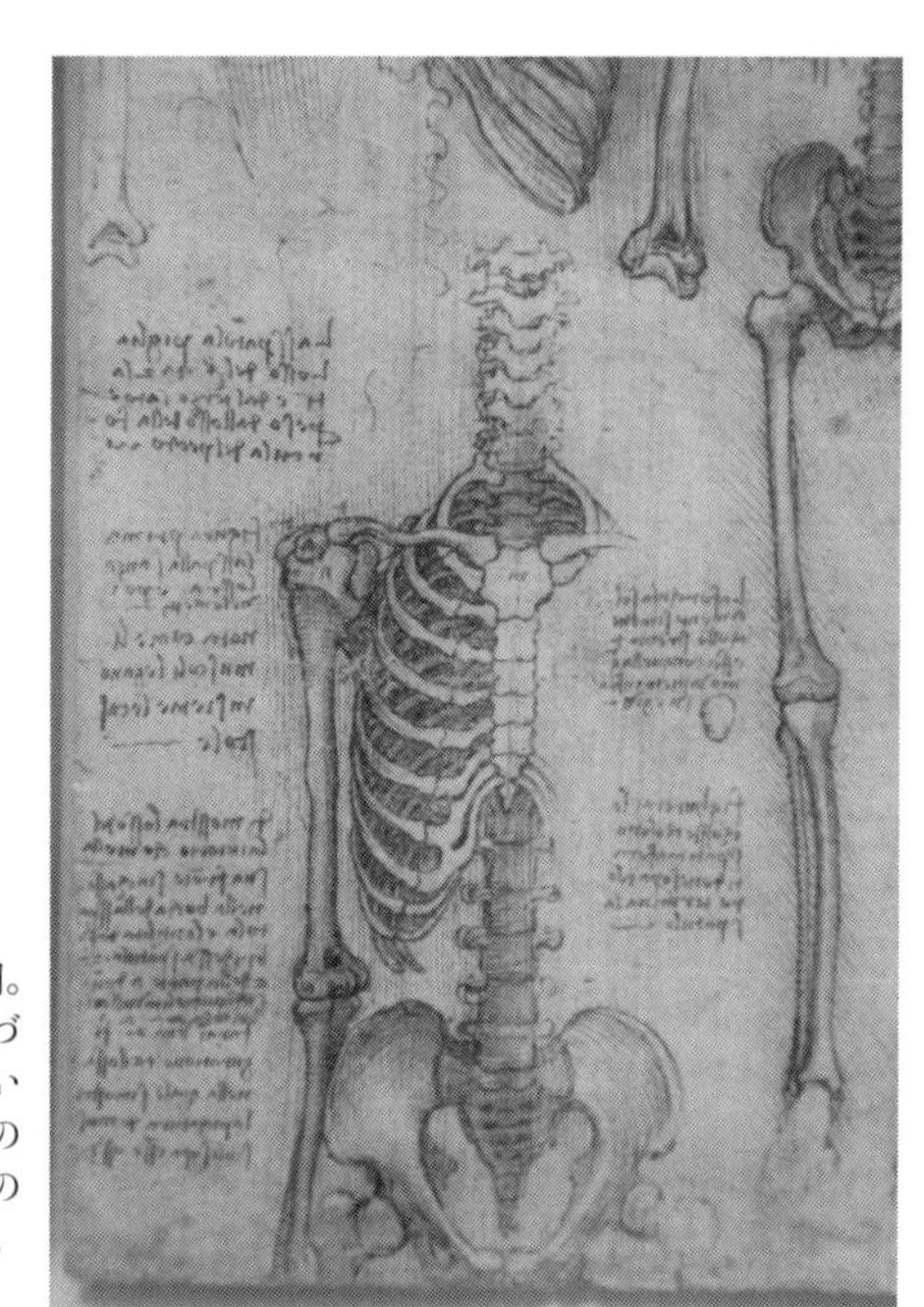

4-1-1
レオナルドの胸骨の図。ガレノスの記述に基づき7つに区切られている。分割線は胸骨体の接合部と同じ肋軟骨の高さに引かれている。筆者撮影

こには血管や神経、内臓といった、多くの芸術家が美術には直接関係がないと思っている構造も含まれていたはずである。なぜなら医学では内臓や血管、神経が治療に大きく関わるためだ。

なぜレオナルドは美術に関係ないと思える構造まで踏み込んで研究したのか、少し類推を交えて考えてみたい。美術解剖学を学ぼうとする学生に、神経や血管を説明しても、はじめはそれらに興味が持てないことが多い。私も最初はそうだった。人体の外形に影響しない構造は、造形に必要がないと考えてしまうのであろう。

しかしそれらの形や分岐、構造を知っていくと、次第に見方や楽しみ方がわかるようになって（人によっては）のめり込む。まるで仲の良い知り合いになったような親近感を覚えてくる。初学者にとっては知らなかった知識が、解剖学者からスラスラと聞けるとなお面白く感じられるだろう（ただし、ある程度知識が増えると、博学な人から知識を聞くよりも、博学に至った経路や姿勢を学んだ方がいいと感じるようになる）。

解剖学者が初学者に教える構造は、言い方を変えれば、対象の「見方」や「見どころ」である。

医学部の学生は、手術や治療に重要な血管や神経、内臓を重視する。それは症例とセットで覚えるためだ。反対に筋や骨に興味が湧かない学生や教員が多かった（少なくとも私の周囲では）。ところが理学療法の学生になると筋骨格を重視する。領域によって構造の重要度は変わる。人体構造を要不要で分けるのは、専門性の高さの現れでもある。

ともかくレオナルドは、骨や筋のみならず血管や神経、内臓の見方を知っていた。この理由の一つはヴェロッキオの工房時代に『受胎告知』を描いたことと関係しているのではないか。

ご存じの通り「受胎告知」というテーマは、聖母マリアがキリストを身籠ったことを天使が

4-1-2
レオナルド『受胎告知』（1472-75、ウフィツィ美術館蔵）。筆者撮影

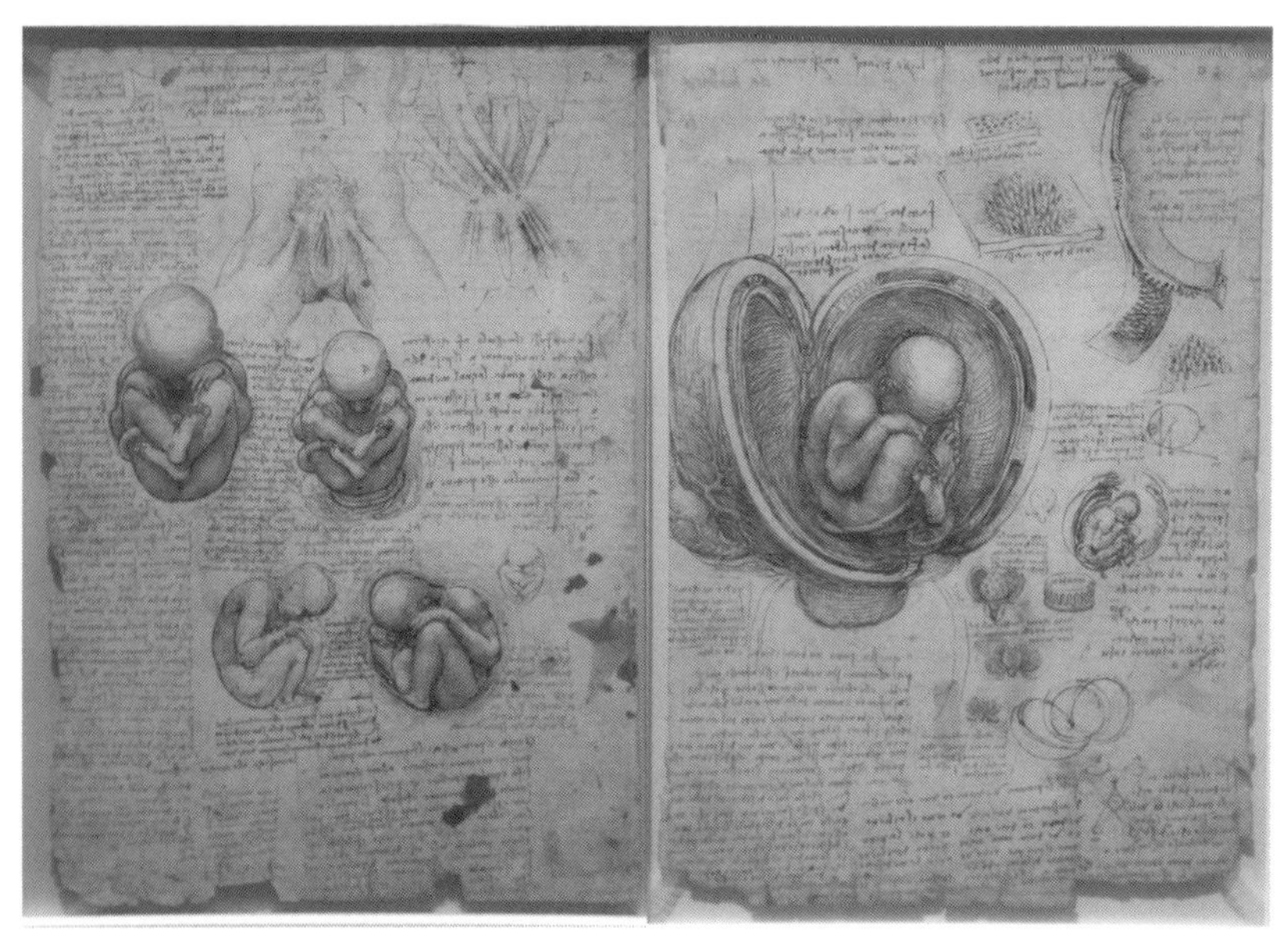

4-1-3
レオナルドの胎児と子宮の図。筆者撮影

伝えにきた場面を表したものである。鑑賞者の意識の先は、自ずとマリアの下腹部（子宮）に向けられ、そこに胎児のキリストの存在を予感する。

たとえ描かない対象であっても、作者がその対象を実感し、意識しているかどうかは作品の仕上がりに大きく影響する。ルネサンス人はどうなっているかわからない対象をわからないまま描くのではなく、どうなっているか把握して描くことを選んだ。レオナルドの場合は、「受胎告知（＝妊娠）」の表現と「解剖学」が重なっていたのではないだろうか。

§4-2 ミケランジェロ

レオナルドと比較される巨匠にミケランジェロ・ブオナローティとラファエッロ・サンティがいる。

ミケランジェロは17歳の頃に、フィレンツェのサント・スピリト教会で解剖を体験した。この教会には附属病院があり、そこの遺体を解剖していた。ミケランジェロは臭気に耐えられず、解剖の半ばで投げ出したとされるが、教会に礼として木彫の磔刑像を奉納している。この木彫像は、ミケランジェロの作品としては華奢でなだらかな体つきをしており、後年の躍動感あふれる人体像と比較して静かな作品である。

ミケランジェロの人体表現は、レオナルドと比べて姿勢が様々で躍動感がある。その秘密は強い回旋（かいせん）である。ミケランジェロの彫刻に表現された姿勢は、実際の人体で行うにはかなり力を入れる必要のある姿勢で、体幹や四肢を可能な限りひねることで、視覚的な躍動感を向上させている。蛇状にうねった姿勢であることから「フィグーラ・セルペンティナータ（figura serpentinata、蛇状姿勢)」と呼ばれ、後の時代に影響を与えた。

フィグーラ・セルペンティナータのきっかけとなったのは『ラオコーン群像』である。この見事な彫刻が発掘されたのは、1506年のローマである。当時フィレンツェのメディチ家礼拝堂の彫刻群を制作していたミケランジェロは、発掘の知らせを受け、直線距離で270キロ以上離れた発掘現場へ駆けつけた。発掘に立ち会ったミケランジェロはラオコーン像によほど感銘を受けたのか、フィレンツェのメディチ家礼拝堂内の住み込み部屋の壁に記憶を頼りにラオコーンの頭部を描いている。

ラオコーン体験後のミケランジェロ作品には、その影響を受けた作品が見られる。ルーヴル美術館に収蔵されている『抵抗する奴隷』(1513－16)と『瀕死の奴隷』(1513－15)である。どちらもラオコーンの姿勢の一部が採用され、『抵抗する奴隷』では、体幹の回旋が、『瀕死の奴隷』には頭部と発掘時に欠損していた右腕の姿勢が取り入れられている。

欠損した右腕と書いたが、見ていない右腕の姿勢がどうして影響したと言えるのか。実はラオコーンの右腕には、ミケランジェロとラファエッロの人体観を窺い知るエピソードがある。

発掘当初、ラオコーンの右腕は肩から先が欠損していた。ミケランジェロは「右腕は肩を越え(肩より高い位置)、手は頭の後ろに回っていただろう」と推測した。その推測を元に生まれ

4-2-1
『ラオコーン群像』(前45年頃、ピオ・クレメンティーノ美術館蔵)。20世紀に入って右腕の破片が見つかり、それまでの補修が除去された。筆者撮影

たのが『瀕死の奴隷』の姿勢である。

　発掘後にラオコーン像を所有したローマ教皇ユリウス2世は、像の欠損部を補修すべく芸術家たちにコンペティションを命じた。コンペの審査員は教皇お抱えの画家ラファエッロである。

　ラファエッロは審査の結果、腕を高く上げた姿勢がこの像にふさわしいと判断した。その後コンペ結果に基づく補修が行われ、20世紀初頭までは腕を高く上げた姿勢のラオコーンが展示されていた。そのため、石膏像やコピー像には右腕を高く上げたラオコーン像が残っている。

　ところが1906年、ローマで大理石製の右腕の破片が発掘され、ラオコーン像に様式が似ているとしてヴァチカン美術館に持ち込まれた。破片はその後しばらくの間、バックヤードで放置されていたが、1950年代になって状況が急変し、それがラオコーンの右腕であることが判明した。

　像の補修は全て取り払われ、オリジナルの右腕が取り付けられた。オリジナルの右腕はミケランジェロが推測したように頭の後ろに手を向けて肘

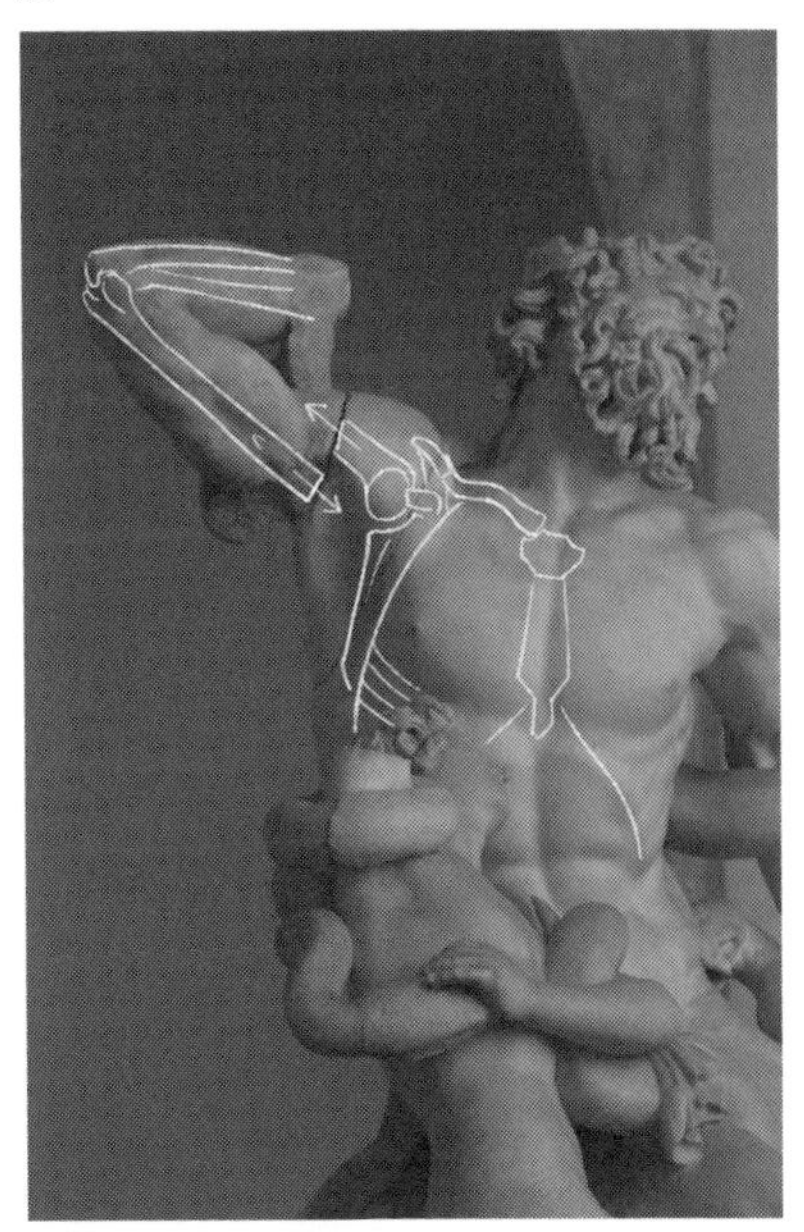

4-2-2
ラオコーンの骨格の推測図。筋の付着部から推測した上腕骨のつながりが途切れて見える。筆者作成

4-2-3
ミケランジェロ『瀕死の奴隷』(1513-15、ルーヴル美術館蔵)。筆者撮影

を曲げていた。ラファエッロの審美眼は通用しなかったのである。

ちなみに個人的には現状の補修でも不十分に見える。腕の破片と胴体の間を埋めている肩の補修が自然に見えない。特に烏口腕筋(うこうわんきん)と大円筋、広背筋の停止のつながり(=上腕骨のつながり)が不自然である。右腕の角度は『瀕死の奴隷』とまではいかないものの、もう少し上を向いていたのではないか。

ミケランジェロは解剖体験と裸体の観察に加えて、古代ギリシャの造形から螺旋(らせん)形の姿勢を学んだ。その結果、躍動感のある人体像を表現することに成功した。レオナルドと比較すると、骨と筋の造形はより目に飛び込んでくるものの、内臓が意識されている気配は少なく、謎めいた印象も少ない。ミケランジェロに「受胎告知」をテーマにした作品はなく、それに準ずる作品としては、キリスト出産後の「聖母子」や「聖家族」がある。

「ミケランジェロの謎」と「レオナルドの謎」というタイトルの数を比較したら、おそらく「レオナルドの謎」の方が圧倒的に多いのではないか。レオナ

4-2-4
ラファエッロの審査による腕を高く上げた姿勢のラオコーン。19世紀末の写真絵葉書。筆者蔵

4-2-5
ミケランジェロ『トンド・ドニ(聖家族)』(ウフィツィ美術館蔵)。筆者撮影

ルドの内臓的な表現は、作品に表現されていない要素を読み解くという楽しみ方ができる。対してミケランジェロの筋骨格的な表現は、謎めいた部分がほとんどなく、観察眼と表現力の全てが見えるように表現されている。こちらは表現された要素を発見するという楽しみ方ができる。両者の表現の違いは、美術解剖学の効用の違いとして興味が尽きない。

§4-3 ― デューラー

レオナルドの解剖手稿が画家の目に触れた機会は少ない。手稿を閲覧したことがわかっているのは、弟子のフランチェスコ・メルツィ(Melzi, Francesco. 1491-1570)、ジョルジョ・ヴァザーリ(Vasari, Giorgio. 1511-74)、ベンヴェヌート・チェリーニ(Cellini, Benvenuto. 1500-71)、アルブレヒト・デューラー(Dürer, Albrecht. 1471-1528)である。

このうち、後の時代の美術解剖学に大きく関わったのはデューラーで、彼の残した「ドレスデン・スケッチブック」には、骨格など自己研鑽のための解剖図がいくつか描かれている。その中にはレオナルドの手稿の複写も見られる。

デューラーは、レオナルドの存命中に本人に面会し、手稿を閲覧しただけでなく複写もしていた。デューラーが複写したのは、上肢や下肢の筋骨格や腕神経叢の線図である。複写に線図を選んだ理由は、複写の際にズレが少ないためだろう。陰影がつけられた図だと線数が多くなり、線を引く手数が増える分、原図からのズレも大きくなる。

美術界の大御所に謁見(えっけん)した上、複写させてくれと頼んだデューラーを想像すると、自己研鑽に対して実直かつ、鉄の心臓の持ち主だったのだろう。

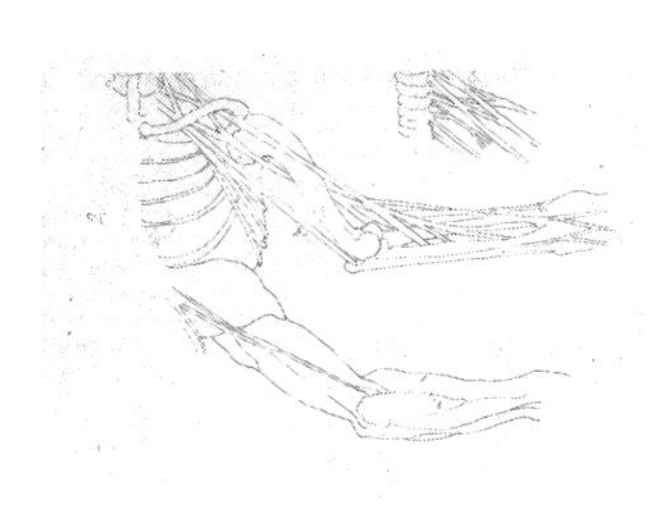

4-3-1
デューラーによるレオナルドの手稿の複写(1517, ドレスデン・スケッチブック)。複製版、筆者蔵

デューラーはその後、人体プロポーションに強い興味を持つようになる。デューラーの手稿「ドレスデン・スケッチブック」やそれをまとめた『人体均衡論四書』（1528、没後の編纂）から多岐にわたる研究をしていたことが窺える。

中には20世紀に入って美術解剖学に導入された描画方法もある。例えば、人体の部位を箱型ないし長方形に置き換えて捉える方法や、断面を加えて立体的に把握する方法などがある。これらの描画方法は現代でも通用する。例えば、「作画崩壊しない人体の描き方」などと流行りの言葉で紹介すると、多くの初学者が反応するだろう。

デューラーの手稿の多くは、体表観察で得られる情報から具体的な描画方法と形態把握方法を編纂している。レオナルドの場合は、純粋に構造を示すことに専念しており、描画方法や形態把握方法に関する図などの要素は少ない。デューラーは手稿を描いている最中から、芸術家に向けて技法を伝えようとしていたように見受けられる。

これらは実際に（没後ではあるものの）『人体均衡論四書』として出版された。ここに書かれた描画方法は、時

4-3-2
断面の組み合わせで捉える方法や、人体を箱型で捉える方法。複製版、筆者蔵

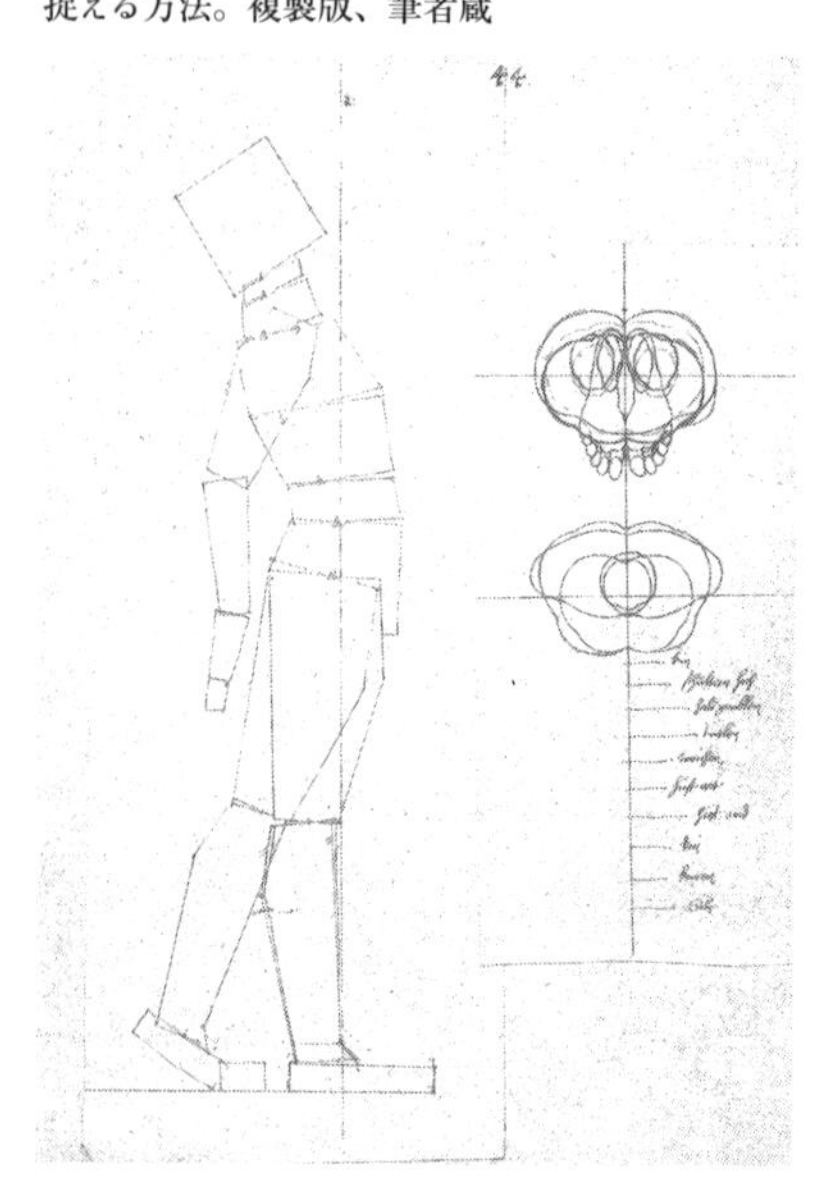
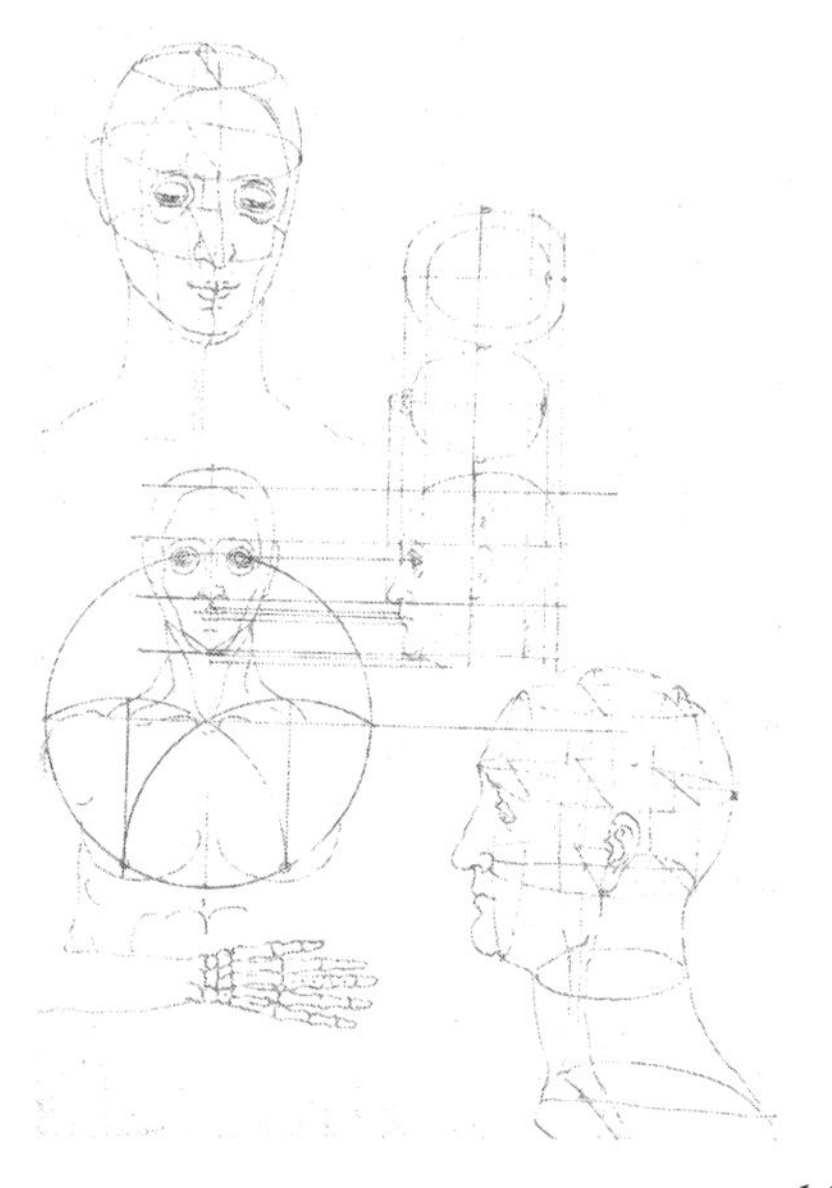

代を超えて様々な芸術家に伝わり、現在の美術解剖学教育にも応用されている。

§4-4 ヴェサリウスとティツィアーノ

レオナルドの解剖手稿から約50年後、パドヴァ大学の解剖学者アンドレアス・ヴェサリウス(Vesalius, Andreas. 1514-64)によって解剖学が一新された。それまでの解剖学者はガレノスのテキストを読み上げるのみで、実際には身分の低い者が遺体を解剖していた。

そうした慣習に疑問を抱いたヴェサリウスは自らの手で執刀し、真実は人体の中にあると説いた。そして、近代解剖学書の始まりとされる『ファブリカ(De Humani Corporis Fabrica)』(1543)を執筆した。

木版による解剖図は、美術解剖学の歴史では長い間ティツィアーノが描いたとされてきたが、現在はティツィアーノ派の画家によって制作されたと考えられている。しばしば名前が出るのはティツィアーノの工房のカルカール(Calcar, Jan van. 1499-1546)という画家であるが、彼は、『ファブリカ』の後に出版された『エピトメー(De Humani Corporis Fabrica Librorum Epitome)』(1543)の図を手がけたことが判明しているのみである。

ファブリカの図版は、それ以前や以後100年の間に出版されたどの解剖図よりも描写が群を抜いている。これは、知識や情報を整理して描くだけでなく、実物を観察し「ながら」描いたためと考えられる。観察しながら描いていない作品の写実性は極めて低い。

『ファブリカ』の見事な図は医学だけでなく、美術領域にも伝わり、18世紀まで様々な美術解剖学書にコピーされた。200年以上引用され続けたのは、現代的な感覚からすれば驚異的なロングセラーに思えるが、当時は書籍も少なく刷新は緩慢であった。

§4-5 アルフェとクーザン

『ファブリカ』の出版から約50年後の16世紀末には、美術技法書の中に解剖学の記述が登場する。第1章で紹介したスペインの版画家アルフェ・イ・ヴィヤファニェによる『彫刻と建築の様々な同一基準』（1585）と、フランスのフォンテーヌブロー派の画家クーザン（子）による『肖像の書』（1571?-1595）である（1-12参照）。

どちらも美術理論書として編纂され、全体の中の一項目に解剖学が紹介されている。一応は骨系や筋系として体系立てられているが、単独の内容の書籍としては出版されていないことから、当時は独立した学問としては成立していなかったと考えられる。「美術表現のために人体解剖を引用した」に近い。

4-4-1
『ファブリカ』の骨格図

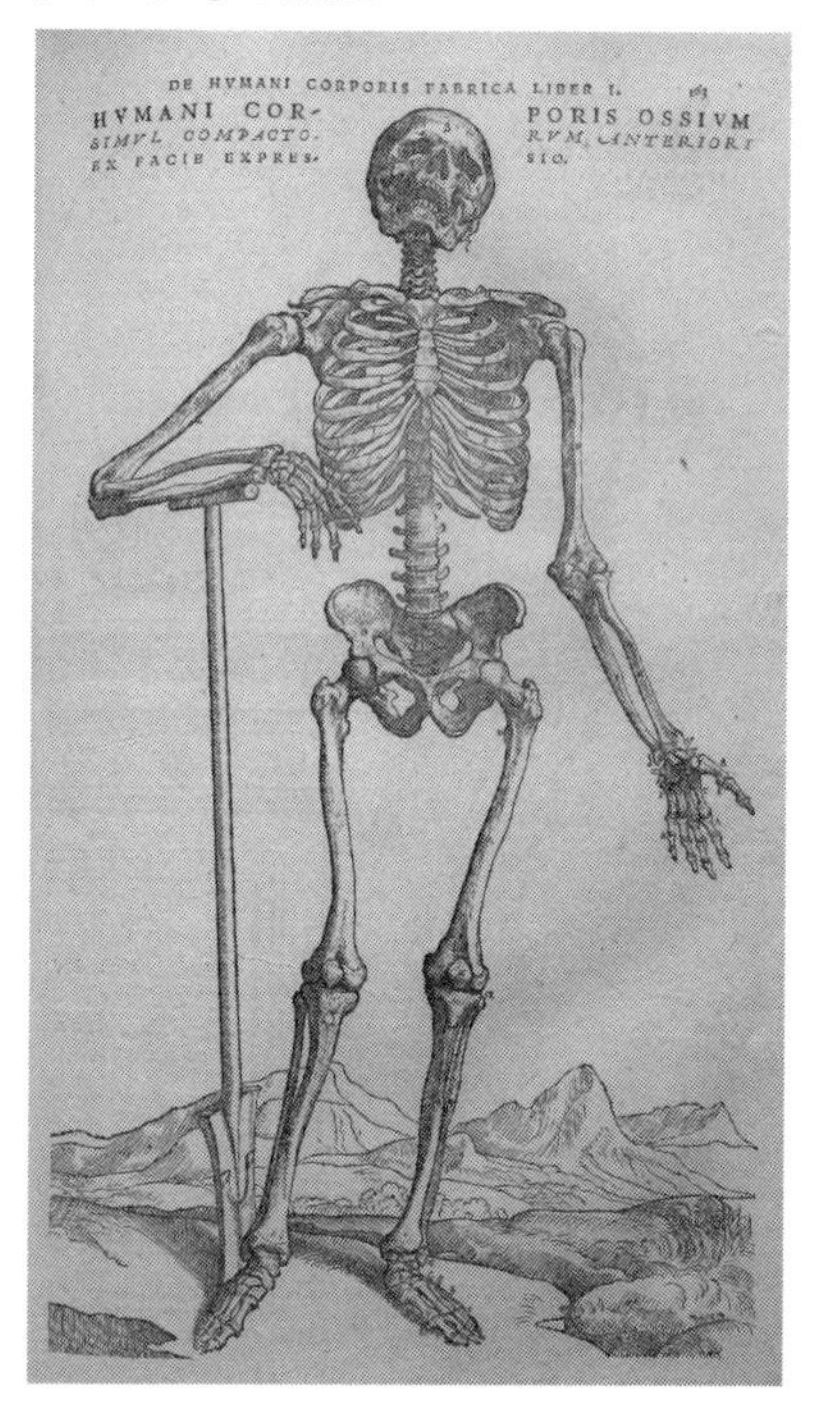

4-4-2
マティアス・デュヴァルの歴史書に記載されたティツィアーノ作とされる骨格の素描。筆者蔵

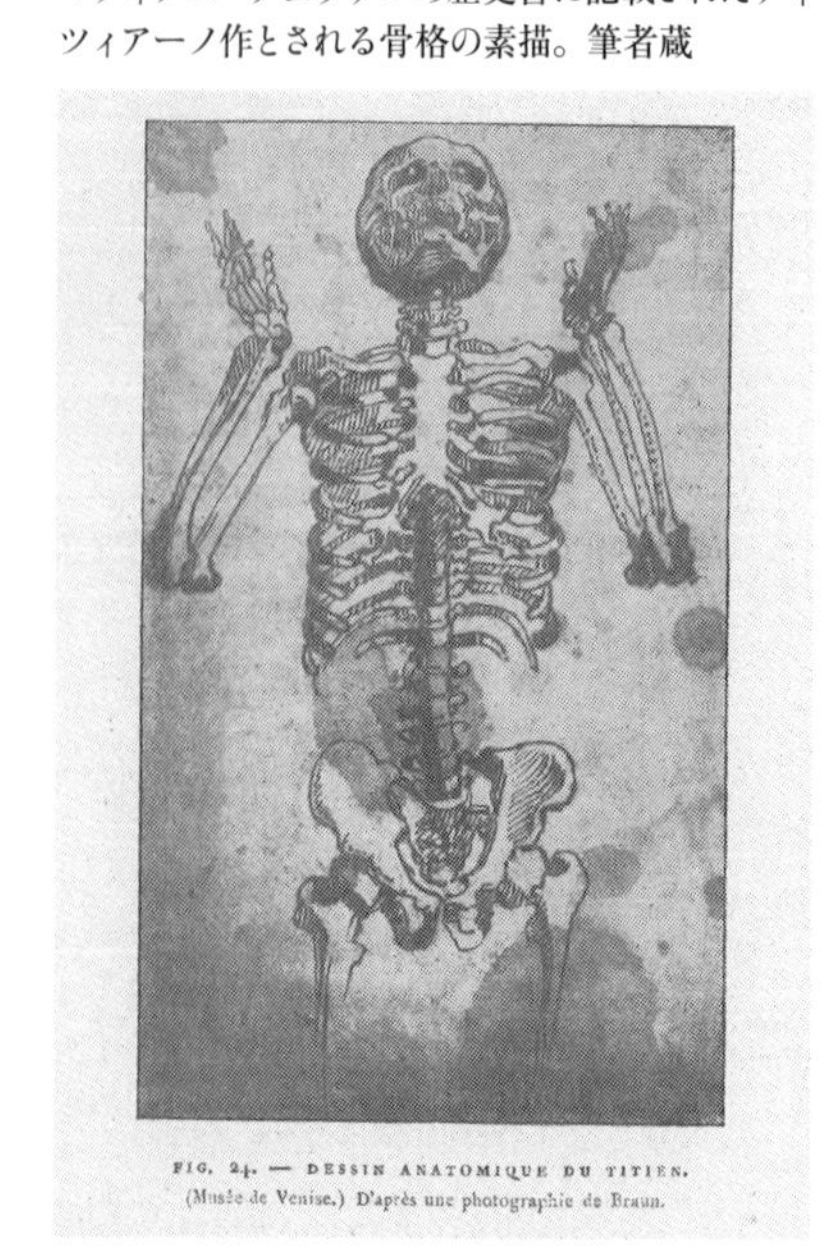
FIG. 24. — DESSIN ANATOMIQUE DU TITIEN.
(Musée de Venise.) D'après une photographie de Braun.

美術解剖学が、単独の学問として成立したのは17世紀頃のことである。1648年にパリ国立高等美術学校の前身である王立絵画彫刻アカデミーが設立されると同時に、解剖学講座が設置された。

解剖学講座の初代講師は外科医のクワトロー（Quatroux, François. 1593－1672）が務めた。パリ国立高等美術学校のコマールが編集した『Figures du corps』（2008）によれば、正式な記録として彼の名が残っているのは1651年で、最古の授業記録が残るのは1666年1月である。

そして、最古の授業記録のおおよそ10年後には、イタリアの画家のセシオ（Cesio, Calro. 1622－82）による『画家の解剖学』（1679）が出版された。この書籍は芸術家向けの解剖学の単著（単一の内容の書籍）として編纂されている。教育機関に講座が組み込まれたことと、単一の内容の書籍が出版されたことから、17世紀頃から体系立った学問として「美術解剖学」が成立したと考えられる。

§4－6 レンブラントとホーホストラーテン

オランダの画家レンブラント・ファン・レイン（Rembrandt Harmenszoon van Rijn. 1606－69）は第1章で紹介した『テュルプ博士の解剖学講義』（1632）のほかに、『デイマン博士の解剖学講義』（1656、アムステルダム歴史博物館蔵）を描いた。

後者は火災で一部しか残っておらず、その全体像を窺い知ることはできないが、ヨアン・デイマン博士による脳解剖の様子が描かれている。現存する絵画の中で頭蓋冠（とうがいかん）を持つのは助手で、デイマン博士は解剖体の後ろで硬膜を持ち上げている人物である。解剖体はマンテーニャの『死せるキリスト』（1475－78）のように足元を手前に、頭を奥にして描かれ、強い短縮法がかかっている。

レンブラントにとって『解剖学講義』は、権力のある人物が出入りする外科医組合会館に展示されるという出世作であったが、解剖学自体への興味はどうだったのか。レンブラントの裸体作品は、あったとしてもふくよかな体型をしていて、構造のチェックが難しく判別がつかないが、レンブラントに近い人物の著した絵画技法書に解剖図と記述が残されている。

1640年から8年間レンブラント工房に弟子入りしていたのが、サミュエル・ファン・ホーホストラーテン（Hoogstraten, Samuel van. 1627－78）である。彼は工房から独立後にドルトレヒトの造幣局長を務めつつ画業と技法書執筆を行った。その成果である『絵画芸術の高等画派入門（Inleyding tot de Hooge Schoole der Schilderkonst, Rotterdam)』（1678）には要点を絞った解剖学の記述が記されている。

内容は、骨格と表層から観察できる大まかな筋、人体プロポーションがあり、「解剖学の知識で頭を固くするのではなく、裸体の観察も重視せよ」と解説している。おそらくレンブラントの工房でも骨格と表層の筋程度の知識が共有されていたと考えられる。

ホーホストラーテンの教科書で画期的な点は、それまで8頭身が通例だった身長をパーム（手

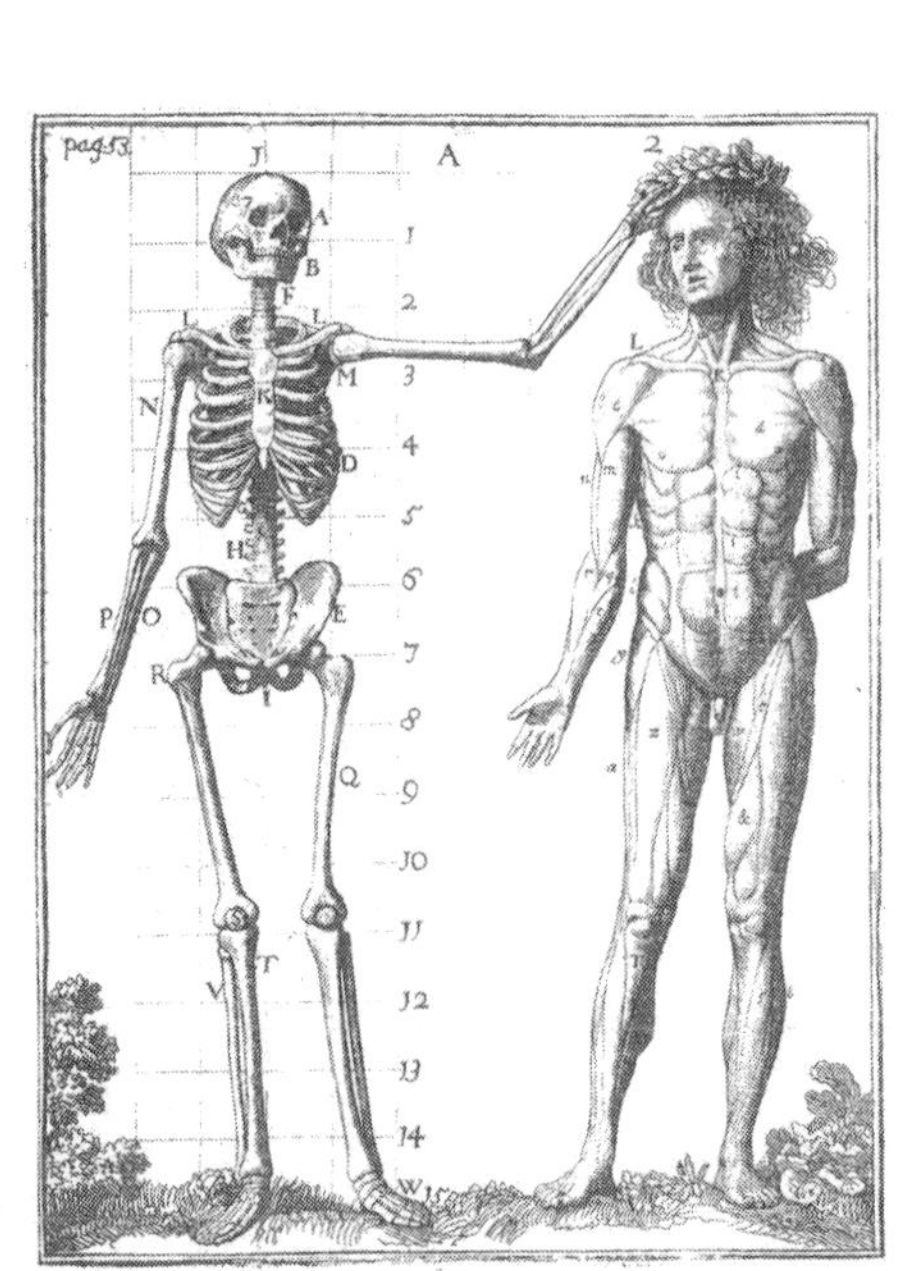

4-6-1
ホーホストラーテンの解剖図。複製版、筆者蔵

のひらの長さに由来する身体尺の単位）を用いて15分割した点である。身長の15分割は、７・５頭身にあたり、３００年後の19世紀末に導入された標準体型のプロポーションと一致する。このことは、実際の人体に基づく研究が、遠い未来でも通用する表現になる可能性を示している。

§４-７——ルーベンス

バロック期フランドルの画家ピーテル・パウル・ルーベンス（Rubens, Peter Paul. １５７７-１６４０）は、20枚の素描からなる解剖図を描いた。制作年代は１６００年代と考えられ、ルーベンスがイタリアで巨匠の作品を学んでいた時期と重なる。これらの素描は後年銅版画として描き起こされ、通称「ルーベンス・アナトミー」と呼ばれていた。

解剖体の観察によって描かれた素描は、17世紀のいわゆるバロック解剖図と呼ばれる様式を踏襲し、体幹や四肢の回旋が強くかかったフィグーラ・セルペンティナータの姿勢をとる。中にはミケランジェロの彫刻に似た姿勢や、ルネサンスの彫刻家バッチョ・バンディネッリ(Bandinelli, Baccio, １４８８-１５６０）のエコルシェを描いているものもある。

ルーベンスの素描は実物観察を含むので、弛緩した筋のたわみやしわが描かれていて、実際の生体よりも起伏が多く、ボコボコとしていびつに見える。観察して描けば誰でも描けると思うかもしれないが、見たままを描くという行為は、あらかじめ頭の中に概念ができていると逆にできない。知っている知識で描こうとしてしまうためだ。

例として、ルーベンスの素描は当時の解剖図の様式を踏襲しているので、筋と腱の境界部が描写されていない。解剖体を観察すると、赤い筋腹と白い腱の境界が明瞭に見えるはずなのだが、それぞれの筋全体を一連の起伏や構造として捉えている。見えているはずのものを無視しているのだ。もしかすると、たわんだ筋の描写も、やたらと多い起伏も、軟部組織を柔らかく表現するためのルーベンスなりの秘訣かもしれない。

ルーベンスが描いた全身図の一部は、ウィリアム・カウパー（Cowper, William. 1666－1709）の『改編新筋解剖』に引用され、医学にも引用された。この頃の美術と医学の関係は現在よりも境界がはっきりしておらず、たとえ芸術作品として描かれていても、見事な図や素描は医学に取り入れられていた。

この項目の最後に、ここでしか紹介する機会がないのでバンディネッリについて手短に書いておく。バンディネッリは解剖体のスケッチを多数残し、それらは現在プラド美術館などに収蔵されている。

図版4－7－3を見るとわかるように、描かれた立位の解剖体は力なく立ち、上から吊り下げられていたと考えられる。素描の制作年代は16世紀初頭で、エコルシェもそれらの知見に基づいて制作されたと推測される。

バンディネッリのエコルシェは、制作時期がかなり早い。姿勢から察するに、吊るされた解剖体を模刻したのであろう。四肢が下向きに曲がっているところにロープをかけて固定していたと考えると自然である。筋どうしの溝も不明瞭で、フレッシュ・カダヴァー（臨床訓練用の未固定遺体）を見た印象に近い。エコルシェとムラージュの中間のような生々しい表現である。

4-7-1
ルーベンス『解剖の習作』（1600-05, ゲッティ財団蔵）

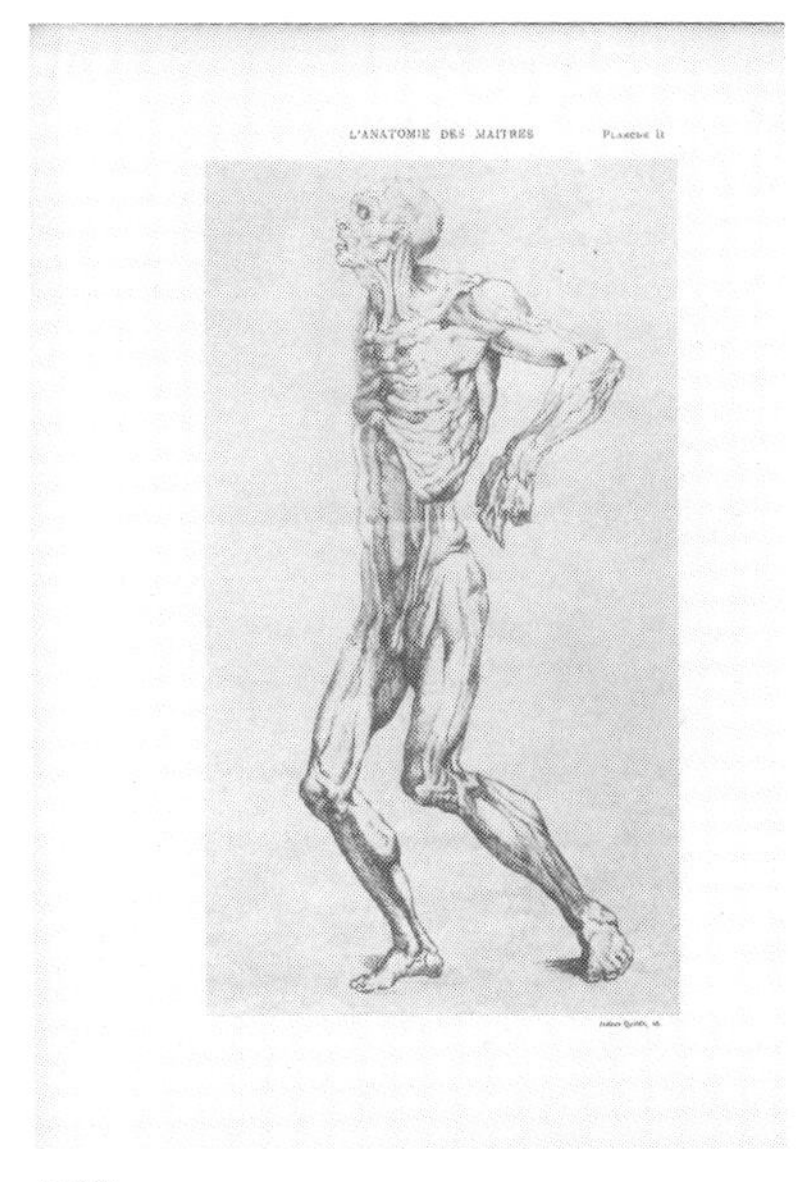

4-7-3
バンディネッリの素描。19 世紀末の複写。筆者蔵

4-7-2
バンディネッリのエコルシェ。複製品、筆者蔵

§4-8 アルビヌス

オランダ、ライデン大学の解剖学教授ベルンハルト・ジークフリード・アルビヌス（Albinus, Bernhard Siegfried. 1697-1770）は、画家のヤン・ワンダラー（Wandelaar, Jan. 1690-1759）とともに『通称：タブラエ（Tabulae sceleti et musculorum corporis humani）』（1747）を編纂した。

この『タブラエ』の図は、「完全人体」を目指して描かれ、最も理想的な骨標本と筋標本を合成して描かれた。この図は骨格図の上に正確に筋を配置して描いているため、骨と筋の対応関係がわかりやすい。これ以前の解剖学書では骨格図と筋肉図で姿勢がまちまちで対応関係がつけられていない。

図版は方眼図法を用いて描かれたことが知られている。様々な個体から骨を選んで組んだ骨格の前に7・3センチの間隔で糸を張った格子状の枠を置き、40フィート（12・2メートル）離れた位置から観察して等身大の下図を描いたとされる。ディテールを書く際には7・3センチの方眼の中にさらに細かく分割した7・3ミリの方眼をはめ込み、それを近くで覗き込んで観察した。

簡単に言えば、大きな方眼と小さな方眼を組み合わせてズレないように図を描いたと理解してもらえばよい。二重の格子を用いて立体物を描く作図法は、現代ではダブルグリッド法と呼ばれる。その後7・3センチの方眼で描いた等身大の下図を2・1センチの方眼に縮小し、書籍用の版下を描いた。解剖図は入念に作図されたため、遠近感のない人体像になっている。

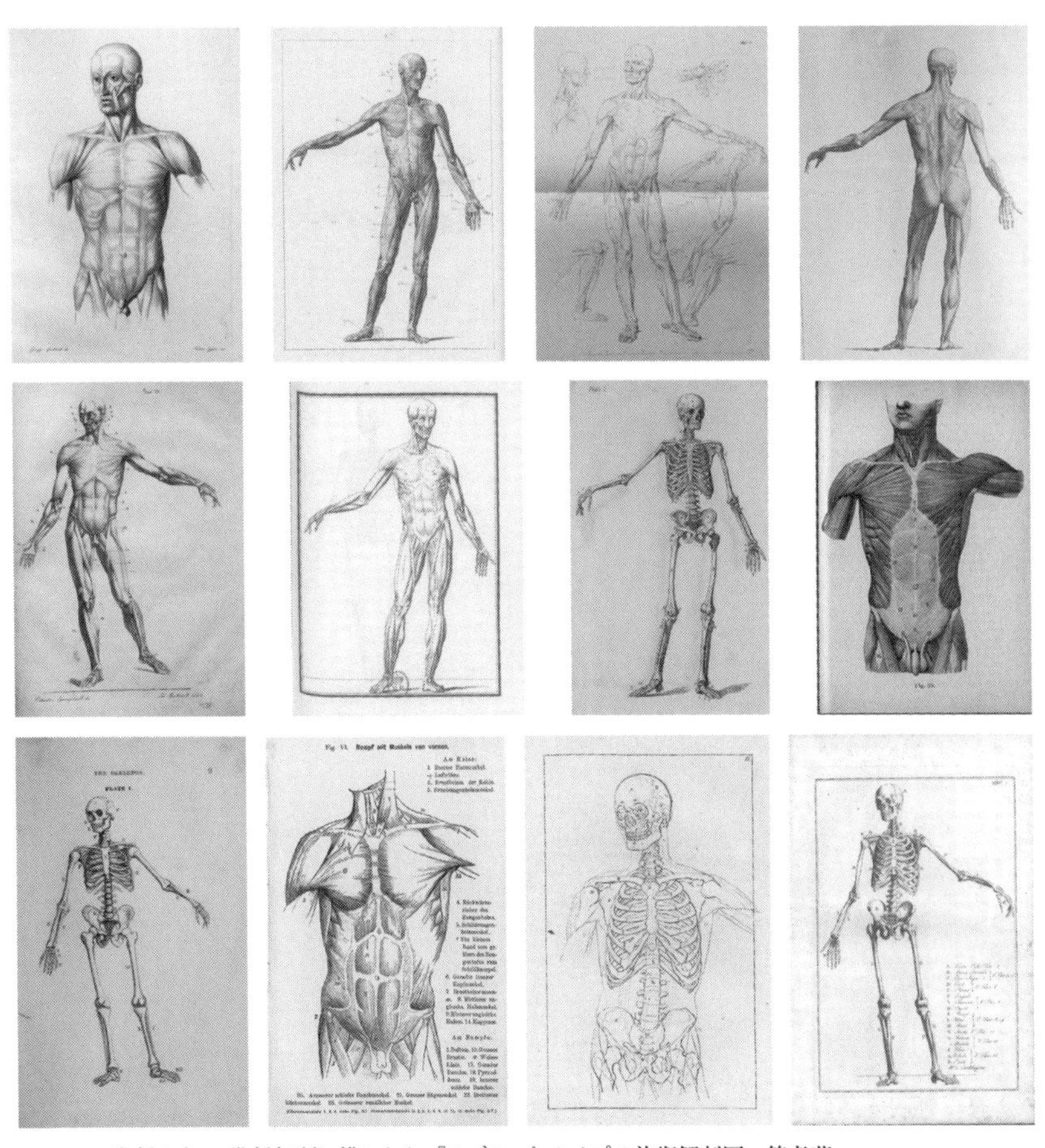

4-8-1　19世紀から20世紀初頭に描かれた『タブラエ』タイプの美術解剖図。筆者蔵

アルビヌスは、骨格と筋肉の図の後にも内臓図や血管図を計画していたが、ワンダラーの病死によってその計画は潰（つい）えた。計画が潰えたということはワンダラーの画力が余人をもって代え難かったということでもある。

『タブラエ』は18世紀末から19世紀末までの美術解剖学書にたびたび引用された。引用数は19世紀末に出版されたリシェ『美術解剖学』の次に多い。引用の方法は、縮小コピー、模写など様々である。

§4-9 ハンター（兄）

18世紀末に活躍したイギリスの解剖学者ウィリアム・ハンター（Hunter, William. 1718－83）は、英王室直属の産科医で、解剖学の歴史に名を残すほどの著名人である。ただし、ハンター兄弟として有名で、より歴史に名を残したのは弟のジョン（Hunter, John. 1728－93）の方である。

ジョンは根っからの解剖学者で、解剖体の確認に視覚、触覚、嗅覚のみならず口に含んで味覚も使うなど、解剖学への愛があふれすぎて常軌を逸した記録が残っている。大腿部の主要な血管の走路になっている「ハンター管」はジョンの功績による命名である。

兄のウィリアムはどちらかと言えば権威タイプで、弁論が立ち、方々で重要な役職についている。現場タイプのジョンと、権威タイプのウィリアムは当初は協力関係にあったものの、次第に馬が合わなくなり、仲違いしていった。現場と経営で立場が異なれば、意見の違いが出るのも自然な成り行きだろう。

4-9-1
ウィリアム・ハンターの肖像とサイン。19世紀のリトグラフ。筆者蔵

ウィリアムは華々しいキャリアの中、1768年にロンドンの王立美術院（ロイヤル・アカデミー）の解剖学講座の初代教授を務めることになった。ヨーロッパの主要都市の美術学校で見ると18世紀末の導入は、かなり遅い方である。

ウィリアムは教科書の執筆はしなかったものの、教材としてエコルシェとムラージュを作成している。ムラージュのモデルは古代ギリシャ、ヘレニズム期の彫刻『瀕死のガリア人』（前1〜2世紀、カピトリーノ美術館蔵）である。

ハンターのムラージュは通称「密売人」と呼ばれ、刑死者の遺体を解剖して型取りされた。現在は、彫刻家のウィリアム・ピンク（Pink, William. 1809-57）による石膏製の複製像（1834）が王立美術院とエジンバラ美術学校に残されている。ムラージュは『瀕死のガリア人』よりも痩せた体型に見えるが、現代の解剖実習ではなかなかお目にかかれない若く立派な体格をしている。

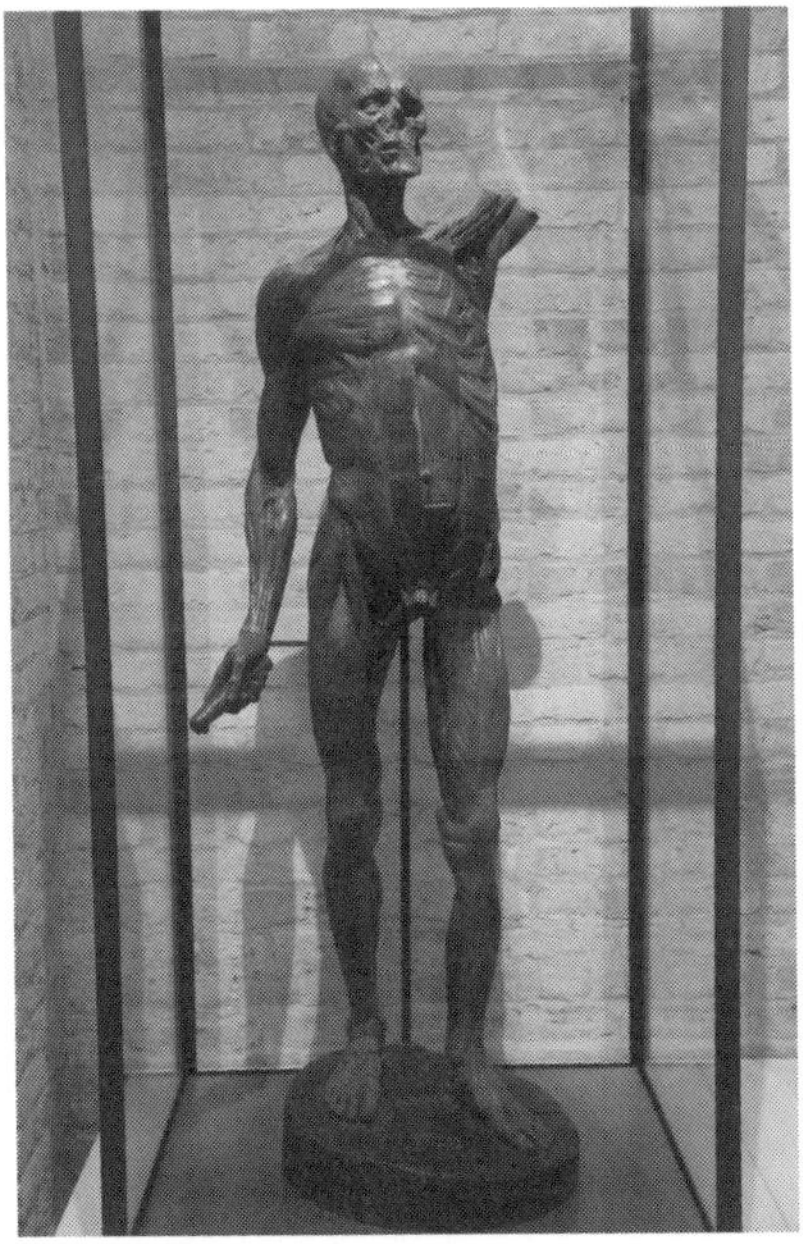

4-9-2 ウィリアムが用いたエコルシェ（王立美術院蔵）。深層筋や血管、リンパ節なども見られる。筆者撮影

ウィリアムの授業風景は、ヨハン・ゾファニー（Zoffany, Johann Joseph. 1733-1810）の絵画作品を通して窺い知ることができる（図4-9-5）。教壇の中央に立つウィリア

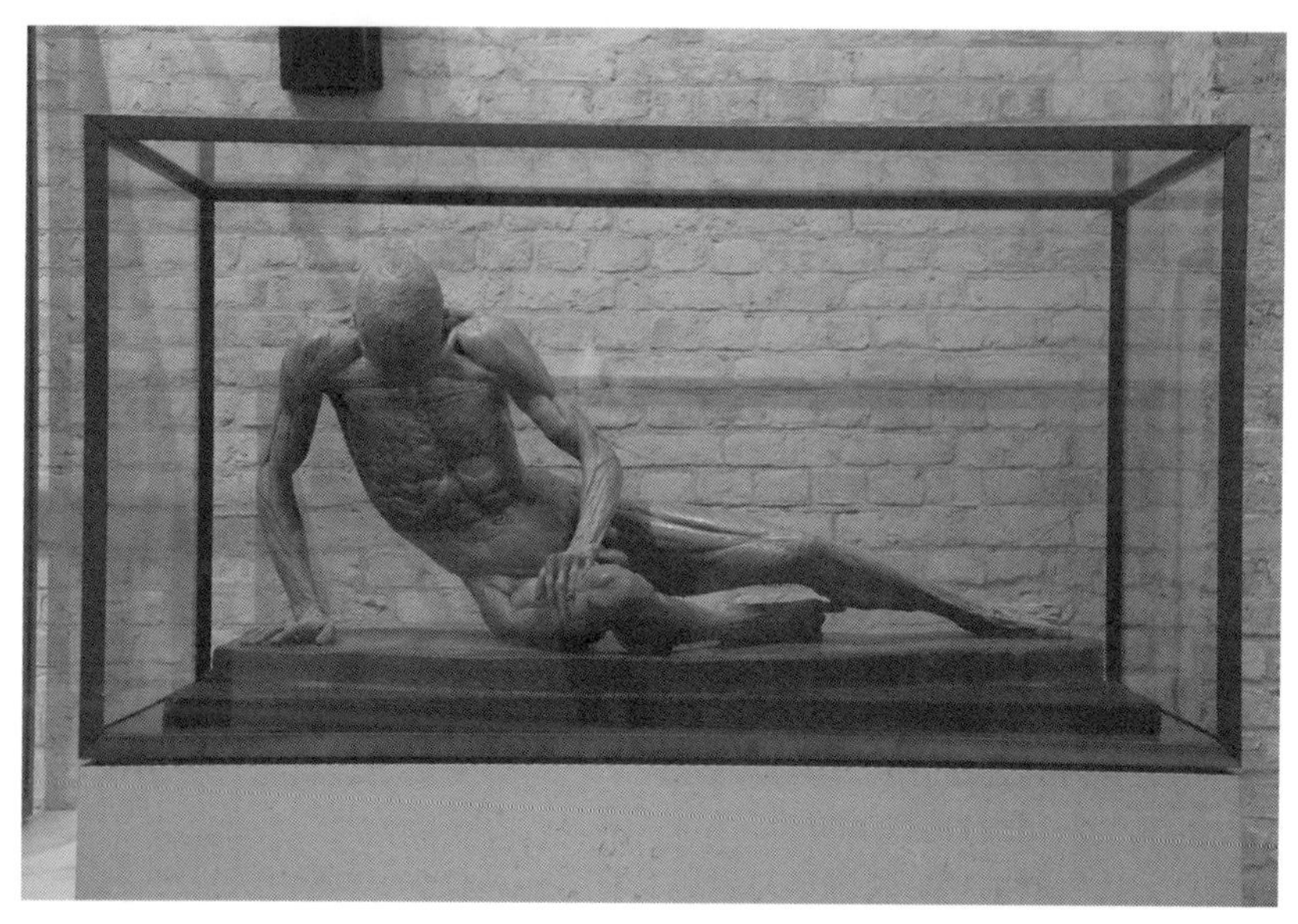

4-9-3
ハンターによるムラージュ、通称『密売人』。18 世紀末の石膏製の複製（王立美術院蔵）。筆者撮影

4-9-4
『瀕死のガリア人』原作は前 3 世紀頃のローマ時代のコピー、大理石製、カピトリーノ美術館蔵。筆者撮影

ムがモデルを指し示し、構造を解説している。教材としてはモデルの他に、骨格標本と等身大のエコルシェがあったようだ（このエコルシェはハンターが用意したものではない）。画面の左側に並んだ聴衆の手前には、かなり若い少年も見られる。王立美術院の関係者による英才教育もあったのかもしれない。

§4-10 ウードン

政治家の肖像彫刻で有名なフランスの彫刻家、ジャン＝アントワーヌ・ウードン（Houdon, Jean-Antoine. 1741-1828）の出世作は、史上最も有名なエコルシェである。

このエコルシェは、ウードンがローマ賞（アカデミーで首席になると得られる賞）を得てローマに滞在していた1767年に、アカデミーからの要請をうけて制作された。モデルとなった像は、同時期に制作していた『洗礼者ヨハネ』（1766、ボルゲーゼギャラリー蔵）である。

ウードンは、サン・ルイジ・デイ・フランチェージ教会での解剖に何度か立ち会っている。ドイツの画家フォン・マンリッヒ（von Mannlich, Johann Chiristian. 1741-1822）の回顧録には、「外科教授のセギエ(Séguier, 生没年不詳)が国費で解剖学を教えてくれた。私たち(ウードンとマンリッヒ）はアカデミーで解剖学の講義を受講し、それをより深く学んだ」と書かれている。

ウードンは、解剖体験を元にシャルトリュー教会の要請で制作していた『洗礼者ヨハネ』をさらに彫り込んでエコルシェにした。その際にもセギエが助言と批判をしている。もともと新古典主義的な造形に実際の内部構造を落とし込んでいるため、実際の構造と食い違うところが

4-9-5
ヨハン・ゾファニー『王立美術院で教鞭を執るウィリアム・ハンターの肖像』（1775年頃、ロンドン王立内科医協会蔵）。筆者撮影

出たのだろう（例えば棘下筋と小円筋、総指伸筋と小指伸筋の間に溝がない）。
だが、ウードンはセギエの助言よりも理想的な人体像にすることを重視した。筋と腱の境界部が造形されていないが、これは当時の解剖図も同様で、あまり観察の意識が向かなかった部位のようだ。

ウードンのエコルシェは複製されてヨーロッパ各地に普及した。彼はその後もいくつか美術教材として小型のエコルシェを制作したが、最も有名なものは最初に作られた『洗礼者ヨハネ』に基づくエコルシェである。この像は19世紀中頃まで解剖図や立体模型としてたびたび引用された。

それぞれの教材で有名な例は、解剖図ではブルジェリの『人体解剖学全提要』（1832－54、4－12参照）、立体模型では彫刻家のウジェーヌ・シモニス（Simonis, Louis-Eugène. 1810－93）によるムラージュがある。

現在、最も保存状態の良いエコルシェは、ローマのヴィラ・メディチの図書館に収蔵されている。図書館は在ローマ・フランスアカデミーの滞在者向けの施設で、見学コースから外れているため勝手に入ると入り口に座るボスと思しき女性に閉め出される。写真はツアーガイドの男性に「私は美術解剖学の教員で、図書館にあるウードンのエコルシェが見たい」と伝えたところ、ボスの女性を説得してくれて撮らせてもらった。感謝。

§ 4－11 — サルヴァージュ

19世紀に出版された美術解剖学の教科書は、調べた限り156冊あった。調査したのはアメ

4-10-1
ジャン＝アントワーヌ・ウードンの肖像。筆者蔵

4-10-3
『片腕を前に出したエコルシェ』(1767, ヴィラ・メディチ蔵)。筆者撮影

4-10-2
『洗礼者ヨハネ』(1766, ボルゲーゼギャラリー蔵)。筆者撮影

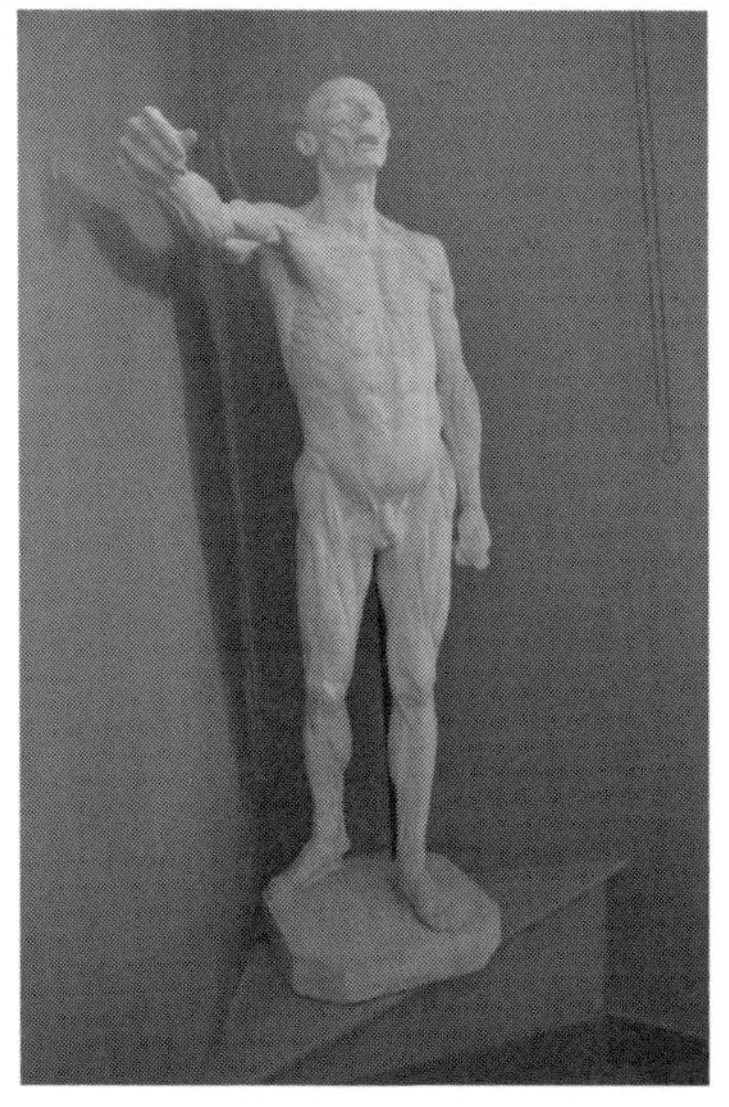

4-10-5
シモニスによるムラージュ(1850年代、パリ国立高等美術学校蔵)。姿勢はウードンのエコルシェに基づく。撮影:小山晋平

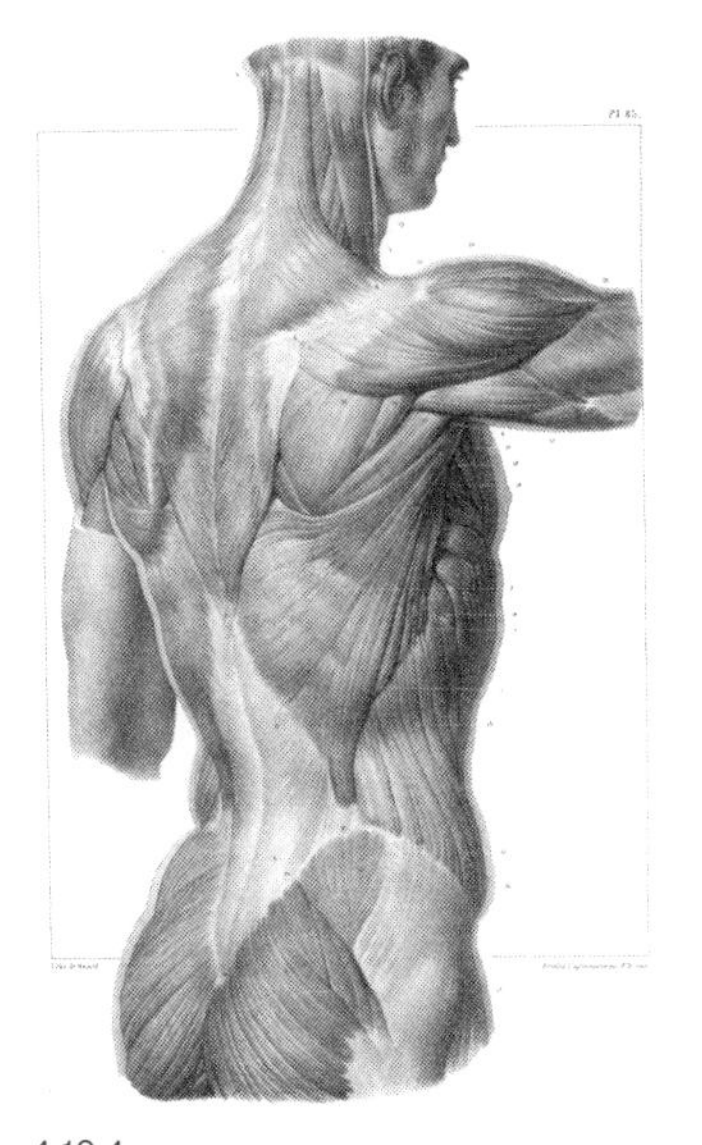

4-10-4
ウードンのエコルシェタイプの解剖図。ブルジェリ『人体解剖学全提要』。筆者蔵

リカやヨーロッパを中心とした国々である。

おそらくロシアや中国などにも美術解剖学書がたくさんあると思われるが、それらはオリジナルの書籍ではなく、よく売れた教科書の翻訳本か、コピー本の可能性が高い。なぜなら、有名な書籍は他の言語に翻訳されている場合が多いが、ロシアや中国の著者が執筆したものを欧米の翻訳書で見たことがないからである。

歴史を変えた画期的な書籍は、それまでにない内容で、図の独自性も高い。

19世紀の美術解剖学は、フランス、モンペリエ大学出身の医師ジャン＝ガルベール・サルヴァージュ（Salvage, Jean-Gilbert. 1770－1813）による『闘士の解剖学』（1812）から始まった。サルヴァージュは、医師として働きながら、パリ国立高等美術学校（エコール・デ・ボザール）の解剖学講座の講座長を務めた。彼の略歴はモンペリエ大学出身の医師というほか、たどれる記録がほとんどない。

サルヴァージュの教科書が革新的であった点は、人体彫刻を解剖するというアイデアを書籍化して普及させた点である。教科書のタイトルの「闘士」というのは、ルーヴル美術館に収蔵されている『ボルゲーゼの闘士』のことである。

『ボルゲーゼの闘士』は、紀元前100－75年にアガシアスという彫刻家が作った大理石彫刻である。作者の名前は、右足付近にある木の幹の形をしたサポートの碑文に「エフェソスのアガシアス、ドシテオスの息子」と書いてある。

現存している像はオリジナルではなくローマ時代のコピーと考えられ、左腕や右足は18世紀の補修で石材の色が白くて新しい。姿勢（構図）はちょうどギリシャ文字の「λ（ラムダ）」の形をしていて、相手が振り下ろした剣を盾で受けている。この盾は現在消失している。

この彫刻は、筋の溝が数多く彫られていて、美術解剖学を解説するのに都合がよい。19世紀初頭の美術様式は新古典主義で、古代ギリシャ美術を題材とした作品が数多く作られていた。そこでサルヴァージュは教材としてふさわしい古典彫刻を選び、それ（＝『ボルゲーゼの闘士』）をモデルにした立体模型の制作を計画し、1804年に石膏像を用いたエコルシェとムラージュが完成した。

エコルシェの制作方法だが、写真を重ねるとアウトラインがほぼ一致するため、石膏像の上から筋と筋の間に生じる溝や筋と腱の境界部を彫り込んだと考えられる。体表（この場合は彫刻の表面）から内部構造を推測して解剖図やエコルシェを作成することを「スーパーインポーズ」と言うが、これはその技法を彫刻に応用したものである。

4-11-1『ボルゲーゼの闘士』（前1世紀、ルーヴル美術館蔵）
筆者撮影

ムラージュの方は、精巣が垂れ下がっている方向が下なので、斜めの台に固定して型取りしたと考えられる。2つの像を見比べるとよくわかるが、彫刻と実際の人体では、ボリュームや印象が全く違う。

エコルシェの方は理想的人体像であるのと、像の表面の情報が残っているので、ボ

4-11-2
『ボルゲーゼの闘士』の石膏像（左）とエコルシェ（右）。パリ国立高等美術学校形態学講座蔵。撮影：小山晋平

4-11-3
サルヴァージュが作成したムラージュ。モンペリエ大学医学部付属博物館蔵。筆者撮影

リュームが痩せない。しかし、実際の遺体を型取りしたムラージュでは、皮膚と皮下脂肪層が除去されているので、ボリュームが痩せて見える（それでも立派な体格をした解剖体だが）。実際に19世紀のパリ国立高等美術学校の解剖学教室は、石膏像、エコルシェ、ムラージュが並んで展示されていた（33ページ、図版1-6-7参照）。

では、なぜエコルシェとムラージュを両方作ったのか？

サルヴァージュが教鞭を執っていた頃は、古代ギリシャや古代ローマの彫刻を美の基準とする新古典主義が主流であった。新古典主義の作家たちが目指す表現は古典彫刻だとしても、古典彫刻そのものをコピーするわけではない。新古典主義の彫刻や絵画作品は古代ギリシャの美術作品と比較して、細部まで繊細に造形され、高い技術が加わっている。オリジナルを当時最先端の技術で上回ろうという試みであろう。その試みの一つとして実際の解剖体から型取りしたムラージュが用意されたと考えられる。

立体的な教材を作成したサルヴァージュは、次に教科書の執筆に取り掛かった。それが1812年に出版された『闘士の解剖学』である。この教科書は56センチ×41センチの大型の書籍で、黒と赤の2色刷りの銅版画による図が掲載されている。

書籍を開くと、『ボルゲーゼの闘士』の筋骨格図や『ベルデヴェーレのアポロン』（120BC-140、ピオ・クレメンティーノ美術館蔵）

4-11-4 左：石膏像。中央：エコルシェ。右：石膏像とエコルシェを重ねた画像。撮影：小山晋平

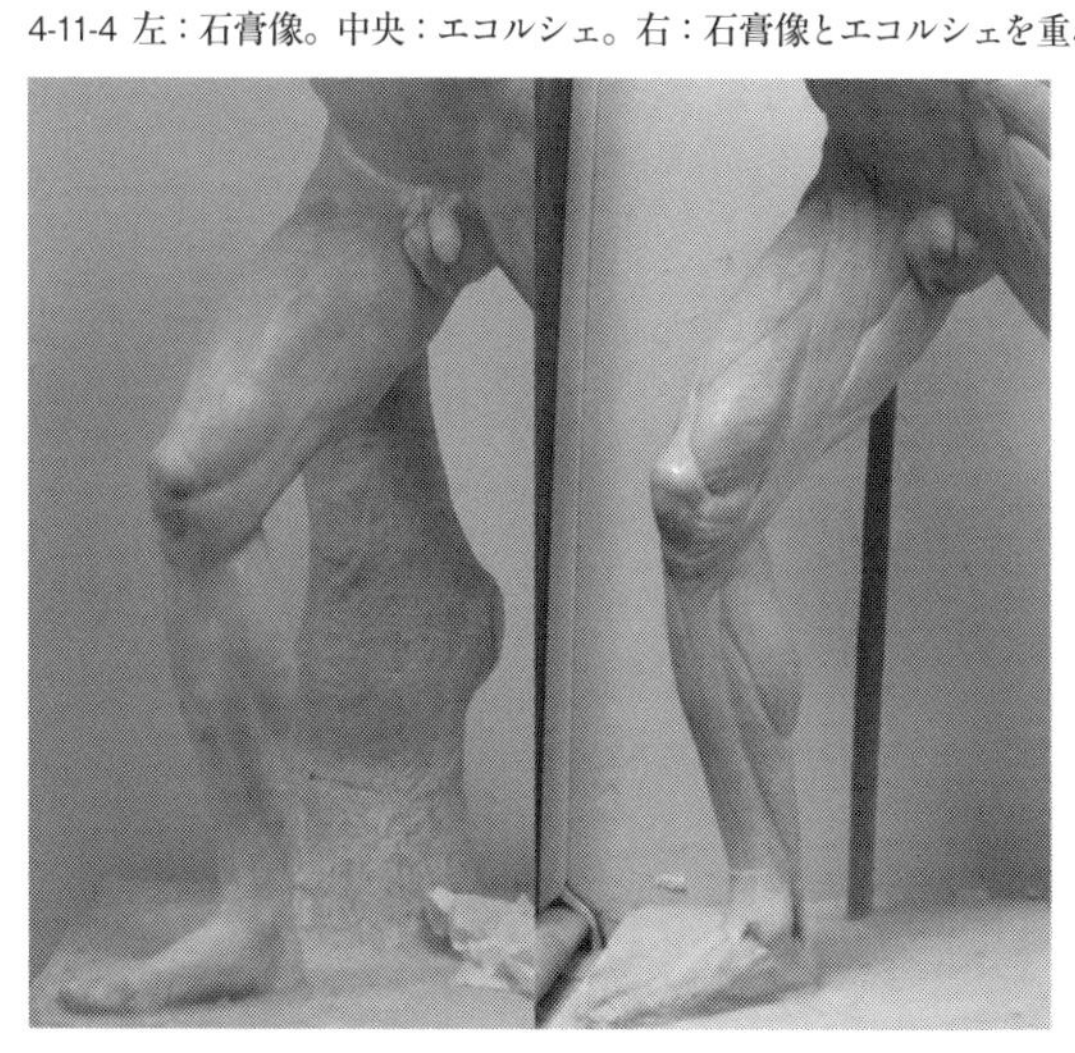

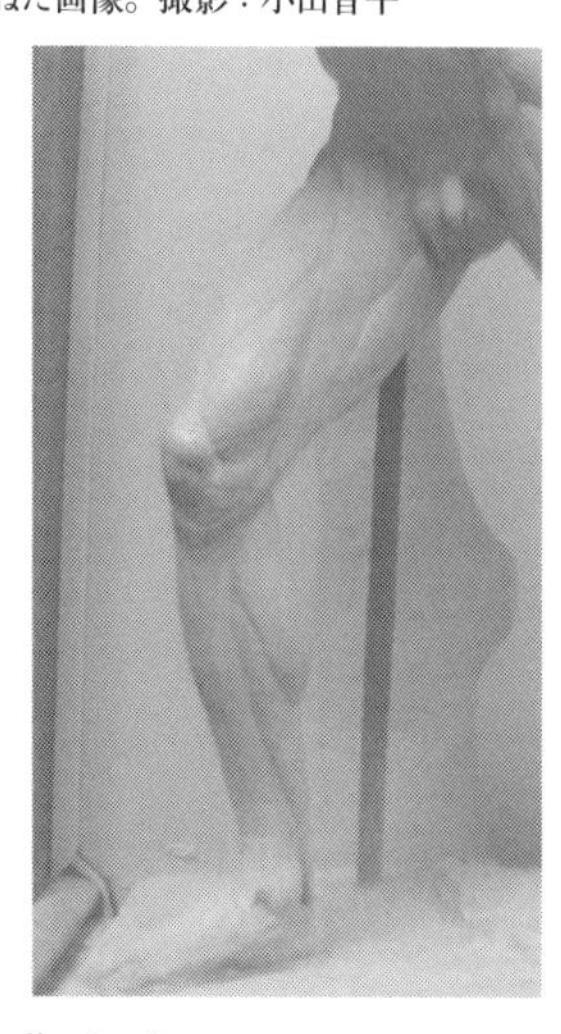

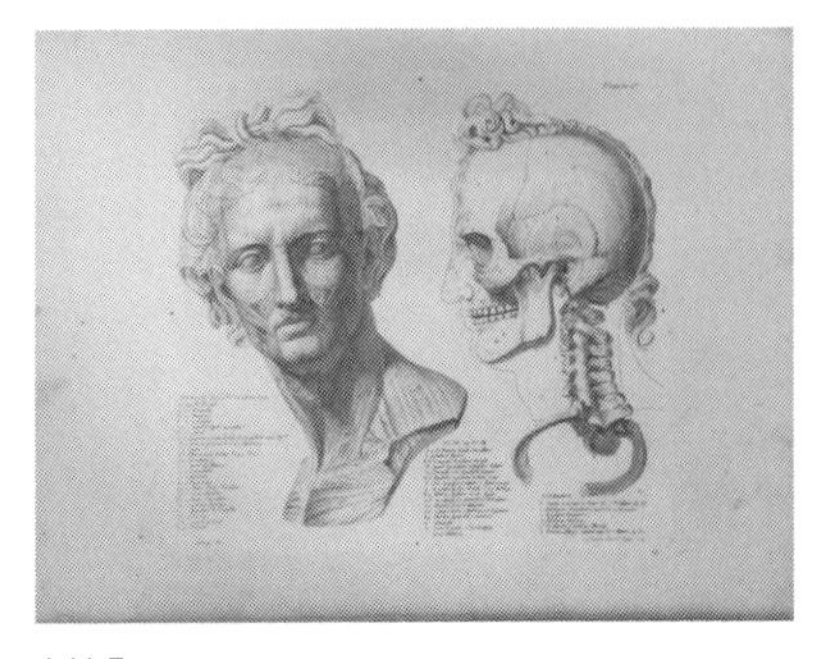

4-11-5
『闘士の解剖学』に掲載された解剖図。筆者蔵

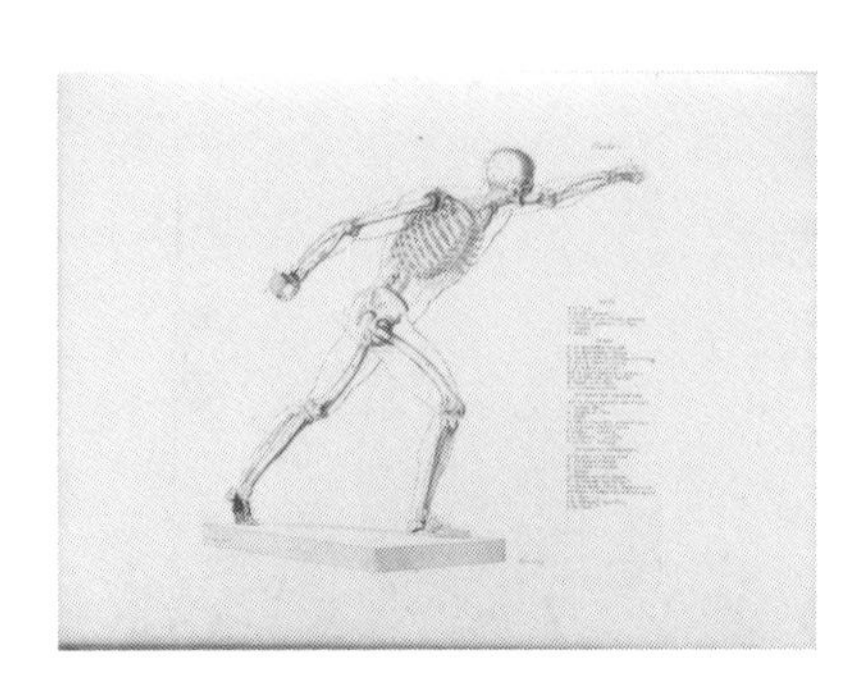

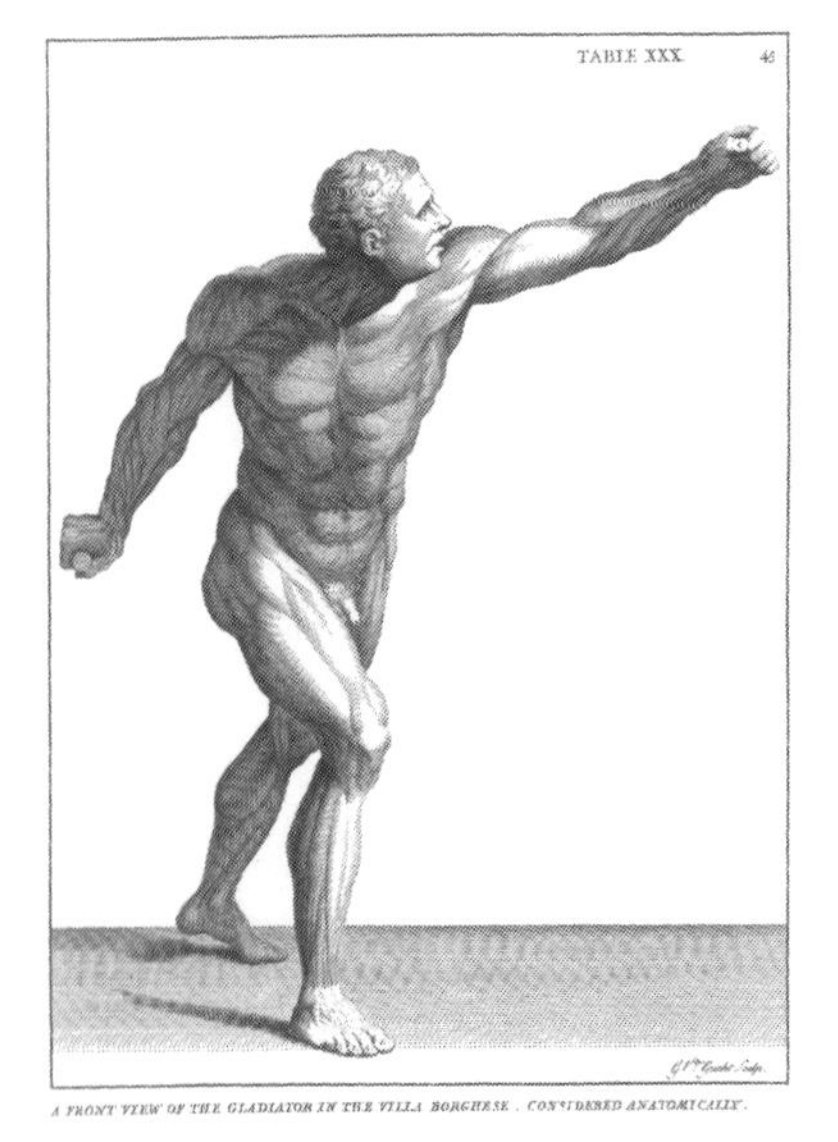

4-11-7
ジェンガとエラールによる解剖学書の図。実際の彫刻よりも筋の溝を深く描いている。複製版、筆者蔵

4-11-6
レオカレス派『ベルヴェデーレのアポロン』
(120BC-140、ピオ・クレメンティーノ美術館蔵) 筆者撮影の頭部の解剖図など当時人気のあった古典彫刻をモデルにした図が掲載されている。骨格も筋肉図も輪郭が一致するので、スーパーインポーズ法が用いられている。

彫刻を解剖するというアイデアは、ハンターやサルヴァージュが最初ではない。書籍における初出は解剖学者ジェンガ（Genga, Bernardino. 1620－98）と彫刻家エラールによる『素描に用いるために改良および図示された解剖学（Anatomy improved and illustrated with regard to the uses thereof in designing)』（1691）である。

この教科書はパリ国立高等美術学校向けに編纂された書籍で、中には「解剖学的に考慮された」古典彫刻の図がいくつか掲載されている。どこが解剖学的に考慮されたかというと、実際の彫刻よりも筋の溝が深く彫り込まれている点である。

§ 4-12 ジェルディとフォー

『闘士の解剖学』を執筆したサルヴァージュの後任は、パリ大学医学部解剖学講座の教授ピエール＝ニコラ・ジェルディ(Gerdy, Pierre-Nicolas. 1797－1856)である。彼もサルヴァージュと同様にパリ国立高等美術学校の解剖学講座の講座長を務めた。

ジェルディは、理学療法や鍼灸関係の人などが使う「ジェルディ結節」に名前が残る解剖学者である。ジェルディ結節は、脛骨の外側顆（がいそくか）の前面にある腸脛靱帯（ちょうけいじんたい）の付着部のことだ。腸脛靱帯という腰から膝まで続く強靱な靱帯が付着することによってその部分の骨が引っ張られて発達しており、痩せ型の人でよく観察できる。ジェルディ結節は残念ながら国際解剖学用語として採用されていないが、臨床的な書籍にはしばしば登場する。

4-12-1
ジェルディの肖像。アントワーヌ・モーランによる19世紀のリトグラフ。筆者蔵

ジェルディは、1829年に美術解剖学の転機となる教科書を出版した。何が斬新だったかというと、美術解剖に「体表解剖学」を導入したことである。体表解剖学は、体表に現れる骨や筋、脂肪などの起伏がどのような内部構造によるものかを観察や触知しながら学んでいく学習方法である。

この学習方法は、美術領域においても有益で、デッサンでモデルを観察する際に、瞬時に起伏が判別できるようになる。ジェルディはどうして体表解剖学を導入したか。当時の美術学校の授業では、解剖学と人体デッサンの授業が別々に行われていた。彼はそのことに疑問を持ち、人体に関する2つの授業を統合する目的で体表解剖学を導入したのである。

ジェルディの教科書は、テキストとアトラス（図譜）の2冊からなる。タイトルはそれぞれ異なり、テキスト巻の方は『絵画、彫刻および外科手術に応用された人体の外

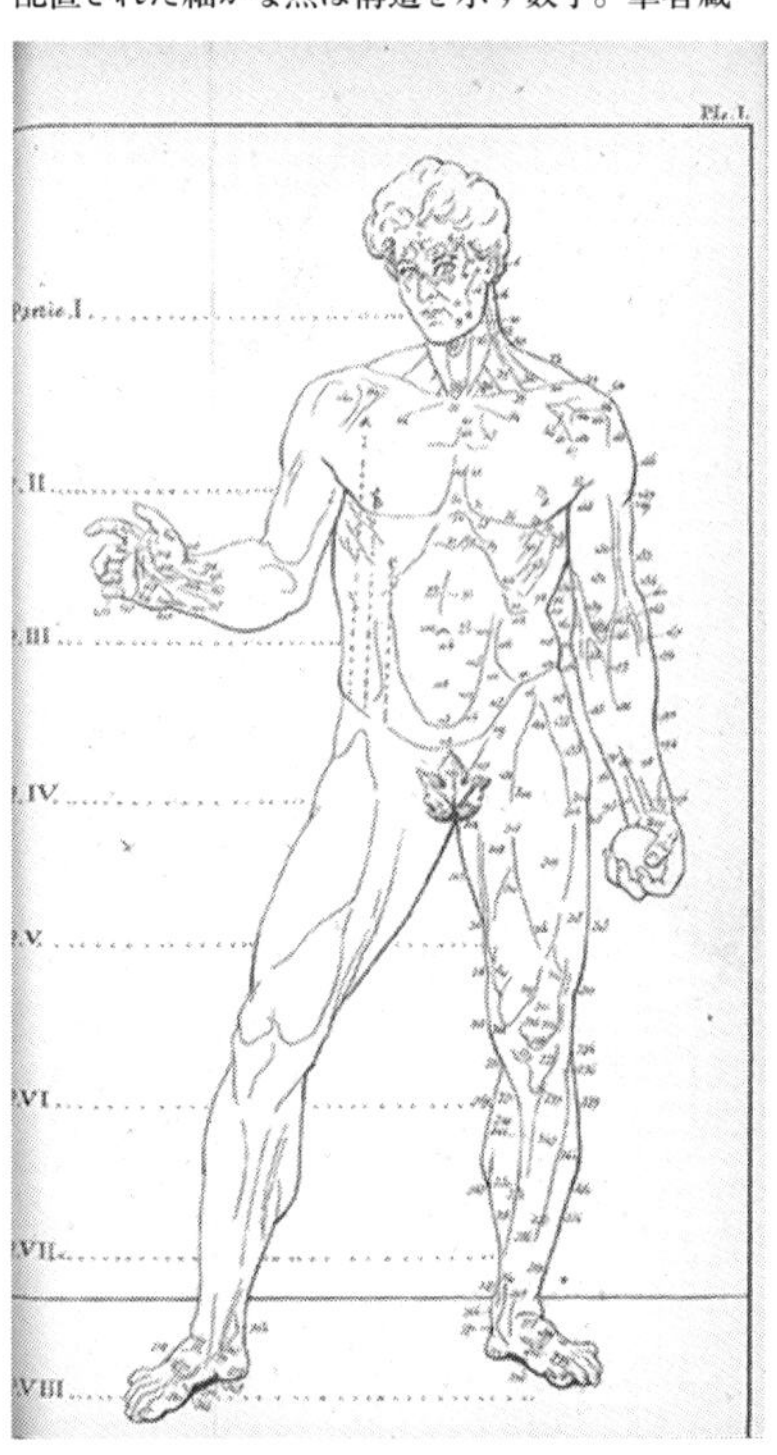

4-12-2
ジェルディの教科書に記載された体表図。体表に配置された細かな点は構造を示す数字。筆者蔵

4-12-3
ジェルディのアトラス（図譜）に記載された図。フランス国立図書館蔵

形の解剖学（ANATOMIE DES FORMES EXTÉRIEURES DU CORPS HUMAIN, APPLIQUÉE A LA PEINTURE, A LA SCULPTURE ET A LA CHIRURGIE）』、アトラスの方は『画家の解剖学（ANATOMIE DES PEINTRES）』である。

それぞれの書籍には、同じ姿勢の人体図が3枚のみ掲載されている。図は、正面、側面、背面から見た人体図が描かれ、テキストには小型の線画、アトラスには大判の素描が掲載されている。人体デッサンはかなり上手に描かれているが、画家の名前はムッシュ・デマッセ（M. Demasse）と苗字のみが記載されている。しかし、たった3枚しかない人体図でどうやって全身の構造を学ぶのか。

線で描かれたテキスト巻の全身図には、1から381までの数字が割り振られている。数字が示されている箇所は、体表から観察可能な起伏、すなわち解剖学的構造のランドマークで、それぞれの数字が何の構造かが本文に解説されている。

この教育方法は、なかなか示唆に富んでいる。少し想像してみてほしい。体表に現れる起伏を381ヶ所も把握して人体像を制作できているだろうか。もしそれだけの数の起伏と緩急を造形することができれば、かなり自然で解像度の高い人体像が表現できそうではないか。これは臨床の医者でも同様である。患者が「ここが痛い」と訴えた箇所の内部構造が体表のランドマークを手がかりに事細かく把握できれば、病気の原因へのアプローチも容易になるのではないか。

数字で示された構造の中には、現代の解剖学では記載できないようなものも含まれる。体表解剖学用語は未だ制定されていない。例えば、筋と筋の間の溝やくぼみに名前がついていないこともある。

また、体表には骨、靱帯、筋肉、脂肪、表在静脈などに属さない起伏もある。例えば、皮膚のしわやひだ、靱帯や筋膜（筋を覆う膜で部位によって厚みが異なる）が筋を押さえつけてできた溝などである。これらの構造は解剖学の教科書に記載されていないことが多い。

多くの解剖学書では、皮膚や皮下組織を除去した状態から解説されるため、体表に現れる構造の記述がなされない。これらの構造の中には、のちにポール・リシェが明らかにする「リシェ支帯」も含まれていた（3－6、4－16参照）。

ジェルディは、この2冊組の教科書によって解剖学的にも、美術的にも新しい試みを行った。その証拠に、この教科書では多くの体表用語が暫定的に割り当てられた。もちろん、未発見の構造に自分の名前を残そうとしたわけではなく、解剖用語のルールに則って提案されている。ジェルディが試みた解剖学と人体デッサンの統合は、その後も美術解剖学の教育に継承され、現代でも行われている。

ジェルディの後にヒットした美術解剖学書は、アントワーヌ・ルイ・ジュリアン・フォー（Fau, Antoine Louis Julien. 1810／11－78）の『画家と彫刻家のための人体解剖アトラス（Atlas de l'anatomie des Formes du Corps Humain a l'usage des Peinters et des Sculptures）』（1845）である。

フォーは、パリ大学医学部でジェルディの助手を務めた。教科書の内容も、ジェルディとサ

4-12-4（口絵）
フォーの教科書に掲載された『ラオコーン』の解剖図。古典彫刻を解剖するというアイデアは、サルヴァージュからの継承。筆者蔵

ルヴァージュを踏襲しており、ジェルディからは体表図、サルヴァージュからは古典彫刻の解剖図が継承された。

この教科書は、リトグラフによる見事な図とレイアウトが特徴である。体表図には骨の線描が重ねられ、その隣に浅層筋の図が掲載されている（3－4参照）。これはジェルディの体表解剖学をさらに発展させたもので、体表と内部構造を同一の人体図で見比べることができるようになっている。体表と内部構造が同一ページで比較できる教科書は、これ以前に見られない。レイアウトデザインもかなり練られていることがわかる。

フォーの教科書の図版を作成したのは、ジャン＝バティスト＝フランソワ・レヴェイユ（Léveillé, Jean-Baptiste-François. 生没年不詳）である。レヴェイユは、解剖図専門のエリート画家であった。彼の直接の師は、ニコラ＝アンリ・ヤコブ（Jacob, Nicolas–Henri. 1782－1871）という画家である（フォーの解剖図もヤコブによる監修が入っている）。

ヤコブは、新古典主義の巨匠ジャック＝ルイ・ダヴィッド（David, Jacques-Louis. 1748－1825）に師事した。美術解剖学という狭い領域では、人のつながりがはっきりしていることは稀である。しかも美術史に残る画家とつながりがあるので、ここでダヴィッドについて少し解説したい。

ダヴィッドは、ナポレオンの画家として知られる新古典主義の画家である。口腔か副鼻腔に腫瘍があったのか、若い頃の自画像では右頬が腫れている。

修学時代から優秀で、芸術家の登竜門である「ローマ賞（Prix de Rome）」を受賞している。華々しいキャリアが続き、「サロン・ド・パリ」で、ルイ16世から発注を受けた『ホラティウス兄弟の誓い』（1784、ルーヴル美術館蔵）が注目を浴び、その後、パリ国立高等美術学校

4-12-5
ジャック＝ルイ・ダヴィッドの肖像とサイン。筆者蔵

の絵画コースの教授を務めた。

貴族や有力者に近かったこともあり、革命時には辛酸をなめたダヴィッドだったが、ナポレオンと意気投合し、馬に乗る有名な肖像画や、戴冠式の巨大な油彩画を描いている。政治に強い芸術家というと、当時の大衆の批判の対象になっていただろうし、時流が変われば罪人にもなる(実際に、ダヴィッドは投獄経験もある)。しかし、こうした波乱万丈な人物が美術史を開拓したという事実は変わりがない。

ダヴィッドが修学期間以外に美術解剖学を研究していたかは不明だが、裸体を描くことは重視していたようである。『鷲章旗の授与』(1810、ヴェルサイユ宮殿蔵)ではモデルを観察し、裸体を描いていた。衣装の下にある形がきちんとしていることは、形が狂わないようにするためだけでなく、ダヴィッドのような有力者相手の仕事では作品の説得力にもつながる。

ダヴィッドの弟子でレヴェイユの師であるニコラ=アンリ・ヤコブは、19世紀で最も精巧な解剖図譜を手がけている。彼が手がけた図は、フランスの解剖学者ブルジェリ(Bourgery, Jean-Baptiste Marc. 1797-1849)の『人体解剖学全提要』(1832-54)に掲載されている。

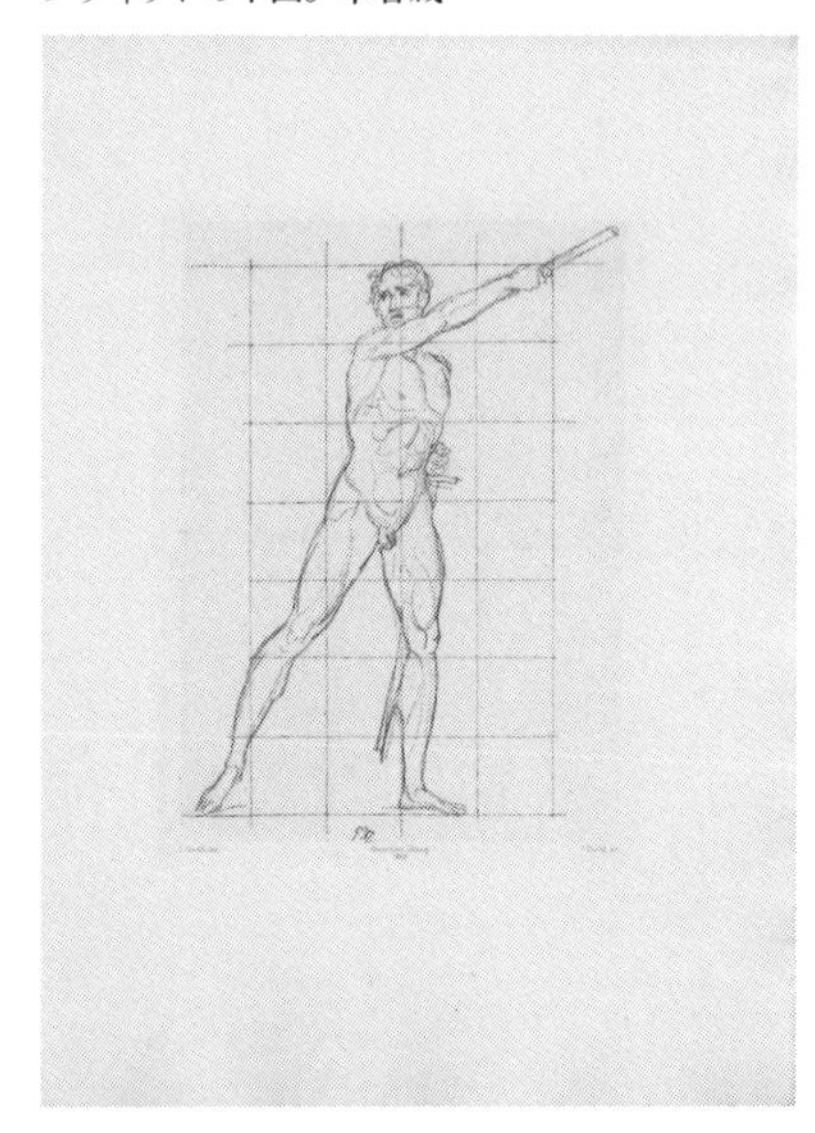
4-12-6
ダヴィッドの下図。筆者蔵

4-12-7
ダヴィッド『鷲章旗の授与』(1810、ヴェルサイユ宮殿蔵)。下図と同じ姿勢の男性像のみ目立たせた

ヤコブはこの書籍のために合計473枚、900図を超えるリトグラフを24年かけて描画または監修した。当時の解剖図譜としては、最もボリュームがあり、内容も人体の骨や筋、内臓、発生、比較解剖学、手術手技と多岐にわたる。これらの図は、実物観察に基づき、写実性も高い。

図のサイズはB4よりも大きく、レヴェイユが描いた美術解剖学書の図と比較しても随分と描写量が多い。リトグラフは、画家が描いた版下がそのままのサイズで印刷されるため、画面が大きいことは、すなわち情報量の増加を意味する。『人体解剖学全提要』は、パリ国立高等美術学校にモノクロ版が収蔵され、美術用の教材としても使用された。1888年には、イギリスのジョン・スパークスの美術解剖学書にコピーされた。

フォーの教科書の図を手がけたレヴェイユも、『人体解剖学全提要』の図版制作に参加し、記録では1835年に92図を手がけたとされる。レヴェイユは、その10年後にフォーの美術解剖学書の図を描いた。レヴェイユの描画技術には、最先端の現場仕事に関わっていた経験が反映されている。

ヤコブは教育にも秀でていて、弟子のレヴェイユはほぼ同等の腕前を継承していた。その腕前は、頭蓋骨の図で比較で

4-12-8
ブルジェリ『人体解剖学全提要』の図版。筆者蔵

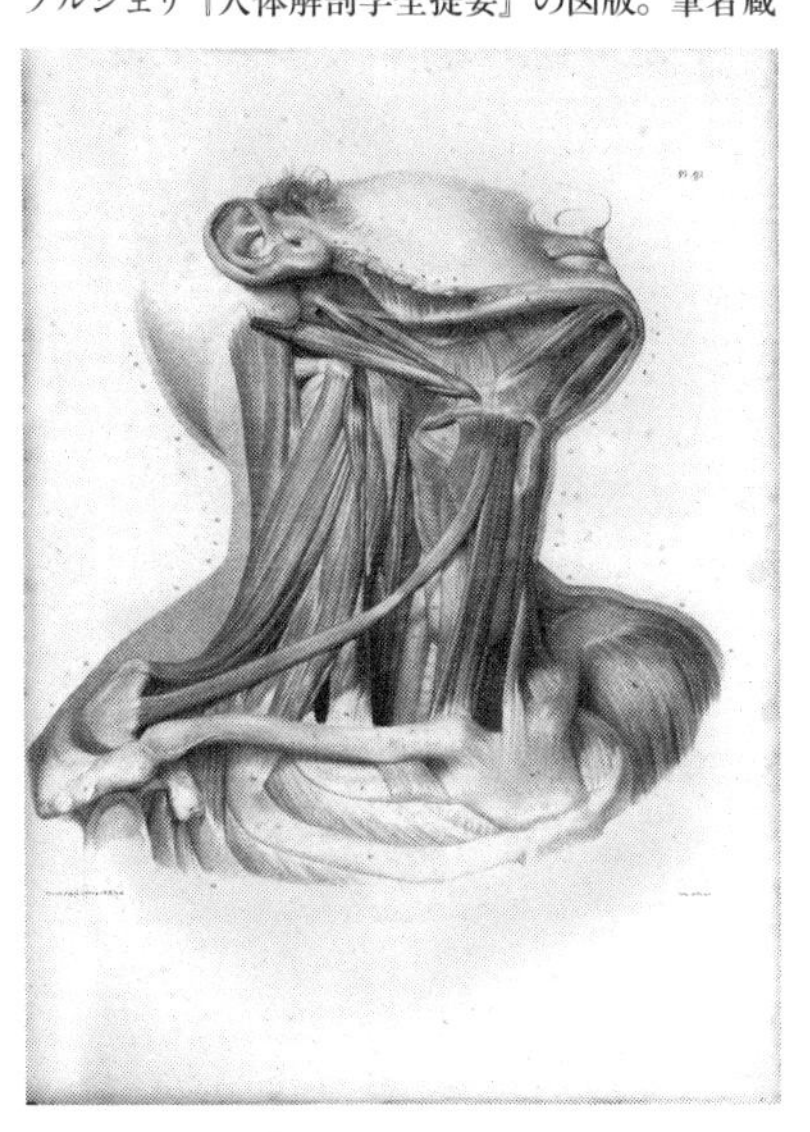

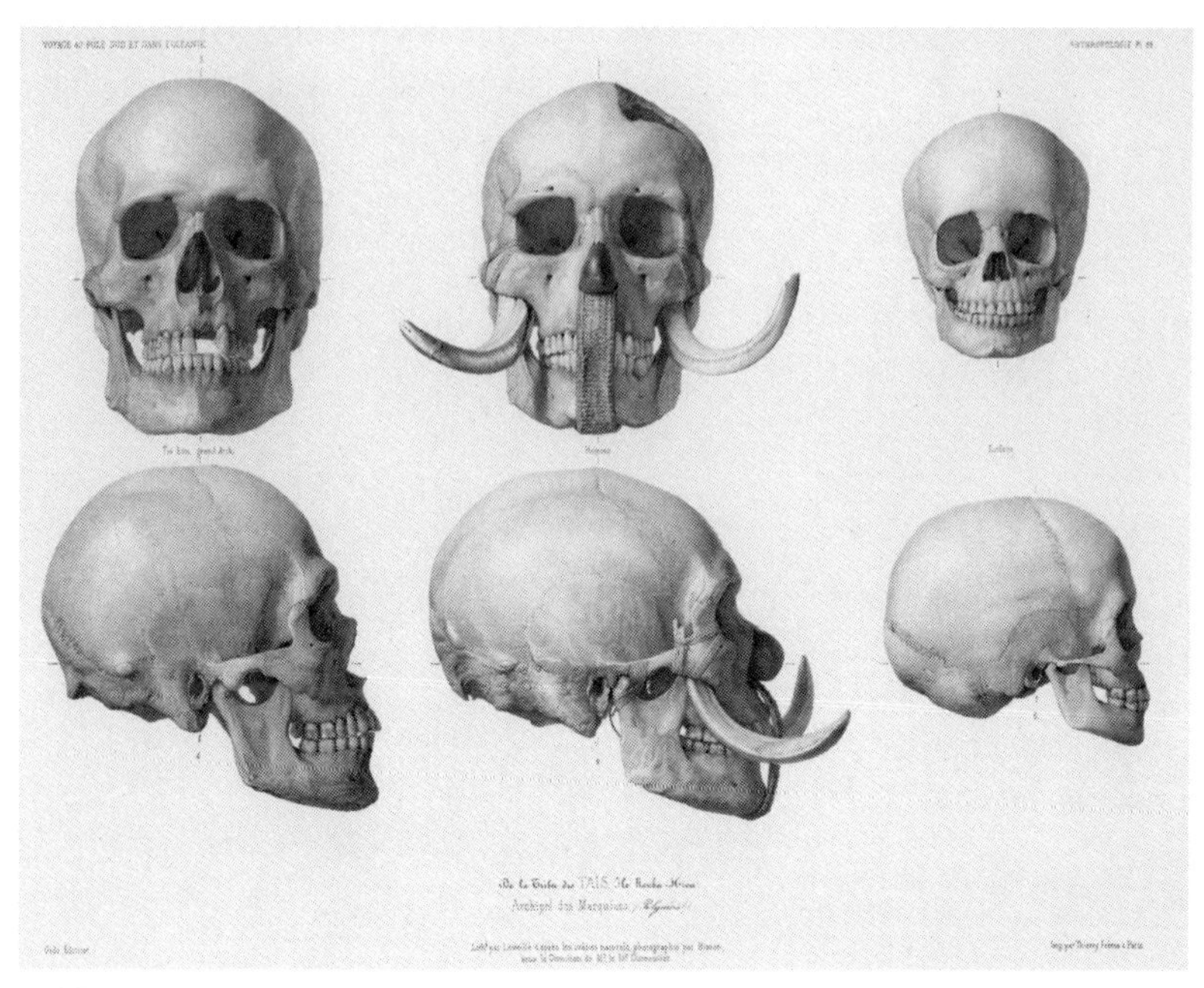

4-12-9
レヴェイユの頭蓋図。カンパー平面が採用されている。筆者蔵

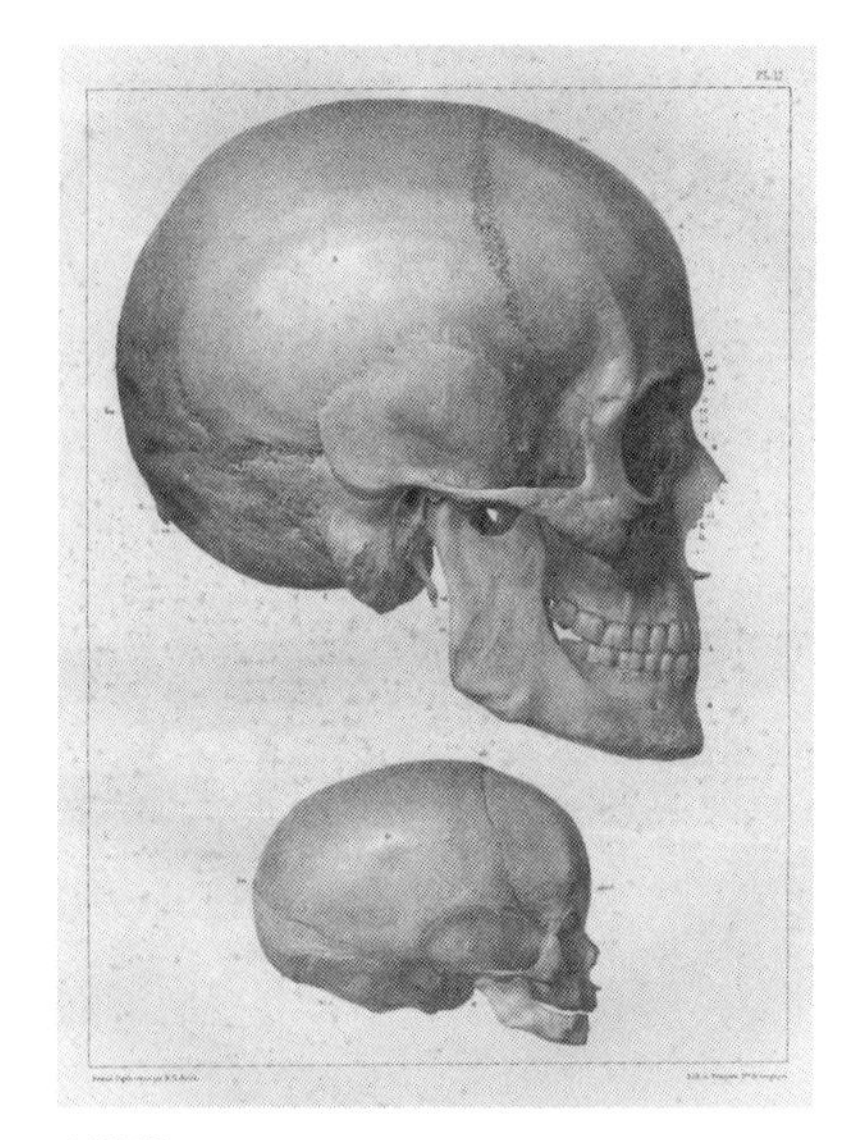

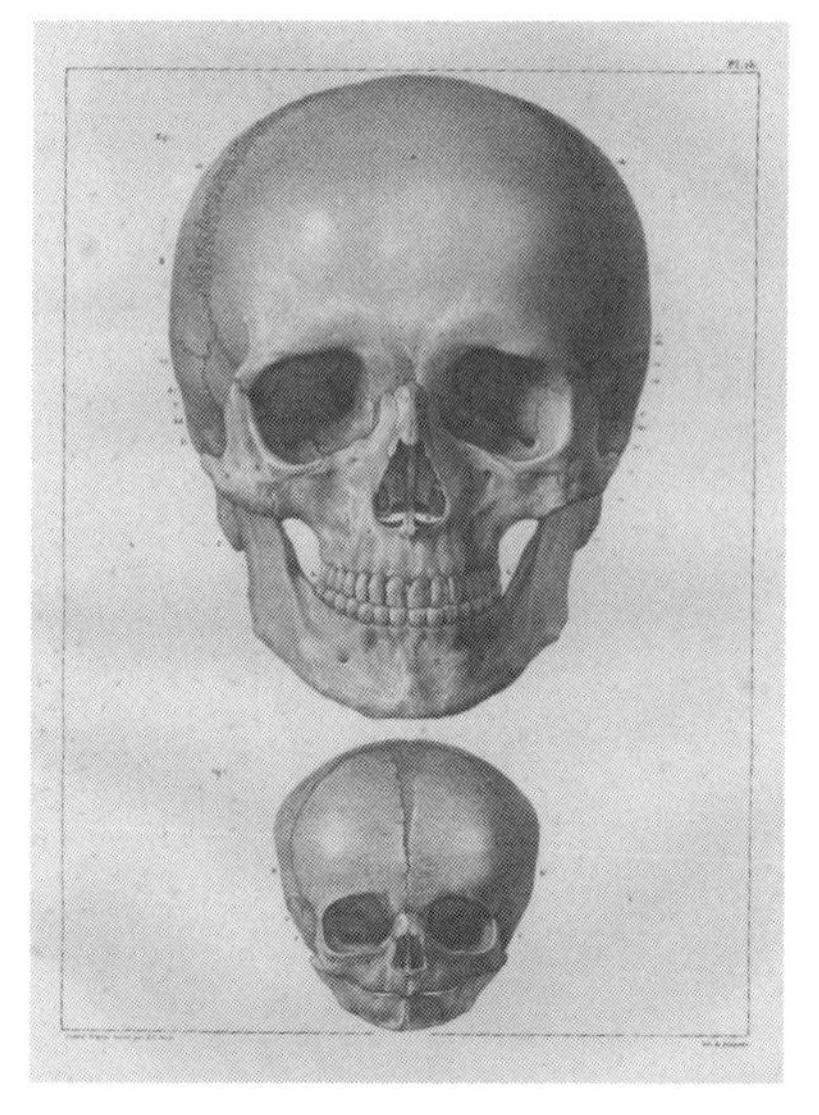

4-12-10
ヤコブの頭蓋図。フランクフルト平面が採用されている。筆者蔵

きる。両者ともこれまでに私が調査した19世紀の解剖図の中でトップクラスの画力である。

フォーの美術解剖学書は、当時の最高水準のメディカルイラストレーターが手がけたと言える。医師とメディカルイラストレーターのマッチングは、本当に巡り会わせというほかない。芸術に心からの理解がある医師でなければ、良い画家には巡り会えないし、出会えたとしても良い関係は続かないだろう。

フォーの図譜は、世界各地で人気を博し、後年、同じ図を縮小させ、銅版画に起こした小型版の教科書の出版によって、さらに普及した。フォーの大小2つの書籍は、『グラン・フォー(Grand Fau)』(図譜)と『プチ・フォー(Petit Fau)』(小型版)という愛称で親しまれた。

フォーの教科書は、日本では河鍋暁斎(かわなべきょうさい)(ジョサイア・コンドルを介して閲覧)の模写を皮切りに、工部美術学校(フォンタネージ、ラグーザらによって輸入)や東京美術学校(久米桂一郎によって輸入)の授業で使用された。

§4-13 ハルレスとルカ

ジェルディとフォーによる体表解剖学の導入後、美術解剖学に新しく導入されたのは「運動学」である。運動学は、歩行のような動作の仕組みを人体構造から明らかにする学問である。現代ではスポーツ科学のような学問として知られているが、当時の美術解剖学では関節の可動域や、運動時の姿勢を理解する意味で用いられていた。

ドイツの医師で生理学者のエミール・ハルレス(Harless, Emil. 1820-62)は、1856年に『大学と自己学習のための造形解剖学の教科書(LEHRBUCH DER PLASTISCHEN

ANATOMIE FÜR ACADEMISCHE ANSTALTEN UND ZUM SELBSTUNTERRICHT)』を執筆し、体表解剖学に運動学を導入した。

体中の関節は、動作可能な範囲が関節面の形状によって決まっている。様々な動作はそれぞれの関節可動域の範囲内で行うことができる。運動時のあらゆる姿勢を図示したり、記述したりすることは不可能なため、解剖学では単純動作と複合動作に分けて解説している。

単純動作は、前後左右、水平垂直、屈曲と伸展、外転・内転、外旋・内旋などに要素を絞った人為的な動作のことで、複合動作は単純動作の組み合わせによって行われるあらゆる動作のことである。解剖学書の内容は、解剖図と記述がセットで表現されているので、記述しにくい複合動作の解説はほとんどなされない。

説明可能な動作にはどんなものがあるかというと、例えば、力こぶを作る上腕二頭筋は肘関節の屈曲と、前腕の回外に働く。試しに片腕の肘を曲げて反対側の手で力こぶに触れ、前腕を回内（親指を内側に向ける）と回外（親指を外側に向ける）に交互に動かしてみてほしい。回外させたときに力こぶが膨らむのが確認できる。このように運動としては数秒で完了することも、説明すると時間がかかる。そこでハルレスは動作時の図を用意して運動を記述した。

余談だがハルレスの教科書には、ハルレスが手がけた初版と、没後に人類学者のハルトマンによって編集された第2版がある。初版では、鉛筆でスケッチしたような図が描かれ、第2版ではそれを元に清書している（図版4－13－2、4－13－3）。解剖図のリファインとしても興味深い例である。ハルトマンは第2版で、人種差を示す図版を加えた（図版4－13－4）。この図は、ペトルス・カンパーの顔面角と同様に白人至上主義的で、男性の図の比較対象に古典彫刻が掲載されている。

ゼンケンベルグ研究所の解剖学者ヨハン・クリスチャン・グスタフ・ルカ（Lucae, Johann Christian Gustav. 1814－85）は、美術解剖学史上初の女性の解剖図譜『女性体幹の解剖学（Zur Anatomie des Weiblichen Torso）』（1868）を執筆した。

きっかけは、彫刻家ラウニッツ（Launitz, Eduard von der. 1797－1869）が「ミロのヴィーナスの骨盤は歪んでいる」と指摘したことに始まる。1863年、人づてにラウニッツの主張を聞いたルカは、「芸術家は、体表から骨のランドマークを見つける方法を知らないのか」と笑い、芸術家への啓蒙のために、女性の美術解剖学書を執筆することを決心した。

4-13-1 上腕二頭筋の模式図。上腕二頭筋は回外時に最も収縮する。筆者作成

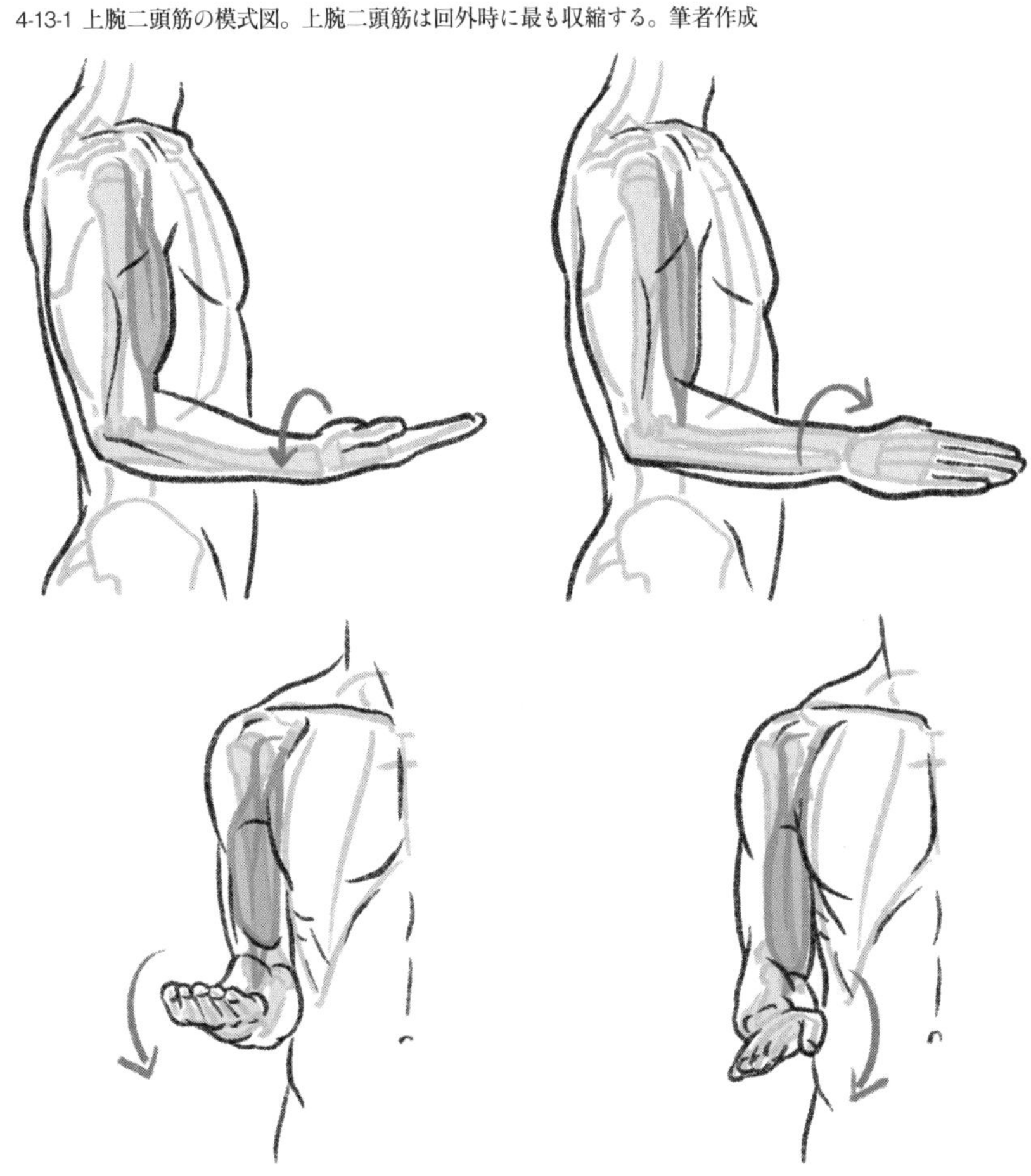

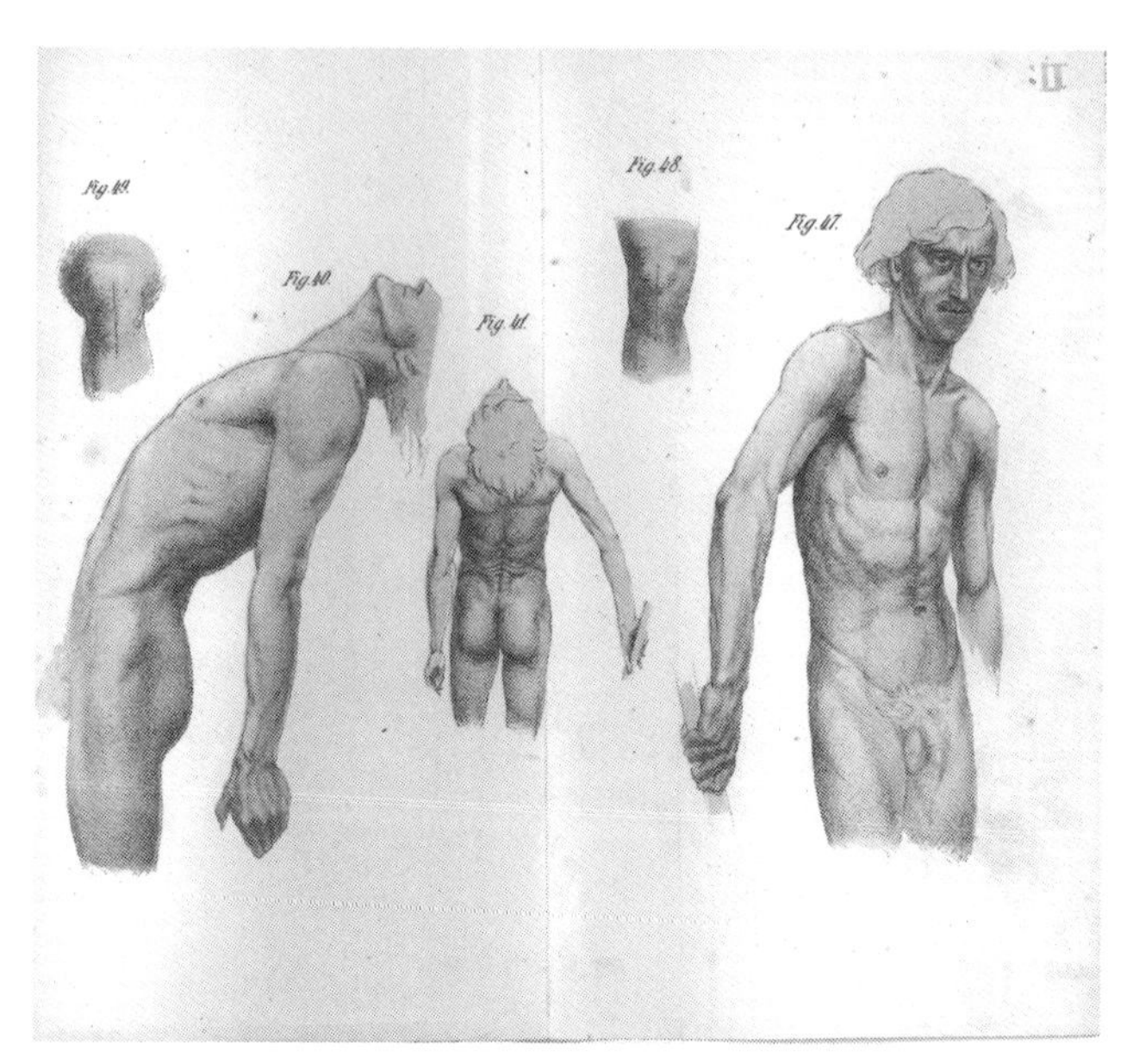

4-13-2
ハルレスによる初版の図

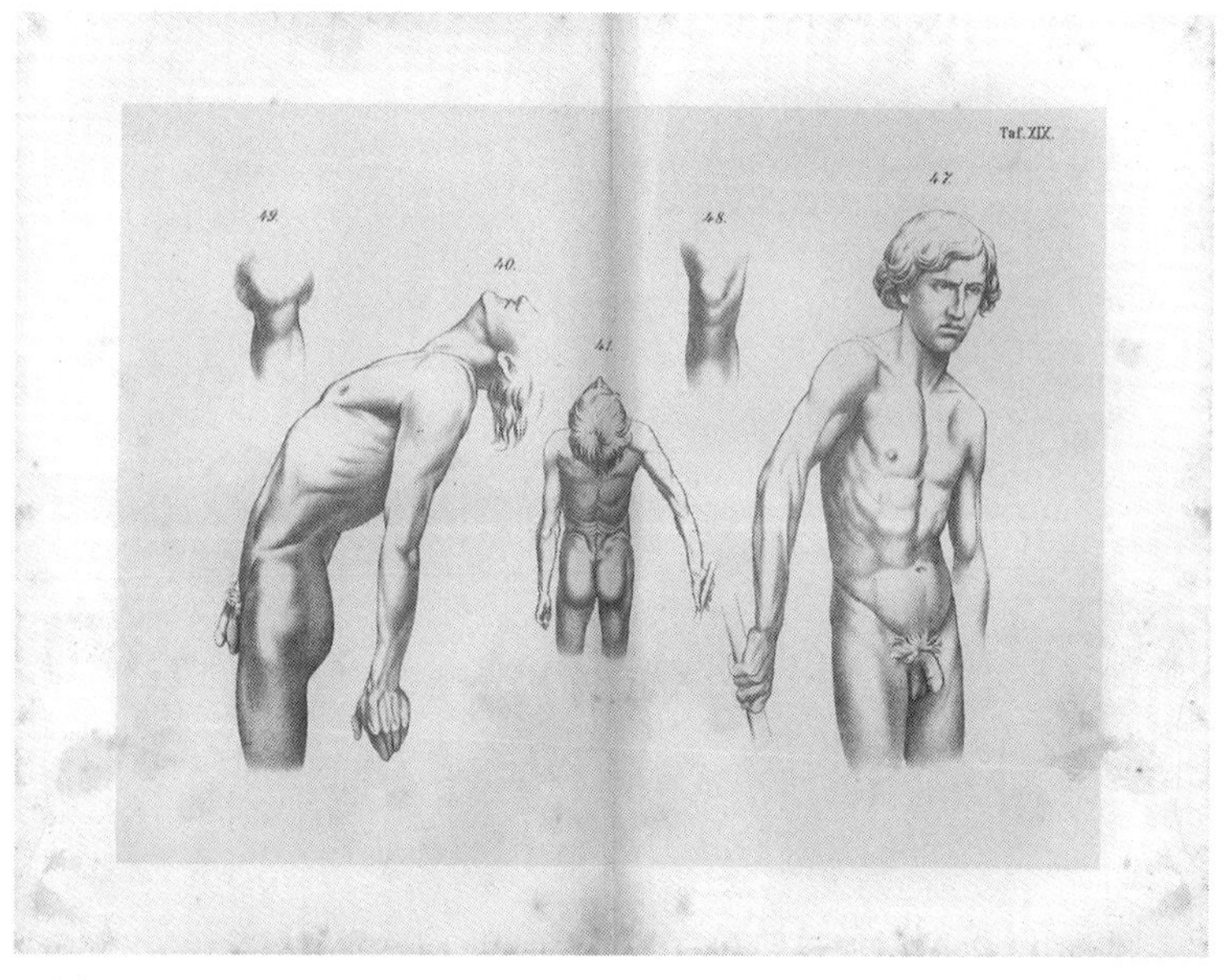

4-13-3
ハルトマンによる第2版の図

解剖図は基本的に男性がモデルになっている。理由は単純で、男性の方が筋が発達して皮下脂肪も少なく、体表から内部構造を観察しやすいためである。女性は骨盤内蔵や乳房など性差が大きな箇所に限って記載される。

ルカが教科書の執筆を決心した頃、ちょうど18歳の若さで自殺した女性の遺体が運ばれてきた。当時は現代のような献体制度がないので、遺体の入手先は口頭での承諾のほか、無縁仏、刑死体、病院からの横流し、葬式の日の夜に墓を掘り返すような荒っぽい入手方法もあった。

ルカと画家のユンケル（Junker, Hermann. 生没年不詳）は、その若々しい遺体をモデルにして解剖図譜を制作した。翌年の１８６４年には、６枚の図版からなる第1版が出版され、１８６８年には追加の６枚を含む12枚の図版からなる第2版が出版された。解剖図は、寝かせた解剖体から型取りされたムラージュを描いたもので、筋と腱、皮下組織に固有色の差がほとんど見られず、寝た姿勢のため肩が上がっている。

リトグラフによる解剖図は、４７０ミリ×６１０ミ

4-13-4 第２版にハルトマンによって追加された人種差を示す図。筆者蔵

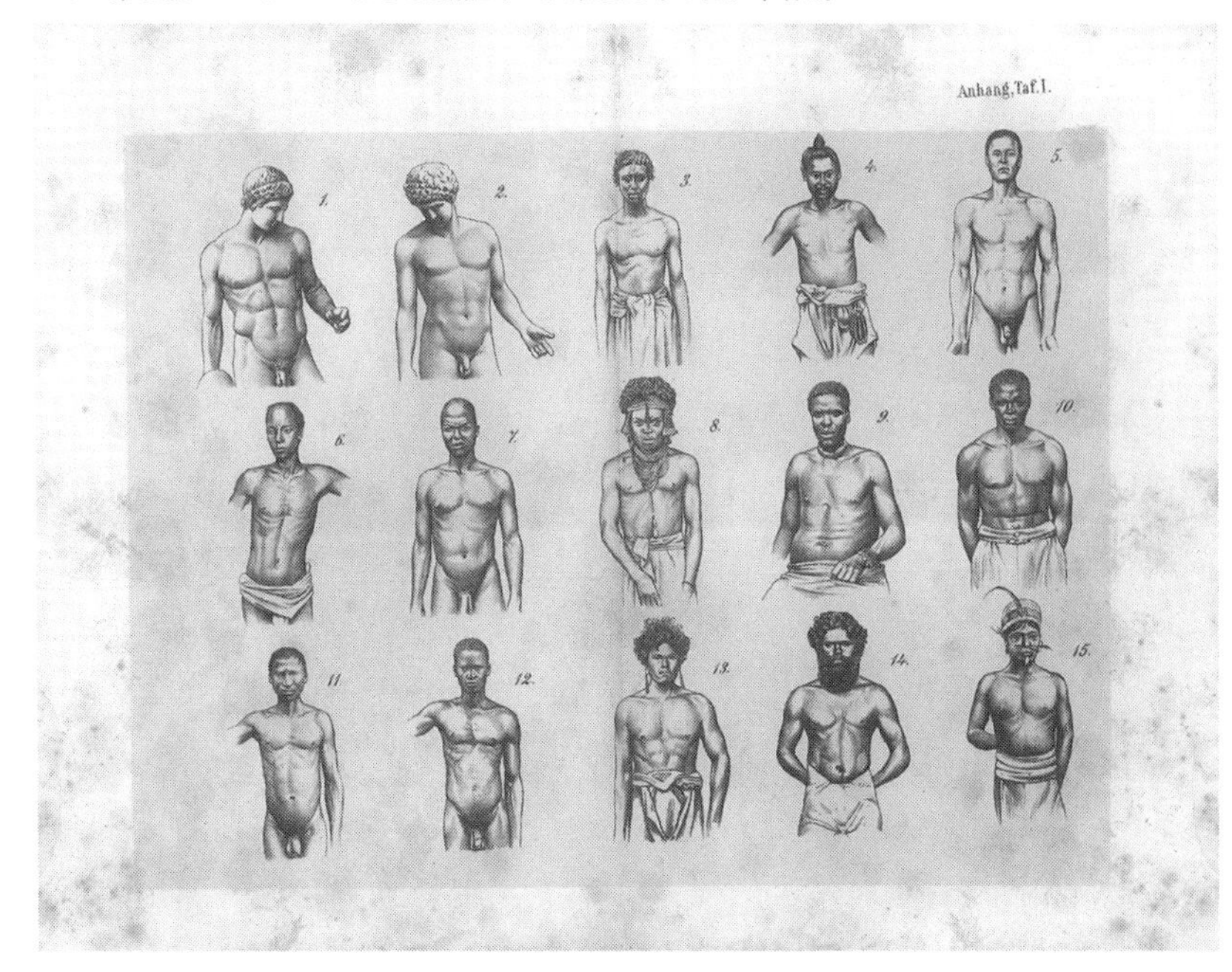

リのダブルクラウンという大判サイズで描かれた。画面が大きいと図版の描写密度も高くなる。実際に、この教科書の図版は、美術解剖学の歴史上最も情報量の多い図版と言っても過言ではない。この頃の解剖図は写実描写のピークで、これより後の時代には、程よく整理された小型の図版が出現し始める。

『女性体幹の解剖学』に掲載された解剖図の特徴は、部分的に皮膚と皮下脂肪を残していることである。これによって体表から筋までの深さを理解することができる。これは女性の解剖図ならではの調整と言える。

§4-14 ―マーシャル

対象をどう観察するかは、美術解剖学における重要な前提である。しかし、そうした要素は、芸術家や解剖学者にとって当たり前であるがゆえに、わざわざ記載されることはほとんどない。本章では書籍などの教材から、そこに込められた教育的な思想や配慮を読み解いてきた。

今日の解剖学の教科書で一般的に使用されている

4-13-6
『ミロのヴィーナス』（130-100BC頃、大理石製、ルーヴル美術館蔵）。筆者撮影

4-13-5
ルカ『女性体幹の解剖学』（1868）の図版。初の女性モデルの美術解剖学書。筆者蔵

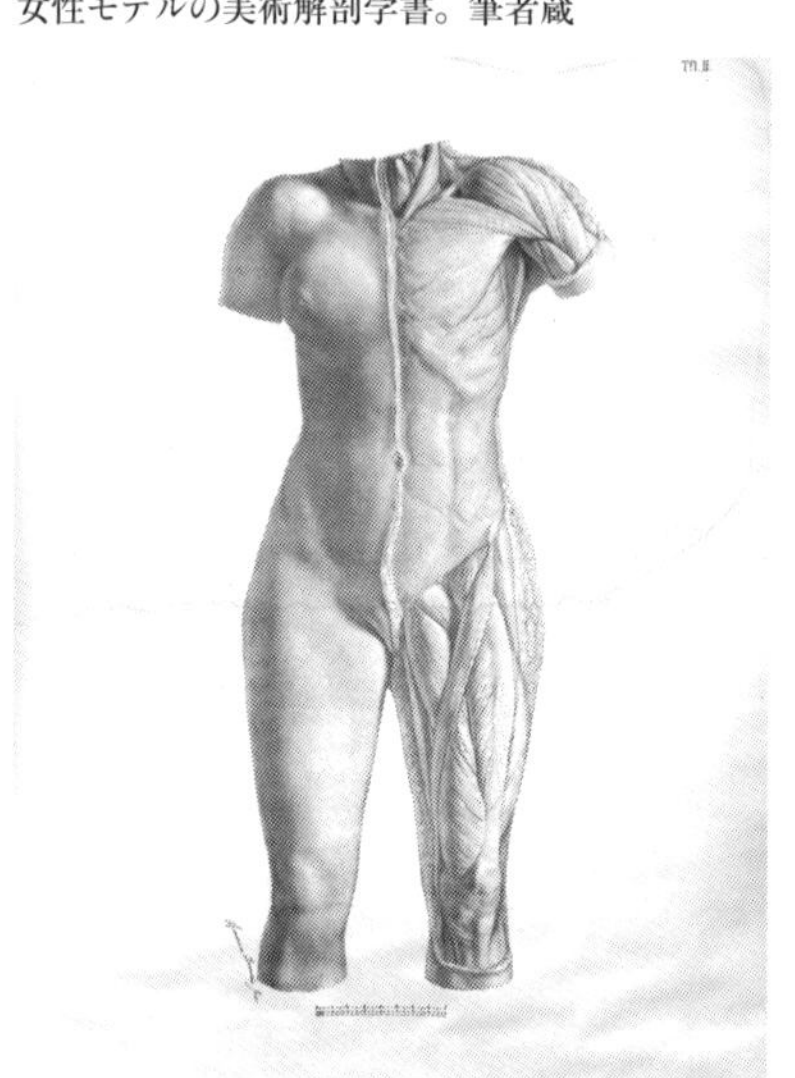

かる。

「解剖学的正位」や「筋の単一表示」といった観点も、歴史をたどると導入された瞬間が見つ

美術解剖学に「解剖学的正位」が最初に導入されたのは、1845年のフォーのアトラスである（4-12参照）。実はそれ以降も解剖図の姿勢が定まらず、様々な姿勢の教科書が出版されていた。

流れが変わったのは、イギリスの外科医で解剖学者のジョン・マーシャル（Marshall, John. 1818-91）の『美術解剖学（Anatomy for Artists）』（1878）である。全身図を除く局所図に解剖学的正位が採用されているほか、筋を単一表示した図が新たに導入された。

マーシャルは、イギリスの王立美術院で解剖学の教鞭を執った。心臓の後面にある「マーシャル静脈（左心房斜静脈）」という細い静脈に彼の名が残っている。この静脈は学生がよく見落とすほど細い静脈だが、発生学的に重要で、胎児期には心臓に静脈血を送る左側の上大静脈を担っている。その後成長するにつれて、右側の上大静脈のみが発達し、左側の上大静脈は細いままとどまったものだ。

マーシャルの美術解剖学書は、画家のジョン・カスバート（Cuthbert, John S. 生没年不詳）が描いた。カスバートの図版は正確に筋走行や骨の起伏を描くのみで、ドラマチックな陰影や、抑揚のついた線などの絵画表現が見られない。このことは、客観性を重視する科学研究と符合する。

マーシャルとカスバートが「科学的」を重視していたことが窺える資料がもう一つある。『美術解剖学』の翌年に刊行された『人体プロポーションのルール（A rule of proportion for the human figure）』（1879）という大判図譜である。この図譜は6枚の男女の骨格図からなる。

4-14-1
解剖学者ジョン・マーシャルの肖像。筆者蔵

THE MUSCLES OF THE TRUNK. 339

Latissimus dorsi, figs. 159, 167, [illegible]. Superficial, except a small triangular part at its upper and inner corner, which is overlapped by the trapezius; very broad, flat and triangular, for the most part thin, but thicker along its anterior border; its lower fleshy fasciculi nearly vertical, its middle ones oblique upwards and outwards, its upper ones horizontal, all converging to the hinder border of the axilla, whence the muscle ascends to the shaft of the humerus. Lower five or six dorsal spines, all the lumbar, and upper two or three sacral spines, supra-spinous ligament, outer lip of nearly the posterior half of the iliac crest, and lower three or four ribs —— bottom of the bicipital groove of the humerus, by a short, flat, quadrilateral tendon, blended with that of the teres major. The spinal and pelvic origins of this muscle form a broad, thin, but strong aponeurosis, which, wider below than above, is inseparably joined with the aponeurosis of the erector spinæ, and gives attachment to the fleshy fasciculi, along an oblique curved line passing downwards and outwards through the lumbar region. The three or four fleshy fasciculi from the ribs, fig. 162, interdigitate with as many of the processes of the external oblique, and, ascending together with the fasciculi from the crest of the ilium, form the comparatively thick anterior border of the muscle. The upper horizontal border, which crosses over the lower angle of the scapula, and is sometimes attached to it by a thin slip, is very thin. The narrow terminal portion of the latissimus dorsi

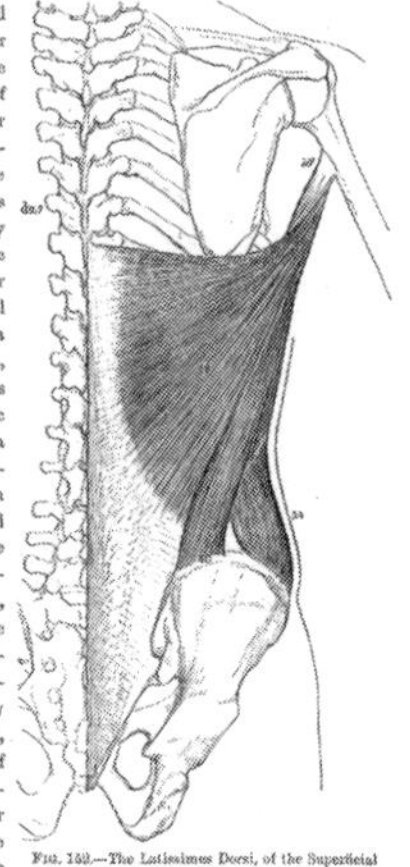

FIG. 152.—The Latissimus Dorsi, of the Superficial Dorsal Group.

z 2

26 THE BONES.

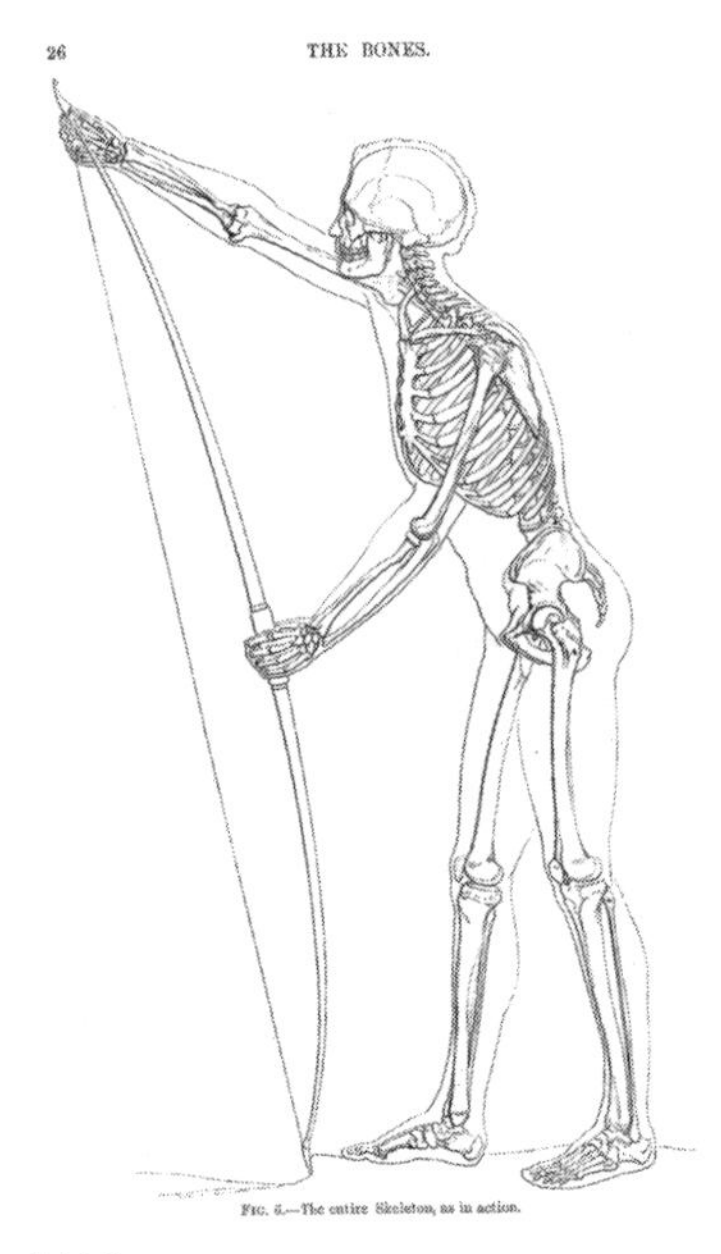

FIG. 6.—The entire Skeleton, as in action.

THE INFLUENCE OF THE MUSCLES ON FORM. 259

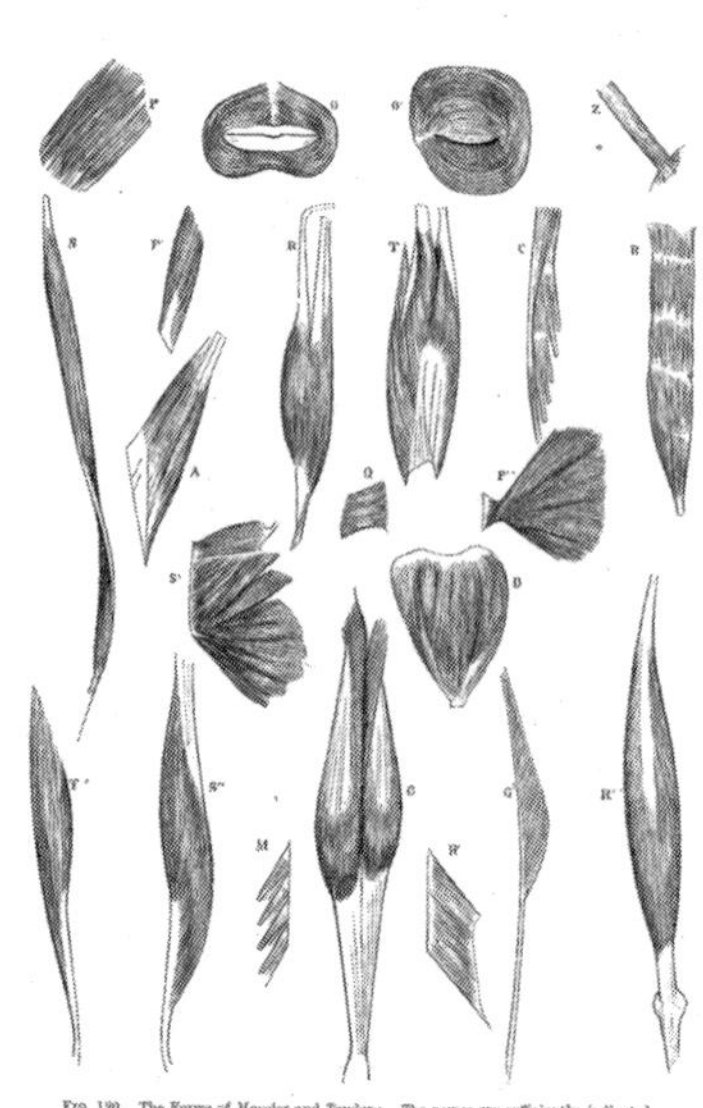

FIG. 120. The Forms of Muscles and Tendons. The names are sufficiently indicated in the text.

4-14-2

マーシャルの『美術解剖学』(1878) の図版。画家のカスバートが描いた。特定の筋の表示など現代の解剖図のような図示方法が見られる。筆者蔵

美術の教科書に記載される人体プロポーションは、「8頭身」など、身長をキリの良い数値で割った理想的人体が採用されているのが通例である。しかしマーシャルの人体プロポーションは、平均身長が採用され、男性で7・8頭身、女性で7・5頭身と実際の計測に近い数値が採用されている。主観的な美術に客観的な科学の目が導入されたのである。

なぜイギリスで他の諸国にないことが起きたか。その要因のいくつかは、マーシャルが解剖学者であったことと、イギリスにおける美術解剖学の歴史が比較的浅く、それまで主流であったフランスやイタリアからの影響が薄かったこと、当時の医学が科学に傾倒していったことなどが考えられる。

イギリスの王立美術院では、ウィリアム・ハンター（4－9参照）以降、伝統的に医師や解剖学者が教鞭を執っていた。2019年に王立美術院で開催された『The Anatomy Professor』展のカタログを元にマーシャルまでの教員（職業、就任年）を羅列すると、初代ウィリアム・ハンター（医学者・解剖学者、1768－83）、ジョン・シェルドン（解剖学者、1783－1808）、アンソニー・カーライル（外科医、1808－24）、ジョセフ・ヘンリー・グリーン（外科医、1825－51）、リチャード・パートリッジ（外科医、1852－73）、ジョン・マーシャル（外科医・解剖学者、1873－91）と、解剖学者か外科医しかいない。

王立美術院の美術解剖学の教員は、極めて医学寄りの人選だったのである。マーシャルとカスバートの教科書が医学や科学の体裁を踏襲しているというのも、こうした背景の影響が考えられる。マーシャルの教科書はその後フランスにも伝わった。

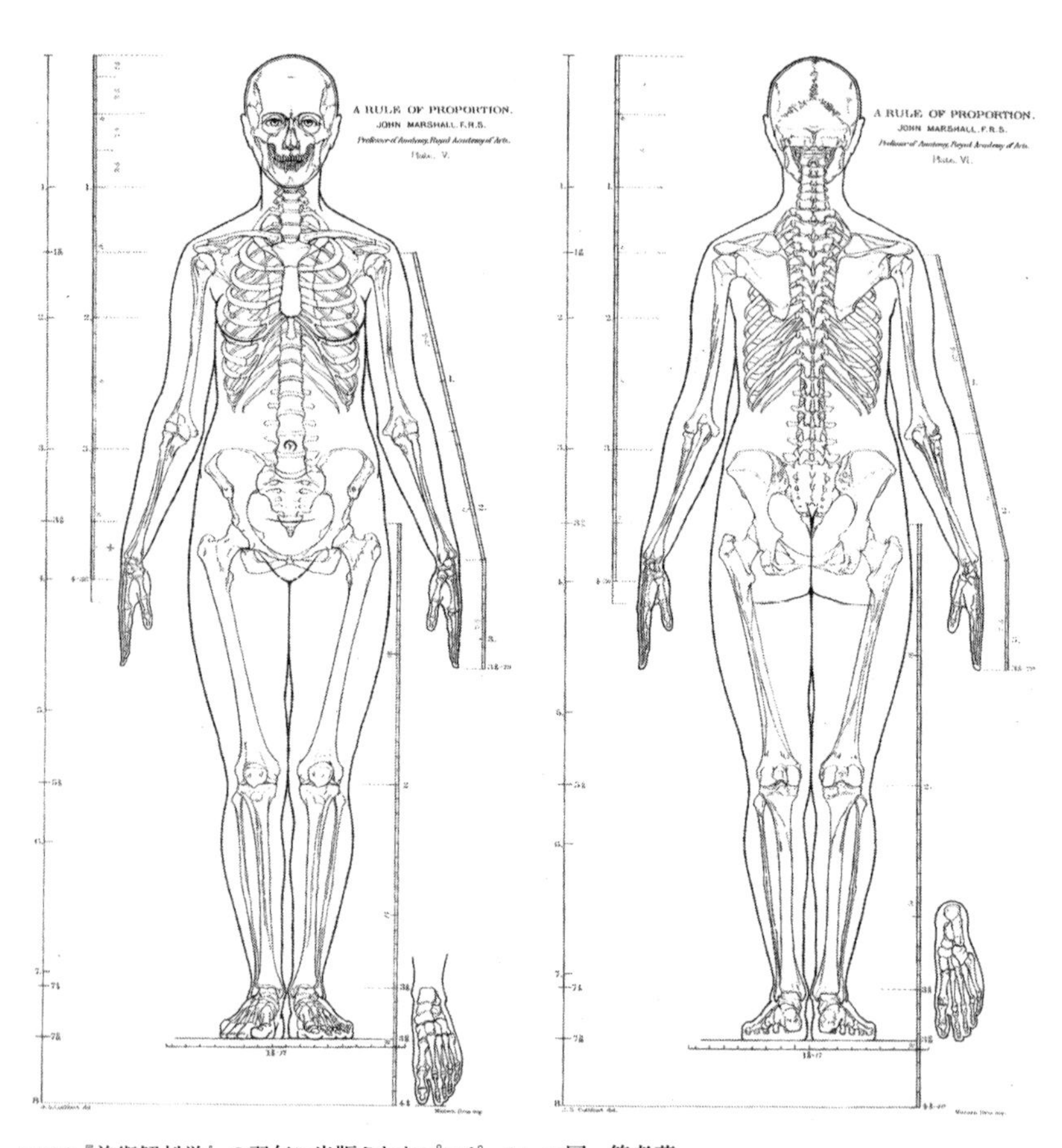

4-14-3『美術解剖学』の翌年に出版されたプロポーション図。筆者蔵

§4-15 デュヴァルとキュイエ

ジョン・マーシャルが教科書を出版した頃、パリ国立高等美術学校では、医師で解剖学者のマティアス・デュヴァル（Duval, Mathias. 1844-1907）が教授を務めていた。

デュヴァルの代表的な教科書は、『芸術家が使用するための正確な解剖学（Précis d'anatomie a l'usage des artistes）』（1881）である。タイトルに「正確な（Précis）」とあり、それまで出版された他の教科書を刷新するような印象である。解剖学者の立場からすると、古い記述を踏襲していたり、曖昧な書籍が出回っていると感じていたのであろう（これは私も感じていることである）。

デュヴァルの教科書も、マーシャルと同様に局所解剖図が採用されている。骨の図版などいくつかは、デュヴァルのアシスタントを務めたエドゥアルド・キュイエ（Cuyer, Édouard. 1852-1909）が描いた。デュヴァルの教科書に掲載されている筋肉図は、フォーのアトラスを手がけたレヴェイユやフランスの解剖学者コンスタンティン・ボナミ（Bonamy, Constantin-Louis. 1812-?）の図譜を手がけたエミール・ボー（Beau, Emil. 生没年不詳）など、当時最高峰の画家が手がけている。

この教科書の大きさは新書サイズに近く、出版後にたちまち英語、ドイツ語、ロシア語に翻訳され、ヨーロッパ全土に普及していった。当時のフランスの美術解剖学の圧倒的な発信力を垣間見るようである。デュヴァルの教科書は、内容、図版、体裁、どこを取っても「手堅い」印象を受ける。

4-15-1
パリ国立高等美術学校教授のマティアス・デュヴァルの肖像。筆者蔵

デュヴァルは教科書を執筆するだけでなく、美術解剖学の歴史書も執筆している。歴史系の著作には、ルネサンス以降の美術史とパリ国立高等美術学校の豊富な資料をまとめた『造形解剖学の歴史（Histoire de l'Anatomie plastique）』（1893）と、美術解剖学に関わった巨匠たちの素描をまとめた『巨匠の解剖学（L'anatomie des maîtres）』（1890）がある。

私も美術解剖学の歴史を調査しているが、美術解剖学の教員となったからには先人たちが何を教えていたか知りたいと思っているからだ。デュヴァルも医学から美術で教えるようになり、芸術家が何を学び、美術大学で何を教えていたかを把握したいと考えたのだろう。

歴史に興味がない人もいるだろうが、例えばこの本を読んでいるあなたが日本語を読めるようになったのは、すでに日本語を習得した他者とのコミュニケーションを通してのはずである。その過程で、すでに「歴史」から学んでいるのである。

何を学ぶにせよ、全く他者から学ばない「独学」による成長はない。私が歴史を調査するきっかけとなったのも、独学による成長の見込みは薄いと感じたことにある。教育の質を高めるのであれば、先行研究を調査し、先人たちの優れた知識を取り入れていくべきだ。

本章では、現代的な美術解剖学に至るまでの歴史の転換点をかいつまんで紹介している。少なくとも医学と美術双方を十分に学んだ教員は少なく、教員間の情報共有や継承もあまり見られない。そうしたときに歴史を学ぶことは効果的である、と私は考えている。

また、独学をしたからといって、独自性を発揮できるということではない。獲得した知識や経験によって頭が固くなる可能性は、人から学ぼうと独学しようと等しく存在する。

「いや、俺は誰の影響も受けない。これまでにない独創性を追求したい」という人でも、「これまでにない」と言い切るには、過去を知る必要があるだろう。先人たちもあの手この手を尽

4-15-2
デュヴァルの助手、エドゥアルド・キュイエの肖像。筆者蔵

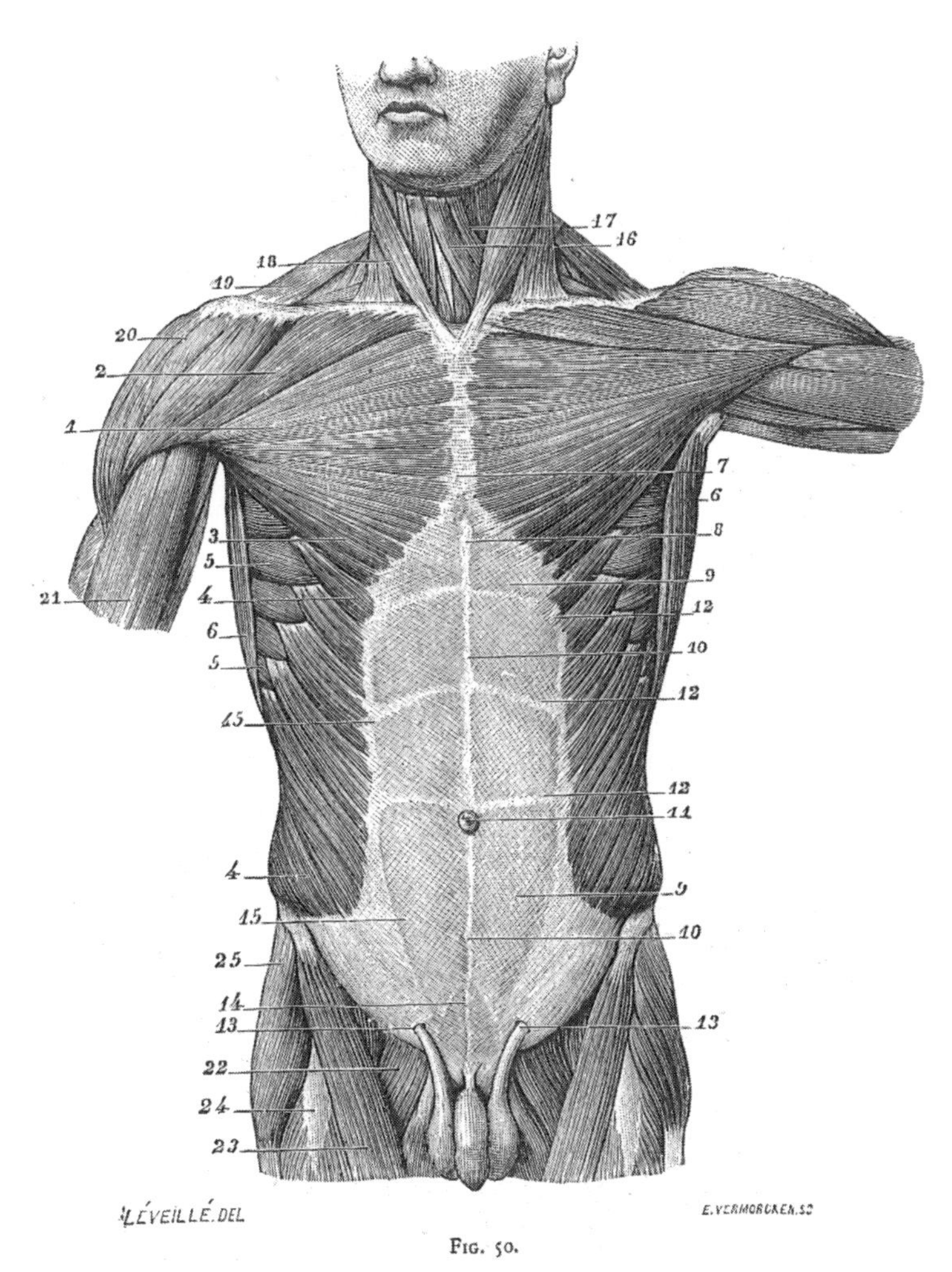

4-15-3 デュヴァルの教科書に掲載された解剖図。フォーの図譜を描いた画家レヴェイユも参加している。解剖図の姿勢は解剖学的正位ではなく、運動が含まれる古典的な姿勢を取っている。筆者蔵

くしているので、「これまでにない」ことを探すことの難しさに気づくだろう。

デュヴァルは、1903年にパリ国立高等美術学校を退官した。アシスタントのキュイエも同時に美術学校を去り、パリ市立美術学校で解剖学の教鞭を執った。キュイエは晩年に『造形解剖学（Anatomie Plastique）』（1913）を執筆し、芸術家向けの解剖学や動物解剖学の教育に尽力した。

§ 4-16 ― リシェ

ヨーロッパ中に普及したデュヴァルの教科書だが、フランス国内ではわずか数年で刷新されてしまう。更新したのは、現代美術解剖学の父ポール・リシェ（Richer, Paul Marie Louis Pierre. 1849-1933）である。ファミリーネームのRicherは、日本語では「リッシェ」や「リッチャー」と表記されることが多いが、フランス語の発音は「リシェール」に近い（Rich＝リッチは英語の発音に近い）ため、本書では「リシェ」と表記する。

リシェは、1890年に『美術解剖学　人体の外形の解説』を出版した。この教科書の図版は、出版後にたちまち引用され、ポール・ポワリエの『人体解剖学の論考』（1892）以降10年の間隔を開けずに現代まで引用ないし孫引きされ続けている。間違いなく最も引用された美術解剖学書である。

なぜリシェの図が引用されているかを判別できるかといえば、大腿部に描かれた「リシェ支帯（大腿筋膜の弓状支帯）」（3-6参照）の有無である。「リシェ支帯」が描かれていればリシェの影響を受けたと言える。

4-16-1
ポール・リシェの肖像。筆者蔵

リシェが生まれたのは1849年のフランス、シャルトルという有名な大聖堂のある街である。幼少の頃から美術が好きで、家から学校までの通学路で大聖堂を修復する石工たちの技をよく見ていたとされる。リシェは近所に住む画家から認められるほどの画才を持っていたが、芸術の道へは進まず、医師を目指してパリ大学の医学部へと進学した。

医学部では「上の学年の3番目」とあだ名がつくほどの秀才ぶりを発揮し、インターン（研修医）の頃にサルペトリエール病院のジャン＝マルタン・シャルコー（Charcot, Jean-Martin. 1825-93）に画才を見出される。

シャルコーは、リシェが依頼を受けて描いたメイレ（Meillet, Henri. 生没年不詳）の『症候学から見た手の永久変形』（1874）の図版を見たときに感銘を受け、「我々はこれらの図で診断を行うだろう！」と叫んだとされる。その後、リシェはシャルコーのアシスタントを務めることになった。

4-16-2 シャルコーによる「火曜講義」の風景、19世紀のリトグラフ。オリジナルはパリ、サルペトリエール病院蔵の油彩画。マティアス・デュヴァルと後任のポール・リシェの姿がある。筆者蔵に加筆

リシェは学校機関での美術教育を受けていないとされるが、見たままの形を描画、造形することができた。それは、紙に描いた図だけに止まらず、立体的な病理模型の作成にも及ぶ。おそらく瞬間記憶能力（カメラアイ）の形態把握版のような能力を持っていたのだろう。

私は10年ほど美術予備校で教えていたが、特に教えていないのに苦労せず形が拾える学生を何人か見たことがある。こうしたタイプの人は自発的に周囲の事柄を把握し、腕前を伸ばしていく。「好きこそものの上手なれ」という人も、ただ物事が好きなのではなく、こうした理解力と探索力のある素養を持つ人なのかもしれない。

リシェの図版はどういった点で優れているのか。その一つは全ての図に及ぶ計画である。前面、後面、外側面、内側面で描かれた投影図。同一個体の解剖学的正位。観察に基づく内部構造の正確さ。統一された縮尺による連結可能な図版。同一のアウトラインに収まる骨格、筋、体表の図。これが徹底されている解剖学書はきわめて少ない。

この正確さは、一つは、モデルの写真を用いたこと、もう一つはリシェ本人が解剖を行ったことに起因する。リシェの友人で、パリ大学の医学部の教授を務めたポール・ポワリエ（Poirier, Paul Julien. 1853－1907）は、リシェに無償で解剖体を提供し、さらには持てる解剖学的知識を伝授した。これにより監修とまではいかないものの専門家によるチェックが入っている。

画家が（推測や解剖学書を参照して）一人で描いた解剖図には、ほぼ確実に事実と異なる箇所が存在する。リシェの場合は、ポワリエの存在が図版や記述の正確さを高める結果につながったと考えられる。リシェの教科書に記載された図版は、のちにポワリエの教科書にも使用されることになった。

4-16-3
リシェの友人で解剖学者ポワリエの肖像。筆者蔵

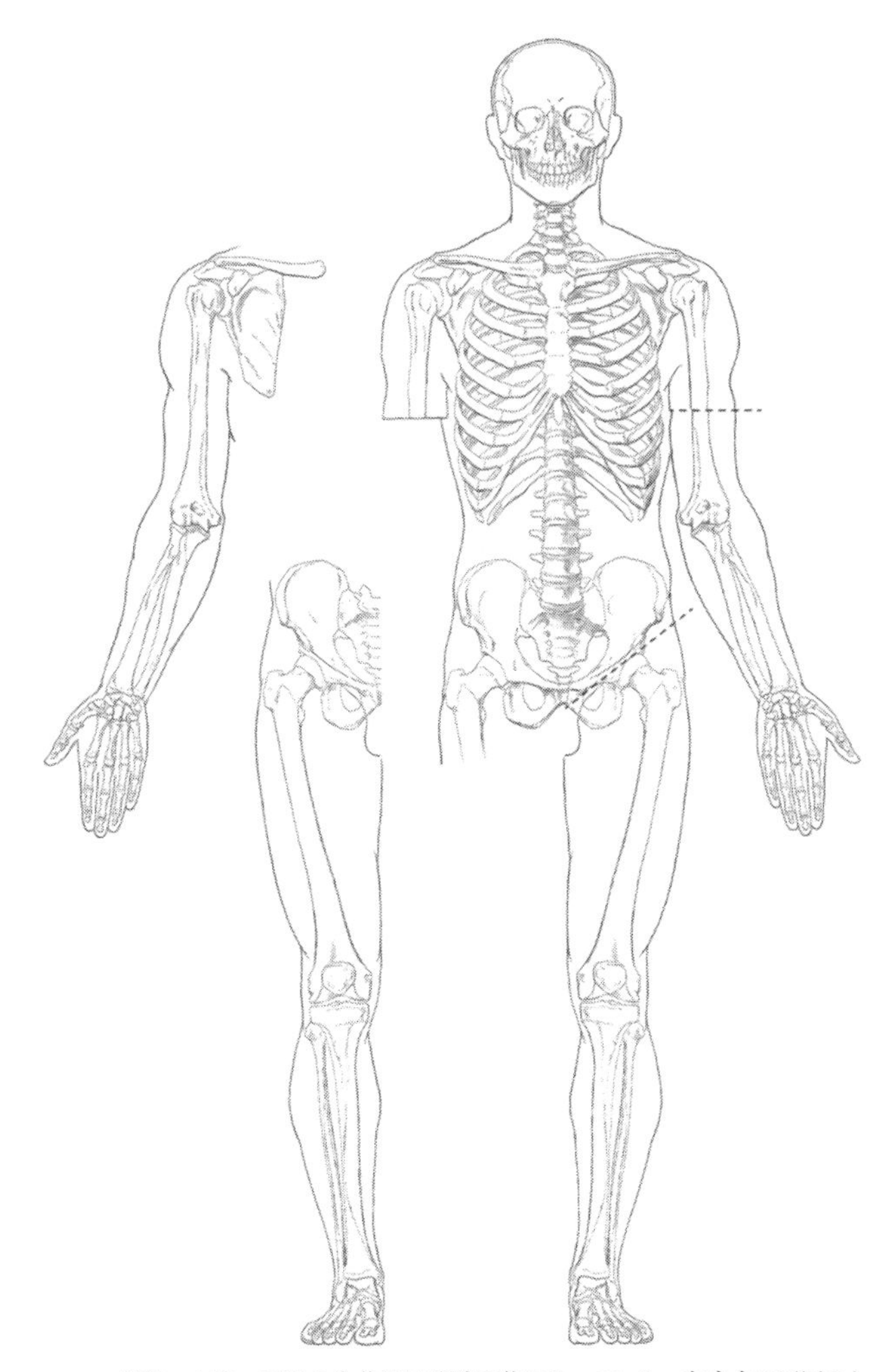

4-16-4 体幹、上肢、下肢の全体図は連結可能になっている。右半身は原図のトリミング、左半身は筆者による合成

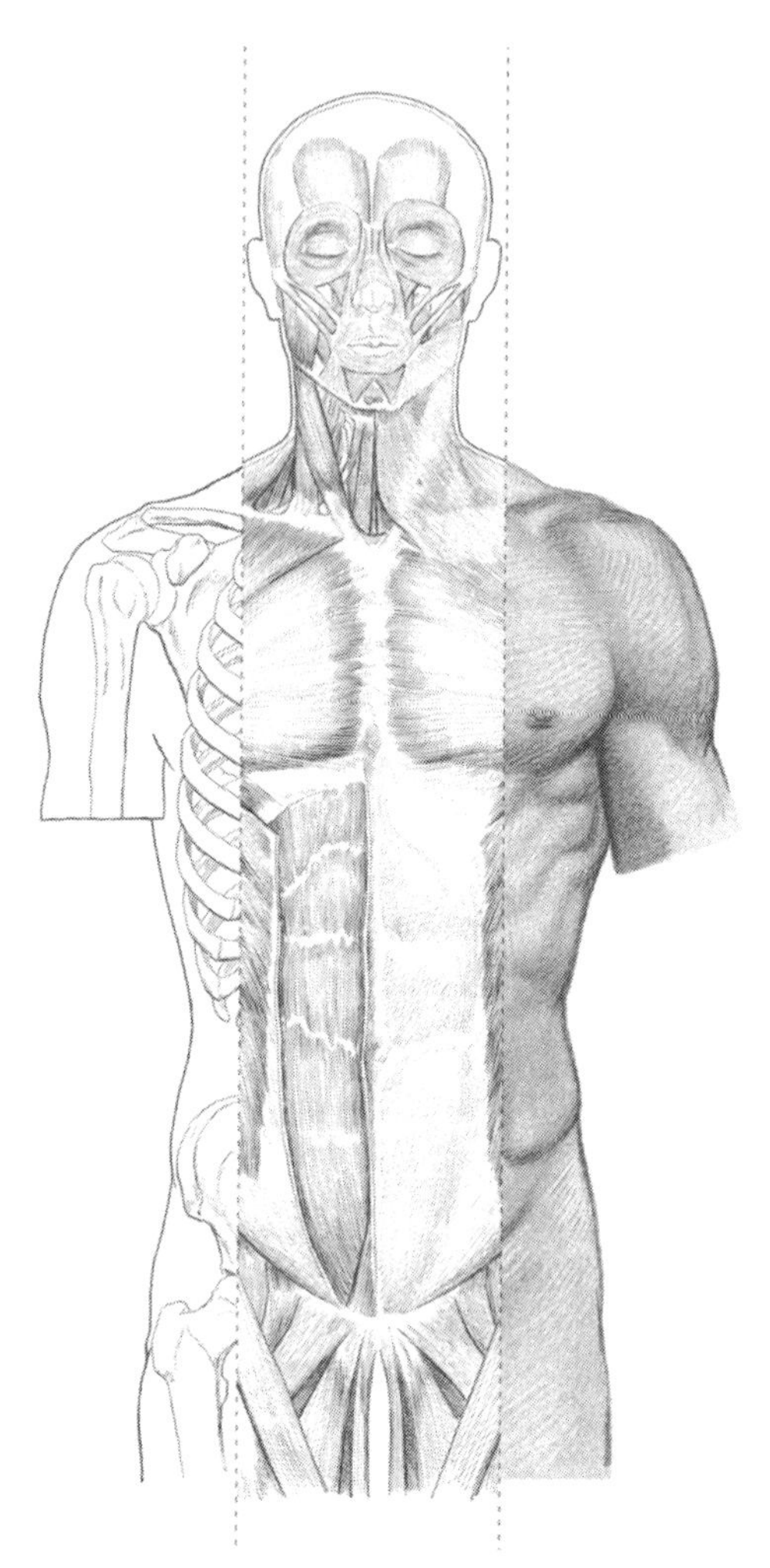

4-16-5 別々に描かれた骨格図、筋肉図、体表図が同一の輪郭に収まる。画像作成：岡村太郎

リシェは『美術解剖学』を出版した同年に、芸術家たちの登竜門「サロン・ド・パリ」にも出品している。

出品された作品は『最初のアーティスト』と題された等身大のブロンズ彫刻で、岩に腰掛け、右手にヘラを持った男性が、左手に手のひらほどのマンモスの彫刻を持ち、その出来栄えに満足そうに笑みを浮かべている。髪を結った姿と牙の生えたマンモスからわかるように、新石器時代の芸術家を表現した作品である。この彫刻は現在、パリ国立自然史博物館の庭に常設展示されている。

先にも述べたが、リシェは美術教育を受けていないとされる。無名のアーティストが、アカデミズムの殿堂のであるサロンに出品し、買い上げされるという華々しいデビューを飾った。

リシェは、デュヴァル教授が退官した1903年に、後任としてパリ国立高等美術学校の教授に就任した。リシェはその後も多数の著作を発表した。

年代順に、『人体プロポーションのカノン』(1893)、『美術生理学　男性の運動』(1895)、『芸術と科学の対話』(1897)、『人の形態の研究入門』(1902)、『新編美術解剖学実用的な初心者向け講義』(1906)、『新編美術解剖学　動物編第1巻：馬』(1910)、『新編美術解剖学　第2巻：女性の形態学』(1920)、『新編美術解剖学　第3巻：生理学　運動と姿勢』(1921)、『新編美術解剖学　第4巻：芸術における裸体表現　エジプト、カルデア、アッシリア美術』(1925)、『新編美術解剖学　第5巻：芸術における裸体表現　ギリシャ美術』(1926)、『新編美術解剖学　第6巻：芸術における裸体表現　キリスト教美術』(1929)がある。

これらの書籍は、美術解剖学の歴史的に見てもそれまでの情報を更新するもので、現代の私

4-16-6
『最初のアーティスト』(1890, パリ国立自然史博物館蔵)。リシェ本人による描き起こし図。筆者蔵

が見ても新鮮な情報を得ることができる。

リシェは晩年、美術史における人体表現を研究するようになった。医学からスタートしたリシェは、より芸術へと研究を深化させた。晩年の大理石彫刻作品『三女神』（1913）は、ルネサンス様式、新古典主義様式、近代（制作当時は現代）様式の人体像がそれぞれ表現されている（65ページ、1-15参照）。観察の結果、様式の造形コントロールまでできるようになっている。

美術解剖学を大幅に更新したリシェは、1933年12月17日に亡くなった。現在もモンパルナス墓地の第10区画に家族とともに埋葬されている。

§4-17 ヘラー

画家のエゴン・シーレ（Schiele, Egon. 1890-1918）は美術解剖学を学んでいた。それも学校で教わった程度ではなく、美術解剖学の講師のアトリエに住み込み、共に制作をするほどであった。その講師の名前はヘルマン・ヘラー（Heller, Hermann Vinzenz. 1866-1949）である。

ヘラーは1889年から1895年にかけてウィーン芸術アカデミーでは絵画を、ウィーン大学では医学を学んだ芸術家で医師である。大学卒業後はコルベット艦の医師として働き、1903年から1906年にかけて再度ウィーン芸術アカデミーに戻り、彫刻を学んだ。

シーレと出会ったのは、ヘラーが講師をしていた1906年から1909年頃である。一つ屋根の下で学んだシーレは、次第に堅苦しいアカデミズムから離れ、グスタフ・クリムトのもとで学ぶようになる。その影響で、象徴主義や表現主義の表現を取り入れ、いわゆる写実表現からは離れていく。

だが、1910年頃のシーレのデフォルメされた人物画は、骨の突出部の位置関係が正確に描かれている。デフォルメは、対象を深く知っていなければできないことを示す好例である。

ヘラーが執筆した美術解剖学書は少ない。最も普及したのは15枚の図からなる『人体形状のプロポーションボード(Proportionstafeln der Menschlichen Gestalt)』(1913)である。その他の解剖図は、手描きの手稿として作成されたが存命中には刊行されなかった。それらの手稿は21世紀になって『ヘルマン・ヘラーによる美術解剖学の規範(Modelle der Künstler-Anatomie von Hermann Heller)』(2001)として刊行された。

§ 4-18 ヴァンダーポール

アメリカの画家のジョージア・オキーフ(O'Keeffe, Georgia. 1887-1986)が自伝の中で「私が出会っ

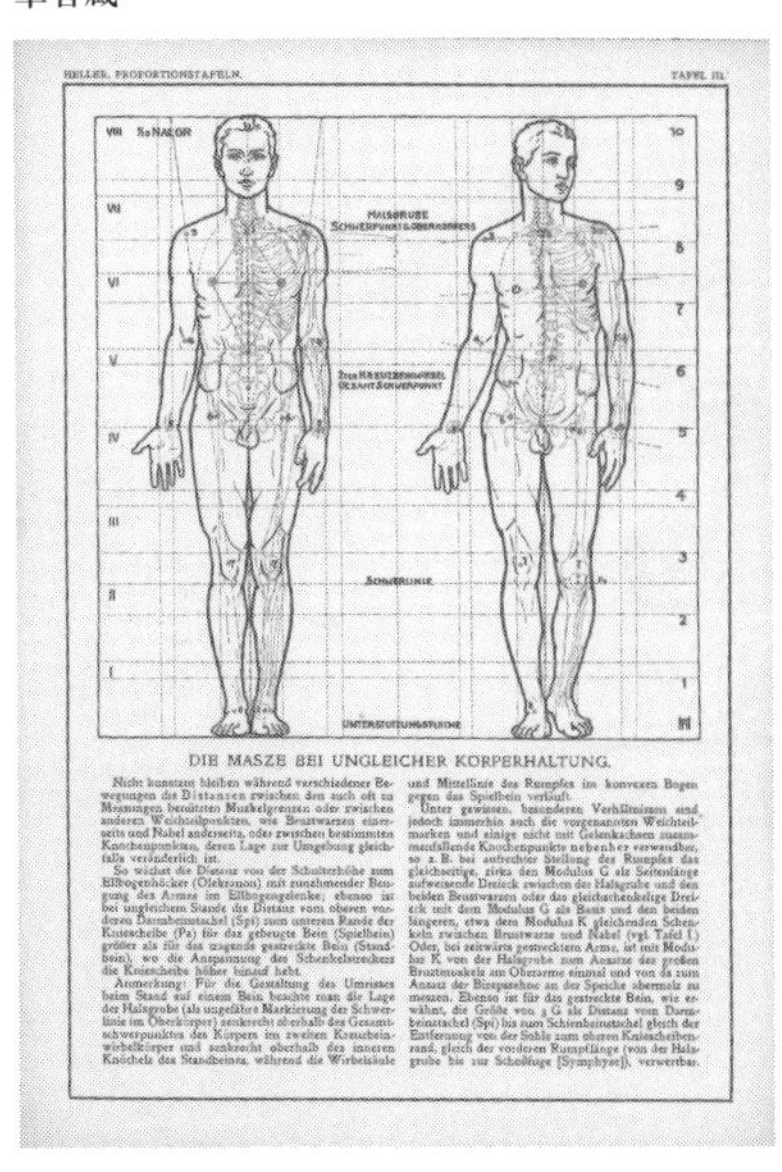

4-17-1
ヘラー『人体形状のプロポーションボード』の図。筆者蔵

4-17-2
ヘラーのスケッチ。筆者蔵

た中で本物の教師の一人」と述懐した講師がいる。その講師は、オランダ出身のアメリカの画家でシカゴ美術館付属美術大学の人物画講師ジョン・ヴァンダーポール（Vanderpoel, John Henry. 1857－1911）である。

ヴァンダーポールはシカゴ美術館付属美術大学で学び、その後パリのアカデミー・ジュリアンで学んだ。彼の著作『The human figure』（1907）の中には、著者自身による素描作例と基礎的な解剖学の情報が掲載されている。

現代的なHow to draw式美術解剖学の先駆け的な教育方法で、「骨格の概観」、「面で捉えた大まかな形態」、「輪郭と稜線の位置」、「それらを踏まえた上での陰影」が並べて掲載されている（図版4－18－2参照）。これらは描画プロセスだけでなく、それぞれのプロセス中に「何を重視して観察するか」が示されている。

普通に人体をスケッチするのであれば、骨格を除く2～4番目の図を参考にすればよい。事実2～4枚目に骨格は描かれていない。ではなぜ骨格があるかというと、そこにボリュームが収まっているかを目測で検証するためである。内部構造が目測で把握できれば、あらゆる骨とそのディテールを描く必要はなく、検証は制作中のどの段階でも行える。

合理的な教育方法は、アメリカで生まれたように思われるが、アメリカの美術解剖学を開拓した人々は移民であり、ヨーロッパの美術教育にルーツがあるようである。

§4－19 ジェロタとブランクーシ

『空間の鳥』で有名な抽象彫刻家のコンスタンティン・ブランクーシ（Brâncuşi, Constantin. 1

4-18-1
ジョン・H・ヴァンダーポールの肖像。『The human figure』より。筆者蔵

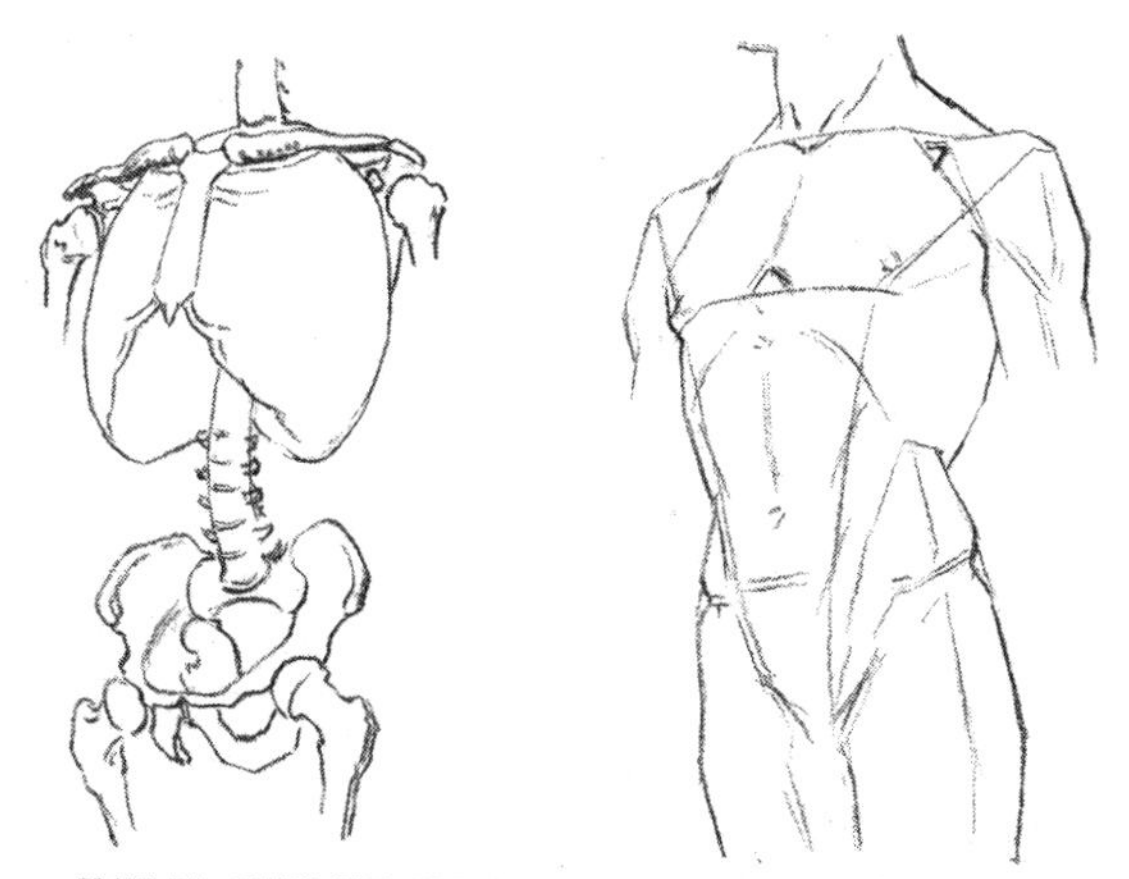

PLATE XX.— THREE-QUARTER VIEW: BONES OF TRUNK, DIMENSIONS, OUTLINE AND SHADING.

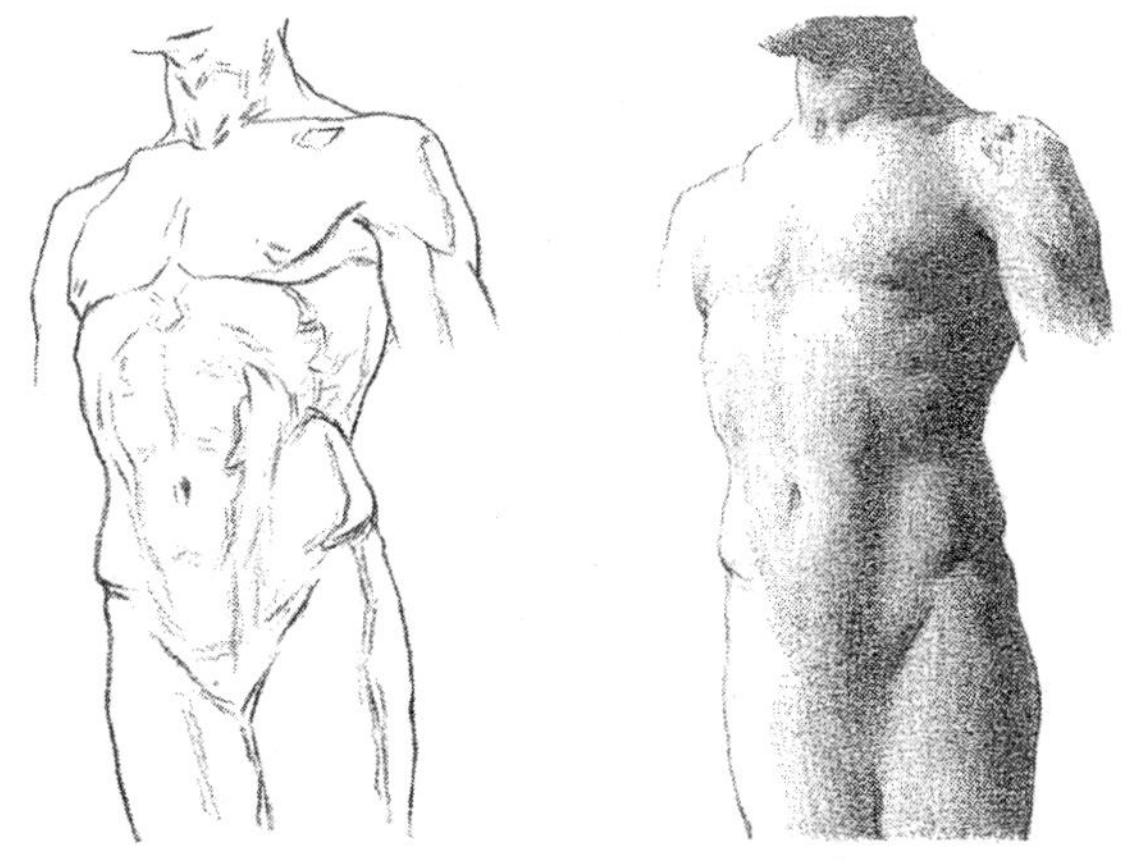

PLATE XXI.— THREE-QUARTER VIEW: BONES OF TRUNK, DIMENSIONS, OUTLINE AND SHADING.

4-18-2 ヴァンダーポールのデモンストレーション。各々のプロセスで見ている内容が明快であり、現代的な教育に通じている。筆者蔵

876－1957）も解剖学と深く関わった。

ブランクーシは、ブカレスト国立美術学校で解剖学を教えていたデミトリー・ジェロタ（Gerota, Dimitorie. 1867－1939）に師事する。ジェロタはルーマニア初の放射線技師で、「腎筋膜（ジェロタ筋膜）」に名が残る著名な解剖学者である。ジェロタは、1897年からブカレスト国立美術学校で芸術家に解剖学を教えた。

ジェロタはブランクーシの単なる師ではなく、彼の才能に大いに期待し、パリ留学中のブランクーシに毎月24フランの奨学金を援助し続けた。

ブランクーシとジェロタの共同作品は『ジュピター（あるいはゼウス）』と呼ばれるエコルシェである。このエコルシェは1901年から1902年にかけて制作され、ブカレスト大学医学部の解剖体験で得た知見に基づいている。姿勢のモデルは、古代ローマ彫刻の『アンティノウス』像で、石膏像とムラージュを傍に置いて制作中の写真が残っている。

写真によれば、エコルシェはアンティノウスの石膏像とほぼ同じ大きさで、モデリング（塑像）によって制作され、知られる限り6体の石膏製のコピーが制作された。そのう

4-19-2
エコルシェのモデルになった『アンティノウス像』（カピトリーの美術館蔵）の19世紀末の写真。筆者蔵

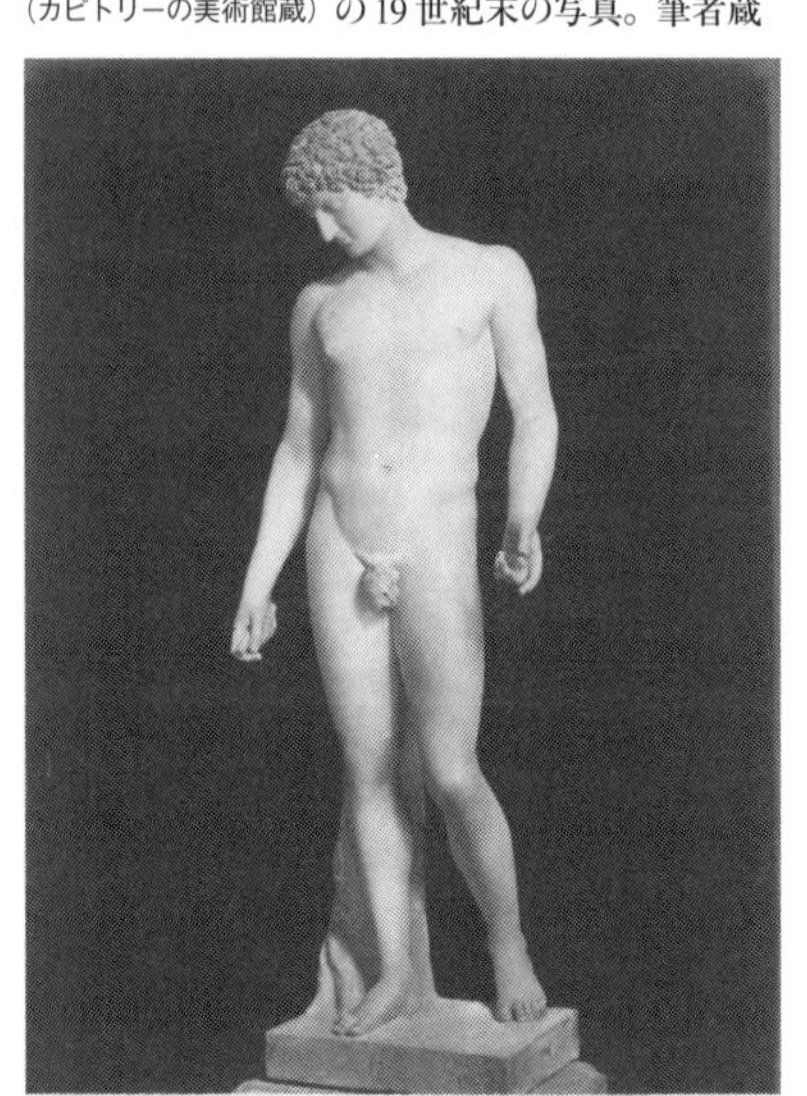

4-19-1
ブランクーシのエコルシェの写真（1901-02, パリ国立現代美術館蔵）。

ち一体はジェロタが所有し、もう一体はブカレスト国立美術学校に収蔵された。

このエコルシェは、古典彫刻を解剖するという19世紀初頭以降の美術解剖学の教育方法を踏襲したものだが、腋窩や大腿の内側面を見せるエコルシェの姿勢は踏襲していない。

§4-20 ドン・ティベリオ

ドン・ティベリオの愛称で親しまれたスペインの薬剤師、画家、政治家のティベリオ・アヴィラ・ロドリゲス（Rodríguez, Tiberio Ávila. 1843-1932）は、若き日のピカソの師である。

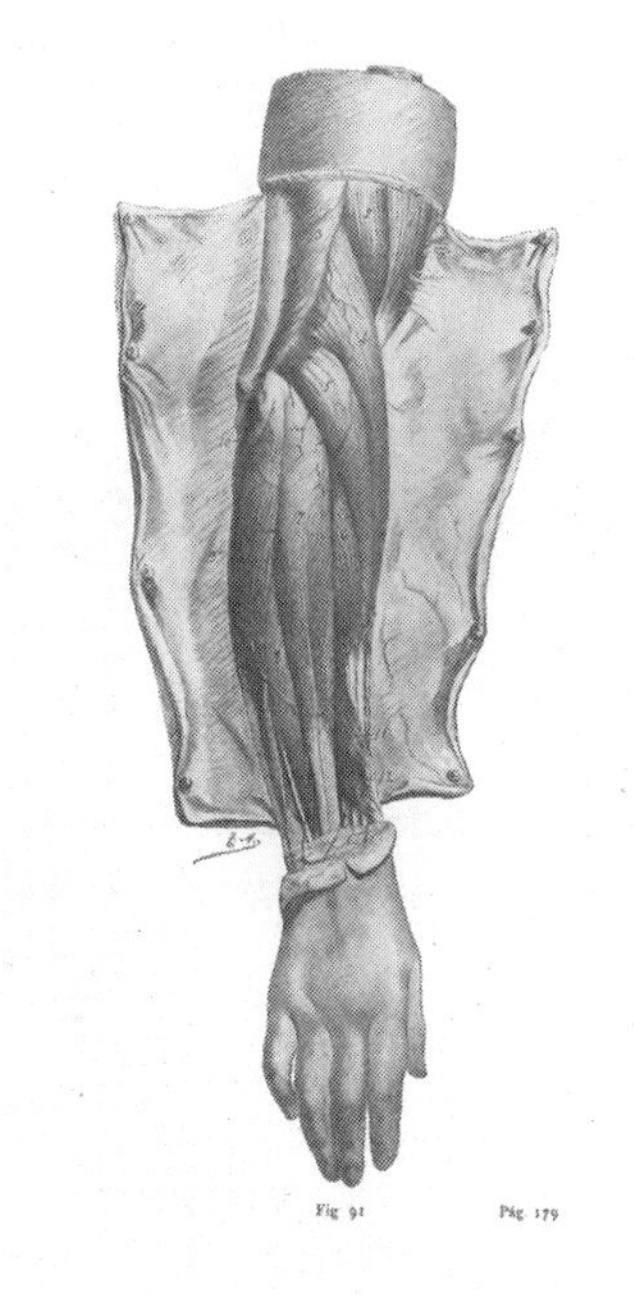

4-20-1 ティベリオ・アヴィラ『芸術家のための解剖生理学　第1巻』(1905)。筆者蔵

彼が教員時代に描いたスケッチは若き日のピカソに影響を与え、のちに『芸術家のための解剖生理学』（1905）の図版としてまとめられた。

ティベリオは、当初薬学を学び、マドリッドのプリンセサ病院で働いていた。1868年には革命で失業し、民法を学ぶ。その後、地方評議会の助成金で美術を学んだ。美術解剖学の講師としては珍しく政治家でもあった。１８９５年にはバルセロナの評議員を務めると同時に、バルセロナ美術学校で美術解剖学の教授を務めた。

ピカソがバルセロナ美術学校に在籍していたのは、１８９５年から１８９７年(14歳から16歳)の2年間で、この間にティベリオに学んでいる。この頃描いた『科学と慈愛』は父の指導のもとに描かれたとあるが、研究者によればティベリオのスケッチと類似点が見られるという。現在ティベリオの作品のいくつかは、ヴィアナ・ド・ボーロ(Viana do Bolo)市にあるティベリオ・アヴィラ博物館に収蔵されている。

§ 4-21 ― ランテリ

フランス出身のイギリスの彫刻家エドワード・ランテリ（Lanteri, Edouard. １８４８-１９１７）は、サウスケンジントンの王立美術学校で彫刻科の教授を務めた。近代彫刻の父オーギュスト・ロダンと親交があり、ロダンはランテリのことを「友人で師」と評している。

ランテリの『モデリング　講師と学生のための手引き（Modelling: A guide for teachers and students)』は、彫刻家向けに編纂された3巻組の教科書で、1巻（１９０２）が人体、2巻（１９０２）がレリーフ、3巻（１９１１）が動物の解説になっている。先ほど紹介したロダンの謝辞は3巻に掲載されている。

このシリーズに共通するのは、解剖学的構造が記載されていることと、粘土による塑像のデモンストレーション写真が掲載されていることである。塑像のプロセス写真が掲載された美術解剖学書は、ランテリが初出と考えられる。それまでも画家や彫刻家に向けた美術解剖学書は

4-21-1
エドワード・ランテリの肖像。『モデリング　講師と学生のための手引き』第1巻より。筆者蔵

4-21-3
ロダンの『青銅時代』。初期案では青銅の槍を握っていた。ロダンないしロダン工房の版画作品。筆者蔵

あったが、解説はイラストが主体で、塑像自体の図や写真が掲載された書籍は見られない。

ランテリのエコルシェの姿勢は、どこかロダンの『青銅時代』を彷彿させる。『青銅時代』と異なるのは、教材として参照しやすいように、片側の上肢と下肢が真っ直ぐにされていたり、頸部や顎下の構造が見やすいように頭部が側方に傾けられていたりすることである。

§4-22 エレンベルガーとディットリッヒ

ヴィルヘルム・エレンベルガー（Ellenberger, Wilhelm. 1848-1929）は、ドイツの獣医解剖学の始祖とされ、ドレスデン獣医学校で解剖生理学の教授を務めた。代表作は『家畜の比較解剖学ハンドブック（Handbuch der vergleichenden Anatomie der Haustiere）』で、19世紀末頃から出版され、ドレスデン美術大学出身画家のヘルマン・ディットリッヒ（Dittrich, Hermann. 1868-1946）が図を手がけた。

4-21-2
ランテリによるエコルシェ。体表を作ってから、筋の溝を造形している。『モデリング　講師と学生のための手引き』第1巻より。筆者蔵

エレンベルガーとディットリッヒは、美術向けの動物解剖学書『芸術家のための動物解剖学ハンドブック（Handbuch der Anatomie der Tiere für Künstler)』を共同執筆した。本書は『エレンベルガーの動物解剖学』（2020、ボーンデジタル）として邦訳され、私も翻訳に関わった。

100年近い使用に耐えた精緻な図版は、解剖標本の観察に基づいており、図の元になった解剖写真がドレスデン獣医学校のアーカイブに残っている。図版と写真を見比べる限り、そのまま描いたわけではなく、生体のようにみずみずしく張りのある体つきに調整している。

ディットリッヒは、1909年から1933年にかけてドレスデン美術大学の解剖学の教授を務めた。ドレスデン美術大学は美術解剖学の名門で、2代後の教授を20世紀美術解剖学の大家ゴットフリード・バメスが務めている（4－26参照）。

『芸術家のための動物解剖学ハンドブック』は、写本可能な体裁になっており、図版ページはプレート（紙葉）として綴じられていない。この書籍の体裁は模写して学習することが前提になっている。これによって多くの芸術家がその図を模写して学んだだけでなく、動物解剖学書にも度々引用された。

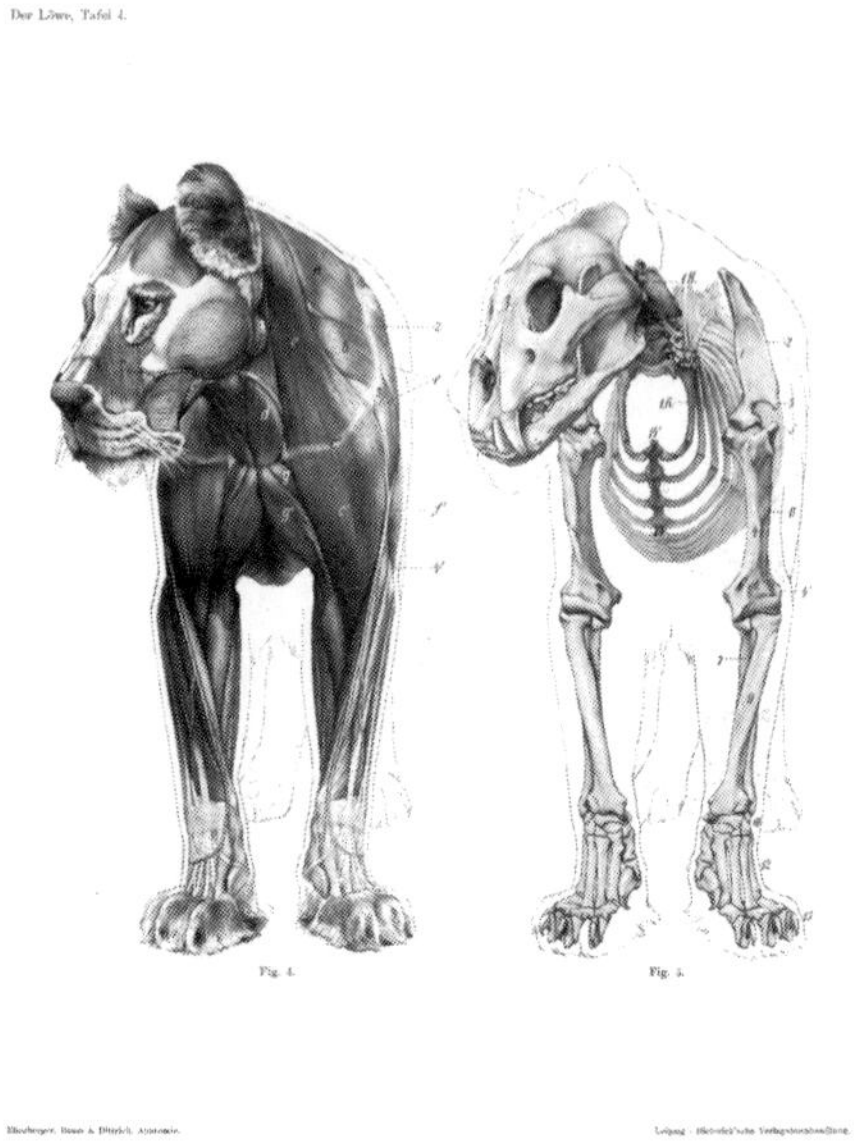

4-22-1
エレンベルガー『芸術家のための動物解剖学ハンドブック』第3巻ライオンの図版。筆者蔵

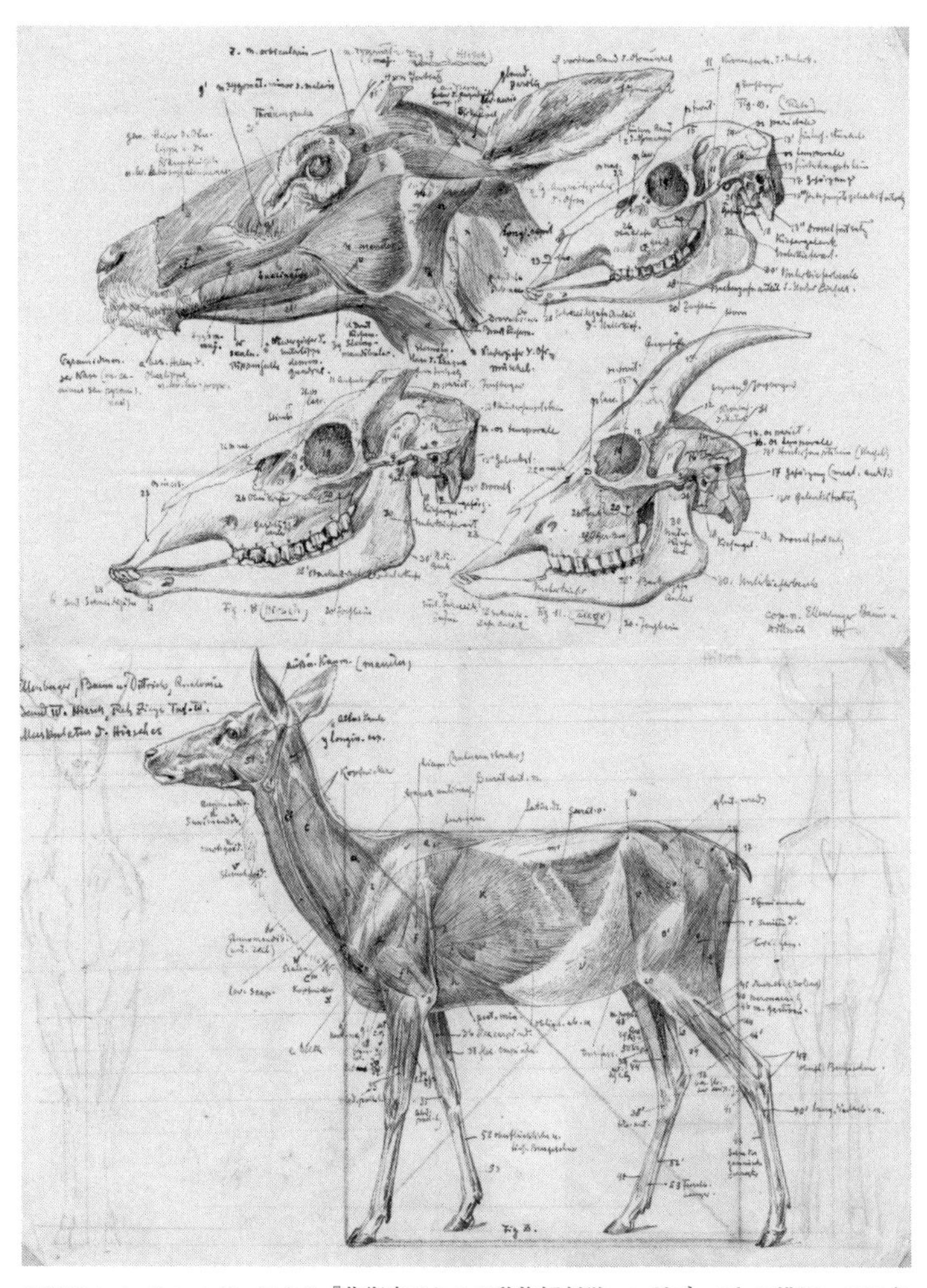

4-22-2 ヘルマン・ヘラーによる『芸術家のための動物解剖学ハンドブック』の模写。1900年頃。筆者蔵

§4-23 リマー

ウィリアム・リマー（Rimmer, William. 1816-79）は、アメリカの美術解剖学教育を開拓した画家で彫刻家、医師である。リマーは1841年から47年にかけてブロックトンの開業医アベル・ウォッシュバーン・キングマン（Washburn Kingman, Abel. 1806-83）の元で断続的に医学を学び、1843年にはマサチューセッツ医科大学で人体解剖を体験する。その後、サフォーク郡医学協会で医師となり、1848年から1862年にかけて開業医として働いた。

1861年には代表作となる『瀕死の剣闘士』を発表、この年からボストン市やローウェル研究所などで美術解剖学の授業を始めた。1866年から1870年にかけてはニューヨークのクーパー・ユニオンで教授を務めた。リマーは制作スピードが速い作家であったことが知られており、『瀕死の剣闘士』は200時間、4ヶ月で完成させている。

リマーが執筆した代表的な教科書は『美術解剖（Art anatomy）』（1877）である。ここに描かれた図はかなり作家性が強く、線の抑揚などに独特のクセが見られる。解剖図というよりは素描のような印象で、ルネサンス様式を追い求めたリマーの美的感覚が見受けられる。リマーはアメリカ国内では敬愛の意味を込めて「ヤンキー・ミケランジェロ」と称された。

§4-24 ブリッジマンとヘイル

カナダ出身の画家で、ニューヨーク学生連盟（The art students league of New York）の素描講

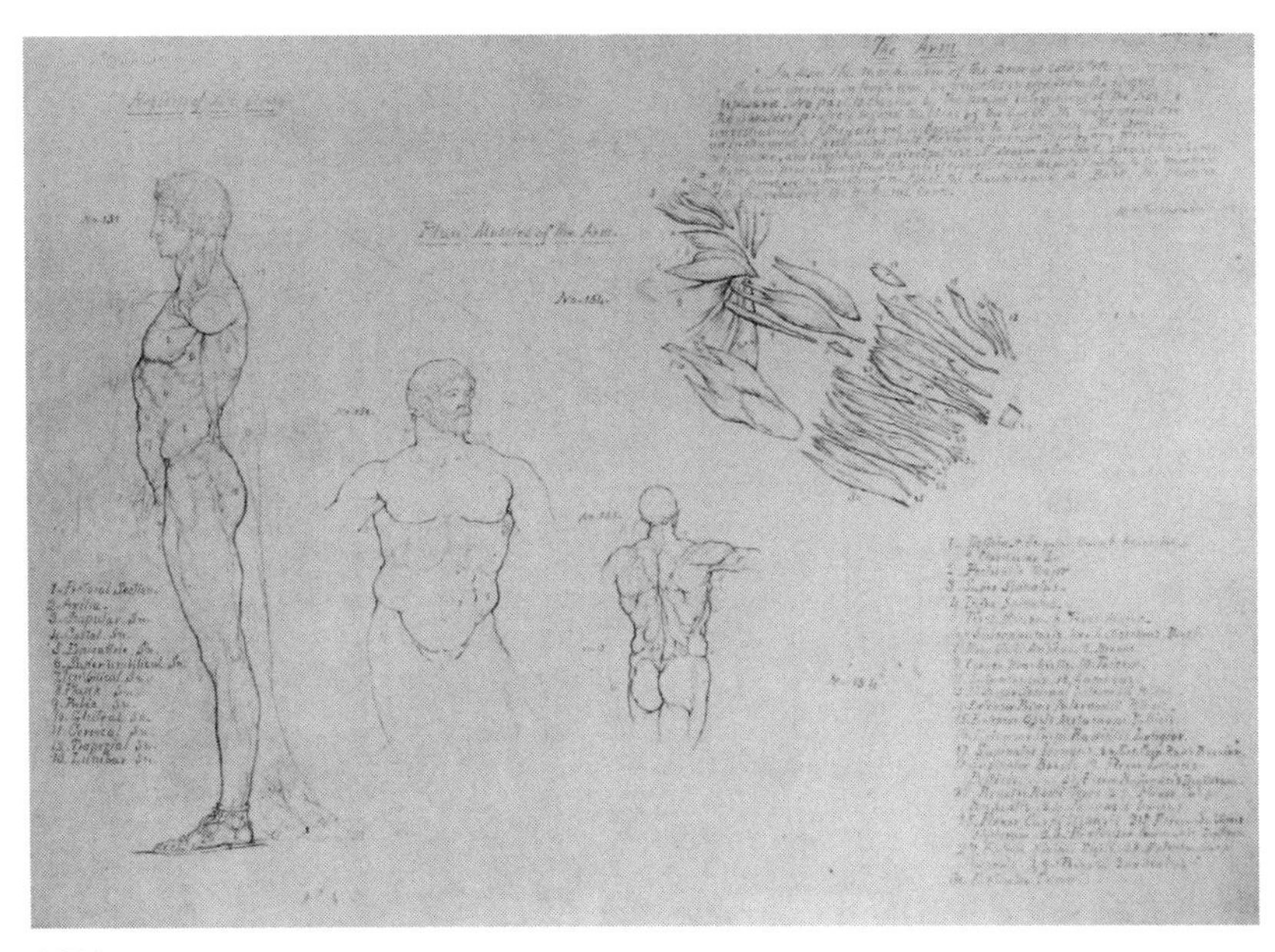

4-23-1
リマーによる上肢の筋。前腕の筋は分離できないと考えられているが、筋どうしの腱膜が癒着しているだけなので、丁寧に時間をかけて解剖すれば一応分離は可能。筆者蔵

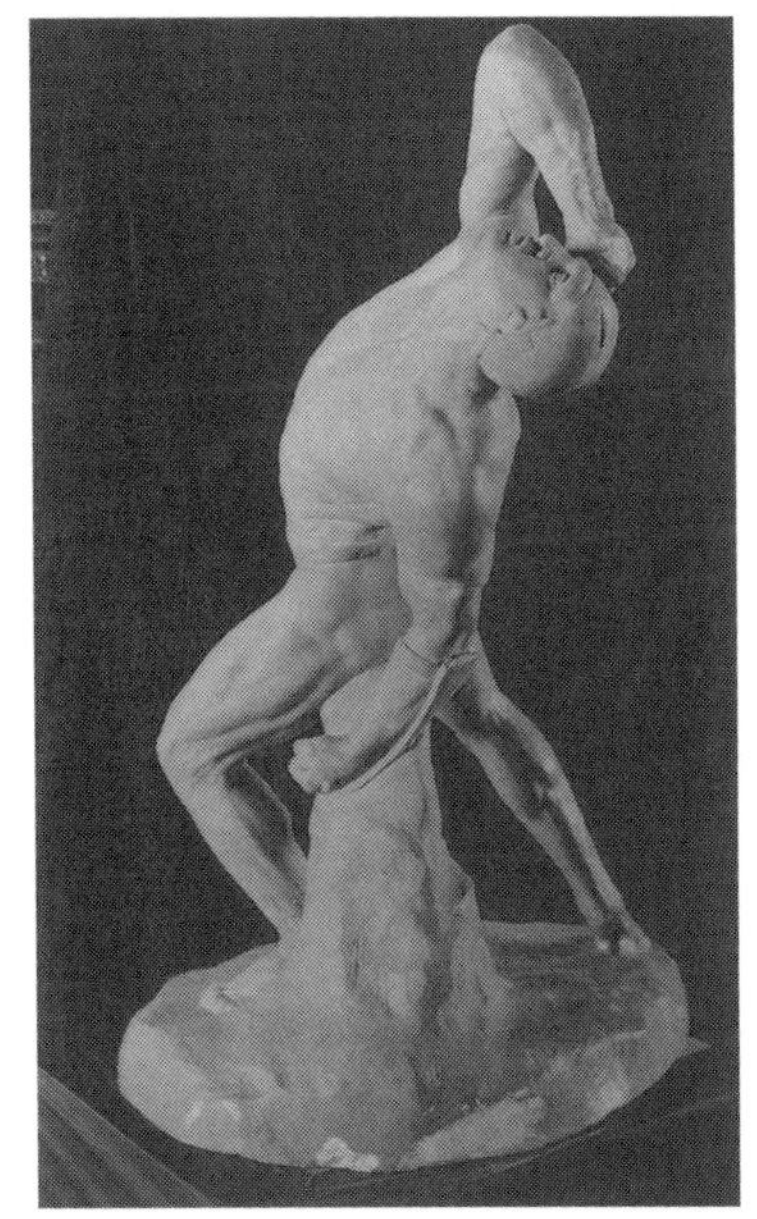

4-23-2
リマー『瀕死の剣闘士』（1861, メトロポリタン美術館蔵）。19世紀末の作品集より。筆者蔵

師ジョージ・ブリッジマン（Bridgman, George Brandt. １８６５－１９４３）は、アメリカの実技系美術解剖学においてパイオニア的存在である。

彼は、パリ国立高等美術学校でオリエンタリズムの画家ジャン＝レオン・ジェローム（Gérôme, Jean-Léon. １８２４－１９０４）に師事した。ブリッジマンの教え子には画家のノーマン・ロックウェル（Rockwell, Norman Percevel. １８９４－１９７８）や、画家で美術解剖学の著作家アンドリュー・ルーミス（Loomis, William Andrew. １８９２－１９５９）などがいる。

美術解剖学の授業には座学と実技があるが、ブリッジマンは素描講師ということもあって、実技の指導に注力していた。ブリッジマンの解剖図は、クロッキーのように短時間で描かれている。短時間で描くということは、人体を描く上で肝要な要素を捉えることでもある。ブリッジマン式の人体観には、構築、バランス、リズム、ひねり、明暗などがある。これらの要素は人体の大まかな形の捉え方であって、細部を描くための見方ではない。

ニューヨーク学生連盟が所有している参考作品には、ブリッジマンが描き込んだと思しきデモンストレーションがいくつか見受けられる。描き込みが見られる素描はJames Lancel Mcelhinney『Classical Life Drawing Studio』（２０１０、Sterling Publishing）に掲載されている。

4-24-1
ブリッジマンによる短時間素描用の捉え方。筆者蔵

人体スケッチの授業では、学生のスケッチに直接描き込んで指導していたのだろう。

ブリッジマンの後任を務めたのは教え子のロバート・ビバリー・ヘイル（Hale, Robert Beverly. 1901－85）である。ヘイルは、メトロポリタン美術館のアメリカ絵画のキュレーターを務め、その後ブリッジマンから素描を学んだ。ヘイルの授業は映像が残っている。1メートルほどの棒の先につけたペンで器用に描かれた板書は、しっかりと形態が捉えられている。

ヘイルの功績は、リシェ『美術解剖学　人体の外形の解説』を英訳したことである。リシェの英訳版はアメリカやヨーロッパに広まっただけでなく、日本の美術解剖学の授業にも使用された。リシェ和訳版の翻訳者の一人として英訳版の内容について触れておくと、註が削除されていたり数点意訳や省略された箇所も見られたが、ほとんど原著通りであった。

§4－25　モロー

ブリッジマンと同時期に、フランスではメディカルイラストレーターのアルヌー・モロー（Moreaux, Arnould Louis. 19世紀－20世紀）が教科書を執筆し、人気を博した。モローの代表作は『人体の美術解剖学（Anatomie Artistique de l'Homme）』（1928）である。解剖図のベースとなっているのはリシェの教科書だが、アレンジを加えた図やオリジナルの図も多い。それらの図は、解剖学を教科書で知っただけでは描けな

4-25-1
モローによる骨格の描画プロセス。筆者蔵

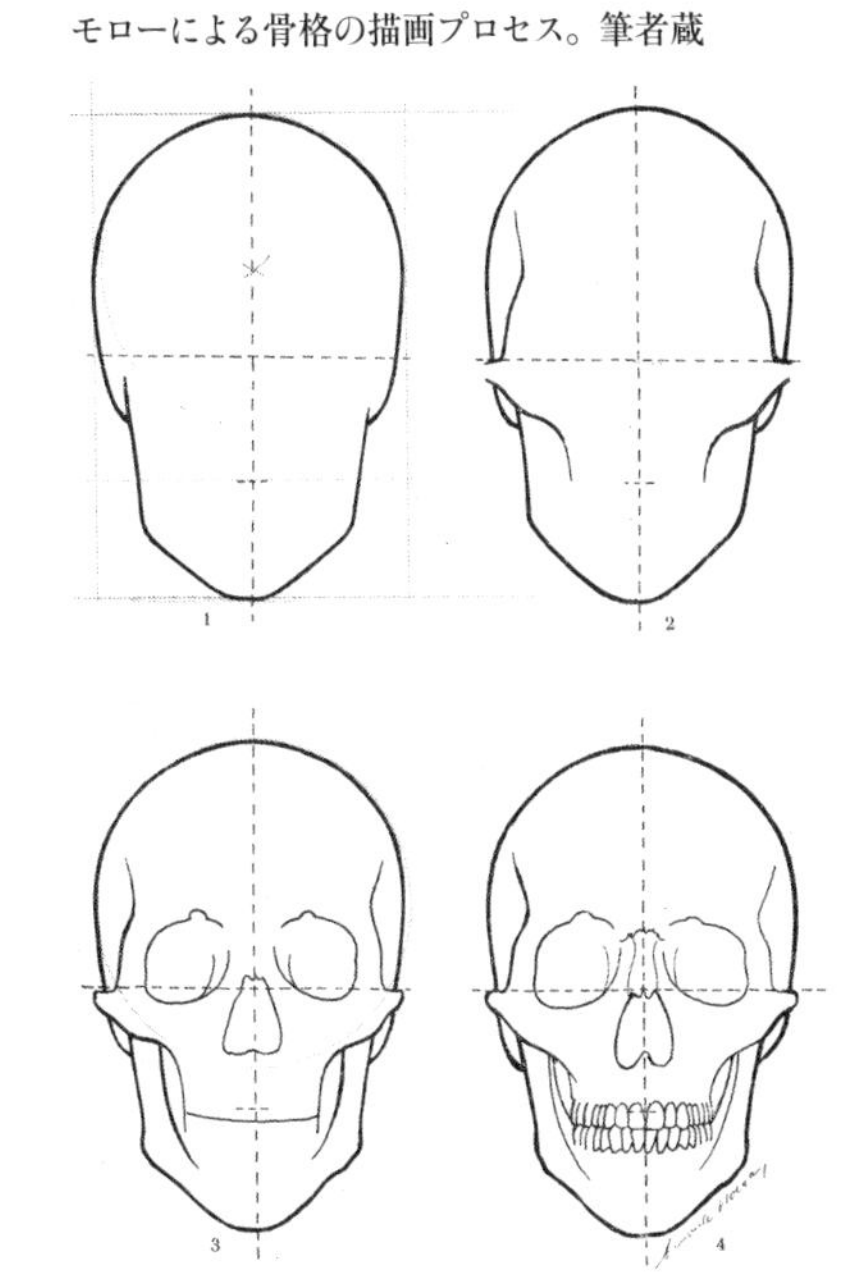

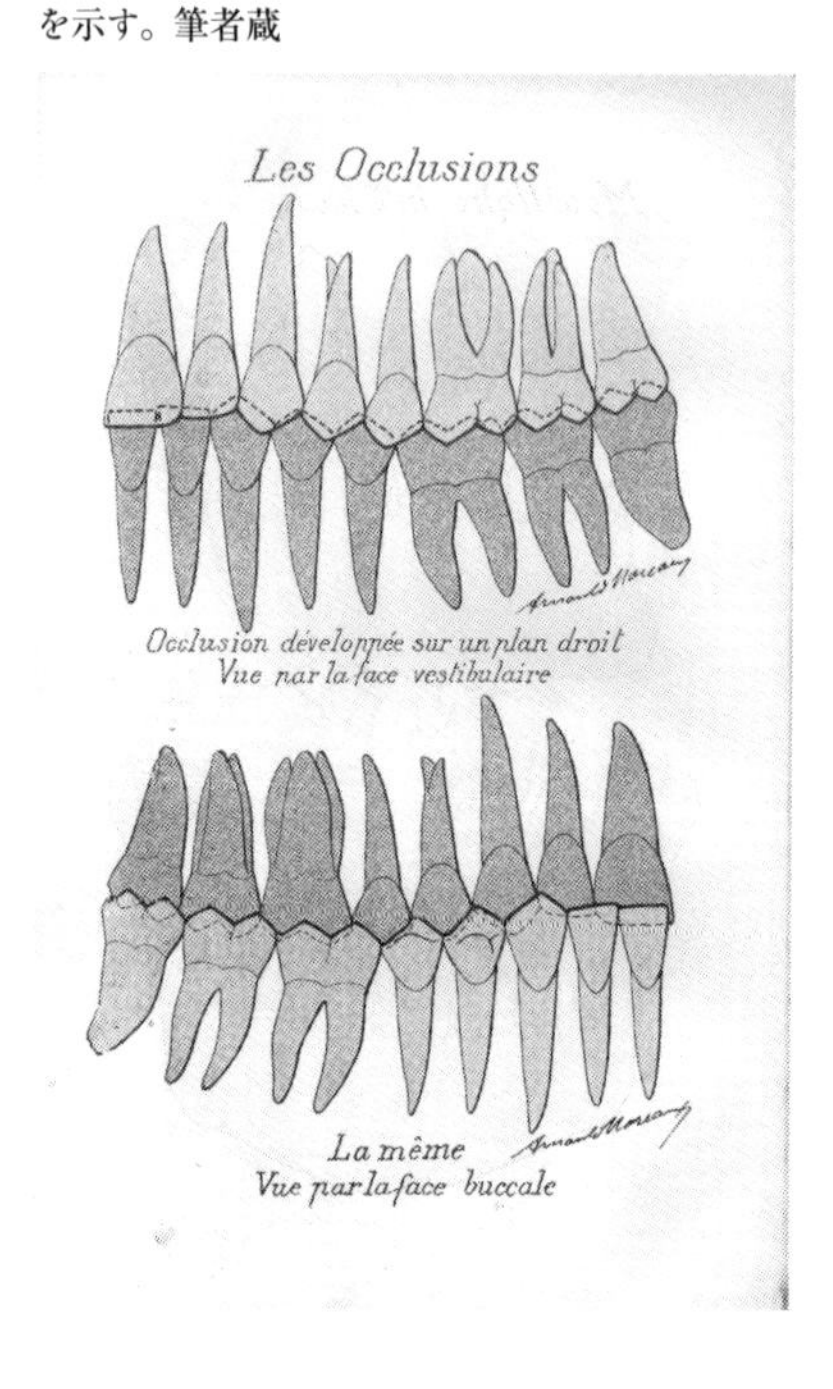

4-25-2
モローによる歯学用冊子の図版。咬合（嚙み合わせ）を示す。筆者蔵

い情報量と精度がある。

モローの経歴は、フランス芸術家協会の会員ということ以外ほとんどたどることができないが、画業の合間にメディカルイラストレーターとして働き、解剖図のみならず歯学用の小冊子や、手術手技図などを多数手がけていた。そうした経験から描かれた構造は的確で誤解が少ない。

モローの教育方法で特筆すべきなのは、骨や体表のプロセス図（図版4－25－1）である。描き順を示してあることで、模写して学習する際の手引きになる。この方法はブリッジマンのクロッキーとは異なり、メディカルイラストレーションの描画手順を示したような内容である。

このプロセス図を見ると、大まかな輪郭から細部を描き込んでいっていることがわかる。初心者は目についたところから描いてしまうので、その結果、福笑いのように形が狂うことが多い。大枠を描いてから細部を描き込むことで、形の狂いを最小限に抑えることができる。

モローの教科書はリシェの書籍が絶版になった後、フランス国内のスタンダードブックとして出版され続けた。

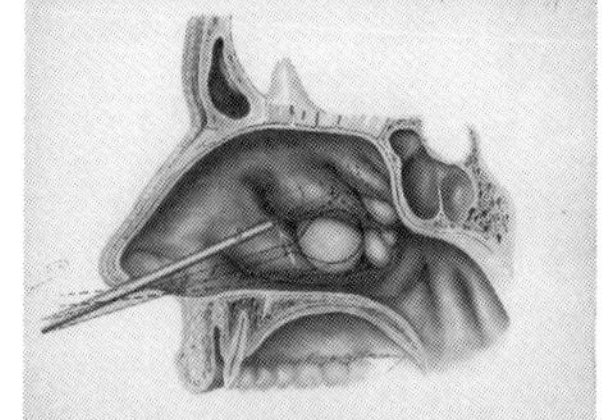

4-25-3
モローによるメディカルイラストレーションの原画。筆者蔵

§4-26 モリール、タンク、バメス

ドイツでは、アメリカの実技向け美術解剖学と異なり、座学向けの美術解剖学の教科書が発展した。20世紀初頭で独創性が高い教育者には、ジークフリード・モリール(Mollier, Siegfried. 1866-1954)がいる。

モリールはドイツの解剖学者で、ミュンヘン大学解剖学・組織学の教授を務めた人物である。代表作は『造形解剖学　人体の構造的形態』(1924)で、この教科書によって美術解剖学に機能解剖学の概念が導入された。

機能解剖学とは、骨の関節や筋のメカニズムから働きや動きを学ぶ学問である。運動学と異なるのは、生理学的な理解ではなく、解剖学的な初見から運動を解明していく点である。骨や筋といった人体の物体的側面と、運動という現象的側面をつなぐ学問とも言える。

モリールの教科書に掲載された図版は、モリール自身と画家のヘルマン・サックス(Sachs, Hermann. 1882-1940)によって描かれた。サックスの提案により明快で簡単な図が掲載されているが、執筆中にサックスが転属になり、未完の図はモリール自身が描くことになった。モリールは「(シンプルな図の方が)読者にとって覚えやすく、印象に残るだろう」としている。

同書に掲載された図や写真は、見せ方含めてオリジナリティの高いものが多い。例えば8の字形を用いた骨盤の把握方法は、単に形態が似ているからではなく、構造的に強度の強い部分が抽出されていて、解剖学的にも不自然でない。

4-26-1
ジークフリード・モリールの肖像写真。筆者蔵

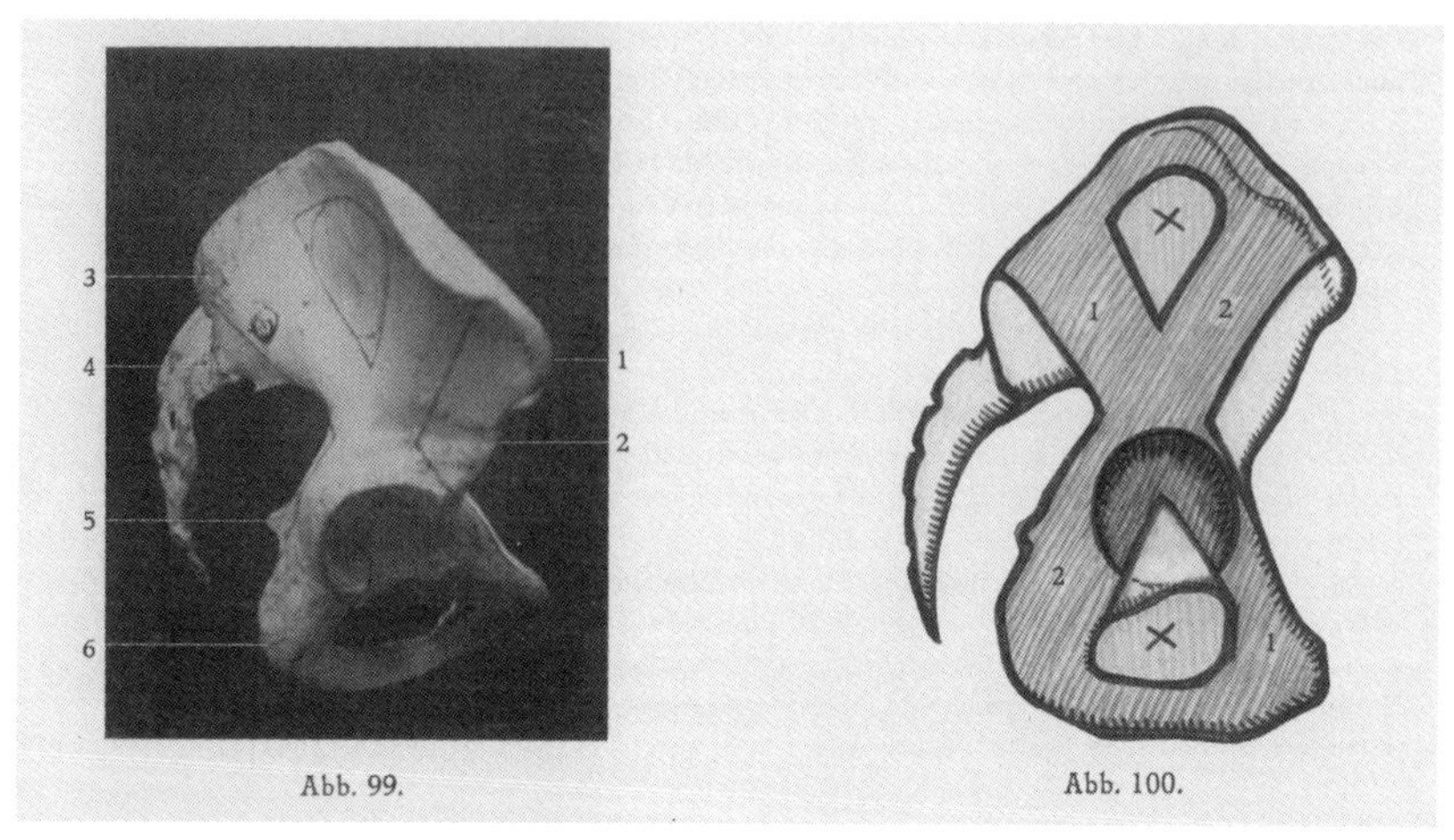

4-26-2
モリールの教科書の図。極めて単純化して描かれた図だが解剖学的な要点を押さえている。筆者蔵

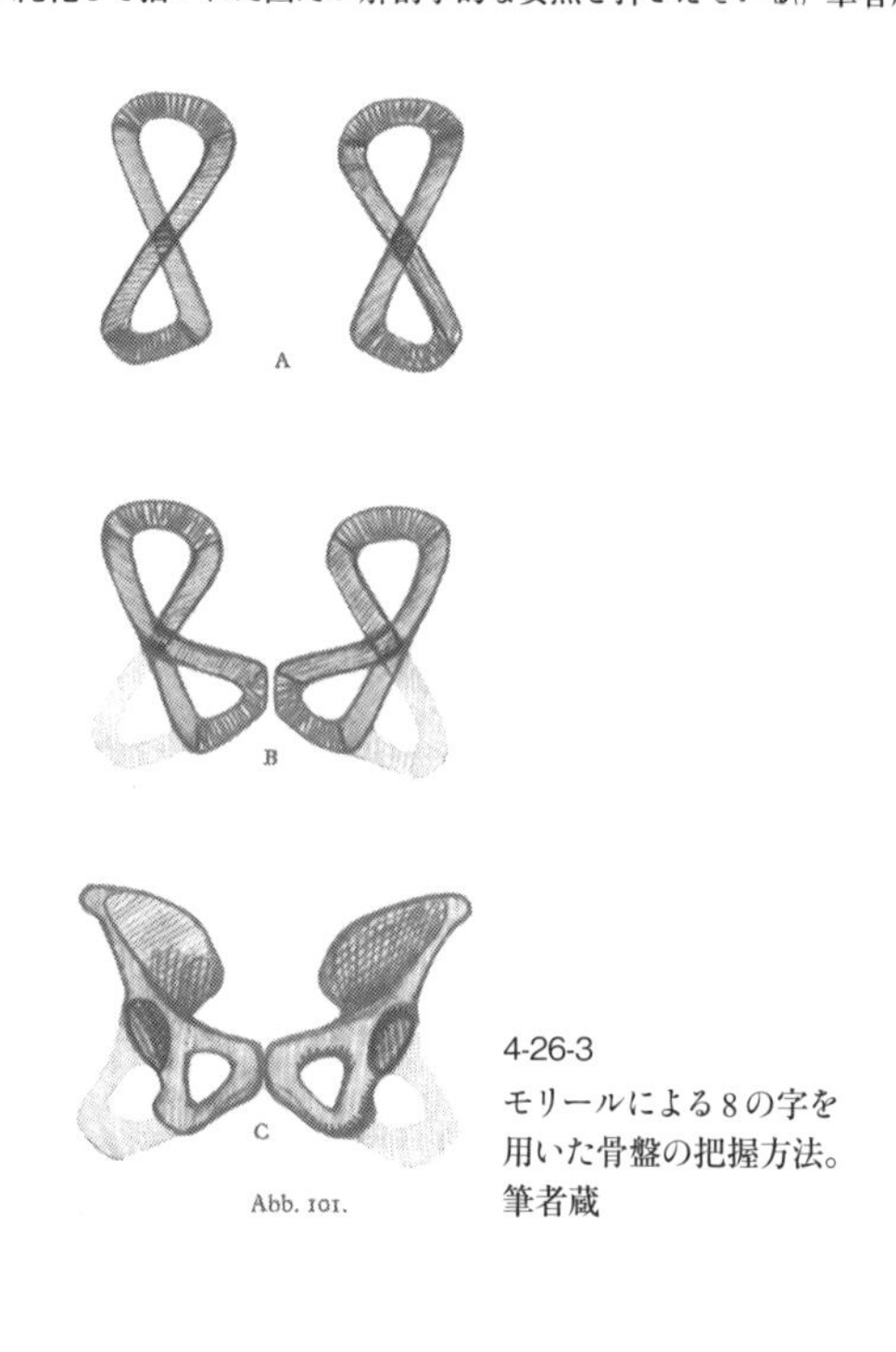

4-26-3
モリールによる8の字を用いた骨盤の把握方法。筆者蔵

シンプルな図が読者の印象に残る、というのは実際に医学部の学生を指導していてもそう感じる。学生に見やすい解剖図は何か聞くと、視認性の高い概念図が好まれる。サックスの提案は現場や読者の意見とマッチしている。

モリールは教科書の序文で、美術解剖学書の読み方について、以下のように述べている。

「最初から最後まで、章ごとに勉強しないことをお勧めする。本を最初に開くときは、わかりやすいところや、図版に触発されたところを読んでほしい。この本が質問や疑問を解決させるために頻繁に使用されると、当初理解できなかったことがマスターできるようになるだろう」

最初から最後まで順番に読むのではなく、気になったところから読む。気になったところを次々と参照していくと、いつの間にか理解が深まっていく。

モリールの教育方法は、ヴィルヘルム・タンク（Tank, Wilhelm. １８８８-１９６７）の教科書に継承された。タンクはドイツの彫刻家、グラフィッカー（書籍などの挿絵を描く職業）で、20世紀中頃で最も影響力のあった美術解剖学の教員の一人である。

生涯に14冊を超える美術解剖学関連書と、１００を超える記事を執筆した。代表作は5巻組の『形態と機能（Form und Funktion）』（１９５３-57）である。この書籍は美術向けの局所解剖学書で、下肢、体幹、頭頸部、上肢、体表、プロポーションの順に解説されている。

就学期にはベルリン美術アカデミーで解剖学者のハンス・フィルヒョウ（Vilchow, Hans. １８５２-１９４０）に学び、造形研究でフランスに留学した際にパリ国立高等美術学校でリシェから美術解剖学を学んでいる。その後１９１２年から講師の仕事を始め、シャリテ病院で解剖学と人体デッサンを教え、１９２９年からは母校のベルリン美術アカデミーで美術解剖学の准教授（のちに教授）を務めた。

4-26-4
モリールの教科書に掲載された体表写真。可動域の限界を示すなど一般的なモデルでは取れない姿勢の写真が多数掲載されている。筆者蔵

タンクはモリールの骨盤把握方法や、リシェの図を引用して教科書を執筆した。図を自ら描いていないと聞くと、知識や表現能力がなかったのかと思われがちだが、そうではない。構造を理解しているかどうかは図を見ればわかる。タンクの図は隅々まで描かれ、オリジナルの図により詳細なアレンジが加わっている。

原図を更新できるということは、原図を描いた画家と同等か、それ以上の知識を持っているということである。同時に教育方法を継承し、次の世代に伝えることにもつながっている。

タンクの後には、20世紀を代表する美術解剖学の大家ゴットフリード・バメス（Bammes, Gottfried. 1920-2007）が現れる。バメスは美術史を知悉し、タンクやモリールといった先人の教育を継承し、画力も並外れていた。美術解剖学の教科書において史上最多の情報量を誇る。代表作は『人体の形（Die Gestalt des Menschen）』（1969）で、美術解剖学書としては珍しい複数回の改訂・増補がなされ、現代における世界的なスタンダードブックとなっている。

バメスは戦時中にドレスデン芸術大学で素描および絵画の教授を務めたエミー

4-26-6 タンクによる頸部の図。線は筋の起始・停止間を示す。複雑な構造が整理できている。筆者蔵

4-26-5
ベルリン美術アカデミーで教鞭を執った解剖学者ハンス・フィルヒョウの肖像写真。筆者蔵

ル・ポール・ベルナー（Börner, Emil Paul. 1888－1970）から学び、1947年からフリーランスの挿絵画家としてキャリアを積んだ。

この頃までは大学に所属していなかったが、1951年から1953年にかけてドレスデン芸術大学に学生として在籍し、1953年からは講師として働き始め、人体解剖学と動物解剖学を教えた。1955年にはドレスデンのカール・グスタフ・カルス医療学校で解剖学者となり、1957年にはドレスデン工科大学で美術解剖学の博士号を取得した。

1968年からはロシア・アカデミズムの名門、レーピン研究所や、チューリッヒ大学のデザイン科で客員教授を務めた。このときまでの教育や著作の集大成が『人体の形』である。この本は英訳され、世界中に普及した。

1977年にはドイツの解剖学会の会員

4-26-7 バメスによる板書。（Bammes. Malerei-Grafik-Künstler-anatomie. 2000.）

になり、1985年にはドレスデン芸術大学を退官した。退官後は挿絵画家や著作家として執筆活動を行い、2007年にドレスデンで死去した。

バメス式教育の特徴は、構造を単純化して把握することと、モデルを見ずに正確に描かれた図である。構造の単純化とモデルを見ずに描くことはつながっている。単純な構造として要所が把握できれば、モデルを描くときの要点を外しにくい。

バメスの単純化のポイントは、立体的に捉えているということである。要所要所に3DCGのワイヤーフレームのような稜線が引かれ、それが奥行きやボリュームといった立体感を知る手掛かりとなっている。

§4-27 日本の美術解剖学

ここまで西洋の美術解剖学についての概要を示した。レオナルド、ミケランジェロ、デューラー、ヴェサリウス、アルビヌス、リシェ、ブリッジマン、タンク、バメス。先人たちの人体観が、手稿や教科書を通じて今日までつながっていることや、美術解剖学が現在進行形で発展していることがおわかりになっただろう。

最後に、日本の美術解剖学の歴史について簡潔に紹介する。私がよく知る先生の名前も出てくるが、文体上、敬称略とさせていただく。

日本の美術解剖学の歴史は、明治時代に開講されていた画塾や個人学習に始まる。教科書はイタリアなどから輸入されたもので、有名なところでは画家の河鍋暁斎（1831-89）が、ジュリアン・フォーのアトラスの図版をいくつか模写している。

暁斎が美術解剖学の教材を知った経路は、晩年に交流のあったイギリスの建築家ジョサイア・コンドル（Conder, Josiah. １８５２–１９２０）もしくはその周辺の人物と考えられる。コンドルは工部大学校の造家学（建築学）の教授を務めていたので、大学の附属機関である工部美術学校の教材を紹介した可能性もある。

工部美術学校は１８７６年に開校し、イタリアから招聘された画家のアントニオ・フォンタネージ（Fontanesi, Antonio. １８１８–82）、彫刻家のヴィンチェンツォ・ラグーザ（Ragusa, Vincenzo. １８４１–１９２７）、装飾作家のヴィンチェンツォ・カペレッティ（Cappelletti, Giovanni Vincenzo. １８４３–87）らが教鞭を執った。

教材はイタリアから輸入され、その中に美術解剖学の教科書もあった。それらの教科書に基づいて授業用教材が作成されている。ラグーザや東大から招聘された玉越興平のもとで教材を作成したのは、助手を務めていた彫刻家の大熊氏廣（１８５６–１９３４）である。

作成したのは主に授業用の掛図で、イタリアのジュゼッペ・デル・メディコの『画家と彫刻家のための解剖学（Anatomia per uso dei Pittori e Scultori）』（１８１１）、フォーのアトラス（１８４５）、リシェの教科書（１８９０）などの拡大模写が東京大学に収蔵されている。

工部美術学校は国粋主義により、発足後わずか7年で廃校となり、4年後の１８８７年に東京美術学校（現・東京藝術大学）が設立された。余談だが、日本の美術大学で美術解剖学の研究室があるのは東京藝術大学のみである。

東京美術学校では、馬の彫刻家の後藤貞行（１８５０–１９０３）が美術解剖の最初の講師を務めた。後藤は高村光雲（１８５２–１９３４）と仲がよく、皇居外苑に展示されている楠木正成像の馬を光雲から依頼された折に、東京美術学校の教員として採用されている。上野公

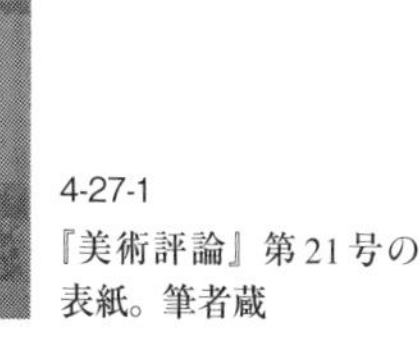

4-27-1
『美術評論』第21号の表紙。筆者蔵

園にある西郷隆盛像の犬「ツン」も後藤の作である。

しかし、後藤が美術解剖を教えた期間は短く、1891年には、当時の学長であった岡倉天心の要請によって森鷗外（おうがい）（1862−1922）が後任を務めることになった。森は1891年から1897年（森が軍医として朝鮮に赴任していた1894年から1896年の2年間を除く。この間は後藤が再び教えた）にかけて教鞭を執り、解剖学と同時に教えていた「美学及美術史」の授業の後任に洋画家の久米桂一郎（1866−1934）を招いた。

森と久米は无名氏（名無し）名義で雑誌『美術評論』に「藝用解剖学」を寄稿し、後にまとめて『藝用解剖学　骨論之部』（1903）として出版した。『藝用解剖学　骨論之部』の図は全て引用されたもので、森がドイツ留学中に入手したジュリアス・コルマンの『人体の造形解剖学（Plastische Anatomie des Mmenschlichen Körpers)』（1886）と、久米がフランス留学中に入手したデュヴァルの教科書が使用されている。

久米は森の退官後に後を引き継ぎ、1926年まで

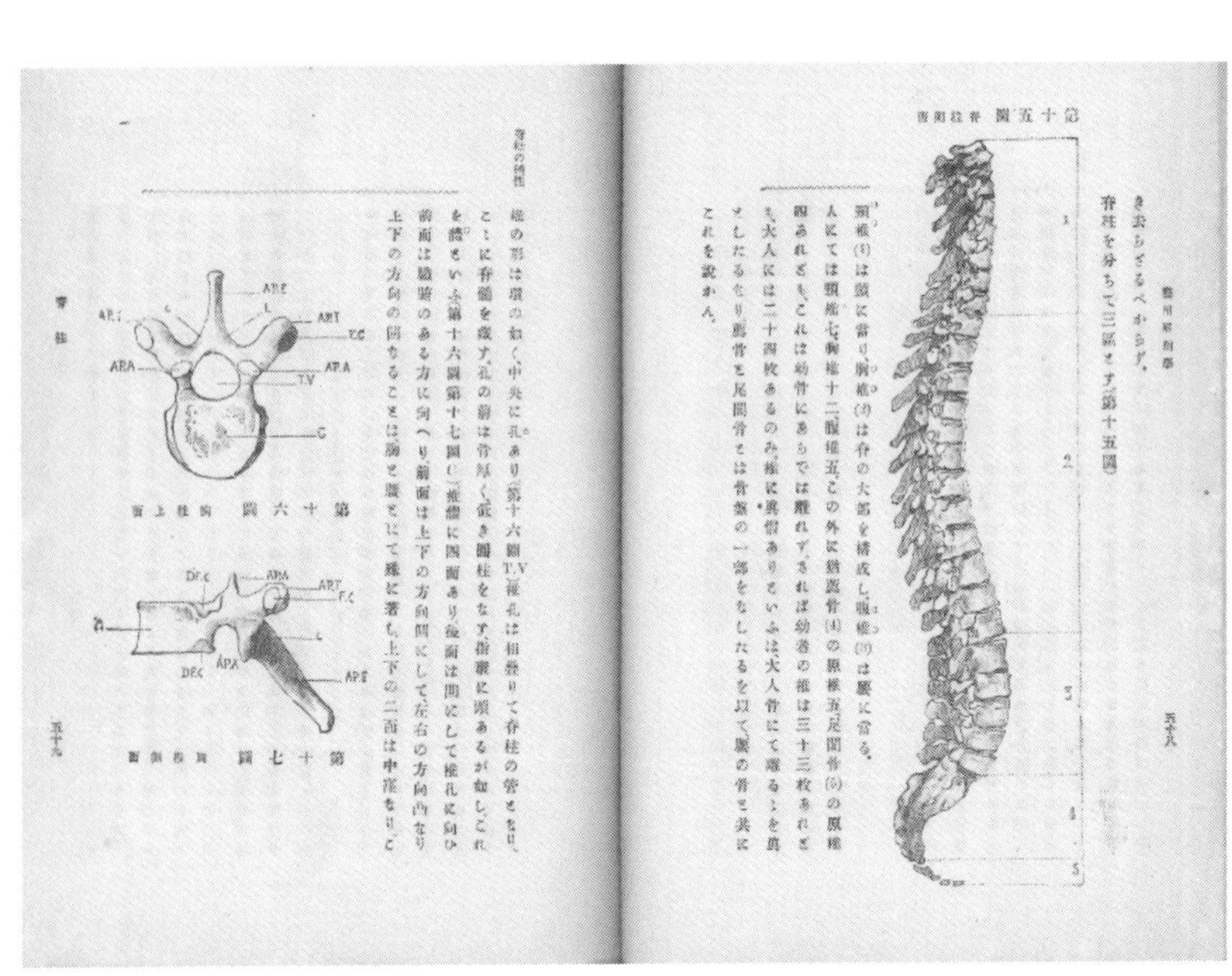

4-27-2『藝用解剖学　骨論之部』。図はドイツのコルマンとフランスのデュヴァルの教科書から引用されている。筆者蔵

美術解剖の教鞭を執った。森の教育方針と異なる点は、フランスの美術解剖学書をベースにしていたことである。特にリシェの『美術解剖学　人体の外形の解説』（１８９０）を引用し、それ以降、藝大ではリシェを教材に用いている。同時に久米はフランスの美術解剖学書の輸入も行った。現在、久米が使用した教材は、一部は目黒の久米美術館に、一部は東京藝術大学図書館に収蔵されている。

久米がフランスの美術解剖学を導入したのは留学中の体験が大きい。久米は１８８６年から１８９４年にかけてフランスに留学し、パリの美学校（アカデミー・コラロッシ）で画家のラファエル・コラン（Collin, Raphael. １８５０－１９１６）から学んだ。

アカデミー・コラロッシでは人体デッサンなどを学び、美術解剖学はポール・ロワイヤル大通り88番地近所ないしモンパルナス通りの夜間学校で、毎週土曜日の夜8時より10時まで美術解剖学（解剖及遠近法）の講義を受けたと当時の手記に書いてある。この夜間学校は、パリ国立高等美術学校であるとされる。

この講義には遺体が使われることもあり、教壇の前に置かれた実物を観察するという授業もあり、久米は東京美術学校の授業でも、東京大学から借りてきた解剖体を教壇に置いて授業を行ったことがある。

久米の後任は、一番弟子の西田正秋（１９０１－88）が務めた。西田は25歳の若さで助教授に就任し、１９２６年から１９６９年まで43年間の長期にわたり東京美術学校と東京藝術大学で教鞭を執った。

西田は東京美術学校西洋画専攻の出身で、西洋の美術解剖学を応用し、仏像や浮世絵など日本の美術作品の解析も積極的に行った。久米に引き続いて美術解剖学の資料収集やリシェ『美

4-27-3
久米が留学したアカデミー・コラロッシの授業風景。19世紀の写真絵葉書。筆者蔵

術解剖学』などの個人的な翻訳も行っていたが、戦火で大部分が消失し、先代からの研究が失われてしまったことを無念がった。

しかしその後も残された資料と長年をかけて膨大な研究論考を残した。それらの論考は、没後に『人体美学――美術解剖学を基礎として』（上下巻、１９９２－93、現代社）としてまとめられた。

「人体美学」は現在では聞き慣れない名称であるが、西田が呼称した美術解剖学のことである。東京美術学校から東京藝術大学に大学改編を行った際に、「美術解剖」が芸術学科に組み込まれ、その際に西田が「人体美学」へと改称した。西田の退官後は「美術解剖学」に再び名称が変更されている。

西田は１９６９年に東京藝大を退官後、文化服装学院で「人体美学」の教鞭を執り、ここからファッションデザイナー向けの美術解剖学教育が始まっている。

西田の後任は中尾喜保（よしやす）（１９２１－２００２）である。中尾は東京美術学校の図案科（現東京藝術大学デザイン科）出身で、美術解剖学に触れて東京大学医学部解剖学講座（小川鼎三（ていぞう）研究室）の助手を務めた。

中尾は当初、西田のような美術作品の解析を行っていたが、他大学から理系の学生を積極的に受け入れ、次第に科学的な機能デザインや靴などの装身具に関する人間工学寄りの研究に進路を変えた。晩年の西田とは馬が合わなくなっていたようで、「以前のようにはしっくりいかなくなった」と『三木成夫（しげお）追悼文集』の中で述懐している。中尾は１９８９年に退官し、東京藝術大学の名誉教授となった。

中尾が在任中の１９７３年、保健管理センターの教授に三木成夫（１９２５－87）が就任する。

4-27-4
久米の師ラファエル・コランの肖像。筆者蔵

三木が受け持った授業は、布施英利『人体　5億年の記憶』（２０１７、海鳴社）によれば通年の「生物学」と、春に行われていた「保健体育」の集中講義であった。

この授業は伝説として今なお語り継がれており、前述の布施の著作や、三木の著作にその一端を垣間見ることができる。ひとづてに聞く三木の人物像は情に篤く、「三木学」と呼ばれるほど壮大なスケールで綴られた生命論考は、今も多くの芸術家たちの想像力を刺激している。

中尾の後任には筑波大学の高橋彬（あきら）が教授に就任した。高橋は東大理学部出身で、中尾と同様に東京大学医学部解剖学講座（藤田恒太郎研究室）の助手を務め、その後は運動学領域の研究を行っていた。高橋が在任中の１９９４年には、美術解剖学会を発足した。この学会には年1回のシンポジウム形式の大会と雑誌『美術解剖学雑誌』の刊行がある。高橋は１９９９年に退官し、東京藝術大学の名誉教授となった。

高橋の後任には解剖学者で東京大学名誉教授の山内昭雄（１９３５－２００２）が就任した。山内は板書を用いて解剖学や発生学などを教えたが、就任からわずか3年目で病に倒れた。山内の板書については、藝大美術解剖学研究室の非常勤講師を務めた阿久津裕彦（ひろひこ）が「全ての線と形に意味があることを思い知らされた」と述懐している。

山内の後任には美術批評家で著作家の布施英利（１９６０－）が助教授（現准教授）に就任した。布施は東京藝術大学大学院の博士後期課程を修了し、１９９０年から１９９５年にかけて東京大学医学部解剖学講座（養老孟司研究室）で助手を務めた。布施研究室では、中尾や高橋の科学的な研究方針と異なり、リシェを用いた古典的美術解剖学や純粋芸術ないし美術批評寄りの教育を重んじている。

２０１０年には布施が中心となってシンポジウム形式の日本美術解剖学会が発足した。役員

には解剖学者の坂井建雄、比較解剖学者の遠藤秀紀（ひでき）、画家の小田隆、橋爪彩（さい）らが参加し、20
20年からは筆者も役員に参加した。

あとがき

「美術解剖学とは何か」というテーマで本を書くと決まってから、これまで解説されていなかったものをどう説明するか考え、大まかに「内容の分類」、「実体験」、「人体の見どころ」、「歴史」でまとめた。読者の中で「美術解剖学」についての理解や興味が深まっていただければ幸いである。

当初は編集者の高田さんから、生命哲学のような内容を盛り込んでほしいという要望があった。おそらく布施先生や三木成夫のような話も入れてほしいという意図からだろう。

本書を読んでいただくとわかると思うが、哲学的な内容はほとんどない。実は草案の段階には未収録の最終章があり、そこには具体的な生命哲学は書かずに、私の生活スタイルをつらつらと書いた。私の生活スタイル、すなわち解剖体験を通して得られた生き方から哲学のようなものが伝わるだろうと思ったがそうでもなかった。高田さんに草案を渡した時に、これは本文の文脈と異なるので不要では？　となり、私もそう感じたので載せないことにした。そこでこの場を借りて少し触れておきたい。

解剖学者の三木成夫は、私の父親の話では、「藝大生がなぜ鬱に陥りやすいのか」ということを授業で話していたらしい。布施先生も「今の人は意識優先になっている」という三木の言葉を紹介していた。

これらの話は身に覚えがある。私も藝大生の頃、鬱屈した日々を過ごしていたことがある。なぜ鬱屈していたかを思い返してみると、作りたいものを頭で考えてばかりで何も作っていなかったからだろう（これは私が在籍していたデザイン科、すなわちプロジェクトのシミュレーションを繰り返す学科の特性とも言えるのだが）。

三木がなぜ生命リズムや内臓のはたらきを藝大生に教えていたかといえば、頭で考えすぎて鬱に陥っている学生を数多く見ていたからではないか。実はこの本でも、「頭で考えすぎない」という姿勢を貫いている（他人からすると考えすぎに見えるかもしれないが、少なくとも私の中では推測の領域に深入りしていない）。

頭で考えることを繰り返すと、認識が深まっていくような感じがする。頭の中でシミュレーションを繰り返していけば（自分にとって都合の良い）理想ができあがる。しかし、実際に行ってみると想定通りにならず、うまくいかないことに苦しむ。頭の中では傑作ができているが、実際に手を動かすと完成度の低い作品ができあがるのだ。

これを繰り返すと、口ばかり達者で作品を作らない美術学生ができあがる。私の経験からすると、主張通りに作れないことを悔いるタイプの学生が鬱になりやすいように感じる。理想と現実のギャップが大きいからだろう。

本書の「頭で考えすぎない」姿勢とはどういうことかというと、例えば「体験していないことをあれこれ判断しないこと」や「推測に推測を重ねないこと」である。体験せずにあれこれ判断することは、頭でシミュレーションしていることに他ならない。頭で考えたシミュレーションを実際に行ってみるとその通りにならないことは、美術作品の制作のみならず多くの物事に当てはまるだろう。

作品のコンセプトも作家のステートメントも同じである。言葉から導き出された言葉は理想的だが現実離れしていて抽象度が高い。理想があまりに高いので作品が貧弱に見える。

5-0-1（口絵）
ヘッケルの発生図。黄色の部分が外胚葉。脳と皮膚が同じ色で示されており、元をたどると同じ素材からできている。筆者蔵

私は「頭の中で考えたことが全て」とも「頭で考えられることは全て現実に存在する」とも思っていない。自然界には未だ発見されていない物事の方が、はるかに多いと感じている。頭＝脳は皮膚と同じ素材（外胚葉）からできた体の一部であり、身体中に指令を出しはするものの、体の他の部分によって維持されている。経営者が独裁的だと、下の部署が立ち行かなくなって倒産するように、頭ばかり使って体が疎かになると、体も頭もうまくいかなくなっていく。

そこで本書では、人体構造の解説や物事に取り組む姿勢を通じて、体の方に意識を向ける内容を書くことにした。できる限り現地調査し、現物を見る。できる限り体験に基づいて書く。体験に基づかないものはなるべく書かない。推測を重ねそうになったら調べるか、保留にしておく。

外界からのインプットに対して、アウトプットする。これは生物の判断と行動の基本で、この方が諸芸の取り組み方として無理が少ないように思う。

4-13-2 Emil Harless. LEHRBUCH DER PLASTISCHEN ANATOMIE FÜR ACADEMISCHE ANSTALTEN UND ZUM SELBSTUNTERRICH. Verlag von Ebner & Seubert, Stuttgart, 1856
4-13-3 1-9-3
4-13-4 1-9-3
4-13-5 1-9-5
4-13-6 Vénus de Milo. 150-130. Louvre.
4-14-1 19世紀の肖像画
4-14-2 1-13-3
4-14-3 John Marshall. A RULE OF PROPORTION FOR THE HUMAN FIGURE. Smith, Elder & Co., London, 1879
4-15-1 19世紀の肖像画
4-15-2 2-4-1
4-15-3 Duval, Mathias. Précis d'anatomie a l'usage des artistes. A. Quantin, Paris, 1881.
4-16-1 19世紀の肖像画
4-16-2 André Brouillet. Une leçon clinique à la Salpêtrière. 1887. Paris Descartes University. に基づく20世紀初頭のリトグラフ
4-16-3 19世紀末～20世紀初頭の肖像写真
4-16-4 1-13-1を改変
4-16-5 1-13-1を改変
4-16-6 Ludvic Baschet ed. Catalogue illustre Salon de 1890. Libraire d'art. 1890.
4-17-1 3-2-6
4-17-2 Hermann Vinzenz Heller. 1915
4-18-1 John Henry Vanderpoel. The human figure. Inland Printer. Chicago. 1911
4-18-2 4-18-1
4-19-1 Constantin Brâncuşi. L'Ecorché. Centre Pompidou - Musée national d'art modern. 1901
4-19-2 19世紀末の写真
4-20-1 Tiberio Ávila Rodríguez. Anatomía y fisiología para uso de los artistas Tomo 1. Fidel Giró, Barcelona, 1905
4-21-1 Edouard Lanteri. Modeling A GUIDE FOR TEACHERS AND STUDENTS. CHAPMAN & HALL, London, 1902
4-21-2 4-21-1
4-21-3 19世紀末の版画
4-22-1 Wilhelm Ellenberger, Hermann Baum, Hermann Ditterich. Handbuch der Anatomie der Tiere für Künstler. Leipzig, 1900-11.
4-22-2 Hermann Vinzenz Heller. 1900s
4-23-1 William Rimmer. ART ANATOMY. Houghton, Mifflin and Company, Boston, 1877.
4-23-2 J. H. Bartlett. Art Life of William Rimmer, : Sculptor, Painter & Physician. Osgood, 1882.
4-24-1 George Brandt Bridgman. CONSTRUCTIVE ANATOMY. Bridgman publications, New York, 1920.
4-25-1 Arnould Moreaux. Anatomie Artistique - Précis d'anatomie osseuse et Musculaire. Librairie Maloine, Paris, 1928
4-25-2 Arnould Moreaux. Trente-deux planches de morphologie des dents. 1956.
4-25-3 Arnould Moreaux. 1920年頃
4-26-1 20世紀初頭の肖像写真
4-26-2 1-9-8
4-26-3 1-9-8
4-26-4 1-9-8
4-26-5 20世紀初頭の肖像写真
4-26-6 Wilhelm Tank. FORM UND FUNKTION EINE ANATOMIE DES MENSCHEN BAND 3. Veb Verlag der Kunst, Dresden, 1955
4-27-1 『美術評論　第21号』画報社、1899.
4-27-2 森林太郎、久米桂一郎同選『藝用解剖学　骨論之部』畫報社、1903.
4-27-3 19世紀末の絵葉書
4-27-4 19世紀末の肖像画
5-0-1 Ernst Haeckel. Anthropogenie. Engelmann, Leipzig, 1862

4-0-1 Antonio del Pollaiolo. El combate de los hombres desnudos. 1470-80. V & A Museum.
4-1-1 Leonardo, Codex Windsor 919012r. c1510. Royal collection.
4-1-2 Leonardo. Annunciazione. 1472-75. Galleria degli Uffizi.
4-1-3 Leonardo, Codex Windsor 919101v, 1510-13. 919102r, c1511. Royal collection.
4-2-1 Laocoon Group. BC45. Pius and Clementine's Museum.
4-2-2 Laocoon Group. に加筆
4-2-3 Michelangelo. Dying Slave. 1513-16.
4-2-4 19世紀末の絵葉書
4-2-5 Michelangelo. Tondo Doni. c1507.
4-3-1 1-9-9
4-3-2 1-9-9
4-4-1 3-1-2
4-4-2 1-11-2
4-6-1 Samuel van Hoogstraten. Inleyding tot de hooge schoole der Schilderkonst: anders de Zichtbaere Werelt. Rotterdam, 1678
4-7-1 Peter Paul Rubens. Anatomical Studies. 1600–05. Getty Museum.
4-7-2 Baccio Bandinelli (or Willem Danielsz van Tetrode). Ecorché. 1548-51.
4-7-3 1-11-2
4-8-1 Brisbane, Lavater, Duval, Schadow などの解剖図
4-9-1 19世紀のリトグラフ
4-9-2 William Hunter. Ecorché. 18C.
4-9-3 William Hunter and Agostino Carlini. Smugglerius. 1778.
4-9-4 The Dying Gaul. BC220-230. Musei Capitolini.
4-9-5 Johann Zoffany. Portrait of William Hunter Teaching Anatomy at the Royal Academy of Art. 1775. Royal College of Physicians.
4-10-1 19世紀のリトグラフ
4-10-2 Jean-Antonie Houdon. Saint John the Baptist. 1766-67. Galleria Borghese.
4-10-3 Jean-Antonie Houdon. Ecorché. 1767. Villa Medici
4-10-4 1-9-1
4-10-5 Eugène Simonis. Moulage. 1850s. École nationale supérieure des Beaux-Arts.
4-11-1 Agasias of Ephesus. Borghese Gladiator. BC100. Louvre.
4-11-2 Jean-Gilbert Salvage. Ecorché. 1804. École nationale supérieure des Beaux-Arts.
4-11-3 Jean-Gilbert Salvage. Moulage. 1804. Museum and conservatory of anatomy. Montpellier University.
4-11-4 4-11-3
4-11-5 Jean-Gilbert Salvage. ANATOMIE DU GLADIATEUR COMBATTANT, APPLICABLE AUX BEAUX ARTS. Chez L'auteur, Paris, 1812
4-11-6 after Leochares. Apollo Belvedere. 120-140. Pio-Clementine Museum.
4-11-7 Bernardino Genga, Errard Charles.Anatomy Improv'd and Illustrated with Regard to the Uses Thereof in Designing. London, 1723.
4-12-1 Antoine Maurin. 19世紀のリトグラフ
4-12-2 Pierre Nicolas Gerdy. ANATOMIE DES FORMES EXTÉRIEURES DU CORPS HUMAIN, APPLIQUÉE A LA PEINTURE, A LA SCULPTURE ET A LA CHIRURGIE. BÉCHET JEUNE, Paris, 1829.
4-12-3 Pierre Nicolas Gerdy. Atlas des peintres. BÉCHET JEUNE, Paris, 1829.
4-12-4 3-4-1
4-12-5 19世紀のリトグラフ
4-12-6 19世紀のリトグラフ
4-12-7 Jacques-Louis David. The Distribution of the Eagle Standards. 1810.
4-12-8 1-9-1
4-12-9 Pierre Marie Alexandre Dumoutier. Voyage au Pole Sud et dans l'Océanie sur les corvettes l'Astrolabe et la Zélée. Gide et J. Baudry, Éditeurs, 1854.
4-12-10 1-9-1
4-13-1 ©Kota Kato

3-3-6 Paul Richer. NOUVELLE ANATOMIE ARTISTIQUE DU CORPS HUMAIN - CORPS PRATIQUE ÉLÉMENTAIRE. PLON, Paris, 1906
3-3-7 Paul Poirier. Traite de anatomie humanie Tome 1 premier Embryologie Osteology. L. Battaile et Cie, Paris, 1892
3-3-8 Leonardo, Codex Windsor 919003r, 1510s. Royal collection.
3-3-9 3-3-8の部分
3-3-10 Paul Eisler. Die Muskeln des Stammes. Verlag von Gustav Fischer, 1912
3-4-1 Antonie Louis Julien Fau. Atlas de L'Anatomie des Formes du Corps Humain A L'usage des Peinters et des Sculptures. Méquignon Marvis - Germer Baillière, Paris, 1845
3-4-2 3-3-4に加筆
3-4-3 1-9-1
3-5-1 1-5-1
3-5-2 1-5-1
3-5-3 George McClellan. Anatomy in its relation to art. W. B. Sunders, Philadelphia, 1901
3-5-4 2-10-1
3-5-5 Auguste Rodin. Porte de l'Enfer [The Gates of Hell]. 1880-1917.
3-5-6 20世紀初頭の絵葉書
3-6-1 ©Kota Kato
3-6-2 筆者撮影
3-6-3 順天堂大学所蔵標本
3-6-4 1-9-4
3-6-5 Paul Richer. Nouvelle Anatomie Artistique V Le nu dans l'Art : L'Art Grec. PLON, Paris, 1926
3-6-6 1-13-3
3-6-7 1-13-3
3-6-8 3-1-3
3-6-9 筆者撮影
3-6-10 William Harvey.Exercitatio anatomica de motu cordis et sanguinis in animalibus. 1628
3-6-11 Howard A. Kelly. Operative gynecology volume II. D. Appleton and company, 1906
3-7-1 2-10-1
3-7-2 3-3-4
3-7-3 ©Kota Kato
3-7-4 3-2-3
3-7-5 2-10-1
3-7-6 1-13-1
3-7-7 ©Kota Kato
3-7-8 Samuel Thomas von Soemmerring. Über die Wirkungen der Schnürbruste (2nd ed.). Berlin, 1793
3-7-9 Carl Heinrich Stratz. Die Schönheit des weiblichen Körpers. F. Enke, Stuttgart, 1898
3-7-10 3-2-2
3-8-1 Bernard-Romain Julien. Course Elémentaire. 1930s
3-8-2 Paul Richer. Nouvelle Anatomie Artistique IV Le nu dans l'Art : Égypte - Chaldée - Assyrie. PLON, Paris, 1925
3-8-3 3-7-12
3-8-4 ©Kota Kato
3-8-5 Leonardo, Codex Windsor 919058v, c1489. 919102r, c1511. Royal collection.
3-8-6 3-5-6に加筆
3-8-7 ©Kota Kato
3-8-8 Michelangelo. Dawn and Night. 1526-31.
3-8-9 Sleeping Hermaphroditos. BC200. Louvre.
3-8-10 Jean-Baptiste Carpeaux. Les quatre parties du monde soutenant la sphère céleste. 1872.
3-8-11 19世紀末～ 20世紀初頭の絵葉書
3-8-12 Michelangelo. The River God (wax model). c1525. Casa Buonarroti.
3-8-13 West pediment of the Parthenon. Ilissos (The river god). BC438-432. British Museum.
3-8-14 1-16-1

1-12-2 Juan de Arphe y Villafañe. VARIA COMMENSURACION PARA LA ESCULPRTURA, y Arquitectura. Spain, 1585
1-13-1 Paul Richer. ANATOMIE ARTISTIQUE DESCRIPTION FORMES EXTÉRIEURES DU CORPS HUMAIN. PLON, Paris, 1890
1-13-2 ©Kota Kato
1-13-3 John Marshall. ANATOMY FOR ARTISTS. Smith Elder, London, 1878
1-14-1 Rembrandt Harmenszoon van Rijn. De anatomische les van Dr. Nicolaes Tulp. 1632
1-14-2 ©Kota Kato
1-15-1 Paul Richer. Tres in Una. 1913. 19世紀末の絵葉書
1-16-1 East pediment of the Parthenon. Dionysos. BC438-432. British Museum.
2-1-1 ©Kota Kato
2-2-1 ©Kota Kato
2-2-2 ©Kota Kato
2-2-3 中村るい「パルテノン・フリーズ：オリュンポスの神々の立体復元」2013
2-2-4 ©Kota Kato
2-2-5 小山晋平撮影
2-3-1 George McClellan. Regional anatomy in its relation to medicine and surgery. J. B. Lippincott, Philadelphia, 1891.
2-4-1 Alexis Lemaistre. L'Ecole des beaux-arts, dessinée et racontée par un élève. Firmin-Didot, Paris, 1889.
2-4-2 ©Kota Kato
2-5-1 2-4-1
2-6-1 ©Kota Kato
2-7-1 1-8-2
2-8-1 順天堂大学所蔵標本
2-9-1 1-9-3
2-10-1 Paul Richer. Nouvelle Anatomie Artistique II Morphologie La Femme. PLON, Paris, 1920
2-11-1 Jean Baptiste Marc Bourgery, Nicolas Henri Jacob. Traité complet de l'anatomie de l'homme: comprenant la médicine opératoire (Tome 5, Atlas). Paris, 1839
2-12-1 ©Kota Kato
2-13-1 柳亮監修『藝用人體解剖圖譜』1943
2-13-2 Antonie Louis Julien Fau. ANATOMIE ARTISTIQUE ÉLÉMENTAIRE DU CORPS HUMAIN. J.B. Bailliére, Paris, 1850
2-13-3 ©Kota Kato
3-0-1 Käthe Kollwitz. Female Nude with Green Shawl Seen from Behind. Lithograph, 1903
3-1-1 1-13-1
3-1-2 Andreas Vesalius. De Humani Corporis Fabrica. 1543
3-1-3 M. Vagnier. Cours d'Anatomie artistique. Ecole Universelle, Paris, 1942
3-2-1 Paul Topinard. L'homme dans la nature. F. Alcan, Paris, 1891
3-2-2 Adrian Gilles Camper. Verhandeling van Petrus Camper, over het natuurlijk verschil der wezenstrekken in menschen van onderscheiden landkaart en ouderdom. B. Wild en J. Alther, Utrecht, 1791
3-2-3 Arthur Thomson. A HANDBOOK OF ANATOMY FOR ART STUDENTS. Clarendon Press, Oxford, 1896
3-2-4 2-3-1
3-2-5 Johann Martin Fischer. Darstellung des Knochenbaues und der Muskeln des menschlichen Körpers. Carl Gerold, Wien, 1806
3-2-6 Hermann Vinzenz Heller. Proportionstafeln der Menschlichen Gestalt; Für Kunstwerkstätten und Fachschulen Zusammengestellt. Schroll, 1920
3-2-7 1-13-1
3-2-8 1-9-4
3-3-1 1-9-8
3-3-2 Alfred Benninghoff. Lehrbuch der Anatomie des Menschen Band 1. 1928
3-3-3 3-3-2
3-3-4 Constantin Bonamy. Atlas d'Anatomie Descriptive Du Corps Humain. V. Masson, Paris, 1844
3-3-5 Hermann Braus, Curt Elze. Anatomie des Menschen ein Lehrbuch für Studierende und Ärzte. 1932

［図版リスト］

加藤公太（かとう・こうた）

1981年東京都生まれ。美術解剖学者、メディカルイラストレーター、グラフィックデザイナー。2002年、文化服装学院 服装科卒業。2008年、東京藝術大学 デザイン科卒業。2014年、東京藝術大学大学院 美術解剖学研究室修了。博士（美術、医学）。現在、順天堂大学 解剖学・生体構造科学講座 助教、東京藝術大学美術解剖学研究室非常勤講師。Twitterでは「伊豆の解剖学者（@kato_anatomy）」として美術解剖学に関する情報を発信している。

美術解剖学とは何か

二〇二〇年七月三〇日　初版第一刷発行

著　者　加藤公太

発行者　工藤秀之

発行所　株式会社トランスビュー
東京都中央区日本橋人形町二-三〇-六
郵便番号一〇三-〇〇一三
電話〇三（三六六四）七三三四
URL http://www.transview.co.jp

装丁　フロッグキングスタジオ
（森田直+積田野麦）

印刷・製本　中央精版印刷

ISBN978-4-7987-0178-3 C0070　*Printed in Japan*

© Kota Kato 2020